#최강 TOT 수능 킬러를 집필하신 선생님

김동현 서울대_평촌설연고학원

손인준 서울대_평촌설연고학원

박광성 서울대_평촌설연고학원

김찬규 서울대_평촌설연고학원

해법수학연구회

#최강 TOT 수능 킬러를 검토하신 선생님

전준홍(강남구청 인강), **박성웅**(MCM 수학 학원), **황교일**(케이스 수학 학원), **이원규**(무한꿈터), **이영진**(무한꿈터 남천점), **정다영**(무한꿈터 남천점), **노태범**(부산 자하연 학원), **문정연**(수학의 힘, 제주), **박종철**(수학의 힘, 제주), **현주현**(수학의 힘, 제주), **고건용**(수학의 힘, 제주), **김지운**(깊은 생각, 분당), **권용석**(깊은 생각, 서초), **한병일**(깊은 생각, 평촌), **박중희**(사유자재 학원, 본원), **김영진**(클라비스학원), **홍인철**(분당 메이져 학원), **최희철**(Speedmath 수학 전문학원), **이태형**(가토 수학과학 학원), **김봉조**(퍼스트 클래스 수학전문학원), **김민채**(자유자재 학원, 김해), **구평완**(구평완 수학전문학원), **윤성길**(몬스터 매쓰 학원), **성준우**(수학 걱정없는 세상 만들기), **최수남**(영수 배움교실), **조은영**(고려 수학), **김동철**(토트라 수학 학원), **김주현**(KIST 수학), **전성호**(탑시크릿 학원), **양형준**(대들보 수학원), **서영덕**(탑앤탑 학원), **김진규**(서울 바움 수학), **류미진**(수학 교실), **천은경**(수학 멘토), **김지윤**(광교 오드 수학), **정하윤**(랑 수학교습소), **김치욱**(비상 아이비츠), **김민정**(위홈 스터디), **배진문**(수학의 달인 광주 양산학원), **신주환**(올마이티 학원), **정원구**(지성과 감성), **이아람**(퍼펙트 브레인학원), **나혜림**(평촌 퍼스트수학 학원), **노명훈**(노명훈쌤의 알수학 학원), **이명환**(다산 더원 수학 학원), **윤인영**(브레인 학원), **이대종**(풀린다 수학 교습소), **기미나**(기쌤 수학), **봉우리**(하이클래스), **김민정**(수와 상상), **김성은**(블랙박스 수학과학 전문학원), **이혜림**(다오른 수학), **김지원**(백곰 수학), **문재웅**(성북 메가스터디 학원), **김보름**(레벨업 수학), **유혜원**(아이위너)

Chunjae
Makes
Chunjae

기획총괄	이영욱
편집개발	김문선, 김혜림
디자인총괄	김희정
표지디자인	윤순미
내지디자인	박희춘, 조유정
제작	황성진, 조규영

발행일	2021년 2월 15일 초판 2021년 2월 15일 1쇄
발행인	(주)천재교육
주소	서울시 금천구 가산로9길 54
신고번호	제2001-000018호
고객센터	1577-0902
교재 내용문의	(02)3282-1712

※ 정답 분실 시에는 천재교육 교재 홈페이지에서 내려받으세요.

최강 TOT

|공통+확률과 통계|

구성과 특징 structure & features

유형 소개 및 대표 문제

출제 가능성이 높은 준킬러 문제와 킬러 문제를 13개의 유형으로 나누어 각 유형별로 출제 경향을 소개하였다.
각 유형의 기출에서 고른 대표 문제를 풀면서 자신의 현재 상태를 점검하고, 만약 부족하다면 그 유형에 속한 모든 문제를 빼놓지 않고 공부할 것을 추천한다.

쌍둥이 문제

이 문제집의 유형 11 '빈칸 채우기'를 제외한 나머지 12개 각 유형에서 소개한 **02**-1, **02**-2와 **03**-1, **03**-2는 쌍둥이 문제이다. 단순히 문제 내용에서 숫자만 바꾼 것도 일부 있지만 변형 정도가 조금 큰 문제도 있으므로 1등급을 받기에 조금 부족한 상태라면 쌍둥이 문제라 하더라도 빼놓지 않고 학습하도록 한다.

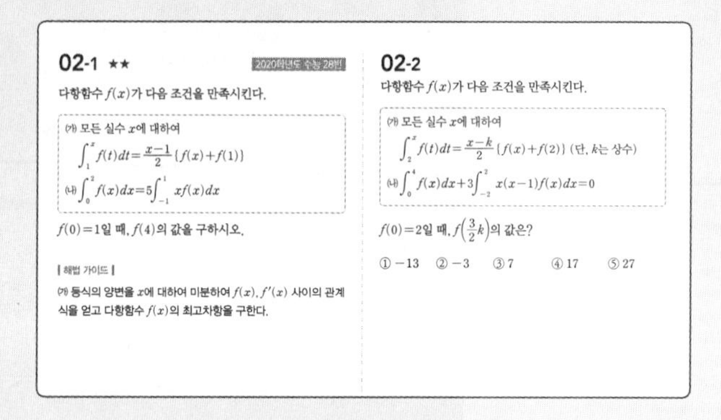

02-1 ★★ 2020학년도 수능 28번

다항함수 $f(x)$가 다음 조건을 만족시킨다.

(가) 모든 실수 x에 대하여
$\int_1^x f(t)dt=\frac{x-1}{2}\{f(x)+f(1)\}$
(나) $\int_0^2 f(x)dx=5\int_{-1}^1 xf(x)dx$

$f(0)=1$일 때, $f(4)$의 값을 구하시오.

| 해법 가이드 |
(가) 등식의 양변을 x에 대하여 미분하여 $f(x)$, $f'(x)$ 사이의 관계식을 얻고 다항함수 $f(x)$의 최고차항을 구한다.

02-2

다항함수 $f(x)$가 다음 조건을 만족시킨다.

(가) 모든 실수 x에 대하여
$\int_2^x f(t)dt=\frac{x-k}{2}\{f(x)+f(2)\}$ (단, k는 상수)
(나) $\int_0^4 f(x)dx+3\int_{-2}^2 x(x-1)f(x)dx=0$

$f(0)=2$일 때, $f\left(\frac{3}{2}k\right)$의 값은?

① -13 ② -3 ③ 7 ④ 17 ⑤ 27

난이도 표시

★ 틀리면 절대 안 되는 4점 문제
★★ 조금 어려운 4점 문제
★★☆ 준킬러 문제
★★★ 킬러 문제

04 ★

최고차항의 계수가 양수인 삼차함수 $f(x)$에 대하여 다음이 성립할 때, $f(1)+f(3)$의 값을 구하시오.

(가) $\int_1^x f(t)dt \ge \frac{x-1}{2}\{f(x)+f(1)\}$ (단, $x>1$)이고, $x=5$이면 등호가 성립하며, 이때 $\int_1^x f(t)dt=12$이다.
(나) $f(5)=5$

07 ★★

다항함수 $f(x)$에 대하여 $f(1)=4$이고, 다음 등식이 성립할 때, $f(2)=k$이다. k^2의 값을 구하시오.

$$\int_1^x (x+t)f'(t)dt=2xf(x)+2x^3+ax^2+bx$$

09 ★★☆

함수 $f(x)=x^3+ax^2+bx+c$와 직선인 함수 $y=g(x)$에 대하여 $h(x)=\frac{f(x)+g(x)-|f(x)-g(x)|}{2}$이다.

또 $x\ge0$에서 정의된 함수 $p(x)=\int_{-x}^{3x} h(t)dt$에 대하여 다음이 성립할 때 $f(3)$의 값을 구하시오.

(단, a, b, c는 상수, $f(1)=g(1)$)

(가) 구간 $0<x<2$에서만 $p(x)$는 일차함수이다.
(나) 구간 $0<x<3$에서 $p(x)$는 증가한다.
(다) 구간 $x>3$에서 $p(x)$는 감소한다.

12 ★★★

다음과 같은 조건을 만족시키는 함수 $f(x)$가 있다. 이때 함수 $g(x)=\int_x^{x+2} f(t)dt$에 대한 설명으로 **보기**에서 옳은 것만을 있는대로 고른 것은?

(가) $f(x)=x$ $(-1\le x\le 1)$ (나) $f(2-x)=f(x)$
(다) $f(-x)=-f(x)$

보기
ㄱ. $g'(1)=-2$
ㄴ. $0\le x\le 10$에서 $g(x)$의 극댓값은 1만 존재한다.
ㄷ. 함수 $g(x)$는 주기가 2인 주기함수이다.
ㄹ. $g(-x)=-g(x)$

문제 분류

유형 이름	비킬러 문제		소계	킬러 문제		소계	합계
	기출	변형/예상		기출	변형/예상		
유형 1 지수·로그함수의 그래프 활용하기	5	7	12	1	3	4	**16**
유형 2 지수·로그함수에서 옳은 것 찾기(합답형)	3	7	10	0	0	0	**10**
유형 3 삼각함수와 그 활용	2	11	13	0	1	1	**14**
유형 4 수열의 합과 수열의 규칙성	2	9	11	2	3	5	**16**
유형 5 함수의 극한과 연속	2	10	12	1	2	3	**15**
유형 6 미분과 접선	2	4	6	3	7	10	**16**
유형 7 그래프의 분석과 활용	4	3	7	3	9	12	**19**
유형 8 정적분으로 정의된 함수	3	7	10	2	2	4	**14**
유형 9 정적분의 활용	3	6	9	1	5	6	**15**
유형 10 경우 나누기	4	12	16	0	2	2	**18**
유형 11 빈칸 채우기	2	7	9	0	4	4	**13**
유형 12 조건부확률	4	11	15	0	2	2	**17**
유형 13 정규분포와 추정	3	13	16	0	0	0	**16**
합계	**39**	**107**	**146**	**13**	**40**	**53**	**199**

! 문제에서 ★★☆로 표시한 것은 킬러 문제로 분류하였다. 또 기출 문제 대부분은 단계를 낮추어 표시하였다. 가령 킬러 문제라 할 수 있는 2021학년도 이전 수능이나 모평 21번, 30번 문제를 ★★☆ 또는 ★★으로 표시하였고, 일부만 ★★★로 그대로 표시하였다.

난이도별 문제 개수

비킬러 146문제

킬러 53문제

출처별 문제 개수

기출 52문제

변형+예상 147문제

차례 contents

공통+확률과 통계

집중 공략

유형 01

지수·로그함수의 그래프 활용하기

Mentor Comment

지수·로그함수는 2016학년도(2015년 실시) 수능까지 문·이과 공통 파트에 있었는데, 2017학년도 수능부터 이과 전용 파트로 옮겨졌다가 다시 2021학년도 수능부터 문·이과 공통 파트가 되었다. 특히 문·이과 공통 파트에 있었던 2016학년도 이전 수능에서는 격자점 개수 구하기 같은 고난도 문제가 출제되었고, 그 이후에는 길이, 넓이 및 방정식과 부등식에 관한 문제가 출제되었다. 이제 문·이과 공통 파트에 속하는 만큼 어려운 문제가 출제될 가능성도 높다.

대표 문제

01

2014학년도 수능 30번

좌표평면에서 $a>1$인 자연수 a에 대하여 두 곡선 $y=4^x$, $y=a^{-x+4}$과 직선 $y=1$로 둘러싸인 영역의 내부 또는 그 경계에 포함되고 x좌표와 y좌표가 모두 정수인 점의 개수가 20 이상 40 이하가 되도록 하는 a의 개수를 구하시오.

풀이 preview

두 곡선 $y=4^x$, $y=a^{-x+4}$과 직선 $y=1$로 둘러싸인 영역에서
내부 또는 그 경계선 위에 포함된 x좌표와 y좌표가 모두 정수인 점의 개수를 $f(a)$라 하자.
지수함수 $y=4^x$의 그래프는 $(0, 1)$, $(1, 4)$를 지난다고 생각해 간단히 그릴 수 있다.
한편 $y=a^{-x+4}$의 그래프는 $(0, a^4)$, $(1, a^3)$, $(2, a^2)$, $(3, a)$, $(4, 1)$
을 차례로 지나며, 특히 a값에 관계없이 점 $(4, 1)$을 지난다.
또 밑 a^{-1}이 1보다 작으므로 감소함수임을 알 수 있다.
이때 $a=4$이면 두 곡선은 $x=2$일 때 만나고,
$a<4$, 즉 $a=2$, 3이면 두 곡선은 $x<2$인 점에서 만난다.
또 $a\ge5$이면 두 곡선은 $x>2$인 점에서 만난다.
즉 a값에 따라 다음과 같이 나누어 $f(a)$를 구해본다.

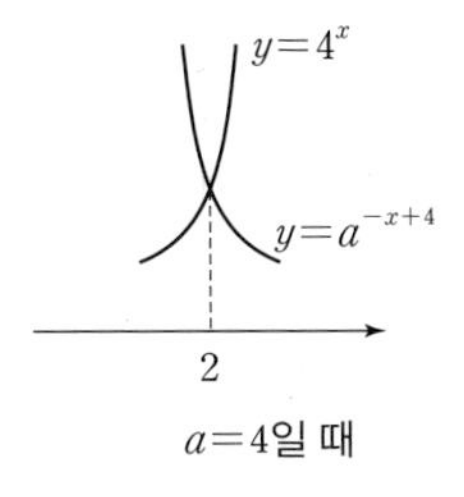

$a=4$일 때

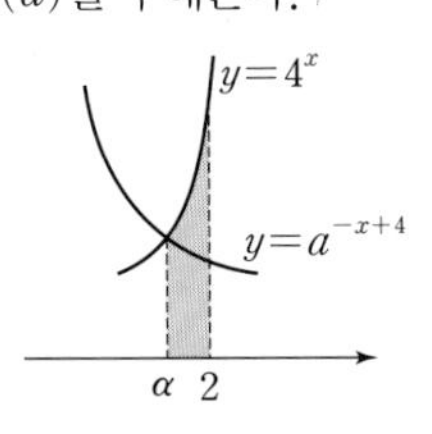

$2\le a<4$일 때

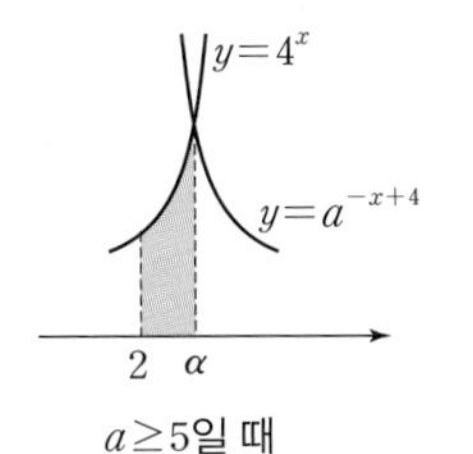

$a\ge5$일 때

✓ 해법 Tip

자연수 a값에 따라 격자점 개수가 달라진다는 점을 생각하고 이를 그래프에서 확인할 수 있어야 한다. 이때 기준이 되는 특별한 a, 가령 $a=4$일 때 조건을 만족시키는지 확인해 보고, $a<4$, $a\ge5$인 경우에도 확인하면 된다. $a=4$일 때는 다음과 같다.

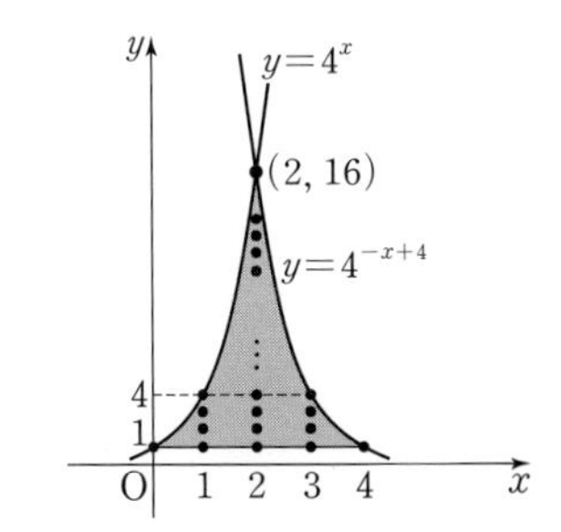

※ 격자점 관련 문제는 기본적으로 직접 그려보고 하나씩 헤아려 보는 것이 중요하다. 이 경우는 x를 기준으로 헤아려보면 좀 더 쉽게 풀 수 있다.

02-1 ★★

2019학년도 9월 고2 학력평가 29번

직선 $y=x+n-2^n$이 두 함수 $y=\log_2 x$, $y=\left(\frac{1}{2}\right)^x$의 그래프와 제1사분면에서 만나는 점을 각각 A, B라 하면, 점 A의 좌표는 $(2^n, n)$이다. $1<\frac{\overline{\text{AB}}}{\sqrt{2}}<10$을 만족시키는 모든 자연수 n의 값의 합을 구하시오.

| 해법 가이드 |

$n\geq 2$일 때 주어진 함수를 그림으로 나타내면 다음과 같다.

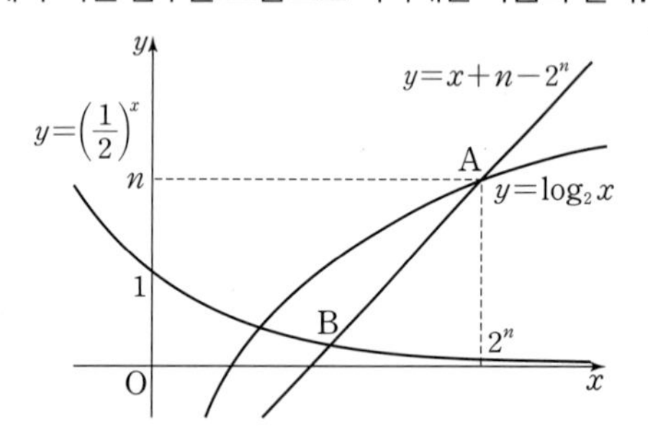

| 풀이 점검 |

1 $n=1$일 때, $\overline{\text{AB}}$의 범위는 ❶ ______________

2 $n\geq 2$일 때 조건을 만족시키는 가장 큰 자연수 $n=$ ❷ ________

02-2

직선 $y=x+n-2^n$이 두 함수 $y=\log_2 x$, $y=\left(\frac{1}{2}\right)^x$의 그래프와 제1사분면에서 만나는 점을 각각 A, B라 하면, 점 A의 좌표는 $(2^n, n)$이다. **보기**에서 옳은 것만을 있는대로 고른 것은?

보기

ㄱ. $n=1$일 때, $\overline{\text{AB}}<\sqrt{2}$

ㄴ. $n=4$일 때, $3\sqrt{2}<\overline{\text{AB}}<4\sqrt{2}$

ㄷ. $4\sqrt{2}<\overline{\text{AB}}<20\sqrt{2}$를 만족시키는 자연수 n값의 합은 200이다.

① ㄱ ② ㄴ ③ ㄱ, ㄴ
④ ㄴ, ㄷ ⑤ ㄱ, ㄴ, ㄷ

| 풀이 점검 |

1 $n=4$일 때, $\overline{\text{AB}}$의 범위는 ❶ ______________

2 $n\geq 2$일 때 $\overline{\text{AB}}$의 범위를 n을 써서 나타내면
❷ ______________

03-1 ★★

2019학년도 6월 고2 학력평가 29번

$0\le x\le 8$에서 정의된 함수 $f(x)$가 다음 조건을 만족시킨다. 함수 $y=f(x)$의 그래프와 x축으로 둘러싸인 부분의 넓이를 S라 할 때, $32S$의 값을 구하시오.

> (가) $f(x)=\begin{cases} 2^x-1 & (0\le x\le 1) \\ 2-2^{x-1} & (1<x\le 2) \end{cases}$
>
> (나) $n=1, 2, 3$일 때,
> $2^n f(x)=f(x-2n)$ $(2n<x\le 2n+2)$

| 해법 가이드 |

$n=1$일 때, $2f(x)=f(x-2)$ $(2<x\le 4)$

즉 $f(x)=\frac{1}{2}f(x-2)$이므로 구간 $2<x<4$에서 함수 $f(x)$는 구간 $0<x<2$의 $f(x)$를 x축으로 2만큼 평행이동한 다음 함숫값을 $\frac{1}{2}$만큼 축소한 것과 같다.

| 풀이 점검 |

1. $0\le x\le 2$에서 $y=f(x)$의 그래프와 x축으로 둘러싸인 부분의 넓이는 ❶ ________
2. $2\le x\le 4$에서 $y=f(x)$의 그래프와 x축으로 둘러싸인 부분의 넓이는 ❷ ________

03-2

자연수 p에 대하여 $0\le x\le 2p$에서 정의된 함수 $f(x)$가 다음 조건을 만족시킨다.

> (가) $f(x)=\begin{cases} 3^x-1 & (0\le x\le 1) \\ 3-3^{x-1} & (1<x\le 2) \end{cases}$
>
> (나) $n=1, 2, 3, \cdots, p-1$일 때,
> $2^n f(x)=f(x-2n)$ $(2n<x\le 2n+2)$

함수 $y=f(x)$의 그래프와 x축으로 둘러싸인 부분의 넓이를 S라 할 때, $S=4-\left(\frac{1}{2}\right)^{10}$이다. p의 값을 구하시오.

| 풀이 점검 |

1. $0\le x\le 2$에서 $y=f(x)$의 그래프와 x축으로 둘러싸인 부분의 넓이는 ❶ ________
2. $2\le x\le 4$에서 $y=f(x)$의 그래프와 x축으로 둘러싸인 부분의 넓이는 ❷ ________

04 ★

2019학년도 수능 14번

이차함수 $y=f(x)$의 그래프와 일차함수 $y=g(x)$의 그래프가 그림과 같을 때, 부등식 $\left(\frac{1}{2}\right)^{f(x)g(x)} \geq \left(\frac{1}{8}\right)^{g(x)}$를 만족시키는 모든 자연수 x값의 합은?

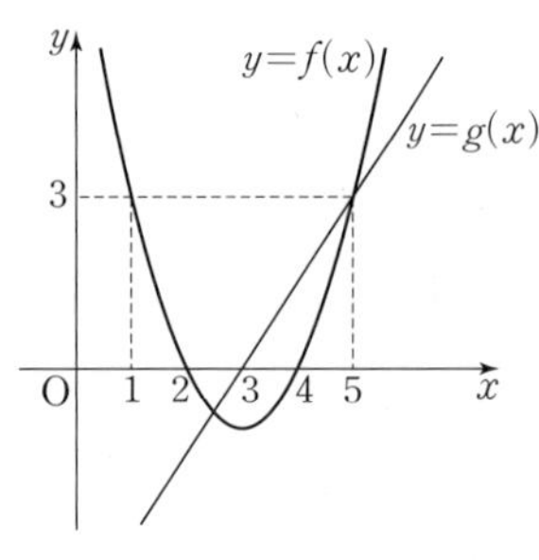

① 7　② 9　③ 11　④ 13　⑤ 15

| 해법 가이드 |

주어진 지수부등식에서 밑을 같게 만든 다음 그래프를 이용한다.

| 풀이 점검 |

주어진 조건을 만족시키는 자연수 x를 모두 구하면

______

05 ★★

함수 $f(x)=\left(\frac{1}{2}\right)^{x-3}-16$에 대하여 함수 $y=|f(x)|$의 그래프와 곡선 $g(x)=\left(\frac{1}{2}\right)^{x-a}+b$가 제1사분면에서 만나도록 하는 순서쌍 (a, b)의 개수를 구하시오.

(단, $1\leq a\leq 5$인 자연수, b는 정수이다.)

| 해법 가이드 |

두 곡선 $y=|f(x)|$와 $y=g(x)$가 제1사분면에서 만나지 않는 경우를 생각해 본다.

| 풀이 점검 |

$y=|f(x)|$의 그래프와 곡선 $g(x)=\left(\frac{1}{2}\right)^{x-a}+b$가 제1사분면에서 만나려면 $g(0)>$ ❶ ______ 이고, $b<$ ❷ ______ 이어야 한다.

06 ★★

2019학년도 3월 학력평가 27번

그림처럼 직선 $y=2$가 두 곡선 $y=\log_2 4x$, $y=\log_2 x$와 만나는 점을 각각 A, B라 하고, 직선 $y=k$ $(k>2)$가 두 곡선 $y=\log_2 4x$, $y=\log_2 x$와 만나는 점을 각각 C, D라 하자. 점 B를 지나고 y축과 평행한 직선이 직선 CD와 만나는 점을 E라 하면 점 E는 선분 CD를 $1:2$로 내분한다. 사각형 ABDC의 넓이를 S라 할 때, $12S$의 값을 구하시오.

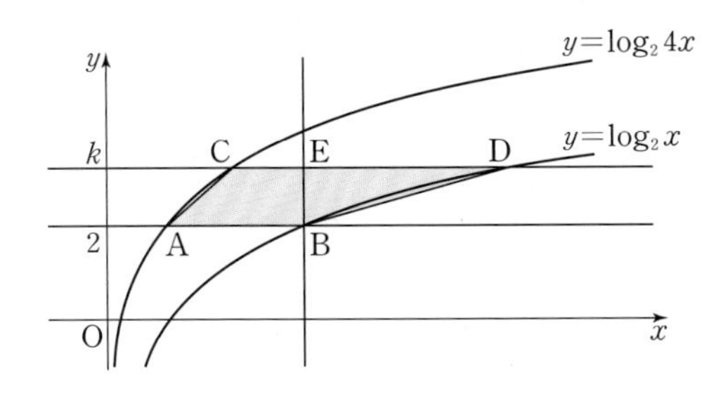

| 해법 가이드 |

- 교점 C, D의 좌표를 k로 나타낸다.
- 점 E의 x좌표가 점 B의 x좌표와 같다.

| 풀이 점검 |

[1] E가 선분 CD를 $1:2$로 내분하는 점이므로 $k=$ ❶ ______

[2] $\overline{AB}=$ ❷ ______ 이고, $\overline{CD}=$ ❸ ______ 이므로 $S=$ ❹ ______

07 ★★

자연수 n에 대하여 두 곡선 $y=3^x-n$, $y=\log_3(x+n)$으로 둘러싸인 영역의 내부 또는 그 경계에 포함되고 x좌표와 y좌표가 모두 정수인 점의 개수를 a_n이라 한다. 예를 들면 $a_4=21$이다. a_{12}의 값을 구하시오.

| 해법 가이드 |

- $y=3^x-n$에서 x, y를 바꿔 정리하면 $y=\log_3(x+n)$, 즉 역함수 관계이므로 두 곡선 $y=3^x-n$, $y=\log_3(x+n)$은 $y=x$에 대칭이다.
- $a_4=21$인지 확인하면서 문제를 푸는 방법을 생각해 본다.

| 풀이 점검 |

$y=3^x-12$와 $y=\log_3(x+12)$의 그래프를 그려 격자점을 확인하면 다음과 같다.

제1사분면 ⇨ ❶ ______ (개)

y축과 제2사분면 ⇨ ❷ ______ (개)

제3사분면(x, y축 포함) ⇨ ❸ ______ (개)

x축과 제4사분면 ⇨ ❹ ______ (개)

08 ★★

그림과 같이 지수함수 $f(x)=a^x$와 $g(x)=a^{2x}$의 그래프는 직선 $y=x$와 각각 서로 다른 두 점에서 만난다.
$f(x)=a^x$의 그래프, $g(x)=a^{2x}$의 그래프와 직선 $x=k$의 교점이 각각 P, Q이고, 두 직선 $y=x$와 $x=k$의 교점이 R이며, $k=2$일 때는 두 점 Q, R가 일치한다. $\overline{\mathrm{PQ}}=\frac{1}{n}$을 만족시키는 실수 k의 개수를 p_n이라 하자. $\sum_{n=1}^{10} p_n$의 값을 구하시오. (단, $a>1$)

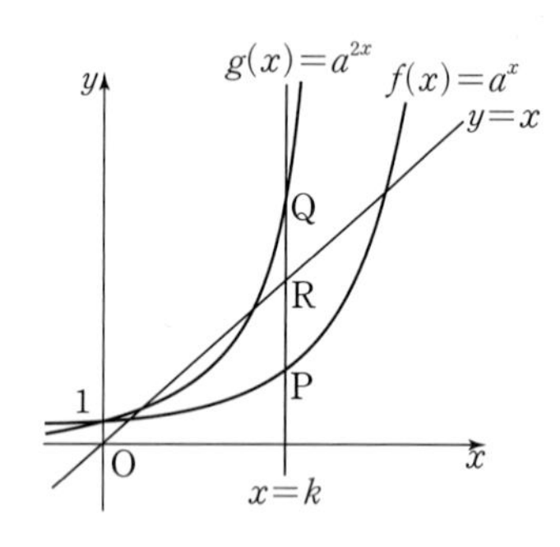

| 해법 가이드 |

P(k, a^k), Q(k, a^{2k}), R(k, k)에서 두 점 Q와 R가 일치하면 두 점의 y좌표가 같다.

| 풀이 점검 |

1 $p_1=p_2=p_3=$ ❶ ______

2 $p_5=p_6=p_7=\cdots\cdots=p_{10}=$ ❷ ______

09 ★★

2018학년도 사관학교 18번

좌표평면에서 자연수 n에 대하여 다음 조건을 만족시키는 정사각형의 개수를 a_n이라 하자.

> (가) 한 변의 길이가 n이고 네 꼭짓점의 x좌표와 y좌표가 모두 자연수이다.
> (나) 두 곡선 $y=\log_2 x$, $y=\log_{16} x$와 각각 서로 다른 두 점에서 만난다.

a_3+a_4의 값은?

① 21　② 23　③ 25　④ 27　⑤ 29

| 해법 가이드 |

$n=3$일 때 (가), (나)를 만족시키는 경우를 그려보면 다음과 같다.

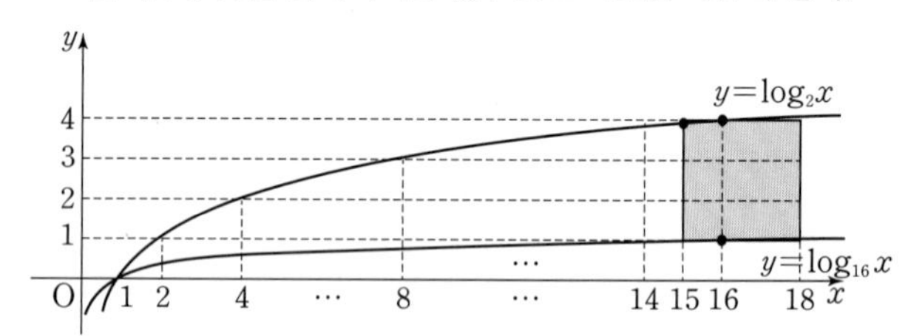

| 풀이 점검 |

1 $n=3$일 때 $a_3=$ ❶ ______

2 $n=4$일 때 $a_4=$ ❷ ______

10 ★★

그림과 같이 함수 $y=\log_2 32x$의 그래프 위의 두 점 A, B와 함수 $y=\log_2 2x$의 그래프 위의 점 C에 대하여 선분 AC가 y축에 평행하고 △ABC가 정삼각형일 때, 정삼각형 ABC의 무게중심 G의 좌표는 (p, q)이다. 이때 함수 $y=\log_{\frac{1}{2}} x+k$의 그래프가 점 G를 지난다고 한다. $k\times p\times 2^q$의 값을 구하시오.

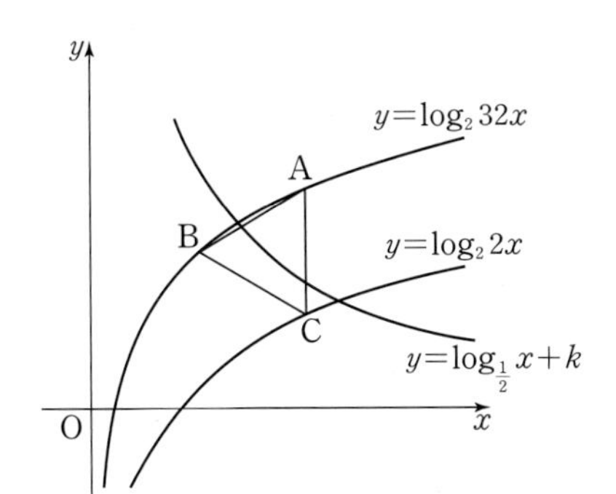

| 해법 가이드 |

- 정삼각형 ABC의 꼭짓점 B에서 밑변에 내린 수선의 발은 변 AC를 수직이등분한다.
- 점 A의 x좌표를 t라 하고 점 B의 자표를 t로 나타낸다.

| 풀이 점검 |

1 점 A의 x좌표를 t라 하면 $t=$ ❶ ________

2 △ABC의 무게중심 G의 좌표에서

$p=$ ❷ ________, $q=$ ❸ ________

11 ★★

함수 $y=\log_2|5x|$의 그래프와 함수 $y=\log_2(x+2)$의 그래프가 만나는 서로 다른 두 점을 각각 A, B라 하고, 함수 $y=\log_2|5x|$의 그래프와 함수 $y=\log_2(x+m)$의 그래프가 만나는 서로 다른 두 점을 각각 $C(p, q)$, $D(r, s)$라 하자. 다음 조건을 만족시킬 때, 사각형 ABDC의 넓이는 $\log_2 k$이다. $200k^2$의 값을 구하시오.

> (가) $m>2$인 자연수이다.
> (나) 직선 AB 기울기의 2배는 직선 CD 기울기의 3배와 같다.
> (다) 점 A의 x좌표는 점 B의 x좌표보다 작고, $p<r$이다.

| 해법 가이드 |

네 교점 A, B, C, D의 좌표를 모두 구하고 직선 AB 기울기의 2배가 직선 CD 기울기의 3배임을 이용한다.

| 풀이 점검 |

1 두 꼭짓점 A, B의 좌표는

❶ ________________________

2 m값을 대입해 구한 두 꼭짓점 C, D의 좌표는

❷ ________________________

12 ★★☆

2012학년도 수능 30번 변형

자연수 a, b에 대하여 곡선 $y=a^{x+1}$과 곡선 $y=b^{x}$이 직선 $x=t$와 만나는 점을 각각 P, Q라 하자. 다음 조건을 만족시키는 a, b의 모든 순서쌍 (a, b)의 개수를 구하시오.

> (가) $2 \leq a \leq 10$, $2 \leq b \leq 12$
> (나) $t \geq 1$인 어떤 실수 t에 대하여 $\overline{PQ} \leq 12$이다.

| 해법 가이드 |

- $\overline{PQ} \leq 12$를 만족시키는 실수가 적어도 하나 존재하려면 $\overline{PQ}$의 최솟값이 12 이하이면 된다.
- $a \geq b$와 $a < b$인 경우로 나누어 생각한다.

| 풀이 점검 |

1 $a \geq b$일 때 순서쌍 (a, b)의 개수는 ❶ ______

2 $a < b$일 때 순서쌍 (a, b)의 개수는 ❷ ______

13 ★★☆

2013학년도 수능 30번 변형

좌표평면에서 자연수 n에 대하여 영역

$$\{(x, y) \mid 3^x - n \le y \le \log_3(x+n)\}$$

은 곡선 $y=3^x-n$과 곡선 $y=\log_3(x+n)$ 사이에 있는 경계선을 포함하는 부분(그림에서 색칠해서 나타낸 부분)과 같다. 이 영역에 속하는 점 중 다음 조건을 만족시키는 점의 개수를 a_n이라 하자.

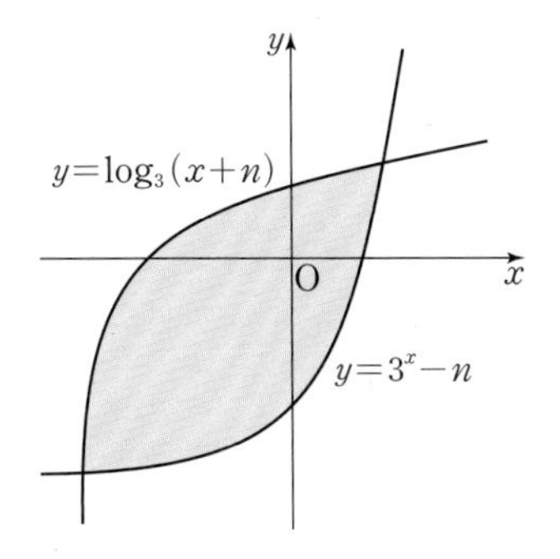

(가) x좌표와 y좌표는 서로 같다.
(나) x좌표와 y좌표는 모두 정수이다.

예를 들어, $a_1=1$, $a_2=3$이다. $\sum_{n=1}^{100} a_n$의 값은?

① 5340 ② 5344 ③ 5348
④ 5352 ⑤ 5356

| 해법 가이드 |

- $y=3^x-n$, 즉 $x=\log_3(y+n)$에서 x, y를 바꾸면 $y=\log_3(x+n)$이므로 두 함수가 서로 역함수 관계임을 이용한다.
- 원점을 포함한 제3사분면에 있는 격자점과 제1사분면에 있는 격자점으로 나누어 생각한다.

| 풀이 점검 |

원점을 포함해 제3사분면에 있는 격자점의 개수를 b_n, 제1사분면에 있는 격자점의 개수를 c_n이라 하면

$a_n=b_n+c_n$이므로 $\sum_{n=1}^{100} a_n = \sum_{n=1}^{100} b_n + \sum_{n=1}^{100} c_n$에서

$\sum_{n=1}^{100} b_n =$ ❶ ________, $\sum_{n=1}^{100} c_n =$ ❷ ________

14 ★★☆ 2014학년도 수능 30번 (대표문제) 변형

좌표평면 위의 두 곡선 $f(x)=x^3+2$, $g(x)=a^{-x+5}$과 직선 $y=1$로 둘러싸인 경계선을 포함하는 영역에서 x좌표와 y좌표가 모두 정수인 점의 개수를 $N(a)$라 하자.
$35 \leq N(a) \leq 100$을 만족시키는 자연수 a의 개수는?

(단, $a>1$)

① 51 ② 52 ③ 53
④ 54 ⑤ 55

| 해법 가이드 |

함수 $g(x)=a^{-x+5}$의 그래프가 점 $(5, 1)$을 지나고, 감소하는 모양임을 감안해 두 함수의 그래프 개형을 함께 나타낸다.

| 풀이 점검 |

[1] $1<k\leq 2$일 때 $N(a)=$ ❶ ________

[2] $2<k\leq 3$일 때 $N(a)=$ ❷ ________

[3] $3<k\leq 4$일 때 $N(a)=$ ❸ ________

집중 공략

유형 02

지수 · 로그함수에서 옳은 것 찾기 (합답형)

Mentor Comment

지수 · 로그함수 단원에서 합답형(ㄱ, ㄴ, ㄷ에서 옳은 것 찾기) 유형은 과거 수능에서 꾸준히 나왔다. 이번 교육 과정에서도 함수 영역이 강조된다면 충분히 출제 가능한 유형이다. 대개 그래프를 이용해 대소 비교, 기울기 비교, 넓이 비교 등을 어떻게 이용하느냐가 관건이다. 또한 지수함수와 로그함수가 역함수인 관계를 이용하는 문제나 위로 볼록, 아래로 볼록 관계를 물어보는 문제들도 대표적인 유형이다.

※ 합답형은 물음 하나 하나가 독립적이기 보다는 ㄱ, ㄴ, ㄷ이 연결되는 경우가 많으므로 ㄷ이 어려우면 ㄱ, ㄴ에서 힌트를 찾아보도록 한다.

대표 문제

01

2011학년도 수능 16번

좌표평면에서 두 곡선 $y=|\log_2 x|$와 $y=\left(\frac{1}{2}\right)^x$이 만나는 두 점을 $P(x_1, y_1)$, $Q(x_2, y_2)$ $(x_1<x_2)$라 하고, 두 곡선 $y=|\log_2 x|$와 $y=2^x$이 만나는 점을 $R(x_3, y_3)$이라 하자. 옳은 것만을 **보기**에서 있는 대로 고른 것은?

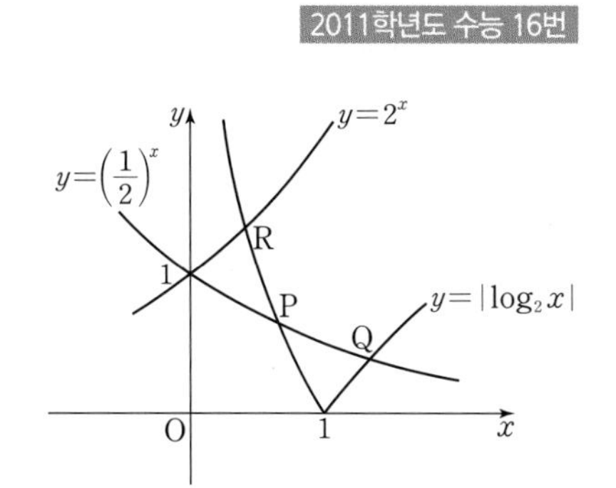

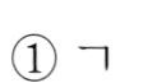

ㄱ. $\frac{1}{2}<x_1<1$ ㄴ. $x_2y_2-x_3y_3=0$ ㄷ. $x_2(x_1-1)>y_1(y_2-1)$

① ㄱ ② ㄷ ③ ㄱ, ㄴ
④ ㄴ, ㄷ ⑤ ㄱ, ㄴ, ㄷ

풀이 preview

ㄱ. $y=|\log_2 x|$에서 $x=\frac{1}{2}$일 때

$y=-\log_2 \frac{1}{2}=1$이므로

점 $\left(\frac{1}{2}, 1\right)$과 $P(x_1, y_1)$의 x, y좌표를 각각 비교해 본다.

ㄴ. 두 곡선 $y=\left(\frac{1}{2}\right)^x$과 $y=\log_2 x$가 만나는 점이 Q이다.

이때 $y=\left(\frac{1}{2}\right)^x$의 역함수인

$y=-\log_2 x$와 $y=\log_2 x$의 역함수인 $y=2^x$이 만나는 점 R는 점 Q를 직선 $y=x$에 대하여 대칭이동한 것과 같다.

ㄷ. 점 $(0, 1)$과 점 P를 지나는 직선의 기울기와 점 $(0, 1)$과 점 Q를 지나는 직선의 기울기를 이용한다.

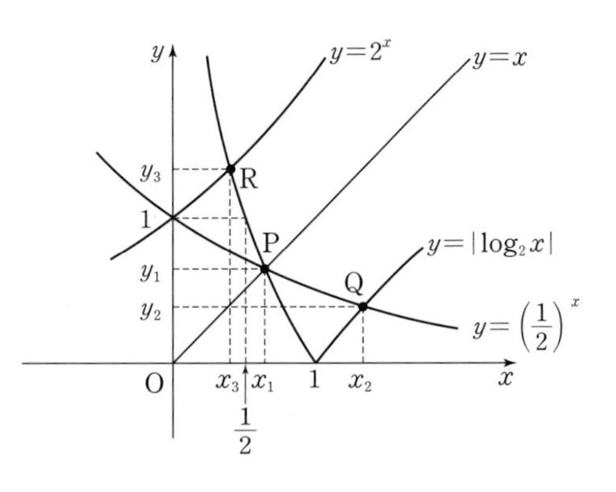

✓ 해법 Tip

1 ㄱ은 크기 비교, ㄴ은 넓이 비교, ㄷ은 기울기 비교로 생각할 수 있다.

2 $y=\left(\frac{1}{2}\right)^x$, $y=2^x$, $y=|\log_2 x|$에서 역함수 관계인 것을 찾아 직선 $y=x$에 대한 대칭을 이용한다.

02-1 ★

2009학년도 수능 11번

직선 $y=x$가 곡선 $y=\log_a x$와 만나는 점을 (p, p)라 하고, 직선 $y=x$가 곡선 $y=\log_{2a} x$와 만나는 점을 (q, q)라 하자. **보기**에서 옳은 것만을 있는 대로 고른 것은? $\left(\text{단, } 0<a<\frac{1}{2}\right)$

보기	
ㄱ. $p=\frac{1}{2}$이면 $a=\frac{1}{4}$이다.	ㄴ. $p<q$
ㄷ. $a^{p+q}=\frac{pq}{2^q}$	

① ㄱ ② ㄱ, ㄴ ③ ㄱ, ㄷ
④ ㄴ, ㄷ ⑤ ㄱ, ㄴ, ㄷ

| 해법 가이드 |

$0<a<\frac{1}{2}$인 $a=\frac{1}{4}$을 이용하여 $y=\log_a x$와 $y=\log_{2a} x$의 그래프를 그려본다.

| 풀이 점검 |

$y=\log_{2a} x$와 직선 $y=x$가 만나는 점의 좌표가 (q, q)이므로
$a^q=$ ______

02-2

직선 $y=x$가 곡선 $y=a^x$과 만나는 점을 (p, p), 직선 $y=x$가 곡선 $y=(2a)^x$과 만나는 점을 (q, q)라 하자. **보기**에서 옳은 것만을 있는 대로 고른 것은? $\left(\text{단, } 0<a<\frac{1}{2}\right)$

보기	
ㄱ. $p>q$	ㄴ. $p=\log_a p$, $q=\log_{2a} q$
ㄷ. $a^{p+q}=\frac{pq}{2^p}$	

① ㄱ ② ㄴ ③ ㄱ, ㄷ
④ ㄴ, ㄷ ⑤ ㄱ, ㄴ, ㄷ

| 풀이 점검 |

두 곡선과 직선 $y=x$가 만나는 점을 이용하면
$a^p=$ ❶ ______ 이고, $(2a)^q=$ ❷ ______ 이다.

03-1 ★★

2010학년도 수능 16번

자연수 $n\ (n\geq 2)$에 대하여 직선 $y=-x+n$과 곡선 $y=|\log_2 x|$가 만나는 서로 다른 두 점의 x좌표를 각각 $a_n,\ b_n\ (a_n<b_n)$이라 할 때, **보기**에서 옳은 것만을 있는 대로 고른 것은?

보기

ㄱ. $a_2<\dfrac{1}{4}$

ㄴ. $0<\dfrac{a_{n+1}}{a_n}<1$

ㄷ. $1-\dfrac{\log_2 n}{n}<\dfrac{b_n}{n}<1$

① ㄱ　② ㄴ　③ ㄷ　④ ㄴ, ㄷ　⑤ ㄱ, ㄴ, ㄷ

| 해법 가이드 |

$y=|\log_2 x|$와 $y=-x+n$, $y=-x+n+1$을 함께 그려 놓고, 두 직선과 $y=-\log_2 x$의 그래프가 만나는 점의 x좌표를 a_n, a_{n+1}이라 하고, 두 직선과 $y=\log_2 x$의 그래프가 만나는 점의 x좌표를 b_n, b_{n+1}이라 한다.

| 풀이 점검 |

ㄴ. n값이 커질수록 a_n의 값은 ❶ ________

ㄷ. $n\geq 2$에서 n과 b_n의 대소를 생각하면 ❷ ________

03-2

자연수 $n\ (n\geq 2)$에 대하여 직선 $y=-x+n$과 곡선 $y=|\log_2 x|$가 만나는 서로 다른 두 점의 x좌표를 각각 $a_n,\ b_n\ (a_n<b_n)$이라 할 때, **보기**에서 옳은 것만을 있는 대로 고른 것은?

보기

ㄱ. $\dfrac{a_{n+1}}{a_n}<\dfrac{b_{n+1}}{b_n}$

ㄴ. $\dfrac{\log_2 a_n b_n}{a_n-b_n}+\dfrac{\log_2 a_{n+1} b_{n+1}}{a_{n+1}-b_{n+1}}=2$

ㄷ. $\dfrac{\log_2 b_n}{b_n-1}<\dfrac{\log_2 b_{n+1}}{b_{n+1}-1}$

① ㄱ　② ㄴ　③ ㄷ　④ ㄱ, ㄴ　⑤ ㄱ, ㄴ, ㄷ

| 풀이 점검 |

ㄴ. 두 점 $\mathrm{A}_n(a_n,\ -\log_2 a_n)$, $\mathrm{B}_n(b_n,\ \log_2 b_n)$에 대하여 직선 $\mathrm{A}_n\mathrm{B}_n$의 기울기는 ________

04 ★★

$f(x)=\log_k x\ (k>1)$의 그래프를 이용하여 **보기**에서 옳은 것만을 있는 대로 고른 것은? (단, $1<a<b$)

보기

ㄱ. $3\log_k \frac{2a+b}{3}>2\log_k a+\log_k b$

ㄴ. $b\log_k a<a\log_k b$

ㄷ. $\frac{\log_k a}{2(b-1)}<\frac{\log_k b}{2(a-1)}$

① ㄱ　② ㄱ, ㄴ　③ ㄱ, ㄷ　④ ㄴ, ㄷ　⑤ ㄱ, ㄴ, ㄷ

| 해법 가이드 |

$y=f(x)$의 그래프에서 점의 위치(함숫값), 기울기 비교, 넓이 비교를 이용한다.

| 풀이 점검 |

그래프 위에 두 점 $P(a, f(a))$, $Q(b, f(b))$를 잡을 때

1. y축에 평행하고 선분 PQ를 $1:2$로 내분하는 점의 좌표는 ❶ ______
2. 점 $C(1, 0)$에 대하여 △PCA의 넓이는 ❷ ______

05 ★★

곡선 $f(x)=2^x-1$ 위의 임의의 두 점에 대하여 x좌표를 각각 a, b $(0<a<b)$라 하고, 직선 $y=-x+4$와 만나는 점을 $A(a_1, a_2)$라 한다. 또 곡선 $g(x)=\log_3(x+1)$이 직선 $y=-x+4$와 만나는 점을 $B(b_1, b_2)$라 하고, 두 곡선 $y=f(x)$, $y=g(x)$의 교점을 $C(c_1, c_2)$라 할 때. **보기**에서 옳은 것만을 있는 대로 고른 것은?

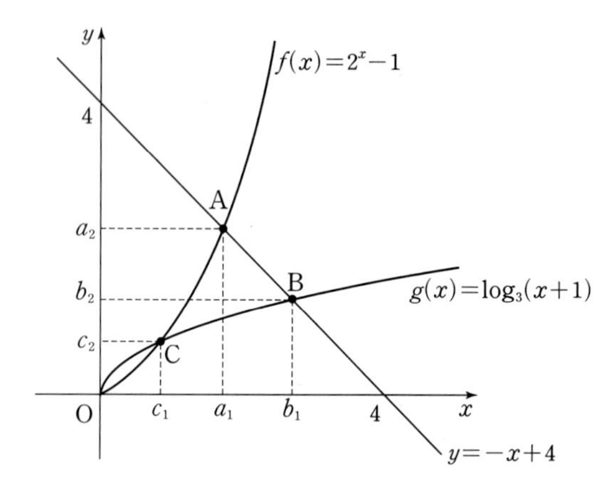

보기

ㄱ. $0<c_1<1$　ㄴ. $b-a<2^b-2^a$

ㄷ. $a_1a_2<b_1b_2$

① ㄱ　② ㄴ　③ ㄱ, ㄴ　④ ㄱ, ㄷ　⑤ ㄱ, ㄴ, ㄷ

| 해법 가이드 |

- $f(x)=2^x-1$의 역함수인 $h(x)=\log_2(x+1)$을 생각한다.
- ㄱ은 점의 위치, ㄴ은 기울기, ㄷ은 넓이를 각각 비교한다.

| 풀이 점검 |

1. 곡선 $f(x)=2^x-1$ 위의 임의의 두 점 $P(a, f(a)$, $Q(b, f(b))$를 지나는 직선의 기울기는 ❶ ______
2. a_1a_2와 b_1b_2의 크기를 비교하면 ❷ ______

06 ★★

2021학년도 수능 6월 모의평가 21번 변형

두 곡선 $y=|4^{-x}-1|$과 $y=-2x^2+2$가 만나는 두 점을 (x_1, y_1), (x_2, y_2)라 하자. $x_1<x_2$일 때, **보기**에서 옳은 것만을 있는 대로 고른 것은?

보기

ㄱ. $-\frac{1}{\sqrt{2}}<x_1<-\frac{1}{2}$

ㄴ. $1<\frac{y_1}{y_2}<2$

ㄷ. $\frac{y_1-y_2}{x_2-x_1}<1$

① ㄱ ② ㄴ ③ ㄱ, ㄷ
④ ㄴ, ㄷ ⑤ ㄱ, ㄴ, ㄷ

해법 가이드

$f(x)=|4^{-x}-1|$과 $g(x)=-2x^2+2$의 그래프를 함께 그려 보고, 교점을 기준으로 x좌표, y좌표를 비교해 본다.

풀이 점검

1 $g\left(-\frac{1}{2}\right)=\frac{3}{2}$에서 y_1값의 범위는 ❶ ______

2 $g\left(\frac{1}{\sqrt{2}}\right)=1$과 $f(1)=\frac{3}{4}$에서 y_2값의 범위는 ❷ ______

07 ★★

함수 $f(x)=5\times2^x+a$의 그래프를 x축 방향으로 $\log_2 40$만큼 평행이동한 그래프가 함수 $g(x)=\log_2 bx$의 그래프를 x축 방향으로 2만큼 평행이동한 그래프와 직선 $y=x$에 대하여 대칭이다. 또 함수 $y=g(x)$와 $y=x$의 교점의 x좌표를 α, β라 할 때, **보기**에서 옳은 것만을 있는 대로 고른 것은? (단, $\alpha<\beta$)

보기

ㄱ. $a+b=10$ ㄴ. $6<8\alpha+\beta<8$

ㄷ. $\frac{\log_2\beta-\log_2\alpha}{\beta-\alpha}<\frac{\log_2\beta}{\beta-3}$

① ㄱ ② ㄴ ③ ㄱ, ㄴ
④ ㄴ, ㄷ ⑤ ㄱ, ㄴ, ㄷ

해법 가이드

- $y=5\times2^{x-\log_2 40}+a$ …… ㉠, $y=\log_2 b(x-2)$ …… ㉡ 이라 하면 ㉠과 ㉡이 역함수 관계이므로 ㉠의 역함수가 ㉡과 같음을 이용할 수 있다.
- $y=g(x)$와 $y=x$를 그려 두 교점 P, Q의 위치를 확인한다.
- 직선 PQ의 기울기가 1임을 이용한다.

풀이 점검

1 $y=5\times2^{x-\log_2 40}+a$의 역함수는 ❶ ______

2 $\frac{\log_2\beta}{\beta-3}=$ ❷ ______

08 ★★

2013학년도 수능 6월 모의평가 30번 변형

3보다 큰 자연수 n에 대하여 $f(n)$을 다음 조건을 만족시키는 가장 작은 자연수 a라 하자.

(가) $a \geq 3$
(나) 두 점 $(2, 0)$, $(a, \log_n a)$를 지나는 직선의 기울기는 $\frac{1}{2}$보다 작거나 같다.

보기에서 옳은 것만을 있는 대로 고른 것은?

보기

ㄱ. $\log_n a \leq \frac{1}{2}(a-2)$　　ㄴ. $f(4)=4$

ㄷ. $\sum_{n=4}^{32} f(n)=98$

① ㄱ　② ㄴ　③ ㄱ, ㄴ
④ ㄴ, ㄷ　⑤ ㄱ, ㄴ, ㄷ

해법 가이드

$f(4)=4$가 맞는지 확인하면서 $f(n)$의 뜻을 알아보자.

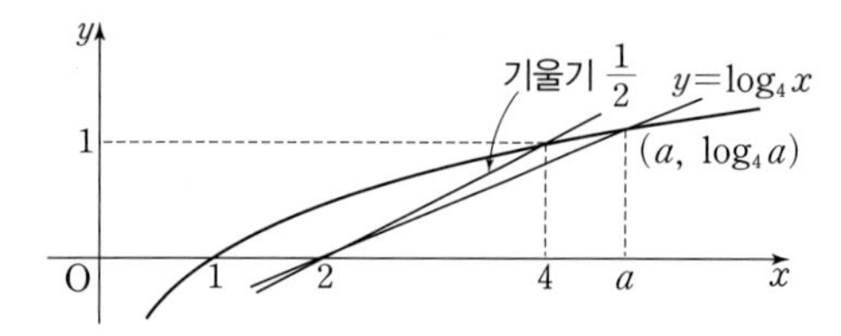

풀이 점검

1 (나)를 부등식으로 나타내면 ❶ ________

2 $n=5, 6, 7, \cdots, 32$일 때 두 점 $(2, 0)$, $(a, \log_n a)$를 지나는 직선의 기울기를 확인해 보면 $f(9)=$ ❷ ________

집중 공략

유형 03

삼각함수와 그 활용

Mentor Comment

수능 실시 이후 삼각함수 단원에서 최고난도로 나온 문제는 드물었지만 2015 개정 교육과정의 수Ⅰ에서 이 단원이 차지하는 비중은 적지 않다. 한편 확률과 통계를 선택하려는 학생들에게는 삼각함수라는 이름만으로도 까다롭다는 느낌을 가지기 일쑤이므로 기본부터 착실히 해놓아야 한다. 수Ⅰ, 수Ⅱ 중 도형(삼각형, 사각형, 원)을 적극적으로 활용하는 몇 안 되는 단원이므로 도형에 약한 학생들일수록 더 많은 연습이 필요하다. 특히 예전에 고정 유형으로 나왔던 무한급수의 활용이 미적분으로 옮겨진 만큼 까다로운 도형 문제는 이 단원에서 출제 될 가능성이 높다는 점도 생각해야 한다.

대표 문제

01

2019학년도 9월 고2 학력평가 19번

반지름 길이가 3인 원의 둘레를 6등분하는 점 중에서 연속된 세 점을 각각 A, B, C라 하자. 점 B를 포함하지 않는 호 AC 위의 점 P에 대하여 $\overline{AP}+\overline{CP}=8$이다. 사각형 ABCP의 넓이는?

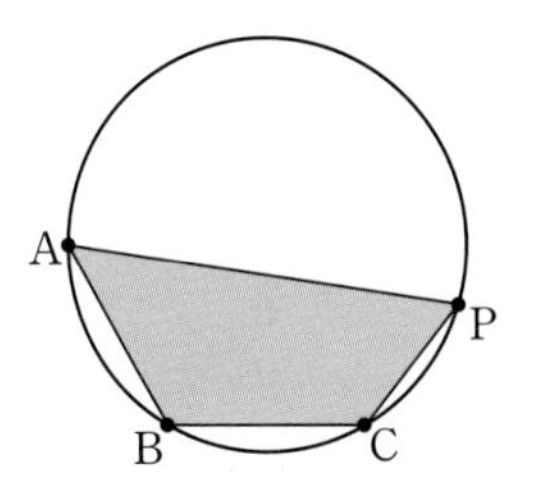

① $\frac{13\sqrt{3}}{3}$　② $\frac{16\sqrt{3}}{3}$　③ $\frac{19\sqrt{3}}{3}$

④ $\frac{22\sqrt{3}}{3}$　⑤ $\frac{25\sqrt{3}}{3}$

풀이 preview

원의 중심을 O라 하자.

$\triangle$OAB와 $\triangle$OBC는 정삼각형이므로 $\overline{AB}=\overline{BC}=3$

$\triangle$ABC에서 $\angle ABC=\frac{2\pi}{3}$이므로 코사인법칙에 따라

$\overline{AC}^2=3^2+3^2-2\times3\times3\times\cos\frac{2\pi}{3}=27$

$\therefore \overline{AC}=3\sqrt{3}$

□ABCP가 원에 내접하므로

$\angle ABC+\angle APC=\pi$, 즉 $\angle APC=\frac{\pi}{3}$

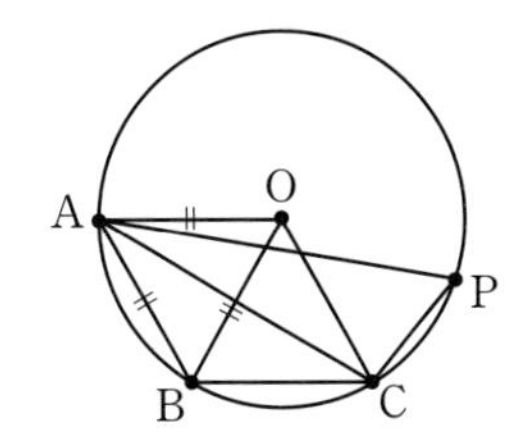

✓ 해법 Tip

1. □ABCP가 원에 내접하므로 $\angle ABC+\angle APC=\pi$
2. $\overline{AC}$의 길이를 구하고 $\triangle$PAC에서 $\angle APC$에 대한 코사인법칙을 사용한다.
3. (□ABCP의 넓이) $=\triangle ABC+\triangle PAC$

02-1 ★

그림과 같이 $\overline{AB}=3$, $\overline{BC}=5$, $\angle ABC=60°$인 평행사변형 ABCD에 대하여 $\angle ABC$의 이등분선을 BE라 하자. $\angle EBD=\theta$라 할 때, $\sin\theta$의 값은?

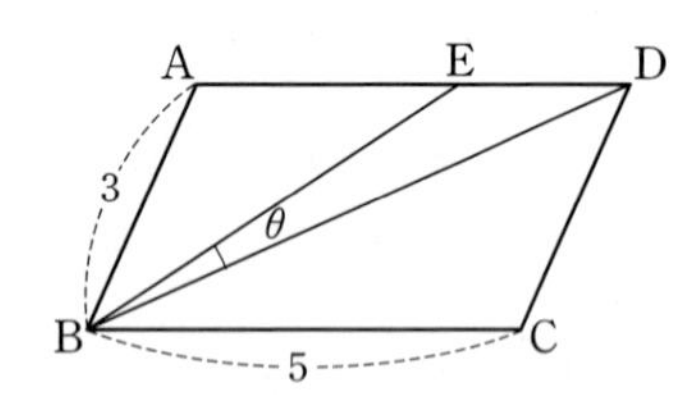

① $\frac{1}{5}$ ② $\frac{1}{6}$ ③ $\frac{1}{7}$ ④ $\frac{1}{8}$ ⑤ $\frac{1}{9}$

| 해법 가이드 |

$\overline{BD}$ 또는 $\overline{BE}$의 길이를 구한다.

| 풀이 점검 |

$\overline{ED}=$ ❶ ________, $\overline{BD}=$ ❷ ________

02-2

그림과 같이 $\overline{AB}=3$, $\overline{BC}=5$, $\angle ABC=\frac{2\pi}{3}$인 둔각삼각형 ABC에 대하여 $\angle ABC$의 이등분선을 BD라 하자. $\angle BDC=\theta$라 할 때, $\sin\theta$의 값은?

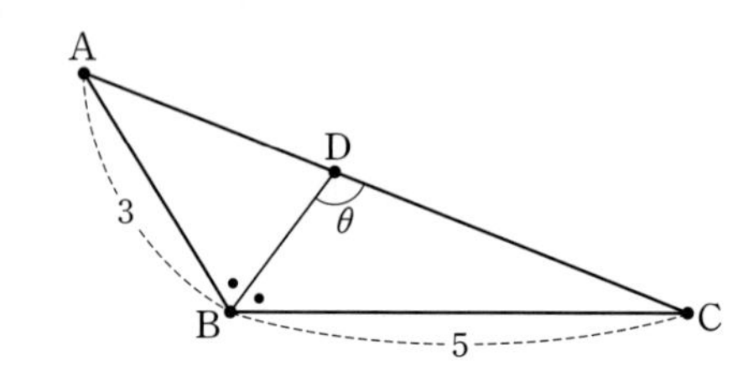

① $\frac{\sqrt{3}}{2}$ ② $\frac{5}{6}$ ③ $\frac{4\sqrt{3}}{7}$ ④ $\frac{5\sqrt{2}}{8}$ ⑤ 1

| 풀이 점검 |

$\overline{AC}=$ ❶ ________, $\overline{CD}=$ ❷ ________

03-1 ★

2019학년도 수능 9월 모의평가 14번

실수 k에 대하여 함수

$$f(x)=\cos^2\left(x-\frac{3}{4}\pi\right)-\cos\left(x-\frac{\pi}{4}\right)+k$$

의 최댓값은 3, 최솟값은 m이다. $k+m$의 값은?

① 2 ② $\frac{9}{4}$ ③ $\frac{5}{2}$ ④ $\frac{11}{4}$ ⑤ 3

| 해법 가이드 |

$x-\frac{3}{4}\pi$와 $x-\frac{\pi}{4}$의 차가 $\frac{\pi}{2}$임을 이용한다.

| 풀이 점검 |

[1] 최댓값 조건에서 $k=$ ❶ ________

[2] 최솟값 조건에서 $m=$ ❷ ________

03-2

실수 k에 대하여 함수

$$f(x)=\sin^2\left(x-\frac{\pi}{6}\right)+2k\sin\left(x+\frac{\pi}{3}\right)+1$$

의 최댓값은 5, 최솟값은 m이다. 가능한 k, m에 대하여 k^2+m^2의 값을 구하시오.

| 풀이 점검 |

[1] 최댓값 조건에서 $k=$ ❶ ________

[2] 최솟값 조건에서 $m=$ ❷ ________

04 ★

삼차방정식 $x^3-15x^2+kx-105=0$의 세 실근이 등차수열을 이루며 $\triangle$ABC의 세 변의 길이가 될 때, **보기**에서 옳은 것만을 모두 고른 것은?

보기

ㄱ. $k=72$

ㄴ. $\triangle$ABC의 세 내각 중 가장 큰 각의 크기는 $120°$다.

ㄷ. $\triangle$ABC의 넓이는 $\frac{15\sqrt{3}}{4}$이다.

① ㄱ ② ㄴ ③ ㄱ, ㄷ
④ ㄴ, ㄷ ⑤ ㄱ, ㄴ, ㄷ

해법 가이드

$\triangle$ABC에서 세 변의 길이를 알 때 사용할 수 있는 넓이 공식을 이용한다.

풀이 점검

1 삼차방정식에서 $k=$❶ ________

2 $\triangle$ABC에서 가장 큰 각의 크기가 A이면 $A=$❷ ________

05 ★

2020학년도 7월 학력평가 27번 변형

자연수 n에 대하여 $-2^n\le x<2^n$일 때, 부등식

$$\sin\left(\frac{\pi}{2^n}x\right)\ge-\frac{\sqrt{2}}{2}$$

를 만족시키는 서로 다른 정수 x의 개수를 a_n이라 하자. $\sum_{n=1}^{5}a_n$의 값을 구하시오.

① 53 ② 60 ③ 75 ④ 82 ⑤ 97

해법 가이드

$y=\sin x$의 그래프에서 $\sin\left(\frac{\pi}{2^n}x\right)\ge-\frac{\sqrt{2}}{2}$인 $\frac{\pi}{2^n}x$의 범위를 구한다.

풀이 점검

주어진 부등식에서 구한 $a_3=$❶ ________, $a_5=$❷ ________

06 ★

양의 실수 x에서 정의된 두 함수 $f(x)$, $g(x)$가 다음과 같을 때, $y=f(x)$ 그래프와 $y=g(x)$ 그래프의 교점의 개수를 구하시오.

$$f(x)=|2\cos\pi x+1|,\ g(x)=\log_4 x$$

| 해법 가이드 |

- $y=2\cos\pi x+1$의 그래프에서 x축 아랫부분을 대칭이동한 것이 $y=f(x)$의 그래프다.
- $y=g(x)$의 그래프를 그릴 때, $y=1$, $y=3$인 점을 확인한다.

| 풀이 점검 |

1 $1\le x<4$에서 구하려는 교점의 개수는 ❶ ________

2 $4\le x<64$에서 구하려는 교점의 개수는 ❷ ________

3 $x=64$일 때 구하려는 교점의 개수는 ❸ ________

07 ★★

x에 대한 방정식 $4\cos^2\left(\frac{\pi}{2}+x\right)+4\cos x+a-4=0$에 대하여 서로 다른 실근의 개수가 2개가 되도록 하는 정수 a의 개수를 구하시오. (단, $0\le x<2\pi$)

| 해법 가이드 |

삼각함수의 종류를 같게 한 후 치환한다.

| 풀이 점검 |

1 $a=-1$일 때, 실근 x는 ❶ ________개

2 $-1<a<0$일 때, 실근 x는 ❷ ________개

3 $a=0$일 때, 실근 x는 ❸ ________개

08 ★★

2022학년도 수능 예시문항 21번 변형

그림처럼 한 평면 위에 있는 두 삼각형 ABC, ACD의 외심을 각각 O, O′이라 하고 $\angle ABC=\alpha$, $\angle ADC=\beta$라 할 때, $\dfrac{\sin\beta}{\sin\alpha}=\dfrac{5}{3}$, $\cos(\alpha+\beta)=-\dfrac{1}{5}$, $\overline{OO'}=1$이 성립한다. 삼각형 ABC의 외접원의 넓이가 $\dfrac{q}{p}\pi$일 때, $p+q$의 값을 구하시오. (단, p, q는 서로소인 자연수이다.)

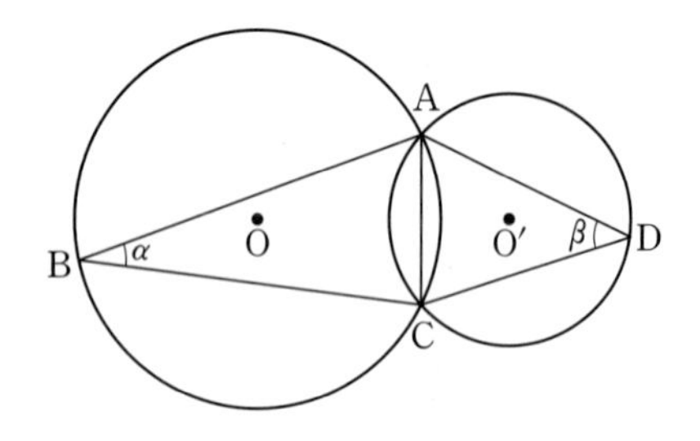

| 해법 가이드 |

△ABC와 △ADC에서 각각 사인법칙을 이용해 두 외접원의 반지름 길이를 한 문자로 나타낸다.

| 풀이 점검 |

큰 외접원의 반지름 길이를 R라 할 때

1 작은 외접원의 반지름 길이는 ❶ ________

2 $R^2=$ ❷ ________

09 ★★

그림과 같이 좌표평면 위에 있는 반지름 길이가 1인 원의 둘레를 10등분한 점을 차례로 P_0, P_1, P_2, ⋯, P_9라 하고, $\angle P_0OP_1=\theta$라 하자. $\sum_{k=1}^{9}(k\cos k\theta+\tan k^2\theta)$의 값은?

(단, $P_0(1, 0)$이다.)

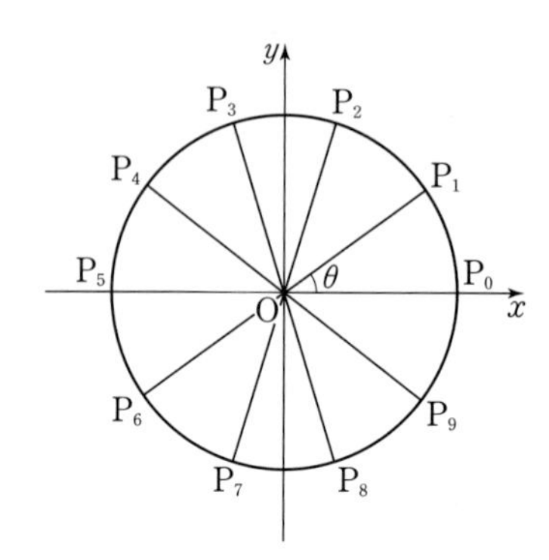

① -5 ② -4 ③ -3 ④ -2 ⑤ -1

| 해법 가이드 |

두 점 P_1과 P_4는 y축에 대하여 대칭이다. 마찬가지로 y축에 대하여 대칭인 점들을 찾을 수 있다.

| 풀이 점검 |

$\sum_{k=1}^{9}k\cos k\theta=$ ❶ ________, $\sum_{k=1}^{9}\tan k^2\theta=$ ❷ ________

10 ★★

2020학년도 3월 학력평가 29번 변형

그림과 같이 삼각형 ABC가 한 원에 내접하고 있다. $\overline{AB}=8$이고, $\angle ABC=\alpha$라 할 때, $\cos\alpha=\frac{13}{14}$이다. 점 A를 지나지 않는 호 BC 위의 점 D에 대하여 $\overline{CD}=5$이다. 두 삼각형 ABD, CBD의 넓이를 각각 S_1, S_2라 할 때, $S_1 : S_2=8 : 5$이다. 삼각형 ADC의 넓이를 S라 할 때, $S=\frac{p}{q}\sqrt{3}$이다. $p+q$의 값을 구하시오.

(단, p, q는 서로소인 자연수이다.)

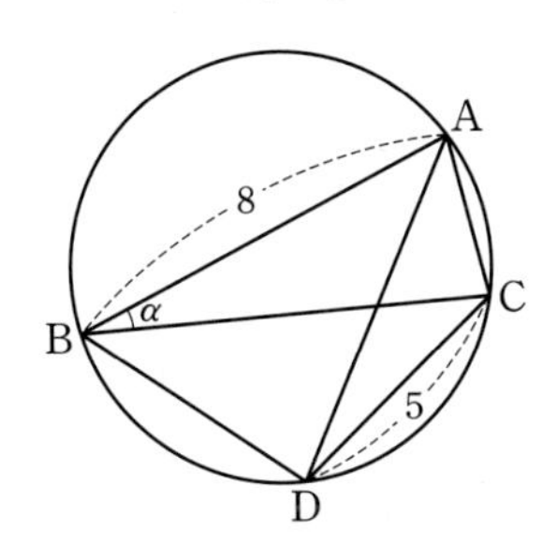

| 해법 가이드 |

주어진 △ABD와 △CBD의 넓이 비에서 $\overline{BC}$와 $\overline{AD}$의 길이 관계를 구한다.

| 풀이 점검 |

1 $\overline{AD}=$❶ ________

2 $S=$❷ ________

11 ★★

두 함수 $f(x)=2\sin x\cos x$, $g(x)=\sqrt{x+1}-\sqrt{1-x}$에 대하여 합성함수 $h(x)=(g\circ f)(x)$라 하자. **보기**에서 옳은 것만을 모두 고른 것은?

보기

ㄱ. $h\left(\frac{\pi}{5}\right)=2\cos\frac{\pi}{5}$

ㄴ. 함수 $y=h(x)$의 주기는 π

ㄷ. 함수 $y=h(x)$의 최댓값은 $\sqrt{2}$

① ㄱ ② ㄴ ③ ㄱ, ㄷ
④ ㄴ, ㄷ ⑤ ㄱ, ㄴ, ㄷ

| 해법 가이드 |

$1\pm2\sin x\cos x=(\sin x\pm\cos x)^2$임을 이용해 $h(x)$를 간단히 정리한 다음, 그 그래프 개형을 그려본다.

| 풀이 점검 |

1 $0\le x<\frac{\pi}{4}$일 때 $h(x)=$❶ ________

2 $\frac{\pi}{4}\le x<\frac{3}{4}\pi$일 때 $h(x)=$❷ ________

3 $\frac{3}{4}\pi\le x<\frac{5}{4}\pi$일 때 $h(x)=$❸ ________

12 ★★☆

2020학년도 수능 6월 모의평가 21번 변형

실수 전체의 집합에서 정의된 함수 $f(x)$가 다음과 같다.

$$f(x)=\begin{cases} \dfrac{\left|\sin \dfrac{\pi x}{5}\right|}{\sin \dfrac{\pi x}{5}}+n & (x\neq 5k) \\ n & (x=5k) \end{cases} \quad (k\text{는 정수})$$

함수 $(f\circ f)(x)$가 상수함수가 되지 않도록 하는 30 이하의 자연수 n의 개수를 구하시오.

| 해법 가이드 |

- $y=\sin \dfrac{\pi x}{5}$의 그래프에서 $\dfrac{\left|\sin \dfrac{\pi x}{5}\right|}{\sin \dfrac{\pi x}{5}}+n$의 값을 생각한다.
- 함수 $f(x)$의 특징을 확인한 후 함수 $(f\circ f)(x)$가 상수함수가 되는 n의 조건을 구한다.

| 풀이 점검 |

1 $(f\circ f)(x)=n+1$이 되는 자연수 n값을 정수 k를 써서 나타내면 ❶ __________, __________

2 $(f\circ f)(x)=n-1$이 되는 자연수 n값을 정수 k를 써서 나타내면 ❷ __________, __________

집중 공략

유형 04

수열의 합과 수열의 규칙성

Mentor Comment

최근 수능에서 수열의 합과 규칙성은 수학 나형에서만 3~4 문제가 꾸준히 나왔고 그중 한 문제는 2019학년도 수능의 29번이나 2020학년도 수능의 21번처럼 상당히 난이도 높은 문제로 출제가 되었다. 특히 개정 교육 과정에서는 공통 필수로 다뤄지는 만큼 더 신경써야 하는 단원이 되었다.

수열의 합은 등차수열과 등비수열, 그리고 시그마의 성질을 이해하고 활용 문제를 연습해야 하고, 규칙성 찾기는 점화식으로 나오거나 직관력이 필요한 문제로 출제되므로 출제자의 의도를 잘 찾는 것이 필요하다.

대표 문제

01

2020학년도 수능 21번

수열 $\{a_n\}$이 모든 자연수 n에 대하여 다음 조건을 만족시킨다.

(가) $a_{2n}=a_n-1$ (나) $a_{2n+1}=2a_n+1$

$a_{20}=1$일 때, $\sum_{n=1}^{63} a_n$의 값은?

① 704 ② 712 ③ 720 ④ 728 ⑤ 736

풀이 preview

(가)에서 $a_{10}=a_{20}+1=1+1=2$, $a_5=a_{10}+1=2+1=3$

(나)에서 $a_2=\frac{a_5-1}{2}=\frac{3-1}{2}=1$

(가)에서 $a_1=a_2+1=1+1=2$

또 (가), (나)를 더하면 $a_{2n}+a_{2n+1}=3a_n$

$\sum_{n=1}^{63} a_n=a_1+(a_2+a_3)+(a_4+\cdots+a_7)+(a_8+\cdots+a_{15})+(a_{16}+\cdots+a_{31})+(a_{32}+\cdots+a_{63})$

이때 규칙을 찾아 (a_2+a_3), $(a_4+\cdots+a_7)$, $(a_8+\cdots+a_{15})$, $(a_{16}+\cdots+a_{31})$, $(a_{32}+\cdots+a_{63})$ 각각을 간단한 꼴로 나타낸다.

✓ 해법 Tip

1 (가), (나)를 이용해 a_1, a_2, …등을 직접 구해본다.

2 (가), (나)에서 수열의 합을 구할 수 있는 단서를 찾아본다.

02-1 ★

2014학년도 3월 학력평가 15번

첫째항이 30이고 공차가 $-d$인 등차수열 $\{a_n\}$에 대하여 등식 $a_m+a_{m+1}+a_{m+2}+\cdots+a_{m+k}=0$을 만족시키는 두 자연수 m, k가 존재하도록 하는 자연수 d의 개수는?

① 11 ② 12 ③ 13 ④ 14 ⑤ 15

| 해법 가이드 |

$a_m+a_{m+1}+a_{m+2}+\cdots+a_{m+k}=\dfrac{(k+1)(a_m+a_{m+k})}{2}$

| 풀이 점검 |

1 $a_m+a_{m+1}+\cdots+a_{m+k}=0$에서 ❶ ________ $=60$

2 조건에 맞는 d는 ❷ ________ 와 같다.

02-2

첫째항이 30이고 공차가 $-d$인 등차수열 $\{a_n\}$에 대하여 다음이 성립할 때, 가능한 자연수 d의 합을 구하시오.

> (가) 모든 자연수 n에 대하여 $a_n\neq 0$이다.
> (나) $a_m+a_{m+1}+a_{m+2}+\cdots+a_{m+k}=0$인 두 자연수 m, k가 존재한다.

| 풀이 점검 |

1 (가)에 따라 d는 ❶ ________ 의 약수가 아니다.

2 조건에 맞는 d값을 모두 구하면 ❷ ____, ____, ____, ____

03-1 ★★

2019학년도 10월 학력평가 29번 변형

첫째항이 4의 배수인 수열 $\{a_n\}$은 자연수 n에 대하여

$$a_{n+1}=\begin{cases} a_n+3 & (a_n\text{이 홀수인 경우}) \\ \dfrac{a_n}{2} & (a_n\text{이 짝수인 경우}) \end{cases}$$

를 만족시킨다. $a_5=7$일 때, 수열 $\{a_n\}$의 첫째항이 될 수 있는 모든 수의 합을 p, $\sum_{n=9}^{32} a_n$의 값을 q라 하자. $p+q$의 값을 구하시오.

| 해법 가이드 |

- $a_1=4k$ (k는 자연수)로 두고 가능한 a_5를 구한다.
- $a_5=7$을 이용해 가능한 k값을 찾는다.

| 풀이 점검 |

1 $a_5=7$이 될 수 있는 $a_1=$ ❶ ______, ______

2 $a_9=a_{12}=\cdots=a_{30}=$ ❷ ______

03-2

첫째항이 짝수인 수열 $\{a_n\}$은 모든 자연수 n에 대하여

$$a_{n+1}=\begin{cases} a_n+3 & (a_n\text{이 홀수인 경우}) \\ \dfrac{a_n}{2} & (a_n\text{이 짝수인 경우}) \end{cases}$$

를 만족시킨다. $a_5=6$일 때 가능한 a_1 값의 합을 구하시오.

| 풀이 점검 |

$a_5=6$일 때, a_1이 될 수 있는 수는 모두 ❶ ______개

04 ★

2015학년도 6월 고2 학력평가 10번 변형

어느 공장에서 생산하는 직원뿔대 모양 유리컵의 높이는 a이고, 크기와 모양은 모두 일정하다. [그림 1]과 같이 유리컵 두 개를 밑면이 지면과 평행하도록 포개어 쌓으면 유리컵 한 개 높이의 $\frac{3}{5}$만큼 항상 겹치게 된다. [그림 2]와 같이 유리컵 3개를 쌓을 때, 마지막으로 쌓은 유리컵의 밑면까지의 높이가 18이다. 이와 같은 방법으로 유리컵 n개를 쌓을 때, 마지막으로 쌓은 유리컵 밑면까지의 높이는 a_n이다. $\sum_{n=1}^{10} \frac{1}{a_n a_{n+1}} = \frac{q}{p}$에서 서로소인 두 자연수 p, q의 합 $p+q$를 구하시오. (단, 유리컵을 쌓은 지면은 평평하다.)

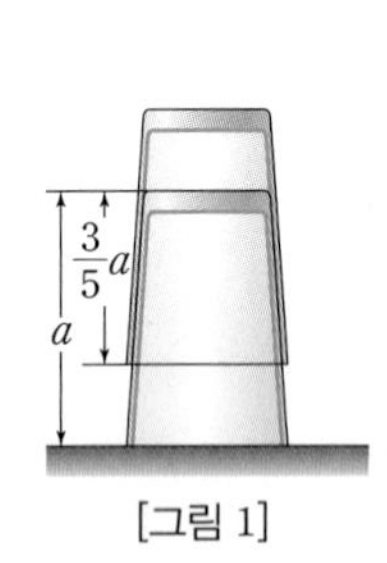

[그림 1]

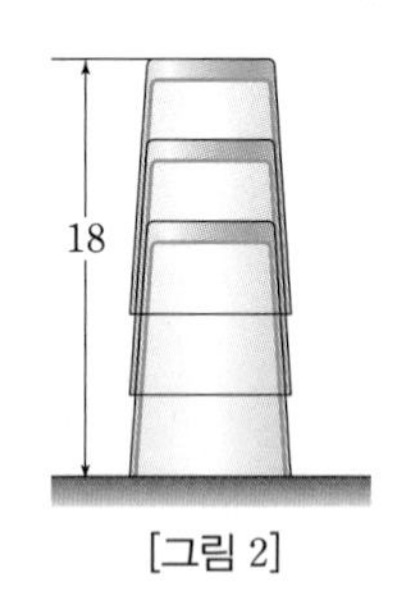

[그림 2]

| 해법 가이드 |

유리컵 밑면까지의 높이 a_n은 등차수열이다.

| 풀이 점검 |

1 수열 $\{a_n\}$은 첫째항이 a이고 공차가 ❶ ________ 인 등차수열이다.

2 $a_3=18$을 이용하면 $a=$ ❷ ________

05 ★

2020학년도 수능 15번 변형

첫째항이 -21이고 공차가 4인 등차수열의 첫째항부터 제n항까지의 합을 S_n이라 할 때, $\sum_{k=m}^{m+4} S_k$의 최솟값은?

① -330 ② -320 ③ -315 ④ -310 ⑤ -305

| 해법 가이드 |

$\sum_{k=m}^{m+4} S_k$는 연속한 항 5개의 합이므로 수열 $\{S_n\}$에서 연속한 항 5개를 뽑을 때 어떤 경우에 최소가 될지 생각한다.

| 풀이 점검 |

$S_n=$ ❶ ____________ 이고, $\sum_{k=m}^{m+4} S_k$가 최소가 되도록 하는 $m=$ ❷ ________ 이다.

06 ★

2020학년도 수능 6월 모의평가 28번

첫째항이 2이고 공비가 정수인 등비수열 $\{a_n\}$과 자연수 m이 다음 조건을 만족시킬 때, a_m의 값을 구하시오.

> (가) $4 < a_2 + a_3 \le 12$
>
> (나) $\sum_{k=1}^{m} a_k = 122$

| 해법 가이드 |

공비를 r (r는 정수)라 하면 (가)에서 $4 < 2r + 2r^2 \le 12$이므로 가능한 정수 r를 구한다.

| 풀이 점검 |

등비수열 $\{a_n\}$의 공비를 r(r는 정수)라 하면

$r=$❶________, $m=$❷________이다.

07 ★

2020학년도 경찰대 24번 변형

자연수 n에 대하여 $S_n = \sum_{k=1}^{n} \frac{1}{\sqrt{2k+1}}$이라 할 때, 다음은 S_{264}의 정수부분을 구하는 과정이다.

> 모든 자연수 k에 대하여
>
> $\frac{\boxed{(가)}}{2} < \sqrt{2k+1} < \frac{\sqrt{2k+1}+\sqrt{2k+3}}{2}$
>
> 을 만족한다. 그러므로
>
> $\frac{2}{\sqrt{2k+1}+\sqrt{2k+3}} < \frac{1}{\sqrt{2k+1}} < \frac{2}{\boxed{(가)}}$이고
>
> $\sum_{k=1}^{264} \frac{2}{\sqrt{2k+1}+\sqrt{2k+3}} < \sum_{k=1}^{264} \frac{1}{\sqrt{2k+1}} < \sum_{k=1}^{264} \frac{2}{\boxed{(가)}}$
>
> 이때
>
> $\sum_{k=1}^{264} \frac{2}{\sqrt{2k+1}+\sqrt{2k+3}}$
>
> $= \sum_{k=1}^{264} (\sqrt{2k+3}-\sqrt{2k+1})$
>
> $=(\sqrt{5}-\sqrt{3})+(\sqrt{7}-\sqrt{5})+\cdots+(\sqrt{531}-\sqrt{529})$
>
> $=-\sqrt{3}+\sqrt{531}$
>
> 이고, 같은 방법으로 $\sum_{k=1}^{264} \frac{2}{\boxed{(가)}} = \boxed{(나)}$
>
> 즉 $\sqrt{531}-\sqrt{3} < \sum_{k=1}^{264} \frac{1}{\sqrt{2k+1}} < \boxed{(나)}$이므로
>
> S_{264}의 정수부분은 $\boxed{(다)}$이다.

위의 (가)에 알맞은 식을 $f(k)$라 하고 (나), (다)에 알맞은 수를 각각 a, b라 할 때, $f(24)+2a+b=m+\sqrt{n}$이다. 두 자연수 m, n의 합은?

① 117　② 119　③ 121　④ 123　⑤ 125

| 해법 가이드 |

$\sum_{k=1}^{n} \frac{1}{\sqrt{2k+1}}$은 바로 계산할 수 없으므로 부등식을 이용해 값의 범위를 구한다.

08 ★★

2019학년도 수능 16번 변형

그림과 같이 $\overline{OA_1}=6$, $\overline{OB_1}=6\sqrt{3}$ 인 직각삼각형 OA_1B_1 이 있다. 중심이 O이고 반지름 길이가 $\overline{OA_1}$인 원이 선분 OB_1과 만나는 점을 B_2라 하자. 삼각형 OA_1B_1의 내부와 부채꼴 OA_1B_2의 내부에서 공통부분을 제외한 모양의 도형에 칠하여 얻은 그림을 R_1이라 하자.
그림 R_1에서 점 B_2를 지나고 선분 A_1B_1에 평행한 직선이 선분 OA_1과 만나는 점을 A_2, 중심이 O이고 반지름 길이가 $\overline{OA_2}$인 원이 선분 OB_2와 만나는 점을 B_3이라 하자. 삼각형 OA_2B_2의 내부와 부채꼴 OA_2B_3의 내부에서 공통부분을 제외한 모양의 도형에 색칠하여 얻은 그림을 R_2라 하자. 이와 같은 과정을 계속하여 n번째 얻은 그림 R_n에 색칠되어 있는 부분의 넓이를 S_n이라 할 때, S_{12}의 값은?

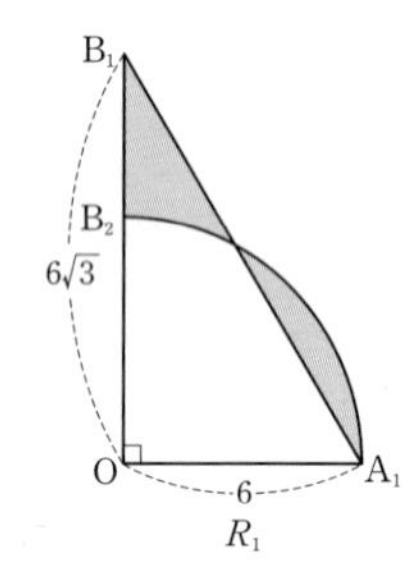

R_1

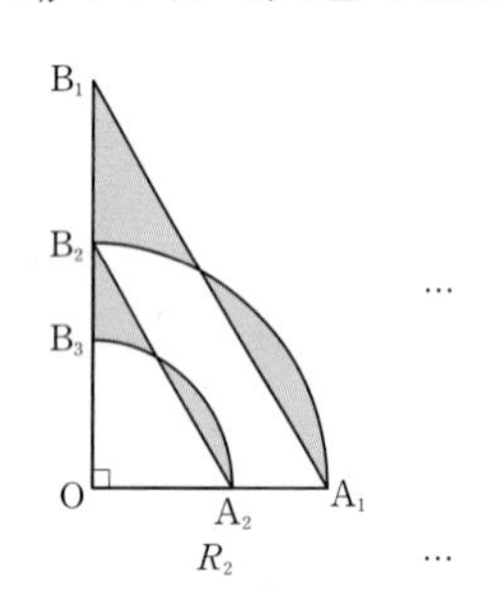

R_2

…

① $\frac{1}{2}\pi\left\{1-\left(\frac{1}{3}\right)^{12}\right\}$　② $\frac{5}{2}\pi\left\{1-\left(\frac{2}{3}\right)^{12}\right\}$
③ $\frac{5}{2}\pi\left\{1-\left(\frac{1}{3}\right)^{12}\right\}$　④ $\frac{9}{2}\pi\left\{1-\left(\frac{1}{3}\right)^{12}\right\}$
⑤ $\frac{9}{2}\pi\left\{1-\left(\frac{2}{3}\right)^{12}\right\}$

| 해법 가이드 |

부채꼴 OA_1B_2의 호 A_1B_2와 선분 A_1B_1이 만나는 점을 C_1이라 하면
$S_1=\{(\text{부채꼴 } OC_1A_1)-(\triangle C_1OA_1)\}$
$\quad+\{(\triangle B_1OC_1)-(\text{부채꼴 } OC_1B_2)\}$

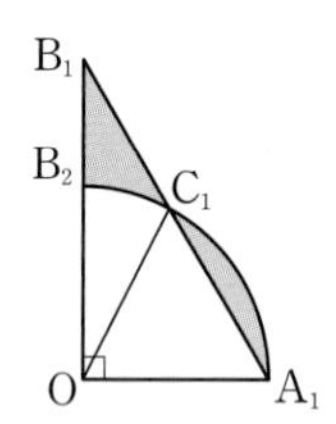

| 풀이 점검 |

1 $S_1=$ ❶ ________

2 $S_2=S_1+$ ❷ ________

09 ★★

스웨덴 수학자 코흐는 넓이는 유한하지만 둘레 길이가 무한한 도형을 소개하였는데, 이것을 '코흐 눈송이'라 한다. 이 도형을 만드는 방법은 다음과 같다.

1 정삼각형을 한 개 그린다.
2 정삼각형의 각 변을 삼등분하여 가운데 부분을 지운 다음, 그 길이를 한 변의 길이로 하는 정삼각형을 그려 변을 연결한다.
3 위 과정을 반복한다.

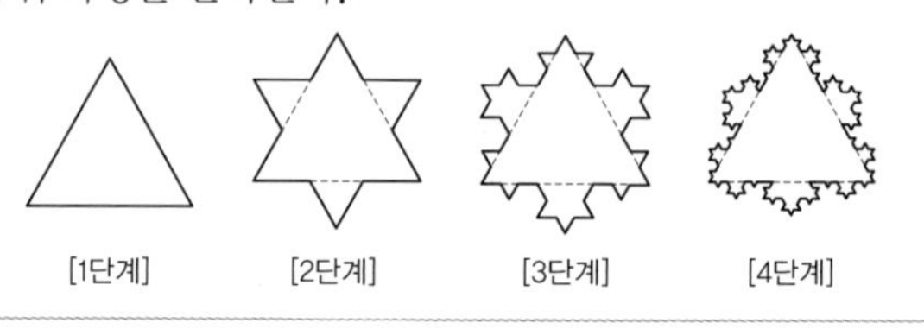

[1단계]에서 정삼각형의 넓이는 10이다. 위 과정을 반복하여 [10단계]에서 만들어진 코흐 눈송이의 넓이가 $p-6\left(\frac{2}{3}\right)^q$ 일 때, $p+q$의 값은? (단, p, q는 자연수이다.)

① 25　② 30　③ 32　④ 34　⑤ 36

| 해법 가이드 |

n단계에서 새롭게 만들어지는 삼각형 개수는 $(n-1)$단계의 도형의 변의 개수와 같음을 생각한다.

| 풀이 점검 |

1 n단계에서 새로 만들어지는 정삼각형 1개의 넓이는 $(n-1)$단계에서 만들어진 정삼각형 1개 넓이의 ❶ ________

2 각 단계 도형에서 변의 개수는 첫째항이 3이고 공비가 ❷ ________ 인 등비수열을 따른다.

10 ★★

2016학년도 3월 고2 학력평가 28번 변형

두 함수 $f(x)=k(x-1)$ $(k\neq 0)$, $g(x)=2x^2-3x+1$에 대하여 함수

$$h(x)=\begin{cases} f(x) & (f(x)\geq g(x)) \\ g(x) & (f(x)<g(x)) \end{cases}$$

가 다음 조건을 만족시킬 때, $\sum_{n=1}^{10} h(n)$의 값은?

> (가) 세 수 $h(2)$, $h(3)$, $h(4)$는 차례로 등차수열을 이룬다.
> (나) 세 수 $h(3)$, $h(4)$, $h(5)$는 차례로 등비수열을 이룬다.

① 625 ② 626 ③ 627
④ 628 ⑤ 629

| 해법 가이드 |

- 함수 $h(x)$가 취하는 값은 $f(x)$ 또는 $g(x)$이다.
- $h(2)$, $h(3)$, $h(4)$가 등차수열이려면 세 점 $(2, h(2))$, $(3, h(3))$, $(4, h(4))$가 한 직선 위에 있어야 한다.
- (가) 조건에서 $h(3)$, $h(4)$가 결정되므로 공비를 알 수 있다.
- n값에 따라 $h(n)$의 꼴이 다르다는 것을 주의한다.

| 풀이 점검 |

1 $h(3)$, $h(4)$, $h(5)$가 이루는 등비수열의 공비는 ❶ ______

2 $h(5)$의 값을 이용해 구한 $k=$ ❷ ______

11 ★★☆

2019학년도 수능 29번

첫째항이 자연수이고 공차가 음의 정수인 등차수열 $\{a_n\}$과 첫째항이 자연수이고 공비가 음의 정수인 등비수열 $\{b_n\}$이 다음 조건을 만족시킬 때, a_7+b_7의 값을 구하시오.

> (가) $\sum_{n=1}^{5}(a_n+b_n)=27$ (나) $\sum_{n=1}^{5}(a_n+|b_n|)=67$
> (다) $\sum_{n=1}^{5}(|a_n|+|b_n|)=81$

| 해법 가이드 |

(가), (나)에서 구한 $\sum_{n=1}^{5}(|b_n|-b_n)=40$에서 공비를 정한다.

| 풀이 점검 |

1 수열 $\{b_n\}$의 일반항 $b_n=$ ❶ ______

2 수열 $\{a_n\}$의 첫째항을 a_1, 공차를 d라 하면
$a_3=a_1+2d=$ ❷ ______

12 ★★☆

2010학년도 수능 25번 변형

그림과 같이 한 변의 길이가 2인 정사각형 A와 한 변의 길이가 1인 정사각형 B는 변이 서로 평행하고, A의 두 대각선의 교점과 B의 두 대각선의 교점이 일치하도록 놓여 있다. A와 A의 내부에서 B의 내부를 제외한 영역을 R라 하자.

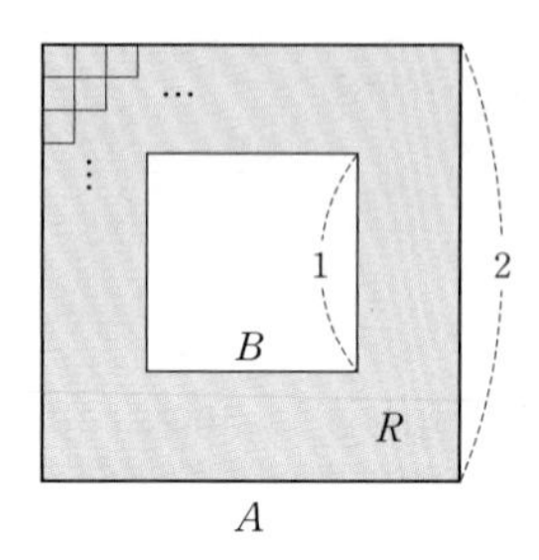

2 이상인 자연수 n에 대하여 한 변의 길이가 $\frac{1}{n}$인 작은 정사각형을 다음 규칙에 따라 R에 그린다.

(가) 작은 정사각형의 한 변은 A의 한 변에 평행하다.
(나) 작은 정사각형들의 내부는 서로 겹치지 않도록 한다.

이와 같은 규칙에 따라 R에 그릴 수 있는 한 변의 길이가 $\frac{1}{n}$인 작은 정사각형의 최대 개수를 a_n이라 하자. 예를 들어, $a_2=12$, $a_3=20$이다. $\sum_{n=2}^{25}(-1)^{n+1}a_n$의 값을 구하시오.

| 해법 가이드 |

A의 내부에 한 변의 길이가 $\frac{1}{3}$인 정사각형은 $6^2=36$개 그릴 수 있고, B의 내부에 한 변의 길이가 $\frac{1}{3}$인 정사각형은 $3^2=9$개 그릴 수 있으므로 $36-9=27$인데 주어진 예시인 $a_3=20$과 맞지 않다. 그 이유는 A와 B의 경계를 걸치는 정사각형이 존재하기 때문이다.

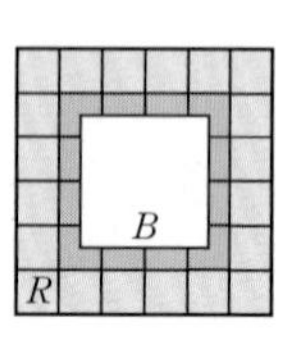

$a_3=6^2-4^2=20$

| 풀이 점검 |

1 n이 짝수, 즉 $n=2k$일 때 $a_{2k}=$ ❶ ________

2 n이 홀수, 즉 $n=2k+1$일 때 $a_{2k+1}=$ ❷ ________

13 ★★☆

2019학년도 수능 9월 모의평가 29번 변형

좌표평면에서 그림과 같이 길이가 2인 선분이 수직으로 만나도록 연결된 경로가 있다. 이 경로를 따라 원점에서 멀어지도록 움직이는 점 P의 위치를 나타내는 점 A_n을 다음과 같은 규칙으로 정한다. **보기**에서 옳은 것만을 있는 대로 고른 것은?

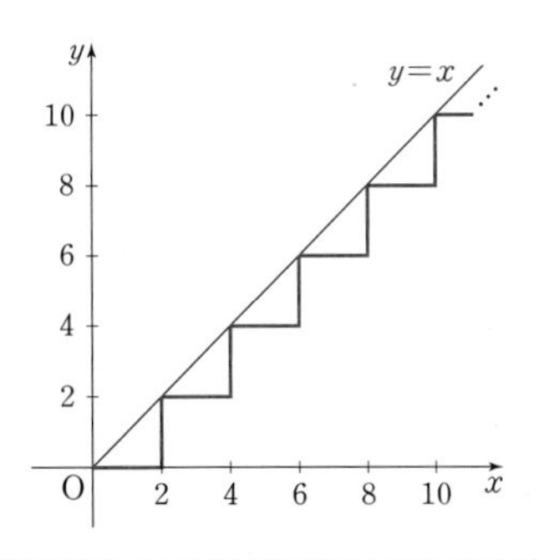

(가) A_0은 원점이다.

(나) n이 자연수일 때, A_n은 점 A_{n-1}에서 점 P가 경로를 따라 $\frac{2n-1}{36}$만큼 이동한 위치에 있는 점이다.

보기

ㄱ. A_{16}의 위치는 $\left(4, \frac{28}{9}\right)$

ㄴ. A_n 중 직선 $y=x$ 위에 있는 점을 원점에서 가까운 순서대로 나열할 때, 세 번째 점의 x좌표는 18이다.

ㄷ. 경로 중 x축에 평행한 선분에 있는 A_n을 A_0을 포함해서 n의 크기순으로 나열할 때, 17번째 n값은 24다.

① ㄱ ② ㄴ ③ ㄱ, ㄴ
④ ㄱ, ㄷ ⑤ ㄱ, ㄴ, ㄷ

해법 가이드

A_n이 경로를 따라 이동한 거리를 $f(\mathrm{A}_n)$이라 하고, $f(\mathrm{A}_n)$을 구한다.

풀이 점검

1 직선 $y=x$ 위에 있는 A_n 중 원점에서 세 번째로 가까운 점은 ❷ ________이다.

2 경로를 따라 움직일 때 $y=0$ $(0\le x\le 2)$에 존재하는 점 A_n의 개수는 ❸ ________

14 ★★★

두 수열 $\{a_n\}$, $\{b_n\}$이 다음을 만족시킨다.

> (가) $a_{n+1}=a_n+n+1$
> (나) $b_p=2b_q\ (p=a_{n+1},\ q=a_n)$
> (다) $b_{m+1}=\dfrac{3}{2}b_m\ (a_n\le m<a_{n+1}-1)$

$a_4=10$, $b_1=2$일 때, $\sum_{n=1}^{54} b_n$의 값은?

① $\dfrac{3^{10}-1}{2}-2^{10}$ ② $\dfrac{3^{11}-1}{2}-2^{10}$
③ $\dfrac{3^{11}-1}{2}-2^{11}$ ④ $\dfrac{3^{12}-1}{2}-2^{11}$
⑤ $\dfrac{3^{12}-1}{2}-2^{12}$

| 해법 가이드 |

- $a_4=10$과 (가)를 이용해 a_n을 구한다.
- (나)에서 $b_3=2b_1=2^2$, $b_6=2b_3=2^3$, $b_{10}=2b_6=2^4$
- (다)를 이용해 b_2, b_4, b_5, b_7, b_8, b_9를 구해 본다.

| 풀이 점검 |

1 수열 $\{a_n\}$에서 $a_1=$ ❶ ________

2 수열 $\{b_n\}$에서 $b_7=$ ❷ ________

집중 공략

유형 05

함수의 극한과 연속

Mentor Comment

모든 수능과 모의평가에서 함수의 극한과 연속 관련 문제는 중요하게 다뤄졌으며 쉽게는 4점 기본 문항으로, 어렵게는 킬러 문항으로 출제되었다. 이런 경향은 새로 바뀌는 2022학년도 수능 이후에도 계속될 것이다. 함수의 극한의 기본 계산은 물론 곱과 나눗셈 및 합성된 함수의 연속성까지 모든 개념이 적용되기 때문에 문제를 꼼꼼히 읽고 토시 하나까지 놓치지 않아야 한다.

대표 문제

01

2019학년도 수능 21번

최고차항의 계수가 1인 삼차함수 $f(x)$에 대하여 실수 전체의 집합에서 연속인 함수 $g(x)$가 다음 조건을 만족시킨다. $f(1)$이 자연수일 때, $g(2)$의 최솟값은?

(가) 모든 실수 x에 대하여 $f(x)g(x)=x(x+3)$이다.　(나) $g(0)=1$

① $\frac{5}{13}$　② $\frac{5}{14}$　③ $\frac{1}{3}$　④ $\frac{5}{16}$　⑤ $\frac{5}{17}$

풀이 preview

모든 실수 x에 대하여 $f(x)g(x)=x(x+3)$이고 $g(0)=1$이므로
(가)에서 $f(0)=0$, 즉 $f(x)=x(x^2+ax+b)$로 놓을 수 있다.

이때 $g(x)=\frac{x(x+3)}{f(x)}=\frac{x(x+3)}{x(x^2+ax+b)}=\frac{x+3}{x^2+ax+b}$에서

$g(0)=1$이므로 $g(0)=\frac{3}{b}=1$　$\therefore b=3$

즉 $g(x)=\frac{x+3}{x^2+ax+3}$에서 함수 $g(x)$가 연속이려면
분모가 0이 되면 안 된다는 걸 알 수 있다.

✓ 해법 Tip

1. 최고차항의 계수가 1인 삼차함수이고, $f(0)=0$이므로 $f(x)=x^3+ax^2+bx$라 할 수 있다.
2. 함수 $g(x)$가 모든 실수에서 연속이려면 분수함수의 분모가 0이 되는 실수 x가 존재하지 않아야 한다.
3. $f(1)$이 자연수가 되는 경우를 생각한다.

02-1 ★

2013학년도 3월 학력평가 30번

그림은 실수 전체에서 정의된 함수 $y=f(x)$의 그래프이고, $f(x)$는 $x=1$, $x=2$, $x=3$에서만 불연속이다.

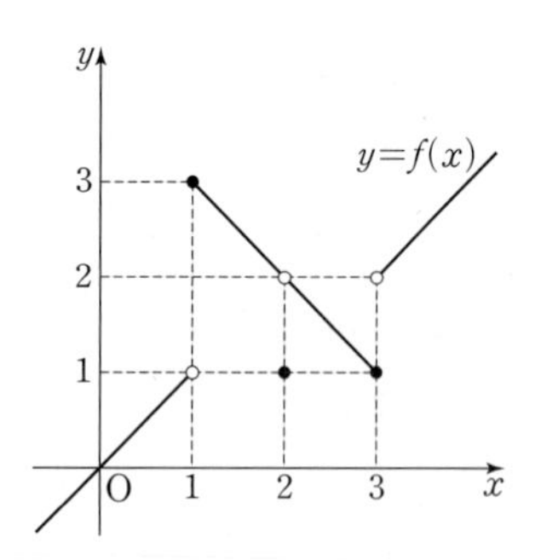

이차함수 $g(x)=x^2-4x+k$에 대하여 함수 $(f\circ g)(x)$가 $x=2$에서 불연속이 되도록 하는 모든 실수 k값의 합을 구하시오.

| 해법 가이드 |

함수 $(f\circ g)(x)$가 $x=2$에서 불연속이려면
$\lim_{x\to 2} f(g(x)) \neq f(g(2))$이다.

| 풀이 점검 |

$x=2$에서 $(f\circ g)(x)$가 불연속이 되도록 하는 k값을 모두 구하면 ______

02-2

그림은 실수 전체에서 정의된 함수 $y=f(x)$의 그래프이고, $f(x)$는 $x=0$, $x=1$, $x=2$, $x=3$에서만 불연속이다.

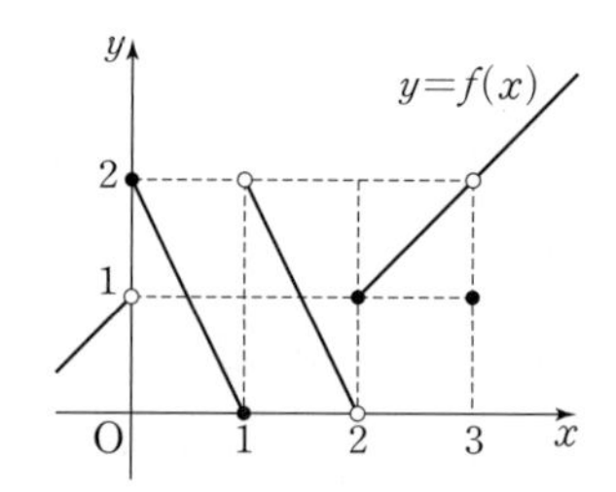

이차함수 $g(x)=-x^2+6x-k$에 대하여 함수 $(f\circ g)(x)$가 $x=3$에서 불연속이 되도록 하는 모든 실수 k값의 합을 구하시오.

| 풀이 점검 |

$x=3$에서 $(f\circ g)(x)$가 불연속이 되도록 하는 k값을 모두 구하면 ______

03-1 ★★

2011학년도 수능 8번

다음과 같이 정의된 함수 $f(x)$가 있다.

$$f(x)=\begin{cases} x+2 & (x<-1) \\ 0 & (x=-1) \\ x^2 & (-1<x<1) \\ x-2 & (x\ge 1) \end{cases}$$

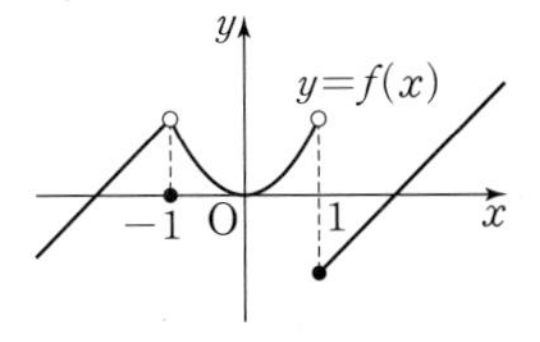

보기에서 옳은 것만을 있는 대로 고른 것은?

보기

ㄱ. $\lim_{x\to 1+}\{f(x)+f(-x)\}=0$

ㄴ. 함수 $f(x)-|f(x)|$가 불연속인 점은 1개다.

ㄷ. 함수 $f(x)f(x-a)$가 실수 전체의 집합에서 연속이 되는 상수 a는 없다.

① ㄱ ② ㄱ, ㄴ ③ ㄱ, ㄷ
④ ㄴ, ㄷ ⑤ ㄱ, ㄴ, ㄷ

| 해법 가이드 |

$g(x)=f(x)-|f(x)|$라 하고, $f(x)<0$일 때와 $f(x)\ge 0$일 때로 나누어 생각한다.

| 풀이 점검 |

ㄴ. $g(x)=f(x)-|f(x)|$가 불연속인 x값은 ❶ ________

ㄷ. 함수 $f(x)f(x-a)$는 $a=$❷ ________일 때 실수 전체의 집합에서 연속이다.

03-2

다음과 같이 정의된 함수 $f(x)$가 있다.

$$f(x)=\begin{cases} 2x+2 & (x<0) \\ 0 & (x=0) \\ x-2 & (x>0) \end{cases}$$

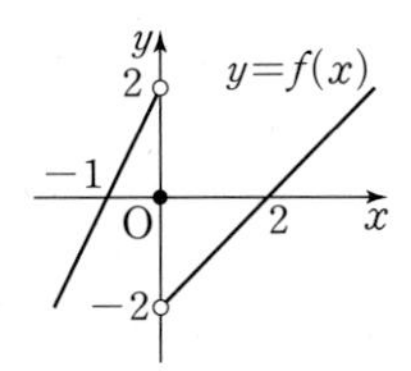

보기에서 옳은 것만을 있는 대로 고른 것은?

보기

ㄱ. $\lim_{x\to 0+}\{f(x)+f(-x)\}=0$

ㄴ. 함수 $f(x)+|f(x)|$는 $x=0$에서 불연속이다.

ㄷ. 함수 $f(x)f(x-a)$가 실수 전체의 집합에서 연속이 되도록 하는 상수 a가 존재한다.

① ㄱ ② ㄱ, ㄴ ③ ㄴ, ㄷ
④ ㄱ, ㄷ ⑤ ㄱ, ㄴ, ㄷ

| 풀이 점검 |

ㄴ. $g(x)=f(x)+|f(x)|$가 불연속인 x값은 ❶ ________

ㄷ. (i) $f(x)$에서 불연속일 때의 x와 $f(x-a)$에서 연속이면서 0이 되는 x가 같아지도록 하는 $a=$❷ ________

(ii) $f(x-a)$에서 불연속일 때의 x와 $f(x)$에서 연속이면서 0이 되는 x가 같아지도록 하는 $a=$❸ ________

04 ★

실수 전체의 집합에서 정의된 함수 $y=f(x)$의 그래프가 그림과 같다.

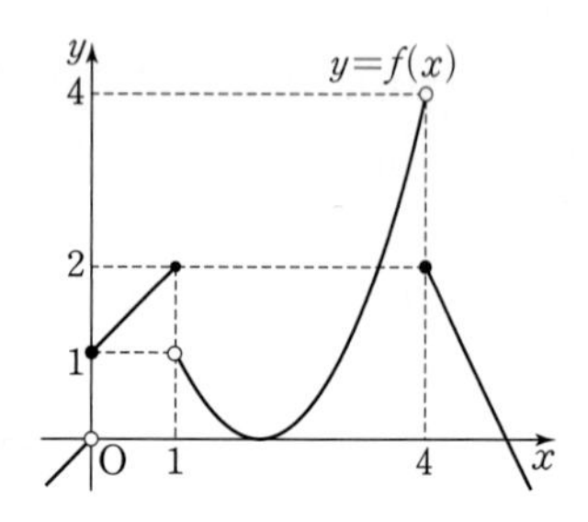

$\lim_{x\to\infty} f\left(\frac{x+1}{x-1}\right)+\lim_{x\to-\infty} f\left(\frac{4x+1}{x+1}\right)+\lim_{x\to 0-} f\left(\frac{x}{x-1}\right)$의 값을 구하시오.

| 해법 가이드 |

$\lim_{x\to\infty} f\left(\frac{x+1}{x-1}\right)$, $\lim_{x\to-\infty} f\left(\frac{4x+1}{x+1}\right)$, $\lim_{x\to 0-} f\left(\frac{x}{x-1}\right)$

각각을 $\lim_{t\to\alpha} f(t)$ 꼴로 나타낸다.

| 풀이 점검 |

1 $x\to\infty$일 때, $\frac{x+1}{x-1}\to$ ❶ ______

2 $x\to-\infty$일 때, $\frac{4x+1}{x+1}\to$ ❷ ______

3 $x\to 0-$일 때, $\frac{x}{x-1}\to$ ❸ ______

05 ★

모든 실수에서 정의된 함수 $f(x)$, $g(x)$는 다음 조건을 만족시킨다.

> (가) 함수 $f(x)$는 모든 실수에서 연속이다.
> (나) 함수 $g(x)$는 $x=a$에서 불연속이다.

이때 **보기**에서 옳은 것만을 있는 대로 고른 것은?

> 보기
> ㄱ. 함수 $f(x)+g(x)$는 $x=a$에서 불연속이다.
> ㄴ. 함수 $f(x)g(x)$가 $x=a$에서 연속이면, $f(a)=0$이다.
> ㄷ. $f(a)=0$이면 함수 $f(x)g(x)$가 $x=a$에서 연속이다.

① ㄱ ② ㄱ, ㄴ ③ ㄱ, ㄷ
④ ㄴ, ㄷ ⑤ ㄱ, ㄴ, ㄷ

| 해법 가이드 |

불연속이면 다음과 같은 경우를 생각한다.
- 극한값이 존재하지 않는다.
- 함숫값이 존재하지 않는다.
- 극한값과 함숫값이 같지 않다.

| 풀이 점검 |

ㄱ. $f(x)+g(x)$가 $x=a$에서 연속이면
$\lim_{x\to a}\{f(x)+g(x)\}=$ ❶ ______

ㄴ. 함수 $f(x)g(x)$가 $x=a$에서 연속이면 $f(a)=$ ❷ ______

06 ★★

2014학년도 수능 28번 변형

함수

$$f(x)=\begin{cases}\frac{1}{4}x+4 & (x<0)\\ 6 & (x=0)\\ -3x+9 & (x>0)\end{cases}$$

에 대하여 함수 $f(x)f(k-x)$가 $x=k$에서 연속이 되도록 하는 모든 실수 k값의 개수를 a, k값의 총합을 b라 할 때, $a-b$의 값을 구하시오.

| 해법 가이드 |

• $y=f(x)$의 그래프는 그림과 같다.

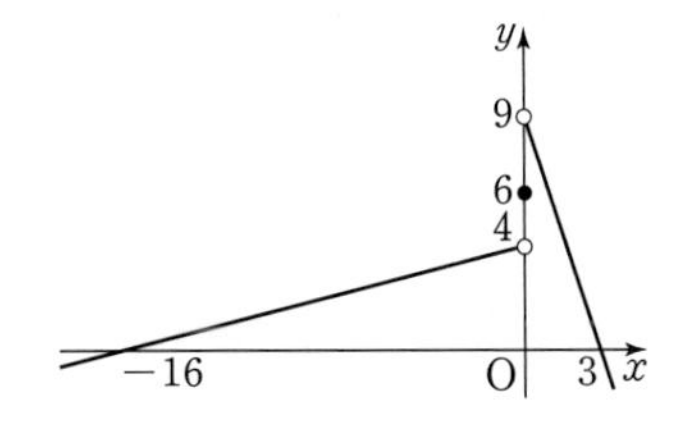

• $\lim_{x\to k+} f(x)f(k-x)=\lim_{x\to k-} f(x)f(k-x)=f(k)f(0)$이 되도록 하는 k값을 $k>0$, $k=0$, $k<0$인 경우에서 각각 따져본다.

| 풀이 점검 |

1 $k>0$일 때 함수 $f(x)f(k-x)$가 $x=k$에서 연속이 되도록 하는 $k=$❶ _____

2 $k<0$일 때 함수 $f(x)f(k-x)$가 $x=k$에서 연속이 되도록 하는 $k=$❷ _____

3 $k=0$일 때 함수 $f(x)f(k-x)$는 $x=$❸ _____에서 연속이다.

07 ★★

실수 t에 대하여 x에 대한 방정식 $tx^2+4x+t-3=0$의 실근의 개수를 $f(t)$라 한다. 또 최고차항의 계수가 1인 삼차함수 $g(t)$에 대하여 $f(t)g(t)$가 모든 실수 t에 대하여 연속일 때, $g(5)$의 값을 구하시오. (단, 중근은 실근 1개로 생각한다.)

| 해법 가이드 |

• $t=0$일 때, $t\neq0$일 때로 구분하고 함수 $f(t)$를 찾는다.

• (연속)×(불연속)일 때 연속함수가 되는 경우를 생각한다.

| 풀이 점검 |

1 $t=0$일 때 $f(t)=$❶ _____

2 $0<t<4$일 때 $f(t)=$❷ _____

3 $t=-1, 4$일 때 $f(t)=$❸ _____

4 $t<-1, t>4$일 때 $f(t)=$❹ _____

08 ★★

다항함수 $f(x)$가 $\lim_{x\to\infty}\frac{f(x)}{x^3}=1$, $\lim_{x\to1}\frac{f(x)}{x-1}=k$를 만족시키고, 함수 $g(x)=\begin{cases}x^2-3x+1 & (x\le3)\\ \frac{1}{x-3} & (x>3)\end{cases}$ 이다.

함수 $h(x)=f(x)g(x)$가 $x=3$에서 연속이 되도록 하는 상수 k값을 구하시오.

| 해법 가이드 |

함수 $h(x)=f(x)g(x)$가 $x=3$에서 연속이고 $g(x)$는 $x=3$에서 불연속이므로 $f(3)=0$이어야 한다.

또 $\lim_{x\to3+}h(x)=\lim_{x\to3-}h(x)=h(3)$을 이용한다.

| 풀이 점검 |

$\lim_{x\to\infty}\frac{f(x)}{x^3}=1$, $\lim_{x\to1}\frac{f(x)}{x-1}=k$와 $h(x)$가 $x=3$에서 연속임을 이용하면 삼차함수 $f(x)$의 두 인수는 ❶ ________ 과 ❷ ________ 이고, 이때 $f(x)=$ ❸ ____________

09 ★★

2015학년도 수능 6월 모의평가 21번 변형

최고차항의 계수가 1인 두 삼차함수 $f(x)$, $g(x)$가 다음 조건을 만족시킨다. $g(5)$의 값을 구하시오.

> (가) $g(0)=0$
>
> (나) $\lim_{x\to n}\frac{f(x)}{g(x)}=\frac{n(n-1)}{2}$ $(n=0, 1, 2, 3)$

| 해법 가이드 |

- $\frac{0}{0}$ 꼴의 극한값이 존재할 때, (분모) → 0이면 (분자) → 0임을 이용한다.
- (나)에 $n=0, 1, 2, 3$을 각각 대입해 본다.

| 풀이 점검 |

1. 삼차함수 $f(x)=$ ❶ ____________
2. 삼차함수 $g(x)=xp(x)$라 할 때 $p(x)=(x-2)(x-3)+$ ❷ ________

10 ★★

다항함수 $f(x)$는 다음 조건을 만족시킨다.

> (가) $\lim_{x \to 0+} \dfrac{x^3 f\left(\dfrac{1}{x}\right)-1}{x^2+2x}=3$
>
> (나) 함수 $\dfrac{x}{f(x)}$는 $x=-2$에서만 불연속이다.

$f(1)$의 최솟값을 구하시오.

| 해법 가이드 |

- $\dfrac{1}{x}=t$로 치환하면 $x \to 0+$일 때 $t \to \infty$임을 이용한다.
- $\dfrac{x}{f(x)}$가 $x=-2$에서만 불연속이면 $f(x)$가 $x=-2$에서 극한값이 0이고, $f(x)=0$에서 $x=-2$를 제외한 실근이 존재하지 않는다.

| 풀이 점검 |

1 (가)에서 $\dfrac{1}{x}=t$로 치환해서 생각하면

$f(x)=$ ❶ ______________ $+ax+b$로 놓을 수 있다.

2 (나)에서 $\dfrac{x}{f(x)}$가 $x=-2$에서만 불연속인 것을 이용하면 a값의 범위는 ❷ ________ 이다.

11 ★★

실수 전체에서 정의된 함수 $f(x)=|x^2-2ax|$에 대하여 $y=f(x)$의 그래프와 직선 $y=t$가 만나는 교점의 개수를 $g(t)$라 할 때, **보기**에서 옳은 것만 있는 대로 고른 것은?

보기

ㄱ. $\lim_{t\to 0-} g(t)+\lim_{t\to a^2+} g(t)=2$

ㄴ. 함수 $y=g(x)$의 불연속점은 2개다.

ㄷ. 함수 $y=f(x)g(x)$가 모든 실수 x에 대하여 연속이 되도록 하는 양의 실수 a가 존재한다.

① ㄱ ② ㄴ ③ ㄱ, ㄴ

④ ㄱ, ㄷ ⑤ ㄱ, ㄴ, ㄷ

해법 가이드

- $a\neq0$일 때 뿐만 아니라 $a=0$일 때도 생각한다.
- $x=\alpha$일 때 $g(x)$가 불연속점이면 $f(\alpha)=0$을 생각한다.

풀이 점검

ㄱ. $\lim_{t\to 0-} g(t)=$ ❶ ______, $\lim_{t\to a^2+} g(t)=$ ❷ ______

ㄷ. 모든 실수 x에 대하여 $f(x)g(x)$가 연속이 되도록 하는 $a=$ ❸ ______

12 ★★☆

2018학년도 6월 고2 학력평가 30번 변형

실수 k와 함수 $f(x)=ax(x-b)$ (a, b는 자연수)에 대하여 함수 $g(x)$를

$$g(x)=\begin{cases} f(x) & (x<b) \\ kf(x-b) & (x\geq b) \end{cases}$$

라 하자. 함수 $g(x)$가 다음을 만족시킨다. (단, $k>1$)

(가) $g(3)=8$

(나) 방정식 $|g(x)|=\frac{b}{4}$의 서로 다른 실근은 5개다.

직선 $y=mx-\frac{7}{4}$ (m은 양수)이 함수 $y=|g(x)|$의 그래프와 만나는 점의 개수를 $h(m)$이라 하자. 함수 $h(m)$에 대하여 $\lim_{m\to t-} h(m)\times\lim_{m\to t+} h(m)=8$을 만족시키는 모든 양의 실수 t값의 곱을 S라 할 때, $2S$의 값을 구하시오.

| 해법 가이드 |

m값을 바꿔보면서 $\left(0, -\frac{7}{4}\right)$을 지나는 직선과 $y=|g(x)|$의 그래프와 만나는 점의 개수를 따져 $y=h(m)$을 그린다.

| 풀이 점검 |

1 조건을 만족시키는 자연수 a, b의 순서쌍은 ❶ ________

2 직선 $y=mx-\frac{7}{4}$이 $x>0$에서 포물선과 접할 때, $m=$ ❷ ________

이고, $x<0$에서 포물선과 접할 때, $m=$ ❸ ________

13 ★★☆

2018학년도 4월 학력평가 30번 변형

양의 실수 a에 대하여 정의역이 $\{x|x>0\}$인 함수

$$f(x)=\frac{a-3x}{x}$$

가 있다. 실수 k에 대하여 정의역이 $\{x|x>0\}$인 함수

$$g(x)=\begin{cases} 2k-f(x) & (f(x)<k) \\ f(x) & (f(x)\geq k) \end{cases}$$

가 다음 조건을 만족시킨다.

(가) $\lim_{x\to\infty}|g(x)|=1$
(나) 함수 $y=|g(x)|$의 그래프와 직선 $y=-\frac{k}{2}$는 두 점 $\left(1, -\frac{k}{2}\right)$, $\left(\alpha, -\frac{k}{2}\right)$에서만 만난다. (단, $\alpha>1$)

직선 $y=m\left(x-\frac{22}{3}\right)+2$가 함수 $y=|g(x)|$의 그래프와 만나는 서로 다른 점의 개수를 $h(m)$이라 할 때, 함수 $h(m)$이 불연속이 되는 모든 실수 m값의 합은 M이다. $\left|\frac{ka}{M}\right|$의 값을 구하시오.

해법 가이드

- $y=2k-f(x)$의 그래프는 $y=f(x)$의 그래프를 직선 $y=k$에 대하여 대칭이동한 것이다.
- 기울기가 m이고 점 $\left(\frac{22}{3}, 2\right)$를 지나는 직선을 생각해 m값이 변할 때 $y=|g(x)|$와 만나는 점의 개수를 확인한다.

풀이 점검

(가) 조건에서 $k=$ ❶ ______ 이고, (나) 조건에서
$a=$ ❷ ______, $\alpha=$ ❸ ______

집중 공략

유형 06

미분과 접선

Mentor Comment

수학Ⅱ 관련 기출문제를 보면 적분보다 미분에서 조금 더 어려운 문제들이 출제되고 있다. 최근 기출 나형 30번은 모두 미분 문제였으며, 2022학년도 수능 예시 문항에서도 공통 마지막 자리를 차지하였다. 미분가능성, 접선의 개수, 삼차함수 또는 사차함수 그래프의 개형 등 다양한 유형이 출제되었는데, 무난한 수준으로 나오던 접선 관련 문제들이 최근 들어 좀 더 어려워진 것이 특징이다. 특히 접선의 개수 문제는 함수의 그래프와 연결되는 복합적인 문제이므로 충분한 연습이 필요하다.

대표 문제

01

2020학년도 수능 9월 모의평가 30번

최고차항의 계수가 1인 사차함수 $f(x)$에 대하여 네 개의 수 $f(-1)$, $f(0)$, $f(1)$, $f(2)$가 이 순서대로 등차수열을 이루고, 곡선 $y=f(x)$ 위의 점 $(-1, f(-1))$에서의 접선과 점 $(2, f(2))$에서의 접선이 점 $(k, 0)$에서 만난다. $f(2k)=20$일 때, $f(4k)$의 값을 구하시오. (단, k는 상수이다.)

풀이 preview

-1, 0, 1, 2가 1씩 증가하고, $f(-1)$, $f(0)$, $f(1)$, $f(2)$가 이 순서대로 등차수열을 이루므로 $y=f(x)$ 그래프 위의 네 점 $(-1, f(-1))$, $(0, f(0))$, $(1, f(1))$, $(2, f(2))$는 모두 한 직선 위에 있다.

이 네 점을 지나는 직선을 $y=mx+n$이라 하자.

이때 사차함수의 그래프 $y=f(x)$와 직선 $y=mx+n$이 만나는 점의 x좌표가 -1, 0, 1, 2이므로 방정식 $f(x)=mx+n$의 해는 -1, 0, 1, 2이고,

$f(x)$는 최고차항의 계수가 1인 사차함수이므로

$f(x)-(mx+n)=x(x+1)(x-1)(x-2)$에서

$f(x)=x(x-1)(x+1)(x-2)+mx+n$

✓ 해법 Tip

1 수열 $\{a_n\}$이 등차수열을 이루는 경우 등차수열의 일반항을 자연수 n에 대한 함수라 생각할 수 있다.

2 두 접선이 각각 점 $(k, 0)$을 지난다는 것을 이용한다.

02-1 ★★

2014학년도 수능 21번

좌표평면에서 삼차함수 $f(x)=x^3+ax^2+bx$와 실수 t에 대하여 곡선 $y=f(x)$ 위의 점 $(t, f(t))$에서의 접선이 y축과 만나는 점을 P라 할 때, 원점에서 P까지의 거리를 $g(t)$라 하자. 두 함수 $f(x)$와 $g(t)$는 다음 조건을 만족시킨다.

> (가) $f(1)=2$
> (나) 함수 $g(t)$는 실수 전체 집합에서 미분 가능하다.

$f(3)$의 값은? (단, a, b는 상수이다.)

① 21　② 24　③ 27　④ 30　⑤ 33

| 해법 가이드 |

원점에서 $\mathrm{P}(0, k)$까지의 거리 $g(t)$는 $g(t)=|k|$

| 풀이 점검 |

1 (나) 조건을 만족시키는 $a=$❶ ________

2 주어진 조건에서 $f(x)=$❷ ________

02-2

좌표평면에서 최고차항의 계수가 2이고 원점을 지나는 삼차함수 $f(x)$와 실수 t에 대하여 $y=f(x)$ 위의 점 $(t, f(t))$에서의 접선이 y축과 만나는 점을 P라 할 때, 원점에서 P까지의 거리를 $g(t)$라 하자. 두 함수 $f(x)$와 $g(t)$는 다음 조건을 만족시킨다.

> (가) $f(1)=3$
> (나) 함수 $g(t)$는 $t=1$에서만 미분 불가능하다.

$g(2)+f(4)$의 값을 구하시오.

| 풀이 점검 |

1 (나) 조건을 만족시키는 $a=$❶ ________

2 함수 $g(t)=$❷ ________

3 주어진 조건에서 $f(x)=$❸ ________

03-1 ★★☆

2018학년도 수능 29번

두 실수 a와 k에 대하여 두 함수 $f(x)$, $g(x)$는

$$f(x)=\begin{cases} 0 & (x \le a) \\ (x-1)^2(2x+1) & (x>a) \end{cases}$$

$$g(x)=\begin{cases} 0 & (x \le k) \\ 12(x-k) & (x>k) \end{cases}$$

이고, 다음 조건을 만족시킨다.

> (가) 함수 $f(x)$는 실수 전체 집합에서 미분 가능하다.
> (나) 모든 실수 x에 대하여 $f(x) \ge g(x)$이다.

k의 최솟값이 $\frac{q}{p}$일 때, $a+p+q$의 값을 구하시오.

(단, p, q는 서로소인 자연수이다.)

| 해법 가이드 |

- $f(x)$가 실수 전체에서 미분 가능하려면 먼저 $x=a$에서 연속, 즉 $f(a)=0$이고, (좌미분계수)=(우미분계수)이다.
- $y=f(x)$, $y=g(x)$의 그래프 개형을 그려 (나) 조건을 생각한다.

| 풀이 점검 |

1 (가) 조건에서 구한 $a=$ ❶ ________

2 함수 $y=g(x)$의 그래프가 함수 $y=f(x)$의 그래프에 접할 때 $g(x)=$ ❷ ________

03-2

두 실수 a와 k에 대하여 두 함수 $f(x)$, $g(x)$는

$$f(x)=\begin{cases} 0 & (x \le a) \\ (x+1)(x-3)^3 & (x>a) \end{cases}$$

$$g(x)=\begin{cases} 0 & (x \le k) \\ 16(x-k) & (x>k) \end{cases}$$

이고, 다음 조건을 만족시킨다.

> (가) 함수 $f(x)$는 실수 전체 집합에서 미분 가능하다.
> (나) 모든 실수 x에 대하여 $f(x) \ge g(x)$이다.

k의 최솟값이 $\frac{q}{p}$일 때, $a+p+q$의 값을 구하시오.

(단, p, q는 서로소인 자연수이다.)

| 풀이 점검 |

1 $x=a$에서 연속이고, 미분 가능해야 하므로 $a=$ ❶ ________

2 함수 $y=g(x)$의 그래프가 함수 $y=f(x)$의 그래프에 접할 때 접점의 좌표는 ❷ ________

04 ★★

최고차항의 계수가 1인 삼차함수 $f(x)$가 다음 조건을 만족시킬 때, $(2, f(2))$에서의 접선을 구하면 $y=mx+n$이다. $3m+n$의 값은?

> 함수 $|f(x)-x^2+9x|$와 $|x-1|f(x)$는 모든 실수 x에 대하여 미분가능하다.

① 35 ② 36 ③ 37 ④ 38 ⑤ 39

해법 가이드

$g(x)$가 삼차함수일 때 $|g(x)|$가 모든 실수 x에 대하여 미분 가능하려면 $g(x)=a(x-\alpha)^3$ 꼴이어야 한다.

풀이 점검

1 $|x-1|f(x)$가 모든 실수 x에 대하여 미분 가능함을 이용하면 $f(1)=$ ❶ ______

2 주어진 조건을 만족시키는 $f(x)=$ ❷ ______

05 ★★

$\sqrt{5}$보다 큰 실수 a와 $f(x)=x^3-5x$에서 다음이 성립한다.

> (가) 곡선 $y=f(x)$는 점 $(a, 0)$을 지나는 직선 l_1과 서로 다른 두 점에서 만나다.
> (나) 곡선 $y=f(x)$는 점 $(0, 7a)$를 지나는 직선 l_2와 서로 다른 두 점에서 만나다.
> (다) 두 직선 l_1, l_2는 서로 평행하다.

$a=\dfrac{q}{p}$일 때, 서로소인 두 자연수 p, q의 합은?

① 23 ② 24 ③ 25 ④ 26 ⑤ 27

해법 가이드

- 직선과 삼차함수의 그래프가 서로 다른 두 점에서 만나는 경우는 직선이 곡선에 접할 때이다.
- $f(x)=x^3-5x$가 원점에 대하여 대칭인 함수이므로 두 접선이 서로 평행하다면 두 접선끼리도 원점에 대하여 대칭이다.

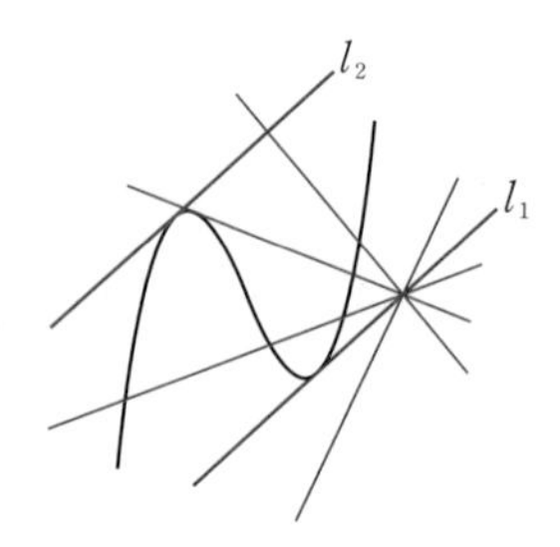

풀이 점검

1 두 직선 l_1, l_2의 기울기는 ❶ ______

2 점 $(a, 0)$을 지나는 직선 l_1의 방정식은 ❷ ______

06 ★★

함수 $f(x)$가 다음과 같이 정의된다.

$$f(x)=\begin{cases} 1-x & (x<0) \\ x^2-1 & (0\le x<1) \\ x^3-1 & (x\ge 1) \end{cases}$$

다음 조건을 만족시키는 함수 $g(x)$에 대하여 $g(5)$의 값을 구하시오.

> (가) $g(x)$는 최고차항의 계수가 1인 사차함수이다.
> (나) 함수 $f(x)g(x)$는 실수 전체 집합에서 미분 가능하다.
> (다) $g'(2)=44$

| 해법 가이드 |

함수 $f(x)g(x)$가 다음과 같으므로 실수 전체 집합에서 미분 가능하려면 $x=0$과 $x=1$에서 연속이고, $x=1$에서 미분 가능해야 한다.

$$f(x)g(x)=\begin{cases} (1-x)g(x) & (x<0) \\ (x^2-1)g(x) & (0\le x<1) \\ (x^3-1)g(x) & (x\ge 1) \end{cases}$$

| 풀이 점검 |

$g(x)=$ ________________

07 ★★

2020학년도 수능 20번

함수

$$f(x)=\begin{cases} -x & (x\le 0) \\ x-1 & (0<x\le 2) \\ 2x-3 & (x>2) \end{cases}$$

와 상수가 아닌 다항식 $p(x)$에 대하여 **보기**에서 옳은 것만을 있는 대로 고른 것은?

> **보기**
> ㄱ. 함수 $p(x)f(x)$가 실수 전체의 집합에서 연속이면 $p(0)=0$이다.
> ㄴ. 함수 $p(x)f(x)$가 실수 전체의 집합에서 미분 가능하면 $p(2)=0$이다.
> ㄷ. 함수 $p(x)\{f(x)\}^2$이 실수 전체의 집합에서 미분 가능하면 $p(x)$는 $x^2(x-2)^2$으로 나누어 떨어진다.

① ㄱ ② ㄱ, ㄴ ③ ㄱ, ㄷ
④ ㄴ, ㄷ ⑤ ㄱ, ㄴ, ㄷ

| 해법 가이드 |

함수 $p(x)f(x)$가 실수 전체의 집합에서 연속이면

$$\lim_{x\to 0-}p(x)f(x)=\lim_{x\to 0+}p(x)f(x)=p(0)f(0)$$

| 풀이 점검 |

$\displaystyle\lim_{x\to 2-}\frac{p(x)f(x)-p(2)f(2)}{x-2}=$ ❶ ________________

$\displaystyle\lim_{x\to 2+}\frac{p(x)f(x)-p(2)f(2)}{x-2}=$ ❶ ________________

08 ★★☆

2019학년도 7월 학력평가 21번 변형

점 $(0,\ t)$를 지나고 곡선 $y=x^3-ax^2+3x-5$에 접하는 서로 다른 모든 직선의 개수를 $f(t)$라 할 때, 함수 $f(t)$가 불연속이 되는 모든 실수 t값의 합이 54다. 자연수 a값을 구하시오.

| 해법 가이드 |

$x=\alpha$에서 곡선과 직선이 접한다고 할 때, 접선의 방정식을 구한 후 점 $(0,\ t)$를 대입하면 $t=(\alpha$에 대한 삼차식$)$을 만들 수 있다. 이때 직선 $y=t$와 곡선 $y=(\alpha$에 대한 삼차식$)$의 교점의 개수가 $f(t)$이다.

| 풀이 점검 |

1 곡선과 직선이 $x=\alpha$에서 접할 때, 접선이 점 $(0,\ t)$를 지나므로 $t=h(\alpha)$로 놓으면 $h(\alpha)=$ ❶ ________

2 $f(t)$가 불연속이 되는 모든 실수 t값은 ❷ ____, ____

09 ★★☆

삼차함수 $f(x)$가 다음 조건을 만족시킬 때, 곡선 밖의 점 $(m,\ n)$에서 곡선에 그은 접선이 3개다. $0\le m\le 6$일 때, 가능한 정수 $m,\ n$의 순서쌍 $(m,\ n)$의 개수는?

> (가) 함수 $f(x)$는 $(-2,\ -6)$, $(3,\ 29)$를 지난다.
> (나) 함수 $|f(x)-2|$는 모든 실수 x에 대하여 미분 가능하다.

① 434 ② 435 ③ 436
④ 437 ⑤ 438

| 해법 가이드 |

- (나)에서 $f(x)=a(x-b)^3+2$로 놓을 수 있다.
- 접점을$(t,\ f(t))$라 하고 접선의 방정식을 세운 다음 점 $(m,\ n)$을 대입하여 t에 대한 삼차방정식을 구하면 이 방정식이 서로 다른 세 실근을 가져야 한다.

| 풀이 점검 |

1 조건을 이용해 구한 $f(x)=$ ❶ ________

2 접선이 지나는 점이 $(m,\ n)$임을 이용해 구한 t에 대한 삼차방정식은 ❷ ________

10 ★★☆ 2021학년도 수능 9월 모의평가 30번 변형

최고차항의 계수가 1인 사차함수 $f(x)$가 다음 조건을 만족시킨다.

> (가) $f(1)=f(3)=0$
> (나) 집합 $\{x \mid x \geq 1$이고 $f'(x)=0\}$의 원소는 2개다.

상수 a에 대하여 함수 $g(x)=|f(x)f(a-x)|$가 실수 전체의 집합에서 미분 가능하고 함수 $h(x)=|f(x)|$의 미분 불가능한 점은 한 개일 때, 가능한 $f(a)$값들의 합을 구하시오.

| 해법 가이드 |

$f(x)f(a-x)$의 인수에서 $(x-\alpha)^n(n \geq 2)$ 꼴만 있을 때 함수 $g(x)$는 실수 전체에서 미분 가능하다.

| 풀이 점검 |

1. $f(x)=(x-1)(x-3)^3$인 경우 가능한 $f(a)$의 값을 모두 구하면 ❶ ____________
2. $f(x)=(x-1)^3(x-3)$인 경우 가능한 $f(a)$의 값을 모두 구하면 ❷ ____________

11 ★★☆

이차함수 $f(x)$는 $x=-1$에서 극대이고, 삼차함수 $g(x)$는 이차항의 계수가 0이다. 함수

$$h(x)=\begin{cases} f(x) & (x \leq 0) \\ g(x) & (x>0) \end{cases}$$

가 실수 전체의 집합에서 미분 가능하고 다음 조건을 만족시킬 때, $h'(-3)+h'(4)$의 값을 구하시오.

> (가) 방정식 $h(x)=h(0)$의 모든 실근의 합은 1이다.
> (나) 닫힌구간 $[-2, 3]$에서 함수 $h(x)$의 최댓값과 최솟값의 차는 $3+4\sqrt{3}$이다.

| 해법 가이드 |

$x<0$에서 위로 볼록한 포물선을 그려 놓고 생각하면 $h(x)$는 $x>0$에서 극솟값을 가지는 꼴이어야 함을 알 수 있다.

| 풀이 점검 |

닫힌구간 $[-2, 3]$에서 함수 $h(x)$의 최댓값을 기호를 나타내면 ❶ ____________이고, 함수 $h(x)$의 최솟값을 기호로 나타내면 ❷ ____________

12 ★★☆

2017학년도 10월 학력평가 30번

함수 $f(x)=|3x-9|$에 대하여 함수 $g(x)$는

$$g(x)=\begin{cases} \frac{3}{2}f(x+k) & (x<0) \\ f(x) & (x\geq 0) \end{cases}$$

이다. 최고차항의 계수가 1인 삼차함수 $h(x)$가 다음 조건을 만족시킬 때, 모든 $h(k)$값의 합을 구하시오. (단, $k>0$)

(가) 함수 $g(x)h(x)$는 실수 전체 집합에서 미분 가능하다.
(나) $h'(3)=15$

| 해법 가이드 |

- $g(x)$가 $x=0$에서 연속일 때와 불연속일 때로 나눈다.
- 함수 $g(x)h(x)$가 $x=3$에서 미분 가능하려면 $h(3)=0$이어야 함을 이용한다.

| 풀이 점검 |

1. 함수 $g(x)$가 $x=0$에서 연속일 때
   $h(x)=$ ❶ __________
2. 함수 $g(x)$가 $x=0$에서 불연속일 때
   $h(x)=$ ❷ __________ 는 (나)에 어긋난다.

13 ★★★

점 $\mathrm{A}(2,\ a)$에서 곡선 $y=x^3-3x+1$에 서로 다른 세 개의 접선을 그었을 때, 이 세 접선의 기울기의 곱이 양수가 되도록 하는 정수 a의 개수는?

① 1　　② 2　　③ 3
④ 4　　⑤ 5

| 해법 가이드 |

- 점 $(t,\ t^3-3t+1)$에서의 접선을 구하고 $(2,\ a)$를 대입하여 t에 관한 방정식을 만들어 본다.
- $x=t$에서 접선의 기울기인 $3(t^2-1)$이 t의 범위에 따라 부호가 결정됨을 생각한다.

| 풀이 점검 |

[1] 서로 다른 세 접선이 그려지는 a값의 범위는
❶ ________________

[2] 세 접선의 기울기 곱이 양수인 a값의 범위는
❷ ________________

14 ★★★

2018학년도 사관학교 21번 변형

자연수 n에 대하여 함수 $f(x)$를 $f(x)=x^2+\frac{3}{n}$이라 하고,

함수 $g(x)$를

$$g(x)=\begin{cases}(x-2)f(x) & (x\geq 2)\\(x-2)^2f(x) & (x<2)\end{cases}$$

이라 할 때, 함수 $g(x)$가 극대 또는 극소가 되는 x의 개수가 하나뿐이다. **보기**에서 옳은 것만을 있는 대로 고른 것은?

보기

ㄱ. $g(x)$는 $x=2$에서 미분 불가능하다.
ㄴ. 가능한 자연수 n값의 합은 15이다.
ㄷ. $y=|g(x)-k|$에서 미분할 수 없는 점이 2개 뿐이면 $k=\frac{27}{16}$

① ㄱ ② ㄷ ③ ㄱ, ㄴ
④ ㄱ, ㄷ ⑤ ㄱ, ㄴ, ㄷ

해법 가이드

$g(x)$의 그래프는 $(2, 0)$을 지나고, 삼차함수 부분과 사차함수 부분이 합쳐진 꼴이다. 한 점에서만 극값을 가지므로 $g(x)$의 그래프 개형을 [그림 1]이 아니라 [그림 2]처럼 생각할 수 있다.

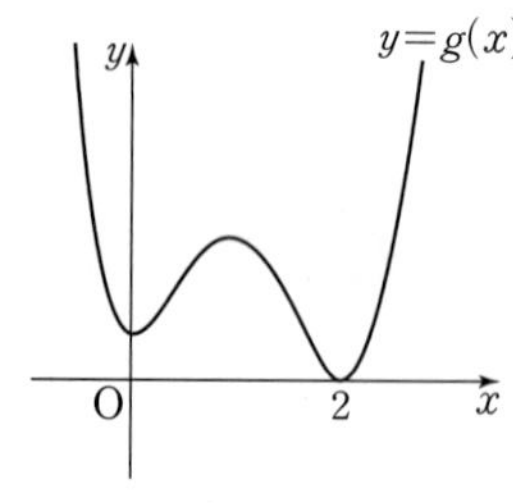

[그림 1]

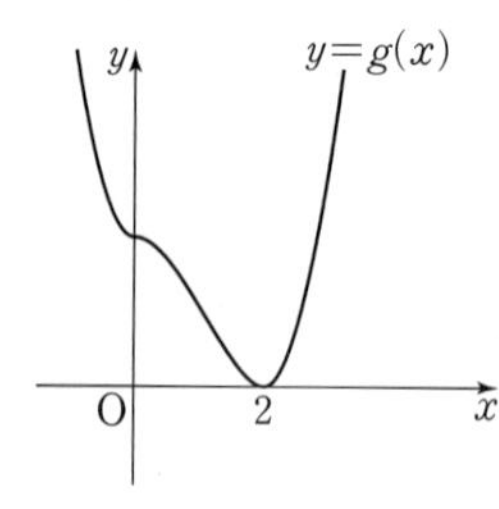

[그림 2]

풀이 점검

ㄱ. $\lim_{x\to 2+}g'(x)=$ ❶ ________, $\lim_{x\to 2-}g'(x)=$ ❷ ________
ㄴ. $g(x)$가 주어진 조건을 만족시킬 때 가능한 자연수 n값의 합은 ❸ ________

집중 공략

유형 07

그래프의 분석과 활용

Mentor Comment

수학Ⅱ의 학습 내용 중 수능에서 소위 말하는 킬러 문제는 삼차, 사차함수의 그래프 개형과 관련된 것이 많다. 최근에는 아래 대표 문제처럼 특별한 조건을 주고 그 조건을 만족시키는 삼차함수와 사차함수를 구하는 문제가 자주 출제 된다. 또한 미분 가능성이나 접선의 개수에 관한 조건, 새로운 정의에 따른 새로운 함수의 특징에 관한 조건 등 다양한 유형의 문제들이 꾸준히 출제되어 왔고 앞으로도 출제될 것이므로 이 부분의 연습은 아무리 강조해도 지나침이 없다.

대표 문제

01

2019학년도 수능 30번

최고차항의 계수가 1인 삼차함수 $f(x)$와 최고차항의 계수가 -1인 이차함수 $g(x)$가 다음 조건을 만족시킨다.

> (가) 곡선 $y=f(x)$ 위의 점 $(0, 0)$에서의 접선과 곡선 $y=g(x)$ 위의 점 $(2, 0)$에서의 접선은 모두 x축이다.
> (나) 점 $(2, 0)$에서 곡선 $y=f(x)$에 그은 접선은 2개다.
> (다) 방정식 $f(x)=g(x)$는 오직 하나의 실근을 가진다.

$x>0$인 모든 실수 x에 대하여 $g(x) \le kx-2 \le f(x)$를 만족시키는 실수 k의 최댓값과 최솟값을 차례로 α, β라 할 때, $\alpha-\beta=a+b\sqrt{2}$이다. a^2+b^2의 값을 구하시오. (단, a, b는 유리수이다.)

풀이 preview

(가)에서 이차함수 $g(x)$ 위의 점 $(2, 0)$에서의 접선이 x축이고,
$g(x)$는 최고차항의 계수가 -1이므로 $g(x)=-(x-2)^2$
최고차항의 계수가 1인 삼차함수 $f(x)$가 원점에서 x축과 접하므로
$f(x)=x^2(x+p)$ (단, p는 상수)로 놓을 수 있다.
$y=f(x)$ 위이 점 (t, t^3+pt^2)에서의 접선의 방정식은
$y=(3t^2+2pt)x-2t^3-pt^2$ ……㉠
㉠이 점$(2, 0)$을 지나므로 $t\{2t^2-(6-p)t-4p\}=0$ ……㉡
(나)에서 점$(2, 0)$에서 $y=f(x)$에 그은 접선이 2개이므로
방정식 ㉡의 근도 2개다. 즉 다음 두 경우로 생각할 수 있다.
(i) 이차방정식 $2t^2-(6-p)t-4p=0$이 중근을 갖는 경우
(ii) 이차방정식 $2t^2-(6-p)t-4p=0$의 한 근이 0인 경우

✓ 해법 Tip

1 원점에서 x축에 접하는 최고차항의 계수가 1인 삼차함수는 $f(x)=x^2(x+p)$ (단, p는 상수)

2 직선 $y=kx-2$는 점 $(0, -2)$를 지나고 기울기가 k인 직선이므로 $x>0$에서 $g(x) \le kx-2 \le f(x)$를 만족시키는 k의 최댓값과 최솟값은 $y=kx-2$가 함수 $f(x)$, $g(x)$와 접할 때 생긴다.

유형 07 그래프의 분석과 활용

02-1 ★★

2015학년도 수능 21번

다음 조건을 만족시키는 모든 삼차함수 $f(x)$에 대하여 $f(2)$의 최솟값은?

> (가) $f(x)$의 최고차항의 계수는 1이다.
> (나) $f(0)=f'(0)$
> (다) $x\geq-1$인 모든 실수 x에 대하여 $f(x)\geq f'(x)$이다.

① 28　② 33　③ 38　④ 43　⑤ 48

| 해법 가이드 |

$f(x)=x^3+ax^2+bx+c$, $g(x)=f(x)-f'(x)$라 하면
$g(x)=x^3+(a-3)x^2+(b-2a)x+(c-b)$

| 풀이 점검 |

1 $f(x)=x^3+ax^2+bx+c$라 하고, b, c를 a로 나타내어 $f(x)$를 구하면 $f(x)=$ ❶ __________

2 상수 a값의 범위는 ❷ __________

02-2

다음 조건을 만족시키는 모든 삼차함수 $f(x)$에 대하여 $f(1)$의 최솟값을 구하시오.

> (가) $f(x)$의 최고차항의 계수는 1이다.
> (나) $f(0)=2f'(0)$
> (다) $x\geq-1$인 모든 실수 x에 대하여 $f(x)\geq 2f'(x)$이다.

| 풀이 점검 |

1 $f(x)=x^3+ax^2+bx+c$라 하고, b, c를 a로 나타내어 $f(x)$를 구하면 $f(x)=$ ❶ __________

2 상수 a값의 범위는 ❷ __________

03-1 ★★

2018학년도 수능 20번

최고차항의 계수가 1인 사차함수 $f(x)$가 다음 조건을 만족시킨다.

> (가) $f'(0)=0$, $f'(2)=16$
> (나) 어떤 양수 k에 대하여 두 열린구간 $(-\infty, 0)$, $(0, k)$에서 $f'(x)<0$이다.

보기에서 옳은 것만을 있는 대로 고른 것은?

> 보기
> ㄱ. 방정식 $f'(x)=0$은 열린구간 $(0, 2)$에서 한 개의 실근을 갖는다.
> ㄴ. 함수 $f(x)$는 극댓값을 갖는다.
> ㄷ. $f(0)=0$이면 모든 실수 x에 대하여 $f(x)\ge -\frac{1}{3}$이다.

① ㄱ ② ㄴ ③ ㄱ, ㄷ
④ ㄴ, ㄷ ⑤ ㄱ, ㄴ, ㄷ

| 해법 가이드 |

(가), (나)에서 그림과 같은 $y=f(x)$의 그래프와 $y=f'(x)$의 그래프를 그려 놓고 생각한다.

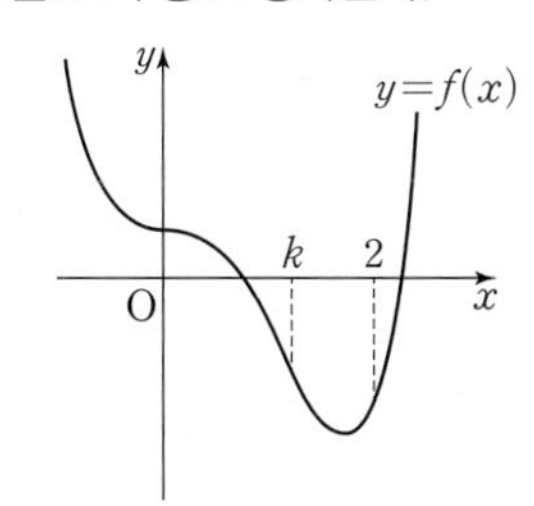

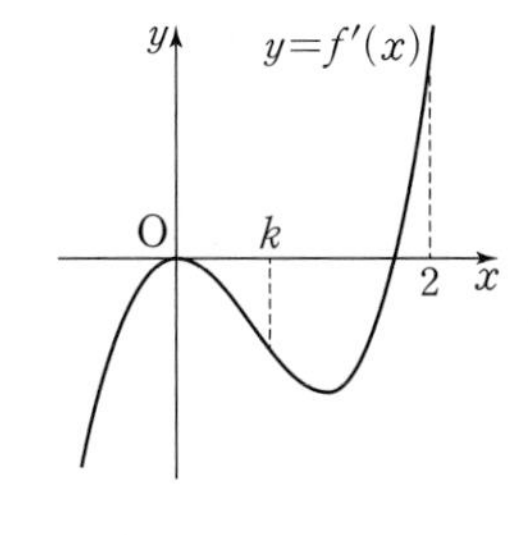

| 풀이 점검 |

1 (가), (나)를 이용해 구한 $f(x)=$ ❶ __________

2 함수 $f(x)$의 극솟값은 ❷ __________

03-2

최고차항의 계수가 양수인 사차함수 $f(x)$가 다음 조건을 만족시킨다.

> (가) $f(0)=0$, $f'(0)=0$, $f'(1)=-16$
> (나) 어떤 양수 k에 대하여 두 열린구간$(-\infty, 0)$, $(0, k)$에서 $f'(x)<0$이다.
> (다) 함수 $|f(x)|$는 $x=4$에서 미분 불가능하다.

$-1\le x\le 5$에서 함수 $f(x)$의 최댓값을 M, 최솟값을 m이라 할 때, $M+m$의 값을 구하시오.

| 풀이 점검 |

1 (가), (나)를 이용해 구한 $f(x)=$ ❶ __________

2 함수 $f(x)$의 극솟값은 ❷ __________

04 ★

사차함수 $f(x)=x^4+ax^3+bx^2+cx+10$이 다음 조건을 만족시킬 때, $f(4)$의 값은?

> 함수 $f(x)$가 실수 t를 포함하는 어떤 열린구간에 속하는 모든 x에 대하여 $f(x)\geq f(t)$일 때, 서로 다른 t는 2개고, 그때의 t를 각각 α, β라 하면 다음이 성립한다.
> (가) $\alpha+\beta=0$ (나) $f(\alpha)=f(\beta)=-6$

① 132 ② 134 ③ 136 ④ 138 ⑤ 140

| 해법 가이드 |

함수 $f(x)$가 실수 α를 포함하는 어떤 열린구간 (a, b)에 속하는 모든 x에 대하여 $f(x)\geq f(\alpha)$일 때, 함수 $f(x)$는 $x=\alpha$에서 극소이고 $f(\alpha)$를 극솟값이라 한다.

| 풀이 점검 |

함수 $f(x)$를 구하면 $f(x)=$ __________

05 ★★

2018학년도 10월 학력평가 20번

사차함수 $f(x)$가 다음 조건을 만족시킨다.

> (가) $f'(x)=x(x-2)(x-a)$ (단, a는 실수)
> (나) 방정식 $|f(x)|=f(0)$은 실근을 갖지 않는다.

보기에서 옳은 것만을 있는 대로 고른 것은?

> 보기
> ㄱ. $a=0$이면 방정식 $f(x)=0$은 서로 다른 두 실근을 갖는다.
> ㄴ. $0<a<2$이고 $f(a)>0$이면, 방정식 $f(x)=0$은 서로 다른 네 실근을 갖는다.
> ㄷ. 함수 $|f(x)-f(2)|$가 $x=k$에서만 미분 가능하지 않으면 $k<0$이다.

① ㄱ ② ㄱ, ㄴ ③ ㄱ, ㄷ
④ ㄴ, ㄷ ⑤ ㄱ, ㄴ, ㄷ

| 해법 가이드 |

사차함수 식에 대한 절댓값 함수가 한 점에서만 미분 가능하지 않으면 사차함수 식은 삼중근을 포함하므로 삼중근을 가지는 사차함수 그래프의 개형을 이용한다.

| 풀이 점검 |

1 (나)에서 $f(0)$값의 범위는 ❶ __________

2 함수 $|f(x)-f(2)|$가 $x=k$에서만 미분 가능하지 않으면 $f(x)-f(2)=$ ❷ __________

06 ★★

2020학년도 경찰대 12번

두 실수 a, b와 최고차항의 계수가 1인 삼차함수 $f(x)$에 대하여 함수 $g(x)$는 다음과 같다.

$$g(x)=\begin{cases} a & (x<-1) \\ |f(x)| & (-1\le x\le 5) \\ b & (x>5) \end{cases}$$

$g(x)$가 $x=-1$, $x=5$에서 미분 가능할 때, **보기**에서 옳은 것만을 있는 대로 고른 것은?

보기

ㄱ. $f(x)$는 $x=-1$에서 극댓값을 갖는다.
ㄴ. $f(9)=0$이면 $a>b$이다.
ㄷ. $a=b$이면 $f(0)=46$이다.

① ㄱ ② ㄴ ③ ㄱ, ㄷ
④ ㄴ, ㄷ ⑤ ㄱ, ㄴ, ㄷ

| 해법 가이드 |

$g(x)$가 $x=-1$과 $x=5$에서 미분 가능하므로
$|f(-1)|=a$, $f'(-1)=0$이다. 또 $|f(5)|=b$, $f'(5)=0$이다.
즉 $f'(x)=3(x+1)(x-5)$임을 이용한다.

| 풀이 점검 |

ㄴ. $f(9)=0$일 때, $f(x)=$❶ ____________

ㄷ. $a=b$일 때, $f(x)=$❷ ____________

07 ★★☆

삼차함수 $f(x)$의 최고차항의 계수가 1이고, 함수 $g(x)$는 $g(x)=f(x)-|f'(x)|$이다. 두 함수 $f(x)$와 $g(x)$가 다음 조건을 만족시킨다.

(가) $f(a)=g(a)=0$이 되는 a가 존재한다.
(나) 함수 $f(x)$의 극댓값은 4다.

$g(1)=0$이 되는 a의 개수는?

① 1 ② 2 ③ 3 ④ 4 ⑤ 5

| 해법 가이드 |

$g(1)=0$에서 $f(1)=|f'(1)|$이므로 $y=f(1)$과 $y=|f'(1)|$을 각각 그려서 교점의 개수를 구한다. ($y=f(1)$, $y=|f'(1)|$은 모두 a에 관한 함수이다.)

| 풀이 점검 |

1 함수 $f(x)$의 극댓값 조건을 이용해 구한
$f(x)=$❶ ____________

2 $g(1)=f(1)-|f'(1)|=0$에서 얻은 a에 대한 등식은
❷ ____________

08 ★★☆

2013학년도 수능 21번 변형

함수 $f(x)=-\frac{1}{6}x^2(x-k)$와 실수 t에 대하여 곡선 $y=f(x)$ 위의 점 $(t, f(t))$에서 x축까지의 거리와 y축까지의 거리 중 크지 않은 값을 $g(t)$라 하자. 함수 $g(t)$가 세 점에서만 미분 가능하지 않도록 하는 자연수 k의 최댓값은?

① 1 ② 2 ③ 3 ④ 4 ⑤ 5

| 해법 가이드 |

만약 $f(x)=x^3$이면 두 점 P, Q에 대하여 x축까지의 거리와 y축까지의 거리 중 크지 않은 값 $g(t_1)$, $g(t_2)$를 그림처럼 생각할 수 있다.

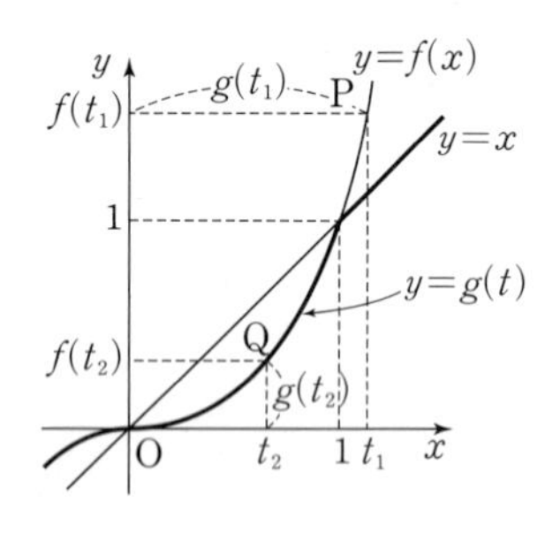

| 풀이 점검 |

1 $y=f(x)$가 $y=x$와 원점에서만 만나거나 접하는 경우일 때는 미분 불가능한 점이 ❶ ________개다.

2 $y=f(x)$가 $y=x$와 원점 외에 다른 두 점에서 더 만나는 경우일 때는 미분 불가능한 점이 ❷ ________개다.

09 ★★☆

2020년 6월 평가원 30번 변형

이차함수 $f(x)$는 $x=-1$에서 극대이고 사차함수 $g(x)$는 $x=2$에서만 극소이고 삼차항의 계수가 0이다. 함수

$$h(x)=\begin{cases} f(x) & (x\le 1) \\ g(x) & (x>1) \end{cases}$$

이 실수 전체의 집합에서 미분 가능하고 다음 조건을 만족시킬 때, $h'(-3)+h'(3)$의 값을 구하시오.

> (가) 방정식 $h(x)=h\left(-\frac{1}{2}\right)$의 서로 다른 실근은 3개이고, 그 합은 1이다.
> (나) 닫힌구간 $[-2, 3]$의 최댓값과 최솟값의 차는 28이다.

| 해법 가이드 |

이차함수 그래프는 축에 대하여 대칭임을 생각한다.

| 풀이 점검 |

$f'(x)=$ ❶ ________, $g(x)'=$ ❷ ________

10 ★★☆

2019학년도 6월 모의평가 21번

상수 a, b에 대하여 삼차함수 $f(x)=x^3+ax^2+2bx$가 다음 조건을 만족시킨다.

(가) $f(-1)+1\geq 0$
(나) $f(1)-f(-1)>9$

보기에서 옳은 것만을 있는 대로 고른 것은?

보기

ㄱ. 방정식 $f(x)=p$는 어떤 실수 p에 대하여 서로 다른 세 실근을 가진다.
ㄴ. 구간 $(-1, 0)$에서 함수 $y=f(x)$는 극솟값을 가진다.
ㄷ. $ab=8$인 두 정수 a, b에 대하여 $f(x)-f'(k)x=0$의 서로 다른 실근이 2개가 되도록 하는 정수 k는 한 개뿐이다.

① ㄱ ② ㄱ, ㄴ ③ ㄱ, ㄷ
④ ㄴ, ㄷ ⑤ ㄱ, ㄴ, ㄷ

| 해법 가이드 |

- 방정식 $f(x)=p$가 어떤 실수 p에 대하여 서로 다른 세 실근을 가지려면 $y=f(x)$에서 극댓값과 극솟값이 존재해야 한다. 즉 방정식 $f'(x)=0$은 서로 다른 두 실근을 가져야 한다.
- $f(x)=f'(k)x$의 서로 다른 실근이 2개가 되려면 직선 $y=f'(k)x$는 곡선 $y=f(x)$의 접선이어야 한다.

| 풀이 점검 |

1 (가)와 (나)에서 $a\geq 2b>$ ❶ ____________

2 $ab=8$일 때 함수 $y=f(x)$에 대하여 기울기인 $f'(k)$의 값으로 가능한 값을 모두 구하면 ❷ ____________

11 ★★☆

2022학년도 수능 예시문항 22번

함수 $f(x)=x^3-3px^2+q$가 다음 조건을 만족시키도록 하는 25 이하의 두 자연수 p, q의 모든 순서쌍 (p, q)의 개수를 구하시오.

(가) 함수 $|f(x)|$가 $x=a$에서 극대 또는 극소가 되도록 하는 모든 실수 a의 개수는 5이다.
(나) 닫힌구간 $[-1, 1]$에서 함수 $|f(x)|$의 최댓값과 닫힌구간 $[-2, 2]$에서 함수 $|f(x)|$의 최댓값은 같다.

해법 가이드

$y=f(x)$의 그래프가 다음과 같은 꼴이면 함수 $|f(x)|$의 극값이 3개이므로 (가) 조건에 어긋난다. (가)를 만족시키는 $y=f(x)$의 그래프 개형은 어떤 모양일까 생각해 본다.

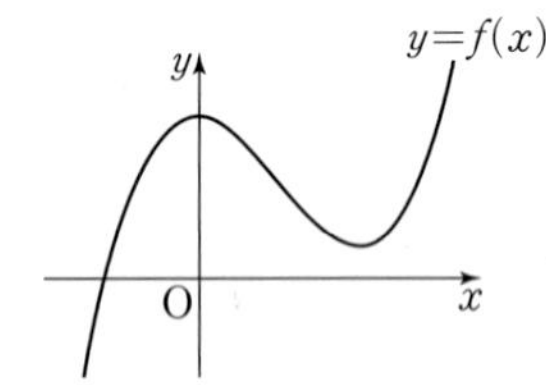

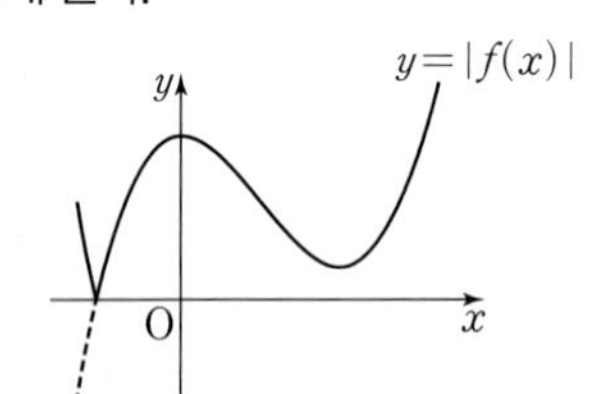

풀이 점검

1 (가) 조건에서 구한 q값의 범위는 ❶ ________

2 (나) 조건에서 구한 q값의 범위는 ❷ ________

12 ★★★

함수 $g(x)=x^2(x-3)$과 최고차항의 계수가 1인 사차함수 $f(x)$에 대하여 다음이 성립할 때, $f(4)$의 값은?

(가) $f(x)=0$의 해가 모두 음이 아닌 정수다.
(나) $-1\leq x\leq 3$에서 항상 $g(x)\leq f(x)\leq |g'(x)|$가 성립한다.

① 32　② 48　③ 64　④ 80　⑤ 96

| 해법 가이드 |

- $-1\leq x\leq 3$에서 $y=g(x)$의 그래프와 $y=|g'(x)|$의 그래프를 함께 나타내 본다.
- (가)를 만족시키는 가능한 함수 $f(x)$의 식을 모두 생각해 보고 이중에서 (나)를 만족시키는 것을 찾는다.

| 풀이 점검 |

1 그래프에서 $g(x)\leq f(x)\leq |g'(x)|$를 만족시키는 경우를 생각하면 함수 $f(x)$는 반드시 ❶ ________을 인수로 가진다.

2 주어진 조건에서 가능한 함수 $f(x)$의 식은
$f(x)=$ ❷ ________

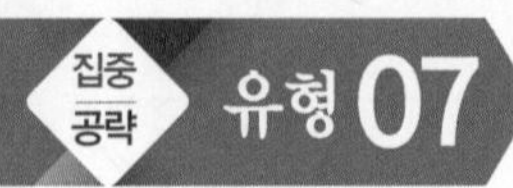

13 ★★★

최고차항의 계수가 양수인 삼차함수 $f(x)$에 대하여 함수 $g(x)$와 $h(x)$는 다음과 같다.

$$g(x)=\begin{cases} f(x) & (x\geq 1) \\ f(2-x) & (x<1) \end{cases}$$

$$h(x)=\begin{cases} f(x) & (f(x)\geq 5) \\ 10-f(x) & (f(x)<5) \end{cases}$$

두 함수 $f(x)$, $g(x)$에 대하여 다음이 성립할 때, $f(a+4)$의 값을 구하시오. (단, a는 상수)

(가) 함수 $g(x)$는 실수 전체의 집합에서 미분 가능하고, 방정식 $g(x)=5$는 서로 다른 세 실근을 가진다.
(나) 함수 $h(x)$는 $x=7$에서만 미분 가능하지 않다.
(다) $x\geq 1$에서 함수 $h(x)-f(x)$는 $x=a$에서 최댓값 32를 가진다.

| 해법 가이드 |

$y=f(2-x)$의 그래프는 $y=f(x)$의 그래프와 직선 $x=1$에 대하여 대칭이고, $y=10-f(x)$의 그래프는 $y=f(x)$의 그래프와 직선 $y=5$에 대하여 대칭이다.

| 풀이 점검 |

1 주어진 조건에서 $f(1)=f(7)=$ ❶ ________

2 주어진 조건에서 구한 상수 $a=$ ❷ ________

3 $f(x)=$ ❸ ________________

14 ★★★

2011학년도 수능 24번 변형

최고차항의 계수가 양수이고, $f(0)=1$, $f'(4)=0$인 사차함수 $f(x)$가 있다. 실수 t에 대하여 집합 S를

$S=\{a \mid$ 함수 $|f(x)-t|$가 $x=a$에서 미분가능하지 않다.$\}$

라 하고, 집합 S의 원소의 개수를 $g(t)$라 하자. 함수 $g(t)$가 $t=1$과 $t=17$에서만 불연속일 때, 가능한 $f(-2)$ 값의 합을 구하시오.

| 해법 가이드 |

- 함수 $y=|f(x)-t|$에서 미분 가능하지 않은 점의 개수를 $g(t)$라 하면 $g(t)$는 $f'(a)=0$일 때 $t=f(a)$에서 불연속이다.
- 함수 $g(t)$가 $t=1$과 $t=17$에서만 불연속이 되는 최고차항의 계수가 양수인 함수 $f(x)$의 개형을 그려 보면 다음 두 가지 경우가 있다.

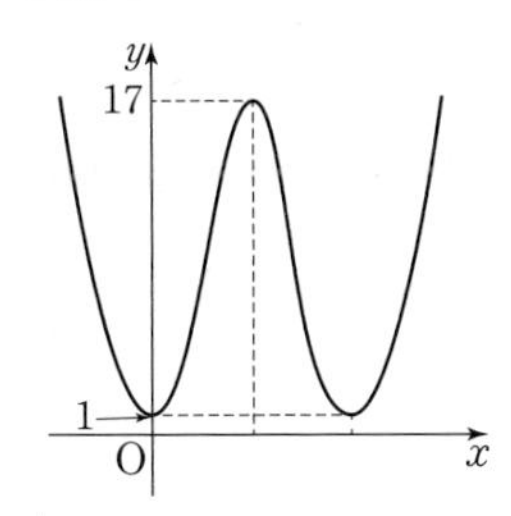

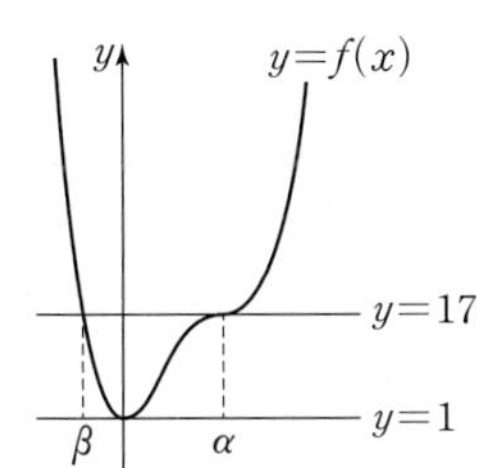

| 풀이 점검 |

조건을 만족시키는 사차함수는 3가지가 있다. 이때 $f(x)$가 $x=4$에서 극값을 갖는 것을 생각하면 극댓값에 대하여 대칭인 2가지는 극소가 되는 x값이 $x=$ ❶ ________ 인 경우와 극소가 되는 x값이 $x=$ ❷ ________ 인 경우로 나눌 수 있다.

또 삼중근을 가지는 1가지가 있는데, 삼중근을 가질 때의 함수를 구해 보면 $f(x)=$ ❸ ____________

15 ★★★

최고차항의 계수가 1인 사차함수 $y=f(x)$에 대하여 두 함수 $g(x)$, $h(x)$를

$$g(x)=\begin{cases}-1 & (f(x)<0)\\ 0 & (f(x)=0)\\ 1 & (f(x)>0)\end{cases},\ h(x)=\begin{cases}-1 & (f'(x)<0)\\ 0 & (f'(x)=0)\\ 1 & (f'(x)>0)\end{cases}$$

이라 하자. 함수 $g(x)h(x)$의 그래프 개형이 그림과 같을 때, $f(8)$의 값을 구하시오. (단, α는 상수이다.)

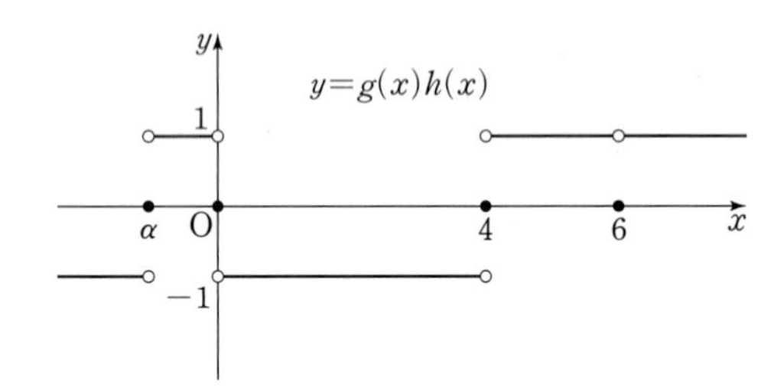

| 해법 가이드 |

- 함수 $g(x)h(x)$의 부호는 사차함수 $y=f(x)$의 그래프 개형에 따라 결정된다.
  (i) $g(x)h(x)=0$인 경우
  ⇨ $f(x)=0$ 또는 $f'(x)=0$
  (ii) $g(x)h(x)>0$인 경우
  ⇨ $f(x)>0$이고 증가하거나 $f(x)<0$이고 감소한다.
  (iii) $g(x)h(x)<0$인 경우
  ⇨ $f(x)>0$이고 감소하거나 $f(x)<0$이고 증가한다.
- 함수 $y=g(x)h(x)$에 맞는 사차함수 $y=f(x)$의 그래프의 개형을 그린 후 $y=f(x)$의 식을 세운다.

| 풀이 점검 |

1 $y=g(x)h(x)$의 그래프에서 추론해 보면 함수 $f(x)$에 대하여 $f(\alpha)=0$이고, $f'(6)=$❶ ________

2 주어진 조건에서 가능한 함수 $f(x)$의 식은 $f(x)=$❷ ________________

16 ★★★

최고차항의 계수가 1이고, $f'(0)=0$인 사차함수 $f(x)$에 대하여 함수 $g(x)$가 다음 조건을 만족시킨다.

> (가) $-1 \le x < 1$일 때, $g(x)=f(x)$이다.
> (나) 모든 실수 x에 대하여 $g(1+x)=g(-1+x)$이고, 함수 $g(x)$는 실수 전체의 집합에서 미분가능하다.

함수 $y=|f(x)-t|$가 미분 불가능한 점이 2개가 되는 t의 최솟값이 8일 때, $g(999)$의 값을 구하시오.

| 해법 가이드 |

- 사차함수 $f(x)$에 대하여 $-1 \le x < 1$일 때, $g(x)=f(x)$이고, 주기가 2인 주기함수 $g(x)$가 실수 전체에서 미분 가능하려면 다음과 같은 모양을 생각할 수 있다.

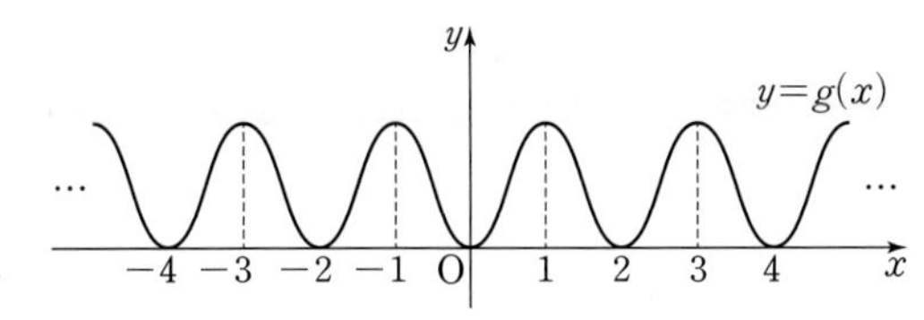

- t를 조금씩 변화시켜보면서 함수 $y=|f(x)-t|$에서 미분 불가능한 점의 개수를 찾는다.

| 풀이 점검 |

1. 함수 $g(x)$가 주기함수이므로 $f(1)=$❶ ____________
2. 주어진 조건에서 구한 $f(x)=$❷ ________________

17 ★★★

최고차항의 계수가 1이고 원점을 지나는 삼차함수 $f(x)$가 있다. 실수 t에 대하여 부등식 $f(x) \leq f(t)$를 만족시키는 실수 x의 최댓값을 $g(t)$라 할 때, 함수 $g(t)$는 다음 조건을 만족시킨다.

> (가) 함수 $g(t)$는 $t=0$에서만 불연속이다.
> (나) 함수 $g(t)$의 극댓값은 4이다.

이때 $0 \leq x \leq 3$인 모든 실수 x에 대하여
$f(x)-f(k) \leq f'(k)(x-k)$가 되는 실수 k의 최댓값을 p라 할 때, $24p$의 값을 구하시오.

| 해법 가이드 |

- 실수 t에 대하여 부등식 $f(x) \leq f(t)$를 만족시키는 실수 x의 최댓값 $g(t)$의 정의를 이해하고 삼차함수 $f(x)$의 그래프를 그려본다.
- $f(x)$의 그래프를 이용해 $f(x)$의 식을 완성하고 실수 k의 최댓값을 구한다.

| 풀이 점검 |

1 조건을 이용해 구한 $f(x)=$ ❶ ____________

2 $f(x) \leq f'(k)(x-k)+f(k)$에서 부등식의 우변 $y=f'(k)(x-k)+f(k)$는 곡선 $y=f(x)$ 위의 점 $(k, f(k))$에서의 접선이므로 이 접선이 $(3, 0)$을 지나는 경우를 생각해 실수 k의 최댓값 p를 구하면 $p=$ ❷ ____________

집중 공략

유형 08 정적분으로 정의된 함수

Mentor Comment

수Ⅱ에서 어려운 문제는 주로 미분과 적분이고, 적분에서는 정적분으로 정의된 함수를 포함한 유형이 많았다. 정적분으로 정의된 함수는 구간이 모두 상수인 경우보다는 구간에 변수가 있는 경우가 주로 출제된다. 구간에 변수가 있는 경우, 기본적으로 적분 구간을 같게 만들어 함수의 정보를 찾고, 양변을 미분하여 함수를 찾는데, 반드시 이런 경우만 있지 않다는 점도 생각해야 한다. 최근 이 유형에서는 미분과 연계되는 합답형 문제도 자주 출제되므로 충분히 연습하도록 하자.

대표 문제

01

2017학년도 수능 20번

최고차항의 계수가 양수인 삼차함수 $f(x)$가 다음 조건을 만족시킨다.

> (가) 함수 $f(x)$는 $x=0$에서 극댓값, $x=k$에서 극솟값을 가진다. (단, k는 상수이다.)
> (나) 1보다 큰 모든 실수 t에 대하여 $\int_0^t |f'(x)|dx=f(t)+f(0)$

보기에서 옳은 것만을 있는 대로 고른 것은?

보기

ㄱ. $\int_0^k f'(x)dx<0$ ㄴ. $0<k\le1$ ㄷ. 함수 $f(x)$의 극솟값은 0이다.

① ㄱ ② ㄷ ③ ㄱ, ㄴ ④ ㄴ, ㄷ ⑤ ㄱ, ㄴ, ㄷ

풀이 preview

함수 $f(x)$에서 삼차항의 계수를 양수 a라 하고, 그림과 같이 그래프의 개형을 생각하면
(가)에서 $f'(x)=3ax(x-k)$ $(a>0)$이고, $k>0$임을 알 수 있다.

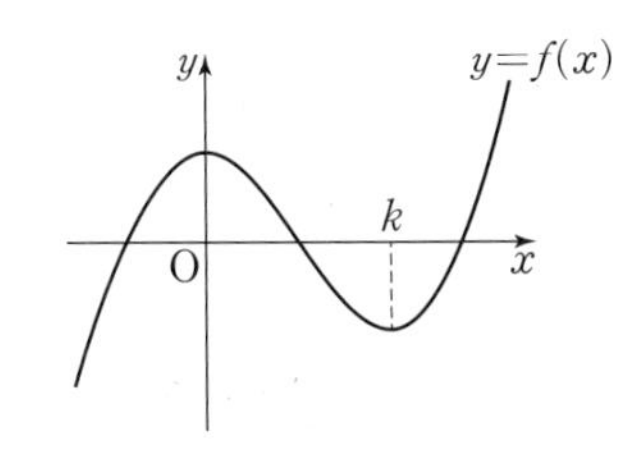

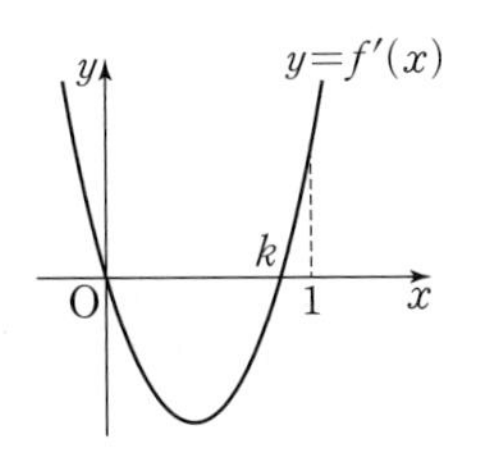

(나)의 등식 $\int_0^t |f'(x)|dx=f(t)+f(0)$을 t에 대하여 미분하면
$|f'(t)|=f'(t)$를 얻을 수 있는데, 조건에서 이 등식은 $t>1$일 때 성립하므로
이 범위에서 $f'(t)\ge0$임을 알 수 있다.

✓ 해법 Tip

1 조건에 따라 삼차함수 $f(x)$와 $f'(x)$의 그래프 개형을 그려 본다.
2 $|f'(t)|=f'(t)$이면 $f'(t)\ge0$이다.

02-1 ★★

2020학년도 수능 28번

다항함수 $f(x)$가 다음 조건을 만족시킨다.

(가) 모든 실수 x에 대하여
$$\int_1^x f(t)dt=\frac{x-1}{2}\{f(x)+f(1)\}$$
(나) $\int_0^2 f(x)dx=5\int_{-1}^1 xf(x)dx$

$f(0)=1$일 때, $f(4)$의 값을 구하시오.

| 해법 가이드 |

(가) 등식의 양변을 x에 대하여 미분하여 $f(x)$, $f'(x)$ 사이의 관계식을 얻고 다항함수 $f(x)$의 최고차항을 구한다.

| 풀이 점검 |

1 $f(x)$의 최고차항을 ax^n이라 하고, n을 구하면 $n=$ ❶ ______

2 (나)를 이용해 구한 $f(x)=$ ❷ ______

02-2

다항함수 $f(x)$가 다음 조건을 만족시킨다.

(가) 모든 실수 x에 대하여
$$\int_2^x f(t)dt=\frac{x-k}{2}\{f(x)+f(2)\}$$ (단, k는 상수)
(나) $\int_0^4 f(x)dx+3\int_{-2}^2 x(x-1)f(x)dx=0$

$f(0)=2$일 때, $f\left(\frac{3}{2}k\right)$의 값은?

① -13 ② -3 ③ 7 ④ 17 ⑤ 27

| 풀이 점검 |

두 조건 (가), (나)를 이용해 구한 $f(x)=$ ______

03-1 ★★

2020학년도 수능 9월 모의평가 21번

함수 $f(x)=x^3+x^2+ax+b$에 대하여 함수 $g(x)$를 $g(x)=f(x)+(x-1)f'(x)$라 하자. **보기**에서 옳은 것만을 있는 대로 고른 것은? (단, a, b는 상수이다.)

보기

ㄱ. $h(x)=(x-1)f(x)$이면 $h'(x)=g(x)$이다.

ㄴ. 함수 $f(x)$가 $x=-1$에서 극값 0을 가지면 $\int_0^1 g(x)dx=-1$이다.

ㄷ. $f(0)=0$이면 방정식 $g(x)=0$은 열린구간 $(0, 1)$에서 적어도 하나의 실근을 갖는다.

① ㄱ ② ㄴ ③ ㄱ, ㄴ ④ ㄱ, ㄷ ⑤ ㄱ, ㄴ, ㄷ

| 해법 가이드 |

- 곱의 미분법으로 $h(x)=(x-1)f(x)$의 도함수를 구한다.
- $f(x)$가 $x=-1$에서 극값 0을 가지면 $f(-1)=0$, $f'(-1)=0$

| 풀이 점검 |

ㄴ. $f(x)=x^3+x^2+ax+b$가 $x=-1$에서 극값 0을 가지는 조건을 이용해 $g(x)$를 구하면 $g(x)=$ ❶ ________

ㄷ. $\int_0^1 g(x)dx=$ ❷ ________

03-2

미분 가능한 함수 $f(x)$, $g(x)$에 대하여

$$\int_0^x \{g(t)-f(t)\}dt=(x-2)f(x)-\int_0^x f(s)ds$$

가 성립할 때, **보기**에서 옳은 것만을 있는 대로 고른 것은?

보기

ㄱ. $f(0)=0$

ㄴ. 함수 $h(x)$에 대하여 $h'(x)=f(x)+(x-2)f'(x)$이면 $g(3)=h'(3)$이고, $h(0)=h(2)$이다.

ㄷ. $f'(x)=\dfrac{f(x)}{2-x}$를 만족시키는 실수 x가 열린구간 $(0, 2)$에서 적어도 하나 존재한다.

① ㄱ ② ㄴ ③ ㄱ, ㄴ ④ ㄱ, ㄷ ⑤ ㄱ, ㄴ, ㄷ

| 풀이 점검 |

1 $\int_0^x g(t)dt=$ ❶ ________

2 $\int_0^2 g(t)dt=$ ❷ ________

04 ★

최고차항의 계수가 양수인 삼차함수 $f(x)$에 대하여 다음이 성립할 때, $f(1)+f(3)$의 값을 구하시오.

(가) $\int_1^x f(t)dt \geq \frac{x-1}{2}\{f(x)+f(1)\}$ (단, $x>1$)이고, $x=5$이면 등호가 성립하며, 이때 $\int_1^x f(t)dt=12$이다.

(나) $f(5)=5$

| 해법 가이드 |

$\frac{x-1}{2}\{f(x)+f(1)\}$을 $y=f(x)$의 그래프에서 생각하면 네 꼭짓점의 좌표가 $(1, 0)$, $(1, f(1))$, $(x, 0)$, $(x, f(x))$인 사다리꼴의 넓이임을 이용한다.

| 풀이 점검 |

주어진 조건에서 $f(3)=$ ________

05 ★

$\int_0^1 6xf(x)dx=1$을 만족시키는 일차함수 $f(x)$에 대하여 함수 $g(x)$는 $g(x)=\int_0^x \{f(t)\}^2 dt$이고, $g(1)$의 최솟값은 m이다. $60m$의 값을 구하시오.

| 해법 가이드 |

$f(x)=ax+b$라 놓고, $\int_0^1 6xf(x)dx=1$에 대입한다.

| 풀이 점검 |

1 $f(x)=ax+b$라 하고, b를 a로 나타내면 ❶ ________

2 $g(1)$을 a에 대한 식으로 나타내면 ❷ ________

06 ★

두 다항함수 $f(x)$, $g(x)$가 다음 조건을 만족시킨다. $a+b+c$의 값을 구하시오. (단, c는 양수이다.)

> (가) $f(x)=ax^3+bx^2+x+\int_{-1}^{x}(x-t)g(t)dt$가 $(x+1)^2$으로 나누어 떨어진다.
> (나) 모든 실수 x에 대하여 $\int_{0}^{x}g(t)dt=x^2\int_{0}^{c}g(t)dt$를 만족시키는 실수 c가 존재한다.

| 해법 가이드 |

- $\left[\int_{-1}^{x}(x-t)g(t)dt\right]'=\int_{-1}^{x}g(t)dt$
- $f(x)$가 $(x+1)^2$으로 나누어 떨어지므로 $f(-1)=0, f'(-1)=0$

| 풀이 점검 |

1 (가)를 이용해 a, b를 구하면 $a=$❶ ________, $b=$❷ ________

2 (나)에서 $c=$❸ ________

07 ★★

다항함수 $f(x)$에 대하여 $f(1)=4$이고, 다음 등식이 성립할 때, $f(2)=k$이다. k^2의 값을 구하시오.

$$\int_{1}^{x}(x+t)f'(t)dt=2xf(x)+2x^3+ax^2+bx$$

| 해법 가이드 |

- $\int_{a}^{x}f(t)dt=g(x)$ 꼴 식은 양변을 미분해서 얻은 $f(x)=g'(x)$과 $x=a$를 대입하여 얻은 $0=g(a)$를 이용한다.
- 적분 기호 안에 x를 포함하면 x를 적분 기호 밖으로 빼내 미분한다.

| 풀이 점검 |

1 주어진 조건에서 $f'(x)$를 a를 포함해서 나타내면 $f'(x)=$❶ ________________

2 조건을 이용해 구한 $f(x)=$❷ ________________

08 ★★

모든 실수 x에 대하여 정의된 다항함수 $f(x)$에 대하여

$$\int_1^x f(t)dt = xf(x) + x^n - x^{n+1}$$

이 성립하고, $g(n)=f(0)$, $h(n)$은 $f(x)$와 x축의 교점의 개수라 한다. **보기**에서 옳은 것만을 모두 고른 것은?

(단, n은 자연수이다.)

보기
ㄱ. $n=2, 3, 4$일 때 함수 $f(x)$의 극점의 개수를 모두 더한 값은 4
ㄴ. $h(2)+h(3)+h(4)=7$
ㄷ. $\sum_{n=2}^{999} g(n) = \frac{998}{999}$이다.

① ㄱ ② ㄱ, ㄴ ③ ㄱ, ㄷ
④ ㄴ, ㄷ ⑤ ㄱ, ㄴ, ㄷ

| 해법 가이드 |

- 주어진 식에 $x=1$을 대입하여 $f(1)$을 구하고, 미분하여 $f'(x)$도 구한다.
- n값에 따라 함수 $f(x)$의 그래프를 그린다.

| 풀이 점검 |

1 $f(x)=$ ❶ ____________

2 $f(0)$을 이용하면 $g(n)=$ ❷ ____________

09 ★★☆

함수 $f(x)=x^3+ax^2+bx+c$와 직선인 함수 $y=g(x)$에 대하여 $h(x)=\dfrac{f(x)+g(x)-|f(x)-g(x)|}{2}$이다.

또 $x\geq 0$에서 정의된 함수 $p(x)=\int_{-x}^{3x} h(t)dt$에 대하여 다음이 성립할 때 $f(3)$의 값을 구하시오.

(단, a, b, c는 상수, $f(1)=g(1)$)

(가) 구간 $0<x<2$에서만 $p(x)$는 일차함수이다.
(나) 구간 $0<x<3$에서 $p(x)$는 증가한다.
(다) 구간 $x>3$에서 $p(x)$는 감소한다.

| 해법 가이드 |

- (가)에서 함수 $h(x)$는 $-2<x<6$에서 상수함수이다.
- $g(1)=f(1)$이므로 $g(x)$는 $x=1$일 때 함수 $f(x)$와 접한다.

| 풀이 점검 |

함수 $f(x)$를 구하면 $f(x)=$ ____________________

10 ★★☆

2018학년도 수능 9월 모의평가 30번

두 함수 $f(x)$와 $g(x)$가

$$f(x)=\begin{cases} 0 & (x\le 0) \\ x & (x>0) \end{cases},\ g(x)=\begin{cases} x(2-x) & (|x-1|\le 1) \\ 0 & (|x-1|>1) \end{cases}$$

이다. 양수 k, a, b $(a<b<2)$에 대하여, 함수 $h(x)$를

$$h(x)=k\{f(x)-f(x-a)-f(x-b)+f(x-2)\}$$

라 정의하자. 모든 실수 x에서 $0\le h(x)\le g(x)$일 때,

$\int_0^2 \{g(x)-h(x)\}dx$의 값이 최소가 되게 하는 k, a, b에 대하여 $60(k+a+b)$의 값을 구하시오.

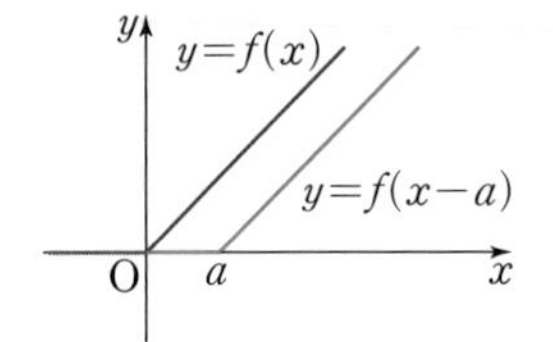

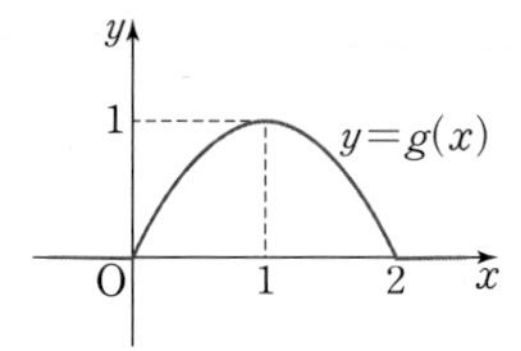

| 해법 가이드 |

$a\le x\le b$일 때 $f(x)-f(x-a)=a$이고,
$x\ge b$일 때 $f(x)-f(x-a)-f(x-b)$는 감소하는 직선임을 짐작할 수 있다.

| 풀이 점검 |

주어진 정적분이 최소일 때 a, b 사이에 ______________ 인 관계가 성립한다.

11 ★★☆

2021학년도 수능 20번

실수 $a\ (a>1)$에 대하여 함수 $f(x)$를

$$f(x)=(x+1)(x-1)(x-a)$$

라 하자. 함수

$$g(x)=x^2\int_0^x f(t)dt-\int_0^x t^2 f(t)dt$$

가 오직 하나의 극값을 갖도록 하는 a의 최댓값은?

① $\frac{9\sqrt{2}}{8}$ ② $\frac{3\sqrt{6}}{4}$ ③ $\frac{3\sqrt{2}}{2}$ ④ $\sqrt{6}$ ⑤ $2\sqrt{6}$

| 해법 가이드 |

$g'(x)=0$이 되는 경우를 생각한다.

| 풀이 점검 |

조건을 만족시키는 등식을 정적분을 포함한 식으로 나타내면

12 ★★★

다음과 같은 조건을 만족시키는 함수 $f(x)$가 있다. 이때 함수 $g(x)=\int_{x}^{x+2} f(t)dt$에 대한 설명으로 **보기**에서 옳은 것만을 있는대로 고른 것은?

(가) $f(x)=x\ (-1\leq x\leq 1)$ (나) $f(2-x)=f(x)$ (다) $f(-x)=-f(x)$

보기

ㄱ. $g'(1)=-2$

ㄴ. $0\leq x\leq 10$에서 $g(x)$의 극댓값은 1만 존재한다.

ㄷ. 함수 $g(x)$는 주기가 2인 주기함수이다.

ㄹ. $g(-x)=-g(x)$

① ㄱ, ㄴ ② ㄱ, ㄷ ③ ㄴ, ㄷ
④ ㄱ, ㄴ, ㄷ ⑤ ㄴ, ㄷ, ㄹ

해법 가이드

- 함수 $f(x)$가 $x=1$에 대하여 대칭이면서 원점에 대하여 대칭이다.
- 함수 $f(x)$의 그래프를 구하고 구간별로 적분하여 함수 $g(x)$를 구한다.

풀이 점검

1 $0\leq x<1$일 때 $g(x)=$ ❶ ______

2 $1\leq x<2$일 때 $g(x)=$ ❷ ______

3 $2\leq x<3$일 때 $g(x)=$ ❸ ______

4 $3\leq x<4$일 때 $g(x)=$ ❹ ______

집중 공략 유형 09

정적분의 활용

Mentor Comment

정적분의 활용은 넓이 문제와 속도・거리 문제, 이 두 가지 유형으로 나눌 수 있다. 넓이 문제는 주로 구간을 나누어서 정적분하는 유형으로 출제된다. 속도와 거리 문제는 위치의 변화량과 이동거리를 잘 구분해야 하며, 특히 속도-시간 그래프를 해석하는 연습이 필요하다. 이 유형은 꾸준히 출제되는 것에 비해 크게 어렵지 않지만 가끔 넓이에서 삼차・사차함수와 연계된 것, 함수 또는 수열 등 다른 단원과 연계된 것 등이 까다롭게 다뤄지기도 한다. 한편 넓이를 계산할 때 몇 가지 공식을 이용하면 꽤 편리하므로 연습해 두는 것도 좋을 것이다.

대표 문제

01

2019학년도 수능 17번

실수 전체의 집합에서 증가하는 연속함수 $f(x)$가 다음 조건을 만족시킨다.

(가) 모든 실수 x에 대하여 $f(x)=f(x-3)+4$이다.

(나) $\int_0^6 f(x)dx=0$

함수 $f(x)$의 그래프와 x축 및 두 직선 $x=6$, $x=9$로 둘러싸인 부분의 넓이는?

① 9 ② 12 ③ 15 ④ 18 ⑤ 21

풀이 preview

(나)에서 $\int_0^6 f(x)dx=\int_0^3 f(x)dx+\int_3^6 f(x)dx$

$=\int_0^3 f(x)dx+\int_3^6 \{f(x-3)+4\}dx$

$=\int_0^3 f(x)dx+\int_0^3 \{f(x)+4\}dx$

$=\int_0^3 f(x)dx+\int_0^3 f(x)dx+\int_0^3 4dx$

$=2\int_0^3 f(x)dx+12$

$\int_0^6 f(x)dx=0$이므로 $2\int_0^3 f(x)dx+12=0$

즉 $\int_0^3 f(x)dx=-6$이고, 이때 $\int_3^6 f(x)dx=6$

이 사실을 이용해 함수 $f(x)$의 그래프와

x축 및 두 직선 $x=6$, $x=9$로 둘러싸인 부분의 넓이인

$\int_6^9 f(x)dx$를 구한다.

✓ 해법 Tip

1 $f(x)=f(x-3)+4$는 구간의 길이가 3일 때마다 같은 모양의 그래프가 반복된다는 뜻이므로 정적분에서 구간의 길이를 3씩 나누는 걸 생각한다.

2 정적분에서 다음이 성립한다.

$\int_a^b f(x-a)dx=\int_0^{b-a} f(x)dx$

02-1 ★

2020학년도 경찰대 15번

두 곡선 $y=x^3+4x^2-6x+5$, $y=x^3+5x^2-9x+6$이 만나는 점의 x좌표를 α, β $(\alpha<\beta)$라 하자.
곡선 $y=6x^5+4x^3+1$과 두 직선 $x=\alpha$, $x=\beta$와 x축으로 둘러싸인 부분의 넓이는 $a\sqrt{5}$일 때, 자연수 a의 값은?

① 160 ② 162 ③ 164
④ 166 ⑤ 168

| 해법 가이드 |

- 두 곡선의 교점을 구하는 식을 세우고 α, β 사이의 관계식을 찾는다.
- 넓이를 α, β로 나타내고 곱셈공식의 변형을 이용한다.

| 풀이 점검 |

[1] $\beta^2-\alpha^2=$ ❶ ________
[2] $\beta^4-\alpha^4=$ ❷ ________
[3] $\beta^6-\alpha^6=$ ❸ ________

02-2

두 곡선 $y=x^3+3x^2$, $y=x^3+5x^2+6x+2$가 만나는 점의 x좌표를 α, β $(\alpha<\beta)$라 하자.
곡선 $y=5x^4+6x^2+1$과 두 직선 $x=\alpha$, $x=\beta$와 x축으로 둘러싸인 부분의 넓이는 $a\sqrt{5}$일 때, 자연수 a의 값은?

① 68 ② 70 ③ 72
④ 74 ⑤ 76

| 풀이 점검 |

[1] $\beta^3-\alpha^3=$ ❶ ________
[2] $\beta^5-\alpha^5=$ ❷ ________

03-1 ★★

2011학년도 수능 17번

원점을 출발하여 수직선 위를 움직이는 점 P의 시각 $t(0\le t\le 5)$에서의 속도 $v(t)$가 다음과 같다.

$$v(t)=\begin{cases} 4t & (0\le t<1) \\ -2t+6 & (1\le t<3) \\ t-3 & (3\le t\le 5) \end{cases}$$

$0<x<3$인 실수 x에 대하여 점 P가

시각 $t=0$에서 $t=x$까지 움직인 거리

시각 $t=x$에서 $t=x+2$까지 움직인 거리

시각 $t=x+2$에서 $t=5$까지 움직인 거리

중에서 최소인 값을 $f(x)$라 할 때, **보기**에서 옳은 것만을 있는 대로 고른 것은?

보기

ㄱ. $f(1)=2$

ㄴ. $f(2)-f(1)=\int_1^2 v(t)dt$

ㄷ. 함수 $f(x)$는 $x=1$에서 미분 가능하다.

① ㄱ ② ㄴ ③ ㄱ, ㄴ

④ ㄱ, ㄷ ⑤ ㄴ, ㄷ

| 해법 가이드 |

- 시간-속도 그래프에서 움직인 거리는 $v(t)$의 그래프와 x축 사이의 넓이와 같음을 생각한다.
- 충분히 작은 양수 h에 대하여 $1-h<x<1$일 때와 $1<x<1+h$일 때로 나누어 $f(x)$를 구해 본다.

| 풀이 점검 |

ㄱ. $f(1)=$ ❶ ____________

ㄴ. $\int_1^2 v(t)dt=$ ❷ ____________

ㄷ. 충분히 작은 양수 h에 대하여

$1-h<x<1$일 때 $f'(x)=$ ❸ ____________

$1<x<1+h$일 때 $f'(x)=$ ❹ ____________

03-2

03-1과 같은 조건에서 $v(t)$가 다음과 같다.

$$v(t)=\begin{cases} 2t & (0\le t<1) \\ -t+3 & (1\le t<3) \\ \frac{1}{2}t-\frac{3}{2} & (3\le t\le 5) \end{cases}$$

이때 $\int_0^3 f(x)dx$의 값은?

① $\frac{4}{3}$ ② $\frac{5}{3}$ ③ 2 ④ $\frac{7}{3}$ ⑤ $\frac{8}{3}$

| 풀이 점검 |

1 $0<x<1$일 때 $f(x)=$ ❶ ____________

2 $1<x<3$일 때 $f(x)=$ ❷ ____________

04 ★

네 꼭짓점의 좌표가 $\mathrm{O}(0, 0)$, $\mathrm{A}(t, 0)$, $\mathrm{B}(t, t)$, $\mathrm{C}(0, t)$인 정사각형 OABC가 있다. 포물선 $y=mx^2$ $(m>0)$이 그림과 같이 정사각형 OABC의 넓이를 이등분할 때, $\frac{1}{m}$의 값을 $f(t)$라 하자.

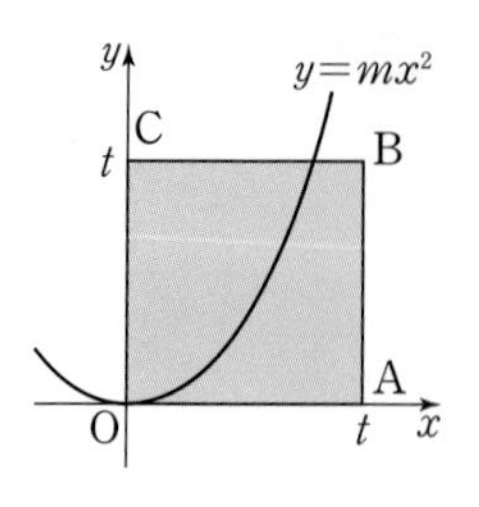

$f(t)$가 정수가 되는 두 자리 자연수 t값들의 합을 구하시오.

| 해법 가이드 |

- 이등분된 각 부분의 넓이를 따로 생각한다.
- 곡선 $y=mx^2$과 $\overline{\mathrm{BC}}$의 교점의 좌표를 (a, t)라 놓자.

| 풀이 점검 |

1 곡선 $y=mx^2$과 변 $\overline{\mathrm{BC}}$가 만나는 점의 x좌표를 a라 하고, a를 t로 나타내면 $a=$ ❶ ____________

2 $f(t)=$ ❷ ____________

05 ★★

수직선 위를 움직이는 두 점 P, Q의 시각 t $(t\geq 0)$에서 각각의 위치 x_1, x_2가

$$x_1=t^3+t^2,\ x_2=at^2+bt$$

이다. 처음에는 점 P가 앞서기 시작하여 두 점 사이의 거리 차가 44까지 되었다가 나중에는 점 Q가 점 P를 추월하여 거리 차는 64까지 벌어졌다. $t=4$일 때, 점 Q의 위치를 구하시오.

| 해법 가이드 |

- $f(t)=x_1-x_2$라 하고 조건을 만족시키는 $f(t)$를 구한다.
- $x_2=x_1-f(t)$임을 이용하여 x_2를 구한다.

| 풀이 점검 |

1 $f(t)=x_1-x_2$라 하면 $f(t)=$ ❶ ____________

2 점 Q의 위치 $x_2=$ ❷ ____________

06 ★★

두 함수

$$f(x)=\begin{cases}3x-x^3 & (x\geq 0)\\ -x^2-3x & (x<0)\end{cases},\ g(x)=tx$$

가 서로 다른 세 점에서 만나고 있다. 두 함수의 그래프로 둘러싸인 부분의 넓이를 $S(t)$라 할 때, $S(t)$가 최소가 되는 t값을 m, $S(t)$의 최솟값을 n이라 하자. $6(m+n)$의 값을 구하시오.

| 해법 가이드 |

- 두 함수 $f(x)$, $g(x)$ 모두 원점을 지나므로 그래프 개형을 그려 놓고 세 점에서 만나는 경우를 생각한다.
- $f(x)-g(x)$를 정적분하여 $S(t)$를 구한다.

| 풀이 점검 |

1 두 함수 $f(x)$, $g(x)$의 그래프가 만나는 점의 x좌표는 $x>0$일 때 $x=$❶ ________, $x<0$일 때 $x=$❷ ________

2 $S(t)=$❸ ________________

07 ★★

최고차항의 계수가 1인 삼차함수 $f(x)$와 $g(x)=2x-1$이 있다. 또 함수 $h(x)$에 대하여 $h'(x)=f(x)+xf'(x)$이고, 다음 조건을 만족시킨다. $f(4)$의 값을 구하시오.

> (가) 두 함수 $g(x)$, $h(x)$는 $x=1$, α일 때만 만난다. $(\alpha>1)$
> (나) $h(x)\geq g(x)$
> (다) 두 함수 $g(x)$, $h(x)$로 둘러싸인 영역의 넓이는 $\frac{16}{15}$

| 해법 가이드 |

- $(xf(x))'=f(x)+xf'(x)$
- $h(x)$와 $g(x)$의 그래프를 생각하면 직선 $y=g(x)$가 곡선 $y=h(x)$에 접할 때 두 조건 (가), (나)를 만족시킨다.

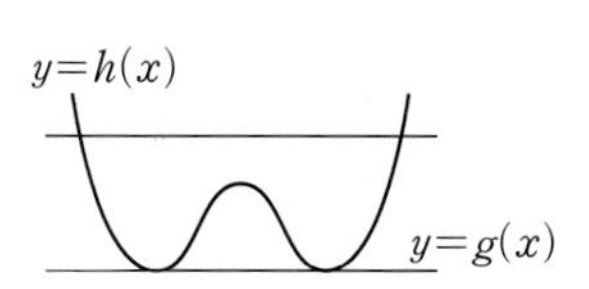

| 풀이 점검 |

1 조건 (가), (나)에서 $h(x)-g(x)=$❶ ________________

2 조건 (다)에서 $\alpha=$❷ ________

3 $f(x)=$❸ ________________

08 ★★☆

두 함수 $f(x)=x^2-2x+4$, $g(x)=m(x-2)+5$에 대하여 함수 $h(x)$는 다음과 같다.

$$h(x)=\begin{cases} f(x) & (f(x)\geq g(x)) \\ g(x) & (f(x)<g(x)) \end{cases}$$

제 1 사분면에서 $y\leq h(x)$이고, $x\leq 4$인 부분의 넓이를 $S(m)$이라 하자. $S(m)$이 최소가 되는 m의 값을 a, $S(m)$의 최솟값을 b라 할 때, $a+b=\frac{q}{p}$이다. $p+q$의 값을 구하시오. $\left(\text{단, } \frac{1}{2}\leq m\leq\frac{5}{2}\text{이고 } p, q\text{는 서로소인 자연수이다.}\right)$

| 해법 가이드 |

- 두 함수 $f(x)$, $g(x)$의 교점을 구한다.
- 그래프의 개형을 그려 각 구간별로 정적분한다.

| 풀이 점검 |

1 두 함수 $f(x)$, $g(x)$의 그래프가 만나는 점의 x좌표를 α, β라 할 때, $\alpha+\beta=$ ❶ ________, $\alpha\beta=$ ❷ ________

2 $S(m)$을 m에 대한 식으로 나타내면
$S(m)=$ ❸ ____________

09 ★★☆

그림과 같이 포물선 $f(x)=x^2-6x+11$과 이 곡선 위의 네 점 $A(2, 3)$, $B(5, 6)$, $P(a, f(a))$, $Q(b, f(b))$가 있다. 이때 사각형 APQB 넓이의 최댓값을 구하시오.

(단, $2<a<b<5$)

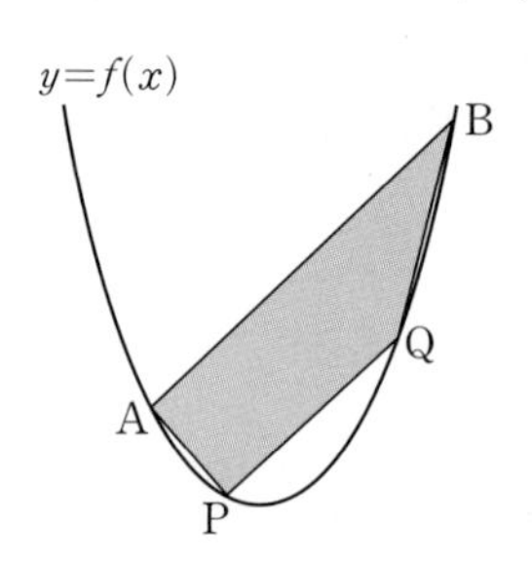

| 해법 가이드 |

곡선 $f(x)$와 네 변 $\overline{AB}$, $\overline{AP}$, $\overline{PQ}$, $\overline{QB}$로 둘러싸인 부분의 넓이를 차례로 S_1, S_2, S_3, S_4라 하면
(사각형 APQB의 넓이)$=S_1-(S_2+S_3+S_4)$임을 이용한다.

| 풀이 점검 |

1 곡선 $f(x)$와 네 변 $\overline{AB}$, $\overline{AP}$, $\overline{PQ}$, $\overline{QB}$로 둘러싸인 부분의 넓이를 차례로 S_1, S_2, S_3, S_4라 할 때, $S_1=$ ❶ ________
$S_2+S_3+S_4=$ ❷ ____________

2 $(S_2+S_3+S_4)$의 최솟값은 ❸ ________

10 ★★☆

다음에 주어진 조건을 만족시키는 함수 $f(x)$에 대하여 함수 $g(x)$를 $g(x)=\int_0^x f(t)dt$라 할 때, $\int_0^{12} g(x)dx$의 값을 구하시오.

(가) $f(x)=\frac{1}{2}x\ (0\le x<2)$ (나) $f(-x)=f(x)$ (다) $f(x+4)=f(x)$

| 해법 가이드 |

- $0\le x<2$, $2\le x<4$일 때 $g(x)$를 구해 보자.
- $f(x)$가 주기함수이므로 $g(x)$에서도 규칙이 있음을 생각한다.

| 풀이 점검 |

[1] $0\le x<2$일 때 $g(x)=$ ❶ ________

[2] $2\le x<4$일 때 $g(x)=$ ❷ ________________

[3] $\int_0^{12} g(x)dx=3\left\{\int_0^2 g(x)dx+\int_2^4 g(x)dx\right\}+$ ❸ ________

11 ★★★

2018학년도 수능 30번

이차함수 $f(x)=\dfrac{3x-x^2}{2}$에 대하여 구간 $[0, \infty)$에서 정의된 함수 $g(x)$가 다음 조건을 만족시킨다.

> (가) $0\le x<1$일 때, $g(x)=f(x)$
> (나) 자연수 n에 대하여 $n\le x<n+1$일 때,
> $$g(x)=\frac{1}{2^n}\{f(x-n)-(x-n)\}+x$$

어떤 자연수 k $(k\ge 6)$에 대하여 함수 $h(x)$는

$$h(x)=\begin{cases} g(x) & (0\le x<5 \text{ 또는 } x\ge k) \\ 2x-g(x) & (5\le x<k) \end{cases}$$

이다. 수열 $\{a_n\}$을 $a_n=\displaystyle\int_0^n h(x)dx$라 할 때,

$\displaystyle\lim_{n\to\infty}(2a_n-n^2)=\frac{241}{768}$이다. k의 값을 구하시오.

| 해법 가이드 |

- $\displaystyle\int_0^n xdx=\frac{n^2}{2}$이고 $a_n=\displaystyle\int_0^n h(x)dx$이므로
  $\displaystyle\lim_{n\to\infty}(2a_n-n^2)=2\lim_{n\to\infty}\left(a_n-\frac{n^2}{2}\right)=2\lim_{n\to\infty}\int_0^n\{h(x)-x\}dx$
- $g(x)-x=\dfrac{1}{2^n}\{f(x-n)-(x-n)\}$은 $\dfrac{1}{2^n}\{f(x)-x\}$를 x축 방향으로 n만큼 평행이동하면서 $\dfrac{1}{2}$을 n번 곱한 것과 같다.

| 풀이 점검 |

1 $\displaystyle\int_0^1\{f(x)-x\}dx=$ ❶ ______

2 $\displaystyle\int_n^{n+1}\{g(x)-x\}dx=$ ❷ ______

12 ★★★

함수 $f(x)=x^4-6x^2-10x-1$과 일차함수 $g(x)$에 대하여 함수 $h(x)$는 다음과 같고, 아래 조건들을 모두 만족시킬 때, 두 곡선 $f(x)$, $g(x)$로 둘러싸인 부분의 넓이는 $\frac{q}{p}$이다. $p+q$의 값을 구하시오. (단, p, q는 서로소이다.)

$$h(x)=\begin{cases} f(x) & (f(x) \le g(x)) \\ g(x) & (f(x) > g(x)) \end{cases}$$

(가) 함수 $h(x)$는 한 점에서만 미분이 불가능하다.
(나) $g'(x) > -10$

| 해법 가이드 |

함수 $h(x)$는 크지 않은 값을 취하므로 그림처럼 생각하면 (가)를 만족시키는 경우는 $g(x)$가 $f(x)$의 접선이면서 접점을 제외한 다른 한 점에서만 $f(x)$와 다시 만나는 경우에만 가능하다.

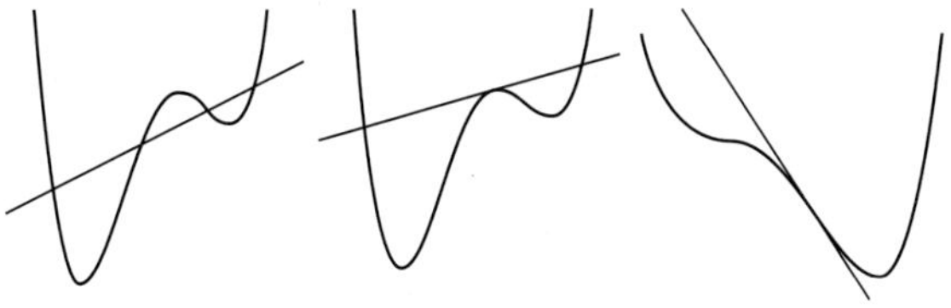

| 풀이 점검 |

1 조건을 만족시키는 $g(x)=$ ❶ ____________

2 구하려는 두 곡선 $f(x)$, $g(x)$로 둘러싸인 부분의 넓이는 ❷ ____________

13 ★★★

사차함수 $f(x)$가 다음을 만족시킬 때, **보기**에서 옳은 것만을 모두 고른 것은? (단, $a<b<c$)

> (가) $f'(a)=f'(b)=f'(c)=0$
>
> (나) 충분히 작은 실수 h에 대하여 $\dfrac{f(a+h^2)-f(a)}{h^2}>0$
>
> (다) $y=f'(x)$와 x축 사이 넓이 합은 $9k+6$ (단, k는 정수)
>
> (라) $f(a)-f(c)=-2k^2+5k+18$

보기

ㄱ. $f(a)<f(b)$

ㄴ. $y=|f(x)|$의 극댓값이 3개일 때,
$g(k)=|f(b)|+|f(c)|$라 하면 모든 정수 k에 대한 $g(k)$의 최댓값이 24다.

ㄷ. $f(b)-f(a)=18$이면 $f(b)-f(c)=24$이다.

① ㄱ　② ㄴ　③ ㄱ, ㄷ　④ ㄴ, ㄷ　⑤ ㄱ, ㄴ, ㄷ

| 해법 가이드 |

- $f(x)$의 극점의 개수와 최고차항의 부호를 파악하여 그래프 개형을 그려본다.
- $\dfrac{f(a+h^2)-f(a)}{h^2}$는 점 $(a, f(a))$와 그보다 오른쪽에 있는 점 $(a+h^2, f(a+h^2))$을 지나는 직선의 기울기를 의미한다.
- $y=f'(x)$의 그래프와 x축 사이의 넓이가 가지는 의미를 생각해 보고, 극값의 차를 구한다.

| 풀이 점검 |

삼차함수 $f'(x)$와 x축으로 둘러싸인 부분의 넓이를 각각 S_1, S_2라 할 때, S_1, S_2를 각각 k에 대한 식으로 나타내면

$S_1=$ ❶ ________________

$S_1=$ ❷ ________________

집중 공략

유형 10

경우 나누기

Mentor Comment

순열, 조합에서는 주로 기본 문제, 중복조합, 이항정리 등과 관련한 경우의 수 구하기 문제가 출제된다. 또 확률에서는 기본 문제, 조건부확률, 독립종속 관련 또는 독립시행에서 출제된다. 통계에서는 이산확률분포 또는 이항분포, 정규분포, 그리고 추정에서 출제된다. 이때 난이도가 있는 문제는 단원과 상관없이 경우를 하나씩 나누어 풀어야 하는 문제가 많다. 특히 문제의 핵심으로 접근하기 어렵거나 복잡할수록 경우를 하나씩 나누어 보면 좀 더 명확하게 정리됨을 알 수 있다. 이런 '경우 나누기' 문제에서는 '무엇을 기준으로 경우를 나누느냐'가 가장 중요하다.

대표 문제

01

2019학년도 경찰대 15번

1부터 9까지의 자연수가 각각 하나씩 적힌 공이 9개 들어 있는 주머니가 있다. 이 주머니에서 임의로 공 4개를 동시에 꺼낼 때, 꺼낸 공에 적혀 있는 수 a, b, c, d가 다음 조건을 만족시킬 확률은?

(가) $a+b+c+d$는 홀수이다.　　(나) $a\times b\times c\times d$는 15의 배수이다.

① $\frac{4}{21}$　② $\frac{3}{14}$　③ $\frac{5}{21}$　④ $\frac{11}{42}$　⑤ $\frac{2}{7}$

풀이 preview

$a+b+c+d$가 홀수이려면 주머니에서 꺼낸 공 4개에 적힌 수는 {홀수, 짝수, 짝수, 짝수}이거나 {홀수, 홀수, 홀수, 짝수}이다.

(i) 공에 적힌 자연수가 {홀수, 짝수, 짝수, 짝수}인 경우

조건 (나)에 따라 홀수 하나는 5이고, 나머지 수 3개 중 적어도 하나는 짝수인 3의 배수여야 하므로 6이다.

이때 남은 2, 4, 8 중 2개를 택하는 경우의 수는 ${}_3C_2=3$

(ii) 공에 적힌 자연수가 {홀수, 홀수, 홀수, 짝수}인 경우

조건 (나)를 만족시키면서 공을 뽑는 경우의 수를 구한다.

(i), (ii)를 이용해 주어진 확률을 계산한다.

✓ 해법 Tip

1. (가)에서 4개의 수의 합이 홀수이려면 홀수가 1개 또는 3개다.
2. (나)에서 곱이 15의 배수가 되려면 a, b, c, d 중 하나는 반드시 5이고, 나머지 3개 중 적어도 하나는 3의 배수여야 한다.

※ 확률을 구할 때 분모에서 순서를 따지는 경우이면 분자에서도 순서를 따져야 한다. 거꾸로 분모에서 순서를 따지지 않았다면 분자에서도 순서를 따지지 않아야 한다.

02-1 ★★

2020학년도 수능 6월 모의평가 27번 변형

숫자 1, 1, 1, 2, 2, 3이 하나씩 적혀 있는 공 6개가 들어 있는 주머니가 있다. 이 주머니에서 공 한 개를 임의로 꺼내 공에 적힌 수를 확인한 후 다시 넣지 않는다. 이와 같은 시행을 6번 반복할 때, $k(1 \le k \le 6)$번째 꺼낸 공에 적힌 수를 a_k라 하자. 두 자연수 m, n을

$$m = a_1 \times 100 + a_2 \times 10 + a_3$$
$$n = a_4 \times 100 + a_5 \times 10 + a_6$$

이라 한다. $m > n$이 되는 순서쌍 $(a_1, a_2, a_3, a_4, a_5, a_6)$의 개수를 구하시오.

| 해법 가이드 |

$m > n$이므로 $a_1 > a_4$ 또는 $a_1 = a_4$, $a_2 > a_5$ 또는 $a_1 = a_4$, $a_2 = a_5$, $a_3 > a_6$인 경우로 나누어 생각한다.

※ $m > n$인 경우의 수와 $m < n$인 경우의 수를 생각해 보고 이 사실을 이용할 수도 있다.

| 풀이 점검 |

1 $a_1 > a_4$인 경우의 수 ❶ ________

2 $a_1 = a_4$, $a_2 > a_5$인 경우의 수 ❷ ________

3 $a_1 = a_4$, $a_2 = a_5$, $a_3 > a_6$인 경우의 수 ❸ ________

02-2

숫자 1, 1, 2, 2, 3, 3, 4, 4가 하나씩 적혀 있는 공 8개가 들어 있는 주머니가 있다. 이 주머니에서 공 한 개를 임의로 꺼내 공에 적힌 수를 확인한 후 다시 넣지 않는다. 이와 같은 시행을 8번 반복할 때, $k(1 \le k \le 8)$번째 꺼낸 공에 적힌 수를 a_k라 하자. 두 자연수 m, n을

$$m = a_1 \times 1000 + a_2 \times 100 + a_3 \times 10 + a_4$$
$$n = a_5 \times 1000 + a_6 \times 100 + a_7 \times 10 + a_8$$

이라 한다. $m > n$이 되는 순서쌍 $(a_1, a_2, \cdots, a_8)$의 개수가 p일 때, $\frac{p}{4}$의 값을 구하시오.

| 풀이 점검 |

1 $a_1 > a_5$인 경우의 수 ❶ ________

2 $a_1 = a_5$, $a_2 > a_6$인 경우의 수 ❷ ________

3 $a_1 = a_5$, $a_2 = a_6$, $a_3 > a_7$인 경우의 수 ❸ ________

03-1 ★★

2019학년도 수능 6월 모의평가 20번 변형

자연수 n에 대하여 $2a+2b+c+d=2n$을 만족시키는 음이 아닌 정수 a, b, c, d의 모든 순서쌍 (a, b, c, d)의 개수를 a_n이라 하자. $\sum_{n=1}^{5} a_n$의 값을 구하시오.

| 해법 가이드 |

- $c+d$가 2의 배수여야 하므로 음이 아닌 정수 k_1, k_2에 대하여 다음과 같이 나눌 수 있다.
  (i) $c=2k_1$, $d=2k_2$인 경우
  (ii) $c=2k_1+1$, $d=2k_2+1$인 경우
- ${}_{r}C_{r}+{}_{r+1}C_{r}+\cdots+{}_{n-1}C_{r}+{}_{n}C_{r}={}_{n+1}C_{r+1}$을 이용한다.

| 풀이 점검 |

1. c, d가 모두 짝수일 때, 조건에 맞는 순서쌍 (a, b, c, d)의 개수를 조합의 수로 나타내면 ❶ ________
2. c, d가 모두 홀수일 때, 조건에 맞는 순서쌍 (a, b, c, d)의 개수를 조합의 수로 나타내면 ❷ ________

03-2

자연수 n에 대하여 $3a+3b+c+d=3n$을 만족시키는 음이 아닌 정수 a, b, c, d의 모든 순서쌍 (a, b, c, d)의 개수를 a_n이라 하자. $\sum_{n=1}^{5} a_n$의 값을 구하시오.

| 풀이 점검 |

1. $c=3k_1$, $d=3k_2$일 때 조건에 맞는 순서쌍 (a, b, c, d)의 개수를 조합의 수로 나타내면 ❶ ________
2. $c=3k_1+1$, $d=3k_2+2$ 또는 $c=3k_1+2$, $d=3k_2+1$일 때 각 경우에서 조건에 맞는 순서쌍 (a, b, c, d)의 개수를 조합의 수로 나타내면 ❷ ________

04 ★★

다음 조건을 만족시키는 2 이상인 자연수 a, b, c, d의 모든 순서쌍 (a, b, c, d)의 개수를 구하시오.

> (가) $a+b+c+d=24$
> (나) a, b, c 중 적어도 하나는 d의 배수가 아니다.

| 해법 가이드 |

- (나) 조건에서 여사건을 이용한다.
- a, b, c가 모두 d의 배수일 때, $a=k_1d, b=k_2d, c=k_3d$라 하고 (가)에 대입하면 중복조합을 이용할 수 있다.

| 풀이 점검 |

1. $a+b+c+d=24$를 만족시키는 2 이상인 자연수 a, b, c, d의 모든 순서쌍의 개수는 ❶ ________
2. 조건에 맞는 자연수 d가 될 수 있는 모든 수는 $d=$ ❷ ________
3. $d=2$일 때 조건에 맞는 순서쌍의 개수는 ❸ ________

05 ★★

2019학년도 수능 27번

한 개의 주사위를 한 번 던진다. 홀수인 눈이 나오는 사건을 A, 6 이하의 자연수 m에 대하여 m의 약수의 눈이 나오는 사건을 B라 하자. 두 사건 A, B가 서로 독립이 되도록 하는 모든 m값의 합을 구하시오.

| 해법 가이드 |

- m이 6 이하의 자연수이므로 $m=1, 2, 3, 4, 5, 6$인 경우로 나누어 본다.
- 두 사건 A, B가 서로 독립이므로 1부터 6까지의 m에 대하여 $\mathrm{P}(A\cap B)=\mathrm{P}(A)\mathrm{P}(B)$인 것을 찾는다.

| 풀이 점검 |

1. $m=1$일 때, $\mathrm{P}(A\cap B)=$ ❶ ________
2. $m=2$일 때 $\mathrm{P}(A\cap B)=$ ❷ ________

06 ★★

각 면에 1, 2, 3, 4가 하나씩 적혀 있는 정사면체 모양의 상자를 두 번 던질 때, 밑면에 적힌 수를 차례로 m, n이라 하자. $i^{3m}\cdot(-i)^{n+1}$의 값이 i가 될 확률이 $\frac{q}{p}$일 때, $p+q$의값은? (단, $i=\sqrt{-1}$ 이고, p, q는 서로소인 자연수다.)

① 5 ② 9 ③ 13 ④ 17 ⑤ 21

| 해법 가이드 |

$i^{3m}\cdot(-i)^{n+1}$을 정리하고 n이 짝수일 때와 n이 홀수일 때로 나눈다.

| 풀이 점검 |

N이 i가 되는 경우는

1 n이 짝수이고 $3m+n+1=4k+$ ❶ ______ $(k=1, 2, 3)$ 인 경우이고, 이때 순서쌍 (m, n)은 ❷ ______개

2 n이 홀수이고 $3m+n+1=4k+$ ❸ ______ $(k=1, 2, 3, 4)$ 인 경우이고, 이때 순서쌍 (m, n)은 ❹ ______개

07 ★★

주머니 A에는 1, 2, 3, 4, 5, 6이 하나씩 적혀 있는 구슬 여섯 개가 들어 있고, 주머니 B에는 1, 2, 3, 4, 5가 하나씩 적혀 있는 구슬 다섯 개가 들어 있다. 철수는 주머니 A에서, 영희는 주머니 B에서 각자 구슬을 임의로 한 개씩 꺼내 두 구슬에 적혀 있는 수를 확인한 후 다시 넣지 않는다. 이와 같은 시행을 반복할 때, 두 사람이 첫 번째로 꺼낸 두 구슬에 적혀 있는 수가 서로 다르고, 두 번째 꺼낸 두 구슬에 적혀 있는 수가 서로 같을 확률은?

① $\frac{1}{30}$ ② $\frac{1}{10}$ ③ $\frac{2}{15}$ ④ $\frac{9}{20}$ ⑤ $\frac{17}{30}$

| 해법 가이드 |

철수가 첫 번째 시행에서 6이 적힌 구슬을 꺼낼 때와 6이 아닌 구슬을 꺼낼 때로 경우를 나눈다.

| 풀이 점검 |

1 철수가 첫 번째 시행에서 6이 적힌 구슬을 꺼낼 때 조건을 만족시킬 확률은 ❶ ________

2 철수가 첫 번째 시행에서 6이 아닌 다른 수가 적힌 구슬을 꺼낼 때 조건을 만족시킬 확률은 ❷ ________

08 ★★

2011학년도 수능 6월 모의평가 14번 변형

A, B를 포함한 6명이 정육각형 모양의 탁자에 그림과 같이 둘러 앉아 주사위 한 개를 사용하여 다음 규칙을 따르는 게임을 한다.

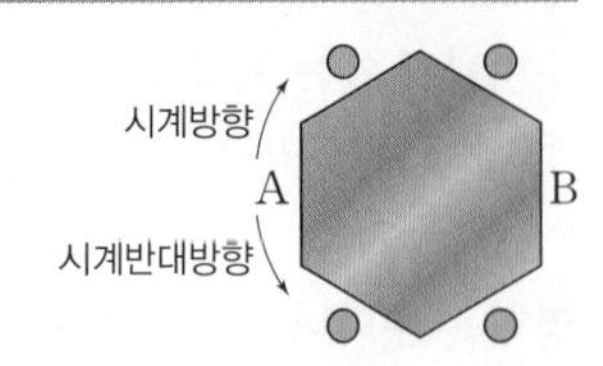

(가) 처음 주사위는 A가 가지고 있다.
(나) 주사위를 가진 사람이 주사위를 던져 나온 눈의 수가 3의 배수이면 시계방향으로 2칸, 3의 배수가 아니면 시계반대방향으로 1칸 이웃한 사람에게 주사위를 준다. 예를 들어 이 시행을 3번 하여 각 주사위의 눈이 3, 6, 1이 나오면 B가 주사위를 가지고 있게 된다.
(다) 총 6번의 시행을 한 후 게임을 끝낸다.

게임이 끝난 후 A의 건너편에 있던 B가 주사위를 가지고 있을 확률을 p라 한다. $3^6 \times p$의 값은?

① 172 ② 192 ③ 204
④ 352 ⑤ 364

| 해법 가이드 |

- 6번의 시행에서 3의 배수가 나온 횟수를 x라 하면 이동한 칸 수를 $f(x)$라 하자.
- $f(x)$에서 B가 주사위를 가지기 위한 x를 모두 구한다.

| 풀이 점검 |

1 6번의 시행 중 3의 배수가 나온 횟수를 x, 이동한 칸 수를 $f(x)$라 하면 $f(x)=$ ❶ ________

2 6번 시행 후 B가 주사위를 가지기 위한 x값을 모두 구하면 $x=$ ❷ ________ 이다.

09 ★★

2019학년도 수능 9월 모의평가 28번 변형

다음 조건을 만족시키는 음이 아닌 정수 a, b, c, d의 순서쌍 (a, b, c, d)의 개수는?

(가) $a+b+c+d=9$
(나) $a<2$ 또는 $b<2$

① 100 ② 128 ③ 164
④ 200 ⑤ 220

| 해법 가이드 |

$a<2$인 순서쌍 개수와 $b<2$인 순서쌍 개수를 더한 다음 $a<2$이면서 $b<2$인 순서쌍 개수를 뺀다.

| 풀이 점검 |

1 $a<2$인 (a, b, c, d)의 개수는 ❶ ________

2 $b<2$인 (a, b, c, d)의 개수는 ❷ ________

3 $a<2$이면서 $b<2$인 (a, b, c, d)의 개수는 ❸ ________

10 ★★

2020학년도 경찰대 13번

한 개의 주사위를 세 번 던질 때 나온 눈의 수를 차례로 a, b, c라 하고, 함수 $f(x)$를 $f(x)=(a-3)(x^2+2bx+c)$로 정의하자.

함수 $g(x)=\begin{cases} 1 & (x>0) \\ 0 & (x\le 0) \end{cases}$에 대하여 합성함수 $(g\circ f)(x)$가 실수 전체의 집합에서 연속일 확률은?

① $\frac{17}{72}$ ② $\frac{7}{24}$ ③ $\frac{25}{72}$

④ $\frac{29}{72}$ ⑤ $\frac{11}{24}$

| 해법 가이드 |

- 모든 실수 x에 대하여 $(g\circ f)(x)=0$ 또는 $(g\circ f)(x)=1$이면 된다.
- $a=3$, $a<3$, $a>3$인 경우로 나누어 확률을 구한다.

| 풀이 점검 |

$(g\circ f)(x)$가 실수 전체의 집합에서 연속일 확률은

$a=3$일 때 ❶ ________ 이고, $a<3$일 때는 ❷ ________,

$a>3$일 때는 ❸ ________ 이다.

11 ★★

2019학년도 수능 9월 모의평가 16번 변형

서로 다른 종류의 사탕 3개와 같은 종류의 구슬 7개를 같은 종류의 주머니 3개에 남김없이 나누어 넣으려고 한다. 빈 주머니가 없도록 사탕과 구슬을 나누어 넣는 경우의 수를 구하시오. (단, 사탕이 없거나 구슬이 없는 주머니가 있을 수 있다.)

| 해법 가이드 |

서로 다른 종류의 사탕 3개를 주머니 3개에 하나씩 넣는 경우, 사탕을 2개, 1개로 나누어 주머니에 넣는 경우, 주머니 하나에 사탕 3개를 모두 넣는 경우로 나눌 수 있다. 이렇게 사탕 3개를 나누어 넣은 다음 각 경우에 빈 주머니가 없도록 구슬을 넣으면 된다.
특히 주머니 하나에 사탕 3개를 모두 넣을 경우 남은 주머니 2개는 서로 구분되지 않는다는 점을 생각한다.

| 풀이 점검 |

[1] 사탕 3개를 주머니 3개에 하나씩 넣는 경우의 수는 ❶ ______

[2] 사탕을 2개, 1개로 나누어 주머니에 넣는 경우의 수는 ❷ ______

[3] 주머니 하나에 사탕 3개를 모두 넣는 경우의 수는 ❸ ______

12 ★★

2020학년도 수능 9월 모의평가 29번

연필 7자루와 볼펜 4자루를 다음 조건을 만족시키도록 여학생 3명과 남학생 2명에게 남김없이 나누어 주는 경우의 수를 구하시오. (단, 연필끼리는 서로 구별하지 않고, 볼펜끼리도 서로 구별하지 않는다.)

(가) 여학생이 각각 받는 연필의 개수는 서로 같고, 남학생이 각각 받는 볼펜의 개수도 서로 같다.
(나) 여학생은 연필을 1자루 이상 받고, 볼펜을 받지 못하는 여학생이 있을 수 있다.
(다) 남학생은 볼펜을 1자루 이상 받고, 연필을 받지 못하는 남학생이 있을 수 있다.

해법 가이드

- 연필 7자루와 볼펜 4자루를 학생 5명에게 나누어 주는 전체 경우의 수를 구한다.
- 조건을 만족시키는 경우를 다음 네 가지로 나눌 수 있다.
  (i) 여학생은 연필 1자루씩, 남학생은 볼펜 1자루씩 가진다.
  (ii) 여학생은 연필 1자루씩, 남학생은 볼펜 2자루씩 가진다.
  (iii) 여학생은 연필 2자루씩, 남학생은 볼펜 1자루씩 가진다.
  (iv) 여학생은 연필 2자루씩, 남학생은 볼펜 2자루씩 가진다.

풀이 점검

1. 여학생은 연필 1자루씩, 남학생은 볼펜 1자루씩 가지는 경우의 수는 ❶ ______
2. 여학생은 연필 1자루씩, 남학생은 볼펜 2자루씩 가지는 경우의 수는 ❷ ______
3. 여학생은 연필 2자루씩, 남학생은 볼펜 1자루씩 가지는 경우의 수는 ❸ ______
4. 여학생은 연필 2자루씩, 남학생은 볼펜 2자루씩 가지는 경우의 수는 ❹ ______

13 ★★

2020학년도 7월 학력평가 29번 변형

흰공 2개, 빨간공 4개, 검은공 4개를 학생 4명에게 남김없이 나누어 주려고 한다. 흰공을 받은 학생은 빨간공과 검은공도 반드시 각각 1개 이상 받도록 나누어 주는 경우의 수를 구하시오. (단, 같은 색의 공은 서로 구별하지 않고, 공을 하나도 받지 못하는 학생은 없다.)

| 해법 가이드 |

흰공 2개를 두 명에게 각각 한 개씩 나누어 주는 경우와 한 명에게 두 개를 주는 경우로 나누어 생각해볼 수 있다.

| 풀이 점검 |

1 두 명이 흰공을 1개씩 가지는 경우의 수는 ❶ ______

2 한 명이 흰공을 2개 가지는 경우의 수는 ❷ ______

14 ★★

2019학년도 사관학교 18번 변형

흰색 탁구공 3개와 주황색 탁구공 4개를 서로 다른 3개의 비어 있는 상자 A, B, C에 남김없이 넣으려고 할 때, 다음 조건을 만족시키도록 넣는 경우의 수는? (단, 탁구공을 하나도 넣지 않은 상자가 있을 수 있다.)

> (가) 상자 A에는 흰색 탁구공을 1개 이상 넣는다.
> (나) 흰색 탁구공만 들어 있는 상자는 없도록 넣는다.

① 35　② 37　③ 39　④ 41　⑤ 43

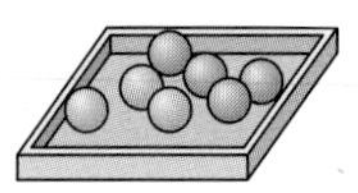
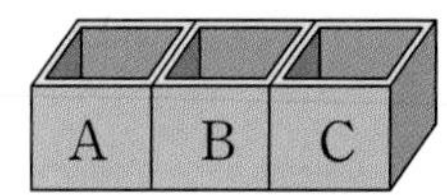

해법 가이드

- A, B, C 각 상자에 넣은 흰색 탁구공의 개수를 기준으로 경우를 나누어 보자.
- A, B, C 각 상자에 넣은 주황색 공의 개수를 각각 a, b, c라 하고 각 경우에 대하여 방정식을 만들어 본다.

풀이 점검

각 상자에 흰색 탁구공을 넣는 여러 가지 경우 중에 A 상자에만 흰색 탁구공 3개를 넣는 경우의 수는 ❶ ______ 이고, A, B, C 각 상자에 흰색 탁구공 1개씩을 넣는 경우의 수는 ❷ ______ 이다.

15 ★★☆

$X=\{1, 2, 3, 4, 5, 6\}$에 대하여 함수 $f : X \rightarrow X$ 중에서 다음 조건을 만족시키는 함수 f의 개수를 구하시오.

> (가) 함수 f의 치역의 원소는 5개다.
> (나) $(f \circ f)(1)=1$, $(f \circ f)(2)=2$
> (다) $(f(3)-f(1))(f(4)-f(1))(f(5)-f(2))(f(6)-f(2))=0$

| 해법 가이드 |

$(f \circ f)(1)=1$을 만족시키는 경우는
$f(1)=1$이거나 $f(1)=a$, $f(a)=1(a \neq 1)$인 경우뿐이다.
마찬가지로 $(f \circ f)(2)=2$인 경우도
$f(2)=2$이거나 $f(2)=b$, $f(b)=2(b \neq 2)$인 경우뿐이다.

| 풀이 점검 |

[1] $f(1)=1$, $f(2)=2$인 경우의 수는 ❶ ______
[2] $f(1) \neq 1$, $f(2)=2$인 경우의 수는 ❷ ______
[3] $f(1)=1$, $f(2) \neq 2$인 경우의 수는 ❸ ______
[4] $f(1) \neq 1$, $f(2) \neq 2$인 경우의 수는 ❹ ______

유형 10 경우 나누기

16 ★★★

그림처럼 빨강, 파랑, 노랑, 초록 네 종류의 티셔츠와 반바지가 각각 한 벌 있다. 또 운동화도 위 네 가지 색깔별로 한 켤레씩 있다. 빨간색 티셔츠와 파란색 반바지 그리고 초록색 운동화를 신는 것처럼 서로 다른 색으로 티셔츠, 반바지, 운동화를 똑같은 마네킹 4개에 착용시켜 전시하려고 한다. 이 규칙으로 전시하는 경우의 수를 구하시오. (단, 마네킹은 모두 구별되지 않으며 마네킹의 배열은 생각하지 않는다.)

| 해법 가이드 |

- 빨강, 파랑, 노랑, 초록 네 종류의 색을 각각 1, 2, 3, 4라 하고, 마네킹에 착용시킨 결과를 대응으로 나타내 보자.
- 아래 왼쪽 경우처럼 티셔츠 색 번호와 반바지 색 번호를 짝을 지어 다르게 정하는 경우(맞바꾸기)와 오른쪽 경우처럼 티셔츠 색 번호와 반바지 색 번호가 짝짓지 않고 서로 다른 경우(맞바꾸지 않기)로 나누어본다.

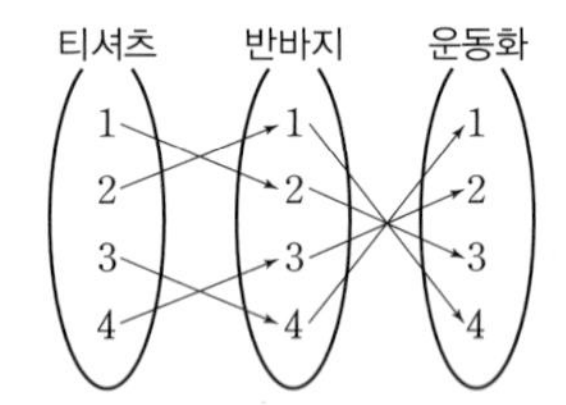

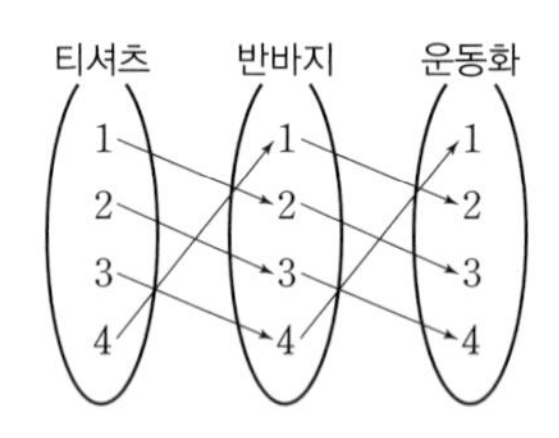

| 풀이 점검 |

1 티셔츠 색 번호와 반바지 색 번호를 짝을 지어 서로 다르게 정하는 경우(맞바꾸기)의 수는 ❶ ______

2 티셔츠 색 번호와 반바지 색 번호가 짝짓지 않고 서로 다르게 정하는 경우(맞바꾸지 않기)의 수는 ❷ ______

집중 공략

유형 11

빈칸 채우기

Mentor Comment

빈칸 채우기 문제는 수능에서 다양한 단원을 아우르며 꾸준히 출제된 유형이지만 2017학년도 수능부터 확통의 심화문제가 빈칸 채우기로 출제되는 경향으로 바뀌었고, 2022학년도 수능 예시 문항에서는 빠졌지만 확통 관련 빈칸 채우기는 언제든지 등장할 수 있다. 빈칸 채우기 문제는 풀이의 흐름을 잘 이해하는 것이 가장 중요하다. 빈칸을 기준으로 변화를 확인하고 문자에 적당한 수를 대입해서 풀이를 좀 더 쉽게 정리하는 연습을 해 보자.

대표 문제

01

2017학년도 수능 19번

좌표평면 위의 한 점 (x, y)에서 세 점 $(x+1, y)$, $(x, y+1)$, $(x+1, y+1)$ 중 한 점으로 이동하는 것을 점프라 하자. 점프를 반복해 점 $(0, 0)$에서 점 $(4, 3)$까지 이동하는 모든 경우 중, 임의로 한 경우를 선택할 때 나오는 점프 횟수를 확률변수 X라 하자. 다음은 확률변수 X의 평균 $\mathrm{E}(X)$를 구하는 과정이다. (단, 각 경우를 택할 확률은 같다.)

> 점프를 반복하여 점 $(0, 0)$에서 점 $(4, 3)$까지 이동하는 모든 경우의 수를 N이라 하자.
> 확률변수 X가 가질 수 있는 값 중 가장 작은 값을 k라 하면 $k=$ (ㄱ) 이고, 가장 큰 값은 $k+3$이다.
>
> $\mathrm{P}(X=k)=\frac{1}{N}\times\frac{4!}{3!}=\frac{4}{N}$, $\mathrm{P}(X=k+1)=\frac{1}{N}\times\frac{5!}{2!2!}=\frac{30}{N}$
>
> $\mathrm{P}(X=k+2)=\frac{\boxed{(ㄴ)}}{N}$, $\mathrm{P}(X=k+3)=\frac{1}{N}\times\frac{7!}{3!4!}=\frac{35}{N}$
>
> 이고, $\sum_{i=k}^{k+3}\mathrm{P}(X=i)=1$, $N=$ (ㄷ) 이므로
>
> $\mathrm{E}(X)=\sum_{i=k}^{k+3}i\mathrm{P}(X=i)=\frac{257}{43}$

위의 (ㄱ), (ㄴ), (ㄷ)에 알맞은 수를 차례로 p, q, r라 할 때, $p+q+r$의 값은?

① 190 ② 193 ③ 196 ④ 199 ⑤ 202

풀이 preview

1 각각의 점프를 차례로 a, b, c라 하면 점 $(0, 0)$에서 점 $(4, 3)$까지 이동 횟수가 최소가 되는 경우는 a, c, c, c를 일렬로 나열할 때이다.

이때 점프 횟수는 4이므로 $k=4$이고, $X=4$가 되는 경우의 수는 $\frac{4!}{3!}=4$

2 가장 큰 값이 $k+3=7$이므로 $\mathrm{P}(X=4)$, $\mathrm{P}(X=5)$, $\mathrm{P}(X=6)$, $\mathrm{P}(X=7)$을 구한다.

✓ 해법 Tip

좌표평면 위에서 X가 가장 작은 경우를 생각해 보면 그림처럼 대각선 방향으로 이동하는 점프를 최대한 많이 사용할 때다.

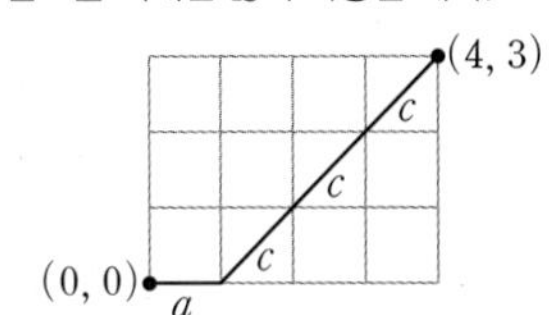

02 ★

A는 주사위 10개를 가지고 있고, B는 하나도 가지고 있지 않다. 첫 번째 시행에서 A가 가지고 있는 주사위 10개를 동시에 던져서 6의 약수가 나오는 주사위를 모두 B에게 주고, 두 번째 시행에서 A가 남은 주사위를 다시 던져서 6의 약수가 나오는 주사위를 B에게 준다. 다음은 첫 번째 또는 두 번째 시행을 한 후 B가 주사위 10개를 모두 가지고 있을 확률을 구하는 과정이다.

> 첫 번째 시행과 두 번째 시행에서 6의 약수가 나온 주사위 개수를 각각 a, b라 하면 $a+b=$ (ㄱ) 이다.
> $a=k$, $b=10-k$ $(0\le k\le 10)$일 때의 확률은
> ${}_{10}\mathrm{C}_k \left(\boxed{(ㄴ)}\right)^{10-k}\left(\boxed{(ㄷ)}\right)^{10}$ 이다.
> 따라서 구하려는 확률은
> $\sum_{k=0}^{10} {}_{10}\mathrm{C}_k \left(\boxed{(ㄴ)}\right)^{10-k}\left(\boxed{(ㄷ)}\right)^{10} = \left(\boxed{(ㄹ)}\right)^{10}$

위의 (ㄱ), (ㄴ), (ㄷ), (ㄹ)에 알맞은 수를 각각 p, q, r, s라 할 때, $\frac{ps}{qr}$의 값은?

① 10 ② 20 ③ 30 ④ 40 ⑤ 50

| 해법 가이드 |

- n번의 독립시행에서 어떤 사건이 k번 일어날 확률은 ${}_n\mathrm{C}_k p^k q^{n-k}$
- $\sum_{k=0}^{n} {}_n\mathrm{C}_k a^k b^{n-k}=(a+b)^n$

03 ★ 2017학년도 수능 9월 모의평가 18번 변형

자연수 1, 2, $\cdots$, 30이 하나씩 적힌 카드 30장이 있다. 이 카드 중에서 임의로 서로 다른 카드 5장을 선택할 때, 선택한 카드 5장에 적힌 수 중 가장 큰 수를 확률변수 X라 하자. 다음은 X의 평균 $\mathrm{E}(X)$를 구하는 과정이다.

> 자연수 $k(5\le k\le 30)$에 대하여 확률변수 X의 값이 k일 확률은 1부터 $(k-1)$까지의 자연수가 적혀 있는 카드 중에서 서로 다른 4장의 카드와 k가 적혀 있는 카드를 선택하는 경우의 수를 전체 경우의 수로 나누는 것이므로
> $\mathrm{P}(X=k)=\frac{\boxed{(ㄱ)}}{{}_{30}\mathrm{C}_5}$ 이다.
> 자연수 $r(1\le r\le k)$에 대하여 ${}_k\mathrm{C}_r=\frac{k}{r}\times {}_{k-1}\mathrm{C}_{r-1}$이므로
> $k\times\boxed{(ㄱ)}=5\times\boxed{(ㄴ)}$이다. 그러므로
> $\mathrm{E}(X)=\sum_{k=5}^{30} k\mathrm{P}(X=k)$
> $=\frac{1}{{}_{30}\mathrm{C}_5}\sum_{k=5}^{30}\left(k\times\boxed{(ㄱ)}\right)$
> $=\frac{5}{{}_{30}\mathrm{C}_5}\sum_{k=5}^{30}\boxed{(ㄴ)}$
> 이다. $\sum_{k=5}^{30}\boxed{(ㄴ)}={}_{31}\mathrm{C}_6$이므로 $\mathrm{E}(X)=\frac{\boxed{(ㄷ)}}{6}$

위의 (ㄱ), (ㄴ)에 알맞은 식을 각각 $f(k)$, $g(k)$라 하고, (ㄷ)에 알맞은 수를 a라 할 때, $\frac{a\times g(7)}{f(8)}$의 값은?

① 87 ② 89 ③ 91 ④ 93 ⑤ 95

| 해법 가이드 |

${}_n\mathrm{C}_r=\frac{n}{r}\times {}_{n-1}\mathrm{C}_{r-1}$, $\sum_{k=r}^{n} {}_k\mathrm{C}_r={}_{n+1}\mathrm{C}_{r+1}$

04 ★★

다음은 $f(k)=\sum_{n=k}^{20}({}_{20}C_n\times{}_nC_k)$에 대하여 $\sum_{k=0}^{20}f(k)$의 값을 구하는 과정이다.

$$f(k)=\sum_{n=k}^{20}({}_{20}C_n\times{}_nC_k)$$
$$=\sum_{n=k}^{20}\left\{\frac{\boxed{(ㄱ)}!}{n!(20-n)!}\times\frac{n!}{k!(n-k)!}\right\}$$
$$=\sum_{n=k}^{20}\left\{\frac{\boxed{(ㄱ)}!}{k!(20-k)!}\times\frac{(20-k)!}{(n-k)!(20-n)!}\right\}$$
$$=\sum_{n=k}^{20}({}_{20}C_k\times{}_{20-k}C_{n-k})$$
$$={}_{20}C_k\sum_{n=k}^{20}{}_{20-k}C_{n-k}$$
$$={}_{20}C_k\boxed{(ㄴ)}^{20-k}$$

따라서 $\sum_{k=0}^{20}f(k)=\boxed{(ㄷ)}^{20}$

위의 (ㄱ), (ㄴ), (ㄷ)에 알맞은 수를 각각 a, b, c라 할 때, $a+b-c$의 값은?

① 17 ② 18 ③ 19 ④ 20 ⑤ 21

| 해법 가이드 |

- ${}_nC_k=\frac{n!}{k!(n-k)!}$
- $\sum_{k=0}^{n}{}_nC_k=2^n$, $\sum_{k=0}^{n}{}_nC_k a^k b^{n-k}=(a+b)^n$

05 ★★

다음은 n이 2 이상의 자연수일 때 $\sum_{k=1}^{n}k({}_nC_k)^2$의 값을 구하는 과정이다.

$(a_0+a_1x+\cdots+a_{n-1}x^{n-1})(b_0+b_1x+\cdots+b_nx^n)$에서
x^{n-1}의 계수는 $a_0b_{n-1}+a_1b_{n-2}+\cdots+a_{n-1}b_0$ ······(*)
등식 $(1+x)^{2n-1}=(1+x)^{n-1}(1+x)^n$의 좌변에서
x^{n-1}의 계수는 $\boxed{(ㄱ)}$이고,
(*)을 이용하여 우변에서 x^{n-1}의 계수를 구하면
$\sum_{k=1}^{n}({}_{n-1}C_{k-1}\times{}_nC_{n-k})$이다.

즉 $\boxed{(ㄱ)}=\sum_{k=1}^{n}({}_{n-1}C_{k-1}\times{}_nC_{n-k})$이다.

한편 $1\le k\le n$일 때, $k\times{}_nC_k=\boxed{(ㄴ)}\times{}_{n-1}C_{k-1}$이므로

$$\sum_{k=1}^{n}k({}_nC_k)^2=\sum_{k=1}^{n}(\boxed{(ㄴ)}\times{}_{n-1}C_{k-1}\times{}_nC_{n-k})$$
$$=\boxed{(ㄴ)}\times\sum_{k=1}^{n}({}_{n-1}C_{k-1}\times{}_nC_{n-k})$$
$$=\boxed{(ㄷ)}\times{}_{2n}C_n$$

위의 (ㄱ), (ㄴ), (ㄷ)에 알맞은 식을 각각 $f(n)$, $g(n)$, $h(n)$이라 할 때, $\frac{f(5)}{g(7)}+h(20)$의 값은?

① 20 ② 22 ③ 24 ④ 26 ⑤ 28

| 해법 가이드 |

- $(1+x)^n$의 전개식에서 x^k의 계수는 ${}_nC_k$
- ${}_nC_k=\frac{n!}{k!(n-k)!}$, ${}_nC_k=\frac{n}{k}\times{}_{n-1}C_{k-1}$

06 ★★

2017학년도 수능 26번 변형

그림처럼 두 주머니 A, B 각각에는 1, 2, 3, 4, 5가 하나씩 적혀 있는 카드 5장이 들어 있다. 첫 번째 시행에서 갑은 주머니 A에서, 을은 주머니 B에서 각자 임의로 카드 한 장을 꺼내 가진다. 두 번째 시행에서 다시 갑은 주머니 A에서, 을은 주머니 B에서 각자 임의로 한 장의 카드를 꺼내서 가진다. 다음은 갑이 가진 두 장의 카드에 적힌 수의 합과 을이 가진 두 장의 카드에 적힌 수의 합이 같을 때, 두 사람이 같은 종류의 카드를 가졌을 확률을 구하는 과정이다.

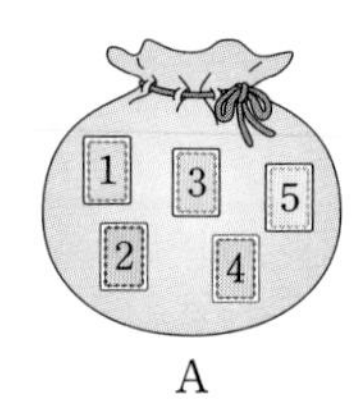

A

B

갑이 가진 두 장의 카드에 적힌 수의 합과 을이 가진 두 장의 카드에 적힌 수의 합이 같은 경우는 갑과 을이 같은 종류의 카드를 가진 경우와 갑과 을이 다른 종류의 카드를 가진 경우로 나눌 수 있다. 이때

(i) 갑과 을이 같은 종류의 카드를 가진 경우의 확률을 구하면 [(ㄱ)]이다.

(ii) 갑과 을이 합은 같지만 다른 종류의 카드를 가진 경우는 (1, 4), (2, 3)과 (1, 5), (2, 4) 그리고 (2, 5), (3, 4)로 세 가지 경우이고, 각각의 확률은 같다. 그러므로 갑과 을이 다른 종류의 카드를 가졌을 때의 확률은 [(ㄴ)]이다.

따라서 갑이 가진 카드 두 장에 적힌 수의 합과 을이 가진 카드 두 장에 적힌 수의 합이 같을 때, 두 사람이 같은 종류의 카드를 가졌을 확률은 [(ㄷ)]이다.

위의 (ㄱ), (ㄴ), (ㄷ)에 알맞은 수를 각각 p, q, r라 할 때, $400(p+q+r)$의 값은?

① 310　② 311　③ 312　④ 313　⑤ 314

| 해법 가이드 |

- 갑과 을이 가질 수 있는 같은 카드 종류는 ${}_5C_2$(가지)이다.
- 카드 두 장에 적힌 수의 합이 5일 때 서로 다른 종류의 카드를 가진 경우는 갑이 (1, 4)고, 을이 (2, 3)인 경우와 갑이 (2, 3)이고, 을이 (1, 4)인 경우가 있다. 카드 두 장에 적힌 수의 합이 6, 7일 때도 마찬가지로 서로 다른 종류의 카드를 가질 수 있다.

07 ★★

그림과 같이 1부터 n까지의 자연수가 하나씩 적혀 있는 상자 n개와 공 n개가 있다. 각 상자에 공 한 개씩을 넣는데, 공에 적혀 있는 수와 같은 번호의 상자에는 공을 넣을 수 없다고 한다. 예를 들면 3이 적혀 있는 공은 3이 적혀 있는 상자에는 넣을 수 없다.

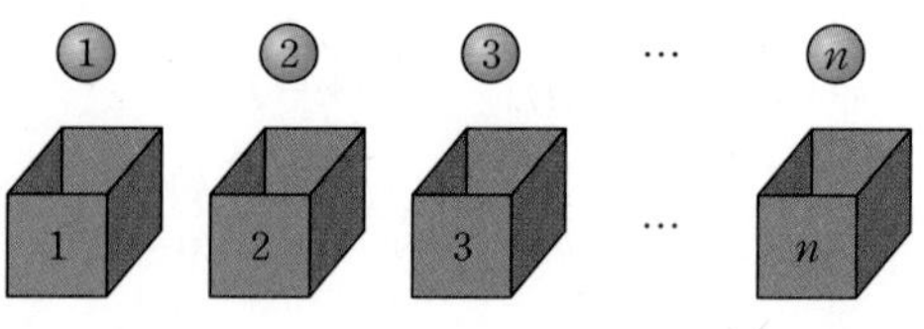

이와 같은 규칙으로 공 n개를 상자 n개에 모두 넣는 경우의 수를 a_n이라 하자. 다음은 a_6을 구하는 과정이다.

숫자 m이 적혀 있는 공을 ⓜ, 숫자 n이 적혀 있는 상자를 [n]으로 나타낸다고 하자.
주어진 규칙에 따라 $a_2=1$, $a_3=$ [(ㄱ)]이다.
$n=k(k\geq 4)$일 때, ⓟ $(1\leq p\leq k)$를 넣을 상자를 선택하는 경우의 수는 p를 제외한 $(k-1)$이다.
또 ⓟ를 [q]에 넣는다고 하면, $p\neq q$이다.
그러면 ⓠ는 [p]에 넣거나 아니면 [p]에 넣지 않는 것으로 나눌 수 있다.

(i) ⓠ를 [p]에 넣는 경우
나머지 $(k-2)$개의 공을 $(k-2)$개의 상자에 규칙에 따라 넣는 것이므로 a_{k-2}가지의 경우가 있다.

(ii) ⓠ를 [p]에 넣지 않는 경우
ⓠ와 [p]를 포함하여 규칙에 따라 넣는 것이므로 [(ㄴ)]가지의 경우가 있다.

(i), (ii)에서 $a_k=(k-1)(a_{k-2}+$ [(ㄴ)]$)$ $(k\geq 4)$
$\therefore a_6=$ [(ㄷ)]

(ㄱ)에 들어갈 수를 a, (ㄴ)에 들어갈 수열을 $a_{f(k)}$, (ㄷ)에 들어갈 수를 c라 할 때 $a+f(6)+c$의 값은?

① 270　② 272　③ 274　④ 276　⑤ 278

| 해법 가이드 |

문자를 간단한 수로 바꾸어도 된다. 가령 $n=6$, $p=1$, $q=2$로 두고 문제의 풀이를 따라가 본다.

08 ★★

2018학년도 수능 19번

무게가 1인 추 6개, 무게가 2인 추 3개와 비어 있는 주머니 1개가 있다. 주사위 한 개를 사용하여 다음 시행을 한다.

(단, 무게 단위는 g이다.)

> 주사위를 한 번 던져 나온 눈의 수가 2 이하이면 무게가 1인 추 1개를 주머니에 넣고, 눈의 수가 3 이상이면 무게가 2인 추 1개를 주머니에 넣는다.

위 시행을 반복하여 주머니에 들어 있는 추의 총 무게가 처음으로 6보다 크거나 같을 때, 주머니에 들어 있는 추의 개수를 확률변수 X라 하자. 다음은 X의 확률질량함수 $\mathrm{P}(X=x)$ $(x=3, 4, 5, 6)$을 구하는 과정이다.

> (i) $X=3$인 사건은 주머니에 무게가 2인 추 3개가 들어 있는 경우이므로 $\mathrm{P}(X=3)=$ (ㄱ)
>
> (ii) $X=4$인 사건은 세 번째 시행까지 넣은 추의 총 무게가 4이고 네 번째 시행에서 무게가 2인 추를 넣는 경우와 세 번째 시행까지 넣은 추의 총 무게가 5인 경우로 나눌 수 있다.
>
> $\therefore \mathrm{P}(X=4)=$ (ㄴ) $+{}_3\mathrm{C}_1\left(\frac{1}{3}\right)^1\left(\frac{2}{3}\right)^2$
>
> (iii) $X=5$인 사건은 네 번째 시행까지 넣은 추의 총 무게가 4이고 다섯 번째 시행에서 무게가 2인 추를 넣는 경우와 네 번째 시행까지 넣은 추의 총 무게가 5인 경우로 나눌 수 있다.
>
> $\therefore \mathrm{P}(X=5)={}_4\mathrm{C}_4\left(\frac{1}{3}\right)^4\left(\frac{2}{3}\right)^0\times\frac{2}{3}+$ (ㄷ)
>
> (iv) $X=6$인 사건은 다섯 번째 시행까지 넣은 추의 총 무게가 5인 경우이므로 $\mathrm{P}(X=6)=\left(\frac{1}{3}\right)^5$

위의 (ㄱ), (ㄴ), (ㄷ)에 알맞은 수를 각각 a, b, c라 할 때, $\frac{ab}{c}$의 값은?

① $\frac{4}{9}$ ② $\frac{7}{9}$ ③ $\frac{10}{9}$ ④ $\frac{13}{9}$ ⑤ $\frac{16}{9}$

| 해법 가이드 |

- 사건 A가 일어날 확률이 p로 일정할 때 n번의 독립시행에서 A가 r번 일어날 확률은 ${}_n\mathrm{C}_r p^r(1-p)^{n-r}$ (단, $0\le r\le n$)
- 가능한 X값은 3, 4, 5, 6이고, 독립시행의 정리를 이용해 X의 확률분포를 구한다.

09 ★★

2020학년도 수능 9월 모의평가 20번 변형

빨간공 6개, 파란공 3개, 노란공 3개가 들어있는 주머니가 있다. 이 주머니에서 임의로 공 한 개를 꺼내는 시행에서 세 사람 A, B, C는 다음 규칙에 따라 점수를 얻는다.

(단, 한 번 꺼낸 공은 다시 주머니에 넣지 않는다.)

(가) 빨간공이 나오면 A는 3점, B는 1점, C는 1점을 얻는다.
(나) 파란공이 나오면 A는 2점, B는 6점, C는 2점을 얻는다.
(다) 노란공이 나오면 A는 2점, B는 2점, C는 6점을 얻는다.
(라) 주머니에서 나온 빨간공과 노란공 개수의 합이 6이면 A, B, C가 받은 모든 점수는 무효가 되며 시행을 멈춘다.

이 시행을 계속하여 얻은 점수의 합이 처음으로 24점 이상인 사람이 나오면 시행을 멈춘다. 다음은 얻은 점수의 합이 24점 이상인 사람이 B뿐일 확률을 구하는 과정이다.

꺼낸 빨간공 개수를 x, 파란공 개수를 y, 노란공 개수를 z라 할 때, 얻은 점수의 합이 24점 이상인 사람이 B뿐이려면 x, y, z가 다음 조건을 만족시켜야 한다.

$y=a$, $3x+2z<18$, $x+2z\geq6$, $x+6z<18$, $x+z<6$

이 조건을 만족시키는 순서쌍 (x, y, z)는 $(4, a, 1)$, $(2, a, 2)$, $(3, a, 2)$이다.

(i) $(x, y, z)=(4, a, 1)$일 확률은 $\frac{1}{11}$

(ii) $(x, y, z)=(2, a, 2)$일 확률은 (ㄱ)

(iii) $(x, y, z)=(3, a, 2)$인 경우는 8번째 시행에서 파란공 또는 노란공이 나와야 하므로 그 확률은 (ㄴ)

(i), (ii), (iii)에서 구하려는 확률은 $\frac{1}{11}+$ (ㄱ) $+$ (ㄴ)

위의 (ㄱ), (ㄴ)에 알맞은 수를 각각 p, q라 할 때, $a(p+q)$의 값은?

① $\frac{35}{88}$ ② $\frac{37}{88}$ ③ $\frac{39}{88}$ ④ $\frac{41}{88}$ ⑤ $\frac{43}{88}$

| 해법 가이드 |

- A, B, C가 얻은 점수의 합을 각각 $f(\mathrm{A})$, $f(\mathrm{B})$, $f(\mathrm{C})$라 하고, $f(\mathrm{A})<24$, $f(\mathrm{B})\geq24$, $f(\mathrm{C})<24$일 조건을 생각한다.
- 처음으로 24점 이상이 나오면 시행을 멈춘다는 조건을 빠뜨리지 않도록 한다. 예를 들어 빨간공, 파란공, 노란공 개수가 $(2, 3, 2)$이면 $f(\mathrm{B})=24$이므로 시행을 멈추게 된다.

10 ★★☆

1부터 n까지의 자연수가 각각 하나씩 적힌 카드 n장 중에서 임의로 한 장을 뽑을 때, 카드에 적힌 수가 k 이하인 사건을 A라 하고, 짝수인 사건을 B라 하자. 다음은 두 사건 A, B가 서로 독립이 되도록 자연수 k를 정할 때, 모든 k값의 합이 110이 되도록 하는 자연수 n을 구하는 과정이다.

(단 $1 \le k < n$이다.)

> A는 카드 n장 중에서 k 이하의 수를 뽑을 사건이므로
> $\mathrm{P}(A)=\dfrac{k}{n}$이다.
> 또 B는 카드 n장 중에서 짝수를 뽑을 사건이고, 다음과 같이 n이 짝수일 때와 홀수일 때로 나누어 생각한다.
> (i) $n=2a$ (a는 자연수)이면 $\mathrm{P}(B)=\dfrac{a}{n}=\dfrac{a}{2a}=\dfrac{1}{2}$
> 이때 두 사건 A, B가 서로 독립이려면
> $\mathrm{P}(A\cap B)=\mathrm{P}(A)\mathrm{P}(B)$를 만족시켜야 한다.
> 따라서 $A\cap B$가 되는 경우의 수가 [(ㄱ)]이어야 한다.
> 즉 두 사건 A, B가 서로 독립이려면 k는 짝수라야 한다.
> (ii) $n=2a-1$ (a는 자연수)이면
> $\mathrm{P}(B)=\dfrac{a-1}{n}=\dfrac{a-1}{2a-1}$
> 한편 k가 짝수일 때 $\mathrm{P}(A\cap B)=\dfrac{k}{2n}$이고
> k가 홀수일 때 $\mathrm{P}(A\cap B)=\dfrac{\boxed{(ㄴ)}}{2n}$이다.
> 두 사건 A, B가 서로 독립이려면
> $\mathrm{P}(A\cap B)=\mathrm{P}(A)\mathrm{P}(B)$이어야 하는데, 이를 만족시키는 n, k는 존재하지 않는다.
> (i), (ii)에서 가능한 n, k는 모두 짝수이고, 이때 모든 k값의 합은 [(ㄷ)]이다.
> 따라서 모든 k값의 합이 110이 되도록 하는 $n=$ [a]

위의 (ㄱ), (ㄴ), (ㄷ)에 알맞은 식을 각각 $f(k)$, $g(k)$, $h(n)$이라 할 때, $a\times\dfrac{f(16)}{g(13)}\times h(12)$의 값은?

① 410 ② 420 ③ 430
④ 440 ⑤ 450

| 해법 가이드 |

- n 대신 간단한 수를 넣어 문제를 이해한다.
- 두 사건 A, B가 서로 독립이면 $\mathrm{P}(A\cap B)=\mathrm{P}(A)\mathrm{P}(B)$
- n과 k가 모두 짝수일 때 두 사건 A, B가 서로 독립이고 조건에서 $1\le k<n$이므로 가능한 k는 $2, 4, 6, \cdots, (n-2)$

11 ★★☆

3 이상의 자연수 n에 대하여 1부터 n까지의 자연수가 각각 하나씩 적혀 있는 공이 n개 들어 있는 주머니가 있다. 다음은 주머니에서 임의로 공 3개를 동시에 꺼낼 때, 꺼낸 공에 적힌 수의 최댓값과 최솟값의 합이 $(n+1)$일 확률이 $\frac{4}{21}$가 되도록 하는 n을 구하는 과정이다.

> 공이 n개 들어 있는 주머니에서 공 3개를 동시에 꺼내는 경우의 수는 ${}_n\mathrm{C}_3$이고, 이때 최댓값과 최솟값의 합이 $(n+1)$인 경우는 다음과 같이 n이 짝수일 때와 홀수일 때로 나누어 생각할 수 있다.
>
> (i) n이 짝수인 경우
>
> 최댓값과 최솟값의 순서쌍이
>
> $(n, 1), (n-1, 2), (n-2, 3), \cdots, \left(\frac{n}{2}+2, \frac{n}{2}-1\right)$
>
> 일 때이므로 최댓값과 최솟값의 합이 $(n+1)$인 경우의 수는 [(ㄱ)]이다.
>
> 이때 확률이 $\frac{4}{21}$이므로 $\dfrac{\boxed{(ㄱ)}}{\frac{n(n-1)(n-2)}{6}}=\frac{4}{21}$를 만족시키는 짝수 n은 존재하지 않는다.
>
> (ii) n이 홀수인 경우
>
> 최댓값과 최솟값의 순서쌍이
>
> $(n, 1), (n-1, 2), (n-2, 3), \cdots, \left(\frac{n+3}{2}, \frac{n-1}{2}\right)$
>
> 일 때이므로 n이 홀수일 때, 최댓값과 최솟값의 합이 $(n+1)$인 경우의 수는 [(ㄴ)]이다.
>
> 이때 확률이 $\frac{4}{21}$이므로 $n=$ [(ㄷ)]이다.
>
> (i), (ii)에서 $n=$ [(ㄷ)]

위의 (ㄱ), (ㄴ)에 알맞은 식을 각각 $f(n)$, $g(n)$이라 하고, (ㄷ)에 알맞은 수를 a라 할 때, $\frac{a\times f(18)}{g(19)}$의 값은?

① 8 ② 9 ③ 10 ④ 11 ⑤ 12

| 해법 가이드 |

- 3개의 공에 적힌 수의 최댓값과 최솟값의 합이 $(n+1)$이 되는 순서쌍의 개수는 n이 홀수인지 짝수인지에 따라 다르다는 것을 간단한 수를 대입해서 확인한다.
- 최댓값과 최솟값의 순서쌍을 결정하면 그 사이에 나머지 하나의 자연수를 각각 구한다.

12 ★★☆

1부터 n $(n\geq p)$까지의 자연수가 하나씩 적혀 있는 카드 n장 중에서 임의로 p장을 동시에 뽑는다. 이때 택한 p장에 적힌 수 중 가장 큰 수를 확률변수 X, 가장 작은 수를 확률변수 Y라 하자. $\mathrm{E}(X)+\mathrm{E}(Y)=f(n)$이라 할 때, 다음은 $\sum_{n=9}^{18}\frac{1}{f(n)f(n+1)}$을 구하는 과정이다.

> 최댓값이 k일 확률 $\mathrm{P}(X=k)$를 구해 보면
> 전체 경우의 수는 ${}_{n}\mathrm{C}_{p}$이고, 최댓값이 k인 경우의 수는
> $\boxed{(ㄱ)}$이므로 $\mathrm{P}(X=k)=\frac{\boxed{(ㄱ)}}{{}_{n}\mathrm{C}_{p}}$
> 마찬가지로 최솟값이 l일 확률 $\mathrm{P}(Y=l)$을 구해 보면
> $\mathrm{P}(Y=l)=\frac{{}_{n-l}\mathrm{C}_{p-1}}{{}_{n}\mathrm{C}_{p}}$
> $\therefore \mathrm{E}(X)=\sum_{k=p}^{n}k\mathrm{P}(X=k)$
> $=\frac{1}{{}_{n}\mathrm{C}_{p}}\{p\,{}_{p-1}\mathrm{C}_{p-1}+(p+1)\times{}_{p}\mathrm{C}_{p-1}$
> $+(p+2)\times{}_{p+1}\mathrm{C}_{p-1}+\cdots$
> $\cdots+(n-1)\,{}_{n-2}\mathrm{C}_{p-1}+n\times{}_{n-1}\mathrm{C}_{p-1}\}$
> 같은 방법으로
> $\mathrm{E}(Y)=\sum_{k=1}^{n-p+1}k\mathrm{P}(Y=k)$
> $=\frac{1}{{}_{n}\mathrm{C}_{p}}\sum_{k=1}^{n-p+1}(k\times{}_{n-k}\mathrm{C}_{p-1})$
> $\therefore \mathrm{E}(X)+\mathrm{E}(Y)$
> $=\frac{\boxed{(ㄴ)}({}_{p-1}\mathrm{C}_{p-1}+{}_{p}\mathrm{C}_{p-1}+\cdots+{}_{n-1}\mathrm{C}_{p-1})}{{}_{n}\mathrm{C}_{p}}$
> 이고, 이항계수의 성질에서
> ${}_{p-1}\mathrm{C}_{p-1}+{}_{p}\mathrm{C}_{p-1}+\cdots+{}_{n-1}\mathrm{C}_{p-1}={}_{n}\mathrm{C}_{p}$이므로
> $\mathrm{E}(X)+\mathrm{E}(Y)=\frac{\boxed{(ㄴ)}\times{}_{n}\mathrm{C}_{p}}{{}_{n}\mathrm{C}_{p}}=\boxed{(ㄴ)}$이다.
> $\therefore \sum_{n=9}^{18}\frac{1}{f(n)f(n+1)}=\boxed{(ㄷ)}$

위의 (ㄱ), (ㄴ)에 알맞은 식을 각각 $g(k, p)$, $h(n)$, (ㄷ)에 알맞은 수를 a라 할 때, $a\times g(7, 5)\times h(11)$의 값은?

① 5 ② 6 ③ 7 ④ 8 ⑤ 9

| 해법 가이드 |

- 예를 들어 최댓값이 7인 경우의 수는 1부터 6까지에서 $(p-1)$개를 선택한 다음 7을 선택하면 된다.
- 최댓값 k는 p부터 n까지 가능하고 최솟값 l은 1부터 $(n-p+1)$까지 가능하다.
- $\mathrm{E}(X)+\mathrm{E}(Y)$에서 공통부분을 찾아 정리한다.

13 ★★★

집합 $A=\{1, 2, 3, 4, 5\}$에 대하여 A에서 A로의 함수 f 중에서 다음 조건을 만족시키는 것은 모두 몇 개인지 구하는 과정이다.

> (가) 함수 f의 치역의 원소는 4개다.
> (나) 합성함수 $f\circ f$의 치역의 원소 중 짝수는 1개다.

> (나)에서 합성함수 $f\circ f$의 치역의 원소 중 짝수가 1개이므로 $f\circ f$의 치역의 원소 중 짝수가 2뿐인 경우를 생각하자.
> (i) f의 치역이 $\{1, 2, 3, 4\}$ 또는 $\{1, 2, 4, 5\}$ 또는 $\{2, 3, 4, 5\}$일 때, 세 경우에서 조건을 만족시키는 함수의 개수는 같다. $f\circ f$의 치역의 원소 중 짝수가 2뿐이려면 $f(5)=$ (ㄱ) 이어야 하고, 나머지 정의역의 원소 1, 2, 3, 4는 세 개의 조로 나누어 (ㄱ) 을 제외한 나머지 공역의 원소 세 개에 하나씩 대응시키면 된다.
> 즉 (i)인 경우 함수 f의 개수는 $3\times$ (ㄴ) 이다.
> (ii) f의 치역이 $\{1, 2, 3, 5\}$인 경우 4는 이미 함수 f의 치역의 원소가 아니므로 함수 $f\circ f$의 치역이 될 수 없다. 따라서 정의역의 원소 1, 2, 3, 4, 5를 네 개의 조로 나누어 치역의 원소 1, 2, 3, 5에 하나씩 대응시키면 된다.
> 그런데 이 경우에는 2가 함수 f의 치역의 원소는 되지만 합성함수 $f\circ f$의 치역의 원소가 되지 않는 경우가 존재하므로 이를 제외하여야 한다.
> 즉 함수 f의 치역의 원소가 아닌 4만 2에 대응이 되면 2가 함수 f의 치역의 원소는 되지만 합성함수 $f\circ f$의 치역의 원소가 되지 않는다. 그러므로 4를 제외한 정의역의 원소인 1, 2, 3, 5가 1, 3, 5에 하나씩 대응되는 경우의 수를 제외하여야 한다.
> 즉 (ii)를 만족시키는 함수 f의 개수는 (ㄷ) 이다.
> 합성함수 $f\circ f$의 치역의 원소 중 짝수인 원소가 4인 경우도 마찬가지이므로 구하려는 함수 f의 개수는 (ㄹ) 이다.

위의 (ㄱ), (ㄴ), (ㄷ), (ㄹ)에 알맞은 수를 차례로 p, q, r, s라 할 때, $p+q+r+s$의 값은?

① 866 ② 868 ③ 870
④ 872 ⑤ 874

| 해법 가이드 |

- 짝수 조건이 특별하므로 f의 치역에 2, 4를 모두 포함하는 경우와 2만 포함하는 경우로 나누어 생각해 본다.
- 정의역의 원소 1, 2, 3, 4를 세 개의 조로 나누려면 먼저 원소 2개를 뽑아 하나의 조로 만들고 남은 2개의 원소를 각각 하나의 조로 하면 되므로 이때 경우의 수는 ${}_4C_2$이다.

집중 공략

유형 12

조건부확률

Mentor Comment

수능에서 확률은 보통 세 문제 정도 출제되는데 조건부확률은 거의 다 출제되었다. 물론 아주 어려운 문제로는 아니지만 그래도 대부분 4점 문제이고, 방심하면 틀릴 수 있는 난이도였다. 특히 일반 확률 문제와 조건부확률 문제는 구분이 헷갈릴 수 있으므로 확률 문제를 풀 때는 반드시 조건부확률인지 아닌지 조심해야 한다.

대표 문제

01

2019학년도 수능 18번

좌표평면의 원점에 점 A가 있다. 동전 한 개를 사용해 다음 시행을 한다.

> 동전을 한 번 던져 앞면이 나오면 점 A를 x축의 양의 방향으로 1만큼,
> 뒷면이 나오면 점 A를 y축의 양의 방향으로 1만큼 이동시킨다.

위 시행을 반복하여 점 A의 x좌표 또는 y좌표가 처음으로 3이 되면 이 시행을 멈춘다. 점 A의 y좌표가 처음으로 3이 되었을 때, 점 A의 x좌표가 1일 확률은?

① $\frac{1}{4}$　② $\frac{5}{16}$　③ $\frac{3}{8}$　④ $\frac{7}{16}$　⑤ $\frac{1}{2}$

풀이 preview

주어진 시행에 따라 x축 또는 y축 방향으로 항상 1만큼 이동해야 한다.
이때 y좌표가 처음으로 3이 되려면 y좌표가 2인 점에 있다가 그 다음 시행에서 동전 뒷면이 나와야 한다. 즉 다음과 같이 세 가지의 경우로 나눌 수 있다.
(i) 점 A가 $(0, 2)$에 있는 경우 ⇨ $A(0, 3)$
(ii) 점 A가 $(1, 2)$에 있는 경우 ⇨ $A(1, 3)$
(iii) 점 A가 $(2, 2)$에 있는 경우 ⇨ $A(2, 3)$
이 세 가지 경우에서 각각의 확률을 구해 보자.

✓ 해법 Tip

1 동전을 던져 나온 결과에 대한 확률은 독립시행의 확률 공식을 이용한다. 즉 점 A가 $(1, 2)$가 되는 확률은 동전을 세 번 던져 앞면이 한 번, 뒷면이 두 번 나와야 하므로 ${}_3C_2\left(\frac{1}{2}\right)^2\left(\frac{1}{2}\right)$이다.

2 점 A의 y좌표가 처음으로 3이 되는 사건을 B, 점 A의 x좌표가 1이 되는 사건을 C라 하면 점 A의 y좌표가 처음으로 3이 되었을 때, 점 A의 x좌표가 1일 확률은 $P(C|B)=\frac{P(B\cap C)}{P(B)}$로 나타낼 수 있다.

02-1 ★

2019학년도 10월 학력평가 15번

주머니에 1부터 8까지의 자연수가 하나씩 적힌 공 8개가 들어 있다. 이 주머니에서 임의로 공 3개를 동시에 꺼낼 때, 꺼낸 3개의 공에 적힌 수를 a, b, c $(a<b<c)$라 하자. $a+b+c$가 짝수일 때, a가 홀수일 확률은?

① $\frac{3}{7}$ ② $\frac{1}{2}$ ③ $\frac{4}{7}$ ④ $\frac{9}{14}$ ⑤ $\frac{5}{7}$

| 해법 가이드 |

- $a+b+c$가 짝수이면 a, b, c 모두 짝수이거나 하나만 짝수인 두 가지 경우를 생각할 수 있다.
- $a<b<c$이므로 a가 홀수인 경우는 1, 3, 5 중 하나이다.

| 풀이 점검 |

1. $a+b+c$가 짝수인 사건을 A라 하면 $\mathrm{P}(A)=$ ❶ ______
2. $a+b+c$가 짝수이고 $a=1$인 경우의 수는 ❷ ______
3. $a+b+c$가 짝수이고 $a=3$인 경우의 수는 ❸ ______
4. $a+b+c$가 짝수이고 $a=5$인 경우의 수는 ❹ ______

02-2

주머니에 1부터 7까지의 자연수가 하나씩 적힌 공 7개가 들어 있다. 이 주머니에서 임의로 공 3개를 동시에 꺼낼 때, 꺼낸 3개의 공에 적힌 수를 a, b, c $(a<b<c)$라 하자. $a+b+c$가 홀수일 때, a가 홀수일 확률이 p이다. $120p$의 값을 구하시오.

| 풀이 점검 |

1. $a+b+c$가 홀수인 사건을 A라 하면 $\mathrm{P}(A)=$ ❶ ______
2. $a+b+c$가 홀수이고 $a=1$인 경우의 수는 ❷ ______
3. $a+b+c$가 홀수이고 $a=3$인 경우의 수는 ❸ ______

03-1 ★★

2019학년도 수능 6월 모의평가 28번

자연수 n $(n \geq 3)$에 대하여 집합 A를

$A=\{(x, y) \mid 1 \leq x \leq y \leq n,\ x$와 y는 자연수$\}$

라 하자. 집합 A에서 임의로 선택된 한 개의 원소 (a, b)에 대하여 b가 3의 배수일 때, $a=b$일 확률이 $\frac{1}{9}$이 되도록 하는 모든 자연수 n값의 합을 구하시오.

| 해법 가이드 |

- $n=3k$ (k는 자연수)일 때 3의 배수는 k개다. $n=3k+1$ (k는 자연수) 또는 $n=3k+2$ (k는 자연수)일 때도 마찬가지로 3의 배수는 k개다.
- $b=3$일 때, A의 원소가 되는 순서쌍 (a, b)는 3개, $b=6$일 때 순서쌍 (a, b)는 6개, $\cdots$, $b=3k$일 때, 순서쌍 (a, b)는 $3k$개다.

| 풀이 점검 |

$n=3k$ (k는 자연수)일 때

b가 3의 배수인 순서쌍은 모두 ❶ ________ 개이고,

$a=b$인 순서쌍 (a, b)는 ❷ ______ 개다.

03-2

자연수 $n(n \geq 4)$에 대하여 집합 A를

$A=\{(x, y) \mid 1 < x \leq y \leq n,\ x$와 y는 자연수$\}$

라 하자. 집합 A에서 임의로 선택된 한 개의 원소 (a, b)에 대하여 b가 4의 배수일 때, $a=b$일 확률이 $\frac{1}{13}$이 되도록 하는 모든 자연수 n값의 합을 구하시오.

| 풀이 점검 |

$n=4k$ (k는 자연수)일 때

b가 4의 배수인 순서쌍은 모두 ❶ ________ 개이고,

$a=b$인 순서쌍 (a, b)는 ❷ ______ 개다.

04 ★

2020학년도 수능 6월 모의평가 16번 변형

한 개의 주사위를 네 번 던질 때 나오는 눈의 수를 차례로 a, b, c, d라 하자. 네 수 a, b, c, d의 곱 $a\times b\times c\times d$가 36일 때, a, b, c, d의 합이 짝수일 확률은?

① $\frac{1}{54}$ ② $\frac{1}{4}$ ③ $\frac{1}{2}$ ④ $\frac{5}{8}$ ⑤ $\frac{3}{4}$

| 해법 가이드 |

$a\times b\times c\times d=2^2\times 3^2$에서 a, b, c, d가 될 수 있는 네 수의 조합은 4가지가 있다.

| 풀이 점검 |

주사위를 네 번 던져 나온 눈의 수의 곱이 36인 사건을 A, 눈의 수의 합이 짝수인 사건을 B라 하면

1 $P(A)=$ ❶ ________ 2 $P(A\cap B)=$ ❷ ________

05 ★

2019학년도 경찰대 11번

백인 80 %, 흑인 10 %, 동양인 10 %의 세 인종의 주민으로 구성된 지역에서 범죄사건이 일어났다. 목격자는 '범인은 동양인'이라고 진술하였지만 가까이서 정확히 범인의 얼굴을 본 것은 아니고 CCTV도 없었다. 어두워지기 시작하는 저녁 무렵에 벌어진 사건임을 감안하여 수사관은 목격자 진술의 신빙성을 알아볼 필요가 있다고 판단하여 비슷한 조건에서 많은 테스트를 해 보았다. 그 결과 목격자가 인종을 옳게 판단할 확률은 모든 인종에 대해 동일하게 0.9였고, 인종을 잘못 판단하는 경우에는 백인을 동양인으로, 흑인을 동양인으로 판단하였다고 한다. 목격자가 동양인이라고 진술한 범인이 실제로 동양인일 확률은?

① $\frac{1}{2}$ ② $\frac{2}{3}$ ③ $\frac{3}{4}$ ④ $\frac{4}{5}$ ⑤ $\frac{5}{6}$

| 해법 가이드 |

목격자가 동양인이라고 진술하는 경우는 다음 세 가지로 나누어 생각할 수 있다.

(i) 범인이 백인인데 동양인으로 잘못 판단한 경우
(ii) 범인이 흑인인데 동양인으로 잘못 판단한 경우
(iii) 범인이 실제 동양인이고 옳게 판단한 경우

| 풀이 점검 |

목격자가 범인은 동양인이라고 진술하는 사건을 A, 실제 범인이 동양인일 사건을 B라 하면

1 $P(A)=$ ❶ ________ 2 $P(A\cap B)=$ ❷ ________

06 ★

상자 A에는 흰공 2개, 검은공 4개가 들어 있고, 상자 B에는 흰공 3개, 검은공 2개가 들어 있다. 두 상자 A, B 중에서 한 상자를 택하여 두 개의 공을 꺼냈을 때, 흰공 1개, 검은공 1개가 나올 확률을 p_1이라 한다. 이때 선택한 상자가 A였을 확률을 p_2라 하면 $p_1+p_2=\frac{b}{a}$이다. 서로소인 두 자연수 a, b에 대하여 $b-a$의 값은?

① 15 ② 17 ③ 19 ④ 21 ⑤ 23

| 해법 가이드 |

상자 A를 택하고 꺼낸 공이 흰공 1개, 검은공 1개인가 나오는 경우와 상자 B를 택하고 꺼낸 공이 흰공 1개, 검은공 1개인 경우로 나누어 p_1을 구한다.

| 풀이 점검 |

상자 A를 택하는 사건을 A, 상자 B를 택하는 사건을 B라 하고, 흰공 1개, 검은공이 1개 나오는 사건을 M이라 하면

[1] $p_1=\mathrm{P}(M)=$ ❶ ________ [2] $p_2=\mathrm{P}(A|M)=$ ❷ ________

07 ★

어느 고등학교에서 도서관 이용자 700명을 대상으로 각 학년별, 성별 이용 현황을 조사해 다음 결과를 얻었다.

> (가) 남학생의 1, 2, 3 학년별 이용자 수의 비는 3 : 6 : 8이다.
> (나) 2학년 이용자 수와 3학년 이용자 수는 같았다.
> (다) 도서관 이용자가 1학년일 확률은 $\frac{8}{35}$이다.

도서관 이용자 중에서 임의로 선택한 한 명이 남학생일 때, 이 학생이 1학년일 확률을 p_1, 임의로 선택한 1명이 여학생일 때 이 학생이 2학년일 확률을 p_2라 하면 p_1은 p_2의 $\frac{36}{85}$배다. 도서관 이용자 중 3학년 여학생 수를 구하시오.

| 해법 가이드 |

조건을 이용해 다음 표의 빈칸을 모두 a로 나타내 보자.

구분	1학년	2학년	3학년	계
남학생				
여학생				

| 풀이 점검 |

조건을 이용해 학년별 남녀 학생 수를 하나의 문자 a를 써서 나타낸 다음 p_1, p_2를 차례로 구하면

[1] $p_1=$ ❶ ________ [2] $p_2=$ ❷ ________

08 ★★

스위치 달린 전구가 8개 있다. 스위치를 누르면 전구가 켜지고 다시 누르면 꺼진다. 전구가 모두 꺼져 있는 상태에서 A가 임의로 서로 다른 스위치 3개를 골라 순서대로 한 번씩 누르고 간 다음, B도 임의로 서로 다른 스위치 3개를 골라 순서대로 한 번씩 누르고 갔더니 전구 4개가 켜졌다. 이때 A가 처음 누른 스위치를 B도 처음 눌렀을 확률은?

① $\frac{5}{84}$ ② $\frac{1}{9}$ ③ $\frac{10}{21}$ ④ $\frac{15}{28}$ ⑤ $\frac{8}{9}$

| 해법 가이드 |

전구 4개가 켜지려면 두 사람의 누른 스위치 중 하나만 겹쳐야 하므로 B는 A가 누른 스위치 3개 중 1개를 누르고, A가 누르지 않은 스위치 5개 중에서 2개를 눌러야 한다.

| 풀이 점검 |

전구 4개가 켜지는 사건을 M, A가 처음으로 누른 스위치를 B도 맨 처음에 누르는 사건을 N이라 하면

[1] $\mathrm{P}(M)=$ ❶ ________ [2] $\mathrm{P}(N\cap M)=$ ❷ ________

09 ★★

2018학년도 수능 18번 변형

서로 다른 공 4개를 남김없이 서로 다른 상자 4개에 나누어 넣는다. 공이 1개인 상자가 있을 때, 공이 2개인 상자가 있을 확률은 $\frac{q}{p}$이다. $p+q$의 값은? (단, 공을 하나도 넣지 않은 상자가 있을 수 있으며, p, q는 서로소인 자연수이다.)

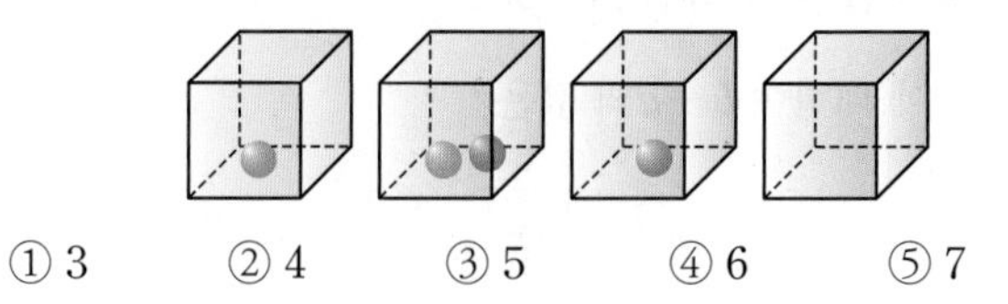

① 3 ② 4 ③ 5 ④ 6 ⑤ 7

| 해법 가이드 |

넣은 공 개수가 1인 상자가 있는 경우를 나누어 생각한다.

| 풀이 점검 |

네 상자에 넣은 공 개수가

[1] 3, 1, 0, 0인 경우의 수는 ❶ ________

[2] 2, 1, 1, 0인 경우의 수는 ❷ ________

[3] 1, 1, 1, 1인 경우의 수는 ❸ ________

10 ★★

그림과 같이 A가 적힌 카드 3장, B가 적힌 카드 2장, C가 적힌 카드 2장이 있다. 이와 같은 세 종류의 카드 7장을 적어도 한 종류의 카드는 2장 이상이 이웃하도록 배열할 때, A가 적힌 카드 3장이 이웃할 확률은 $\frac{q}{p}$이다. $p+q$의 값을 구하시오. (단, 같은 문자가 적힌 카드는 서로 구별하지 않으며, p, q는 서로소인 자연수이다.)

A	A	A	B	B	C	C

| 해법 가이드 |

예를 들어 B, B, C, C를 먼저 배열한 다음, B, B 사이와 C, C 사이에 A를 1장씩 넣은 다음, 남은 1장의 A를 양 끝 또는 B와 C 사이에 넣으면 같은 종류의 카드가 이웃하지 않게 된다.

| 풀이 점검 |

세 종류의 카드 7장을 적어도 한 종류의 카드 2장 이상이 이웃하도록 배열하는 사건을 M, A가 적힌 카드 3장이 이웃하는 사건을 N이라 하면

[1] $\mathrm{P}(M)=$ ❶ _______　　[2] $\mathrm{P}(M\cap N)=$ ❷ _______

11 ★★

2015학년도 7월 학력평가 18번 변형

1, 2, 3, 4, 5, 6이 각각 한 면에만 적혀 있는 카드 6장이 일렬로 놓여 있다. 주사위 한 개를 던져서 나온 눈의 수가 6의 약수이면 가장 작은 수가 적힌 카드 1장을 뒤집고, 6의 약수가 아니면 가장 작은 수가 적힌 카드부터 차례로 2장을 뒤집는 시행을 한다. 3번째 시행에서 4가 적힌 카드가 뒤집어졌을 때, 2번째 시행에서 3이 적힌 카드가 뒤집어졌을 확률은 $\frac{q}{p}$다. $p+q$의 값을 구하시오. (단, p, q는 서로소인 자연수이고 모든 카드는 한 번만 뒤집는다.)

| 해법 가이드 |

3번째 시행에서 4가 적힌 카드가 뒤집히는 경우를 1장, 1장, 2장 또는 1장, 2장, 1장 또는 2장, 1장, 1장을 뒤집는 경우만 생각하지 않도록 한다.

| 풀이 점검 |

3번째 시행에서 4가 적힌 카드가 뒤집어질 사건을 M이라 하고, 2번째 시행에서 3이 적힌 카드가 뒤집어질 사건을 N이라 하면

[1] $\mathrm{P}(M)=$ ❶ _______　　[2] $\mathrm{P}(M\cap N)=$ ❷ _______

12 ★★

주사위 한 개를 던져서 나온 눈의 수 n에 대하여

$$f(n)=3n+2(-1)^n-6\left[\frac{n}{2}\right]$$

이라 하자. 주사위 한 개를 5번 던져서 나온 눈의 수 n_1, n_2, n_3, n_4, n_5에 대하여

$$k=f(n_1)+f(n_2)+f(n_3)+f(n_4)+f(n_5)$$

라 한다. k가 짝수일 때, k가 8일 확률은 $\frac{q}{p}$이다. 이때 $p+q$의 값은? (단, $[x]$는 x를 넘지 않는 최대 정수이고, p, q는 서로소인 자연수이다.)

① 5 ② 7 ③ 9 ④ 11 ⑤ 13

| 해법 가이드 |

- $f(1)$, $f(2)$, $\cdots$, $f(6)$의 값을 각각 구해보자.
- 홀수가 나온 횟수를 x라 하고, 독립시행의 확률을 이용한다.

| 풀이 점검 |

k가 짝수인 사건을 A, k가 8인 사건을 B라 하면

1 $\mathrm{P}(A)=$ ❶ ______ 2 $\mathrm{P}(A\cap B)=$ ❷ ______

13 ★★

2019학년도 수능 6월 모의평가 18번 변형

좌표평면 위에 두 점 $\mathrm{A}(0, 3)$, $\mathrm{B}(0, -3)$이 있다. 주사위 한 개를 두 번 던져서 나오는 눈의 수를 차례로 m, n이라 할 때, 점 $\mathrm{C}\left(m\cos\frac{n\pi}{3}, m\sin\frac{n\pi}{3}\right)$에 대하여 삼각형 ABC의 넓이가 12보다 작다. 점 C가 제2사분면에 있을 확률은?

① $\frac{1}{6}$ ② $\frac{1}{5}$ ③ $\frac{3}{10}$ ④ $\frac{1}{3}$ ⑤ $\frac{2}{3}$

| 해법 가이드 |

- 삼각형 ABC의 넓이가 12보다 작을 순서쌍 (m, n)의 조건을 구한다.
- 점 C가 제2사분면에 있을 순서쌍 (m, n)의 조건을 구한다.

| 풀이 점검 |

삼각형 ABC의 넓이가 12보다 작을 사건을 M, 점 C가 제2사분면에 있는 사건을 N이라 하면

1 $\mathrm{P}(M)=$ ❶ ______ 2 $\mathrm{P}(M\cap N)=$ ❷ ______

14 ★★☆

2019학년도 사관학교 28번 변형

1부터 11까지의 자연수가 하나씩 적힌 카드 11장 중 임의로 택한 카드 두 장에 적힌 수를 m, n $(m<n)$이라 하자. 다음은 좌표평면 위의 세 꼭짓점이 $\mathrm{A}(2, 0)$, $\mathrm{B}\left(2\cos\frac{m\pi}{6}, 2\sin\frac{m\pi}{6}\right)$, $\mathrm{C}\left(2\cos\frac{n\pi}{6}, 2\sin\frac{n\pi}{6}\right)$인 $\triangle\mathrm{ABC}$에 대한 설명이다. **보기**에서 옳은 것만을 모두 고른 것은?

보기

ㄱ. 가능한 $\triangle\mathrm{ABC}$는 55개다.

ㄴ. $\triangle\mathrm{ABC}$가 직각삼각형일 확률은 $\frac{3}{11}$이다.

ㄷ. $\triangle\mathrm{ABC}$가 이등변삼각형일 때, $\triangle\mathrm{ABC}$가 둔각삼각형일 확률은 $\frac{6}{13}$이다.

① ㄱ ② ㄱ, ㄴ ③ ㄱ, ㄷ
④ ㄴ, ㄷ ⑤ ㄱ, ㄴ, ㄷ

해법 가이드

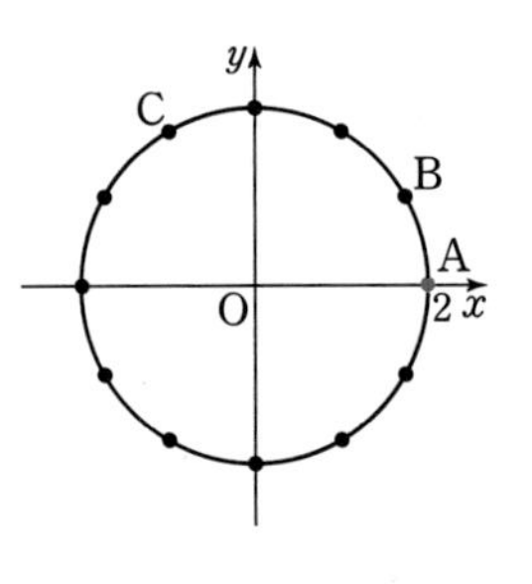

- 두 꼭짓점 B, C는 모두 원점이 중심이고, 반지름 길이가 2인 원 위에 있으며, $(2, 0)$을 제외한 이 원 둘레를 12등분한 점이 될 수 있다. 또 $\triangle\mathrm{ABC}$가 직각삼각형이면 $\triangle\mathrm{ABC}$의 어느 한 변이 $\triangle\mathrm{ABC}$의 외접원의 지름이어야 한다.
- $\triangle\mathrm{ABC}$가 직각삼각형이 되는 경우는 다음 두 가지 경우로 나눌 수 있다.
  (i) 변 AB 또는 변 AC가 $\triangle\mathrm{ABC}$의 외접원의 지름인 경우
  (ii) 변 BC가 $\triangle\mathrm{ABC}$의 외접원의 지름인 경우
- $\overline{\mathrm{AB}}=\overline{\mathrm{AC}}$ 또는 $\overline{\mathrm{AB}}=\overline{\mathrm{BC}}$ 또는 $\overline{\mathrm{CA}}=\overline{\mathrm{BC}}$일 때 $\triangle\mathrm{ABC}$는 이등변삼각형이다.

풀이 점검

만들어지는 모든 $\triangle\mathrm{ABC}$ 중에서

1 직각삼각형은 ❶ ________(개)

2 이등변삼각형은 ❷ ________(개)

3 둔각삼각형은 ❸ ________(개)

15 ★★☆

2019학년도 수능 9월 모의평가 20번 변형

상자 A와 상자 B에 각각 공이 6개 들어 있다. 동전 1개를 던져 다음 시행을 반복한다.

> 동전을 던져 앞면이 나오면 상자 A에서 공 1개를 꺼내 상자 B에 넣고, 뒷면이 나오면 상자 B에서 공 1개를 꺼내 상자 A에 넣는다.

8번째 시행에서 처음으로 상자 B에 든 공이 10개가 될 때, 상자 A와 상자 B에 들어 있는 공 개수가 처음과 같이 각각 6인 경우가 존재할 확률은?

① $\frac{1}{7}$ ② $\frac{2}{7}$ ③ $\frac{3}{7}$ ④ $\frac{4}{7}$ ⑤ $\frac{5}{7}$

| 해법 가이드 |

- x번 시행했을 때, 상자 B에 들어 있는 공 개수를 y라 하고 길 찾기를 활용해 본다. 즉 $(0, 6)$에서 $(8, 10)$으로 이동하는 경로와 그 확률을 생각한다.
- 상자 A와 상자 B에 든 공 개수가 처음과 같이 각각 6이 되는 경우는 $(0, 6)$에서 $(8, 10)$으로 이동하는 경로 중 $y=6$인 점을 반드시 지나는 경우와 같다.

| 풀이 점검 |

8번째 시행 후 처음으로 상자 B에 든 공 개수가 10이 되는 사건을 M이라 하고, 상자 A와 상자 B에 들어 있는 공 개수가 처음과 같이 각각 6이 되는 사건을 N이라 할 때

1 $P(M)=$ ❶ ______ 2 $P(M\cap N)=$ ❷ ______

집중 공략

유형 13

정규분포와 추정

Mentor Comment

연속확률분포에서 다루는 문제 대부분이 정규분포를 이용한다. 정규분포 문제는 기본적으로 표준화하여 구간의 확률을 구하거나 반대로 확률을 주고 구간을 구하는 문제와 이항분포와 정규분포의 관계를 이용하는 문제가 자주 출제된다. 또 추정에서는 표본평균의 범위를 주고 확률 또는 신뢰구간을 직접 구하는 문제와 반대로 신뢰구간을 주고 다른 정보를 묻는 문제가 최근에 자주 출제되고 있다.
통계 문제는 유형만 잘 파악하고 계산만 정확하게 하면 다른 단원에 비해 쉬운 편이다. 하지만 원리를 모르고 공식에만 대입하여 푸는 경우가 없도록 조심하여야 한다.

대표 문제

01

2020학년도 사관학교 13번 변형

어느 도시 직장인들이 하루 동안 도보로 이동한 거리는 평균이 m km, 표준편차가 σ km인 정규분포를 따른다고 한다. 이 도시의 직장인들 중에서 36명을 임의추출하여 조사한 결과 36명이 하루 동안 도보로 이동한 거리의 총합은 216 km였다. 이 결과를 이용하여 이 도시 직장인들이 하루 동안 도보로 이동한 거리의 평균 m에 대한 신뢰도 95 % 신뢰구간을 구하면 $a \le m \le a+0.98$이고, 90 % 신뢰구간의 길이를 구하면 l이다. 오른쪽 표준정규분포표를 이용하여 $100(a+\sigma+l)$의 값을 구하시오.

z	$\mathrm{P}(0 \le Z \le z)$
1.64	0.450
1.96	0.475
2.33	0.490
2.58	0.495

풀이 preview

조건에서 표본의 크기 n은 36이고, 36명이 이동한 거리의 총합은 216 km이다.

표본평균 $\overline{X}=\frac{216}{36}=6$이므로 모평균 m에 대한 신뢰구간은

$6-k\frac{\sigma}{\sqrt{36}} \le m \le 6+k\frac{\sigma}{\sqrt{36}}$

이고, 신뢰구간의 길이는 $2k\frac{\sigma}{\sqrt{36}}$

이때 주어진 표준정규분포표에서 상수 k값은
95 % 신뢰도에서는 $k=1.96$이고, 90 % 신뢰도에서는 $k=1.64$다.

✓ 해법 Tip

1 모평균의 m의 신뢰구간은
$\overline{X}-k\frac{\sigma}{\sqrt{n}} \le m \le \overline{X}+k\frac{\sigma}{\sqrt{n}}$

2 $\mathrm{P}(-k \le Z \le k)$가 신뢰도이므로
$\mathrm{P}(-1.96 \le Z \le 1.96)$
$=2\mathrm{P}(0 \le Z \le 1.96)$
$=2 \times 0.475=0.95$
에서 신뢰도 95 %일 때는
$k=1.96$을 이용한다.
같은 방법으로 신뢰도 90 %일 때의 k값도 구할 수 있다.

02-1 ★

2019학년도 수능 9월 모의평가 17번

어느 고등학교 학생들의 1개월 자율학습실 이용 시간은 평균이 m, 표준편차가 5인 정규분포를 따른다고 한다. 이 고등학교 학생 25명을 임의추출하여 1개월 자율학습실 이용 시간을 조사한 표본평균이 $\overline{x_1}$일 때, 모평균 m에 대한 신뢰도 95 %의 신뢰구간이 $80-a\le m\le 80+a$였다.
또 이 고등학교 학생 n명을 임의추출하여 1개월 자율학습실 이용 시간을 조사한 표본평균이 $\overline{x_2}$일 때, 모평균 m에 대한 신뢰도 95 %의 신뢰구간이 다음과 같다.

$$\frac{15}{16}\overline{x_1}-\frac{5}{7}a\le m\le \frac{15}{16}\overline{x_1}+\frac{5}{7}a$$

$n+\overline{x_2}$의 값은? (단, Z가 표준정규분포를 따르는 확률변수일 때, $\mathrm{P}(0\le Z\le 1.96)=0.475$로 계산한다.)

① 121 ② 124 ③ 127
④ 130 ⑤ 133

| 해법 가이드 |

신뢰도 a % ⇨ $\mathrm{P}(-k\le Z\le k)=\frac{a}{100}$임을 뜻한다.
이때 모평균 m의 신뢰도 a %의 신뢰구간은
$\overline{X}-k\frac{\sigma}{\sqrt{n}}\le m\le \overline{X}+k\frac{\sigma}{\sqrt{n}}$

| 풀이 점검 |

1 주어진 조건에서 구한 $a=$ ❶ ________

2 표본의 크기가 n일 때, 신뢰도 95 %의 신뢰구간에서 구한 $n=$ ❷ ________

02-2

z	$\mathrm{P}(0\le Z\le z)$
0.5	0.192
1.0	0.341
1.5	0.433
2.0	0.477

어느 고등학교 학생들의 1개월 자율학습실 이용 시간은 평균이 m, 표준편차가 σ인 정규분포를 따른다고 한다. 이 고등학교 학생 16명을 임의추출하여 1개월 자율학습실 이용 시간을 조사한 표본평균이 $\overline{x_1}$일 때, 모평균 m에 대한 신뢰도 95.4 %의 신뢰구간이 $90-a\le m\le 90+a$였다.
또 이 고등학교 학생 n명을 임의추출하여 1개월 자율학습실 이용 시간을 조사한 표본평균이 $\overline{x_2}$일 때, 모평균 m에 대한 신뢰도 86.6 %의 신뢰구간이 다음과 같다.

$$\frac{14}{15}\overline{x_1}-\frac{3}{19}a\le m\le \frac{14}{15}\overline{x_1}+\frac{3}{19}a$$

위에 주어진 표준정규분포표를 이용하여 $n+\overline{x_2}$의 값을 구하시오.

| 풀이 점검 |

1 주어진 조건에서 구한 $x_1=$ ❶ ________

2 표본의 크기가 n일 때, 신뢰도 86.6 %의 신뢰구간에서 구한 $n=$ ❷ ________

03-1 ★★

2020학년도 수능 18번

확률변수 X는 정규분포 $N(10, 2^2)$ 확률변수 Y는 정규분포 $N(m, 2^2)$을 따르고, 확률변수 X와 Y의 확률밀도함수는 각각 $f(x)$와 $g(x)$이다.

$f(12) \leq g(20)$을 만족시키는 m에 대하여 $P(21 \leq Y \leq 24)$의 최댓값을 오른쪽 표준정규분포표를 이용하여 구한 것은?

z	$P(0 \leq Z \leq z)$
0.5	0.1915
1.0	0.3413
1.5	0.4332
2.0	0.4772

① 0.5328 ② 0.6247
③ 0.7745 ④ 0.8185
⑤ 0.9104

| 해법 가이드 |

- 확률변수 X와 Y는 표준편차가 같으므로 두 정규분포 곡선 $f(x)$와 $g(x)$는 평행이동에 따라 서로 포개진다.
- $f(12) \leq g(20)$에서 m값의 범위를 구한다.

| 풀이 점검 |

1 주어진 두 확률밀도함수 $f(x)$와 $g(x)$에 대한 조건에서 구한 m값의 범위는 ❶ ______________

2 확률 $P(21 \leq Y \leq 24)$는 $m=$❷ ______ 일 때 최댓값을 가진다.

03-2

확률변수 X는 정규분포 $N(12, 3^2)$, 확률변수 Y는 정규분포 $N(m, 3^2)$을 따르고, 확률변수 X와 Y의 확률밀도함수는 각각 $f(x)$와 $g(x)$이다.

$f(15) \leq g(20)$을 만족시키는 m에 대하여 **보기**에서 옳은 것만을 모두 고른 것은?

z	$P(0 \leq Z \leq z)$
0.5	0.1915
1.0	0.3413
1.5	0.4332
2.0	0.4772

보기

ㄱ. 모든 실수 x에 대하여 $f(x)=g(x+\alpha)$를 만족시키는 상수 α가 존재한다.

ㄴ. $17 \leq m \leq 23$

ㄷ. $P(19 \leq Y \leq 25)$의 최댓값은 0.6826이다.

① ㄱ ② ㄱ, ㄴ ③ ㄱ, ㄷ
④ ㄴ, ㄷ ⑤ ㄱ, ㄴ, ㄷ

| 풀이 점검 |

1 주어진 두 확률밀도함수 $f(x)$와 $g(x)$에 대한 조건에서 구한 m값의 범위는 ❶ ______________

2 확률 $P(19 \leq Y \leq 25)$는 $m=$❷ ______ 일 때 최댓값을 가진다.

04 ★

다음은 정규분포에 관한 설명이다.

> 연속확률변수 X가 실수이고, 그 확률밀도함수 $f(x)$가
> $f(x)=\frac{1}{\sqrt{2\pi}\,\sigma}e^{-\frac{(x-m)^2}{2\sigma^2}}$ (단, $-\infty<x<\infty$, $e=2.71\cdots$)
> 으로 주어질 때, 확률변수 X는 정규분포를 따른다고 한다. 이때 X의 평균이 m, 분산이 σ^2이고, 이 정규분포를 기호로 $\mathrm{N}(m, \sigma^2)$과 같이 나타낸다.

확률변수 X의 확률밀도함수가

$$f(x)=\frac{1}{8\sqrt{2\pi}}e^{-\frac{(x-20)^2}{128}}$$

일 때, 오른쪽 표준정규분포표를 이용하여 구한 $\mathrm{P}(20\le X\le 32)-\mathrm{P}(X\le 8)$의 값은?

z	$\mathrm{P}(0\le Z\le z)$
0.5	0.1915
1.0	0.3413
1.5	0.4332
2.0	0.4772

① 0.1826 ② 0.3664 ③ 0.4544
④ 0.7986 ⑤ 0.9570

| 해법 가이드 |

- 주어진 함수식에서 평균 m과 분산 σ^2을 구한다.
- 물음의 확률에서 X를 표준화 하여 표준정규분포표를 이용한다.

| 풀이 점검 |

1 주어진 함수식에서 확률변수 X가 따르는 확률분포는
❶ ____________

2 $\mathrm{P}(20\le X\le 32)-\mathrm{P}(X\le 8)$을 표준화해서 나타내면
❷ ____________________

05 ★

어떤 회사에서 새로 만든 칫솔을 홍보하기 위해 무료 증정 이벤트를 열려고 한다. 회사에서는 홈페이지 우수 회원 900명을 초대하였고 초대받은 회원이 이벤트에 참가할 확률은 80 %라 한다. 이벤트에 참가하는 모든 회원에게 신제품 칫솔 세트를 선물로 제공한다고 할 때, 참가한 모든 사람이 선물을 받을 확률이 99 % 이상이 되도록 하려 한다. 오른쪽 표준정규분포표를 이용하여 구한 이 회사에서 준비해야 할 최소 칫솔 세트 개수는?

z	$\mathrm{P}(0\le Z\le z)$
1.0	0.34
1.5	0.43
2.0	0.48
2.5	0.49

① 710 ② 730 ③ 750
④ 770 ⑤ 790

| 해법 가이드 |

- 홍보 이벤트에 참가하는 회원 수를 확률변수 X로 놓으면 X는 이항분포와 정규분포를 따른다.
- 회사에서 증정용 칫솔 n세트를 준비한다면 $\mathrm{P}(X\le n)\ge 0.99$를 만족시키는 최소의 자연수 n을 구해야 한다.

| 풀이 점검 |

1 홍보 이벤트에 참가하는 회원 수를 확률변수 X로 하면
X는 정규분포 ❶ ____________을 따른다.

2 $\mathrm{P}(X\le n)\ge 0.99$에서 n의 범위는 ❷ ____________

06 ★

2013학년도 수능 25번 변형

표준편차 σ가 알려진 정규분포를 따르는 모집단에서 크기가 n인 표본을 임의추출하여 얻은 모평균에 대한 신뢰도 99 %의 신뢰구간이 [67.1, 92.9]였다. 같은 표본에서 얻은 모평균에 대한 신뢰도 95 %의 신뢰구간에 속하는 자연수의 개수를 구하시오.

z	$\mathrm{P}(0\le Z\le z)$
1.64	0.456
1.96	0.475
2.33	0.490
2.58	0.495

| 해법 가이드 |

표본평균 $\overline{X}$에 대하여 신뢰도 a %일 때 모평균 m의 신뢰구간은

$\overline{X}-k\frac{\sigma}{\sqrt{n}}\le m\le\overline{X}+k\frac{\sigma}{\sqrt{n}}$ $\left(\text{단, } \mathrm{P}(-k\le Z\le k)=\frac{a}{100}\right)$

| 풀이 점검 |

[1] 크기 n인 표본의 표본평균 $\overline{X}=$ ❶ ________

[2] 이때 $\frac{\sigma}{\sqrt{n}}=$ ❷ ________

07 ★

2019학년도 수능 15번 변형

어떤 회사 직원들이 어느 날 출근하는데 걸린 시간은 평균이 50.4분, 표준편차가 15인 정규분포를 따랐다고 한다. 이 날 출근하는데 걸린 시간이 63분 이상인 직원들 중에서 60 %, 63분 미만인 직원들 중에서 30 %가 지하철을 이용하였고, 나머지 직원들은 다른 교통수단을 이용하였다. 이 날 임의로 선택한 한 직원이 지하철을 이용했을 때, 출근하는데 걸린 시간이 63분 이상이었을 확률은? (단, Z가 표준정규분포를 따르는 확률변수일 때, $\mathrm{P}(0\le Z\le 0.84)=0.3$으로 계산한다.)

① $\frac{1}{4}$ ② $\frac{1}{3}$ ③ $\frac{1}{2}$ ④ $\frac{2}{3}$ ⑤ $\frac{3}{4}$

| 해법 가이드 |

- 지하철을 이용할 확률을 출근 소요 시간이 63분 미만인 경우와 63분 이상인 경우로 나누어 계산한다.
- 조건부확률임을 주의한다.

| 풀이 점검 |

[1] 이날 직원들 출근 시간이 63분 이상일 확률은 ❶ ________

[2] 이날 직원들 출근 시간이 63분 이상이면서 지하철을 이용했을 확률은 ❷ ________

08 ★★

70명을 모집하는 어느 대학의 자유전공학부에 지원한 학생 1000명의 점수는 평균이 m점, 표준편차가 σ점인 정규분포를 따른다고 한다. 점수를 확률변수 X라 할 때, X에 대한 확률밀도함수 $f(x)$가 $f(x)=f(150-x)$를 만족시키고, 지원자 중 상위 20명은 장학금을 받는다고 한다. 이때 오른쪽 표준정규분포표를 이용해 구한 이 시험에 합격하기 위한 최저 점수를 a, 장학금을 받기 위한 최저 점수는 b다.
$a+b=178$일 때, σ값은?

z	$\mathrm{P}(0\le Z\le z)$
0.5	0.19
1.0	0.34
1.5	0.43
2.0	0.48

① 6　② 7　③ 8　④ 9　⑤ 10

| 해법 가이드 |

$f(x)$가 $x=m$에 대하여 대칭임을 나타내는 함수 관계식은 $f(m+x)=f(m-x)$ 또는 $f(x)=f(2m-x)$이다.

| 풀이 점검 |

1 합격 최저 점수 a를 σ를 써서 나타내면 $a=$❶ ______

2 장학금을 받기 위한 최저 점수 b를 σ를 써서 나타내면 $b=$❷ ______

09 ★★

모평균이 m, 모표준편차가 1인 정규분포를 따르는 모집단에서 크기 n인 표본을 임의로 추출할 때, 다음과 같은 표본평균 $\overline{X}$의 확률

$$\mathrm{P}\left(\overline{X}\ge -\frac{2}{\sqrt{n}}\right)=F(m)$$

을 생각하자. 이때
$F(0)+F(-1)\le 1.14$를 만족시키는 n의 최솟값을 오른쪽 표준정규분포표를 이용하여 구하시오.

z	$\mathrm{P}(0\le Z\le z)$
0.5	0.19
1.0	0.34
1.5	0.43
2.0	0.48

| 해법 가이드 |

$F(m)$에 $m=0$을 대입해 구한 $F(0)$의 값에서 $F(-1)$의 범위를 정한다.

| 풀이 점검 |

1 $F(m)$에 $m=0$을 대입하면 $F(0)=$❶ ______

2 $F(0)+F(-1)\le 1.14$에서 $F(-1)\le$❷ ______

10 ★★

2014학년도 수능 9월 모의평가 20번

양의 실수 전체에서 정의된 함수 $G(t)$는 평균이 t, 표준편차가 $\frac{1}{t^2}$인 정규분포를 따르는 확률변수 X에 대하여 $G(t)=\mathrm{P}\left(X\le\frac{3}{2}\right)$이다. 오른쪽 표준정규분포표를 이용하여 구한 함수 $G(t)$의 최댓값은?

z	$\mathrm{P}(0\le Z\le z)$
0.4	0.155
0.5	0.191
0.6	0.226
0.7	0.258

① 0.309 ② 0.345 ③ 0.691
④ 0.726 ⑤ 0.758

| 해법 가이드 |

- $G(t)=\mathrm{P}\left(X\le\frac{3}{2}\right)$을 표준화한 것을 $G(t)=\mathrm{P}(Z\le f(t))$라 하면, 함수 $G(t)$는 $f(t)$가 최대일 때 최댓값을 가진다.
- 삼차함수 $f(t)$에서 최댓값을 찾고 주어진 표준정규분포표를 이용하여 $G(t)$의 최댓값을 구한다.

| 풀이 점검 |

1 $G(t)=\mathrm{P}(Z\le f(t))$라 하면 $f(t)=$ ❶ ________

2 $f(t)$의 최댓값을 소수로 나타내면 ❷ ________

11 ★★

어떤 과수원에서 생산한 사과 한 개 무게는 평균 300 g, 표준편차 20 g인 정규분포를 따른다고 한다. 이 과수원에서 생산한 사과 중에서 임의로 선택한 16개를 한 상자에 담아 판매할 때, 사과 한 상자의 무게가 4700 g 미만이면 기준 미달로 판정한다. 이 과수원에서 생산한 사과 400상자 중에서 기준 미달인 상자가 31상자 이하로 나올 확률은? (단, 상자 무게는 고려하지 않으며 오른쪽 표준정규분포표를 이용한다.)

z	$\mathrm{P}(0\le Z\le z)$
1.0	0.34
1.25	0.40
1.5	0.43
1.75	0.46
2.0	0.48

① 0.02 ② 0.04 ③ 0.07
④ 0.11 ⑤ 0.16

| 해법 가이드 |

- 과수원에서 생산한 사과 한 개 무게를 확률변수 X라 하고, 상자에 들어 있는 사과 16개의 무게 평균을 확률변수 $\overline{X}$라 하면 $\mathrm{P}(16\overline{X}<4700)$을 구한다.
- 400상자 중 기준 미달인 상자 개수를 확률변수 Y라 하면 Y는 이항분포를 따르고 근사적으로 정규분포를 따른다. 이때 $\mathrm{P}(Y\le 31)$을 구한다.

| 풀이 점검 |

1 주어진 조건을 이용해 구한 $\mathrm{P}(16\overline{X}<4700)=$ ❶ ________

2 기준 미달 상자의 개수를 Y라 하면 확률변수 Y는 근사적으로 정규분포 ❷ ________을 따른다.

12 ★★

두 회사 A, B는 각각 하루에 1만개의 비누를 생산하는 공장을 가지고 있다. 두 공장에서 생산되는 비누 1개의 무게는 평균 100 g, 표준편차 10 g인 정규분포를 따른다고 한다. A회사에서는 비누 한 개의 무게가 90 g 이상인 제품을 정상으로 판정하고, B회사에서는 비누를 4개씩 묶어 360 g 이상일 때 정상으로 판정한다. 두 회사 모두 비누를 4개씩 한 상자에 담아서 판매할 때, 오른쪽 표준정규분포표를 이용하여 구한 두 회사가 하루에 판매할 수 있는 상자 개수의 차는?
(단, A, B 회사는 정상으로 판정한 제품만 판매한다.)

z	$\mathrm{P}(0\le Z\le z)$
1.0	0.34
1.5	0.43
2.0	0.48
2.5	0.49

① 320 ② 330 ③ 340
④ 350 ⑤ 360

| 해법 가이드 |

- 비누 1개 무게를 확률변수 X라 하면, 비누 한 개 무게가 90 g 이상일 확률 $p_1=\mathrm{P}(X\ge 90)$이다.
- 비누 4개의 무게 평균을 확률변수 $\overline{X}$라 하면 4개씩 묶어 360 g 이상일 확률 $p_2=\mathrm{P}(\overline{X}\ge 90)$이다.

| 풀이 점검 |

A회사는 하루에 ❶ ________ 상자를 팔 수 있고,
B회사는 하루에 ❷ ________ 상자를 팔 수 있다.

13 ★★

주사위 한 개를 던져 나온 눈의 수 a에 대하여 x에 대한 삼차방정식 $x^3+3x^2-9x+3a=0$이 서로 다른 두 개의 양의 실근과 한 개의 음의 실근을 가지는 사건을 A라 하자. 주사위 한 개를 180번 던지는 독립시행에서 사건 A가 k번 이상 일어날 확률이 0.93 이상이 되도록 하는 자연수 k의 최댓값을 오른쪽 정규분포 $\mathrm{N}(m, \sigma^2)$의 확률분포표를 이용하여 구하시오.

x	$\mathrm{P}(0\le Z\le z)$
$m+0.5\sigma$	0.19
$m+1.0\sigma$	0.34
$m+1.5\sigma$	0.43
$m+2.0\sigma$	0.48
$m+2.5\sigma$	0.49

| 해법 가이드 |

- $f(x)=x^3+3x^2-9x+3a$로 두고 삼차함수의 그래프를 이용하여 삼차방정식이 서로 다른 두 개의 양의 실근과 한 개의 음의 실근을 가지는 a값을 찾는다.
- 사건 A가 일어나는 횟수를 확률변수 X라 할 때, X가 따르는 이항분포를 구하고, 시행횟수 180은 충분히 큰 수이므로 X가 정규분포를 따른다는 점을 이용한다.

| 풀이 점검 |

1 $x^3+3x^2-9x+3a=0$이 서로 다른 두 개의 양의 실근과 한 개의 음의 실근을 가지는 조건에서 $a=$ ❶ ________
2 $\mathrm{P}(X\ge k)\le 0.93$에서 구한 k의 범위는 ❷ ________

14 ★★

확률변수 X는 정규분포 $\mathrm{N}(m,\ 2^2)$, 확률변수 Y는 정규분포 $\mathrm{N}(n,\ 2^2)$을 따르고, 확률변수 X, Y의 확률밀도함수 $f(x)$, $g(x)$가 다음 조건을 만족시킨다.

> (가) $f(10)>f(20)$, $f(4)<f(22)$
> (나) $f(10)=g(26)$, $\mathrm{P}(Y<26)\geq 0.5$

m이 자연수일 때, $\mathrm{P}(X\geq 18)+\mathrm{P}(Y\leq 20)$의 값은? (그림은 정규분포 $\mathrm{N}(m,\ \sigma^2)$의 확률분포를 나타낸 것이다.)

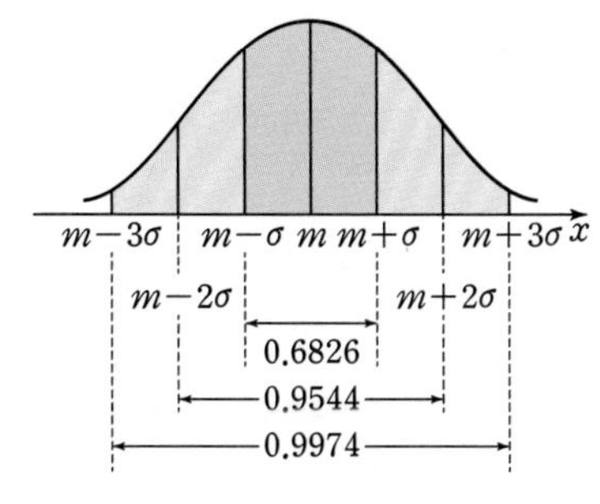

① 0.1587　② 0.1815　③ 0.6359
④ 0.6815　⑤ 0.8185

| 해법 가이드 |

- 정규분포곡선의 성질과 확률밀도함수 $y=f(x)$가 $x=m$에 대칭임을 생각하면 (가)를 이용해 자연수 m을 구한다.
- X, Y가 따르는 정규분포에서 표준편차가 σ로 같다. 즉 $g(x)$는 $f(x)$를 평행이동한 것이므로 (나)를 이용해 n을 구한다.
- 주어진 확률분포 그래프를 이용해 표준화 한 확률을 구한다.

| 풀이 점검 |

1 (가)를 이용해 구한 $m=$ ❶ ________

2 (나)를 이용해 구한 $n=$ ❷ ________

「나를 이끄는 힘」

"빛이 있다면 어둠이 있다. 차가운 것이 있으면 뜨거운 것이,
높은 것이 있으면 낮은 것이, 거칠면 부드러운 것이,
조용하면 소란이, 영광이 있으면 역경이, 삶이 있다면 죽음이 있다."

피타고라스

피타고라스는 서로 대립하는 요소가 함께 세상을 이룬다고 믿었습니다. 그러면서 조화로운 삶을 주장하였습니다. 그래서 '덕이 바로 조화(Virtue is harmony)'라는 말도 남겼습니다. 대립되는 요소들 사이에서 조화를 발견하고, 실천하기란 쉽지 않은 일입니다.
피타고라스는 제자들에게 세상에 대해 항상 관심을 가지라고 가르쳤습니다.
'관심은 행동하게 하지, 절망에 빠지게 하는 일은 없다.'

– 수학 공부가 즐겁지만은 않죠? 그럼에도 수학에 끊임없는 관심을 기울이는 여러분이 바로 승리자입니다.

memo

memo

거북목은 이제 안녕~!
목 스트레칭

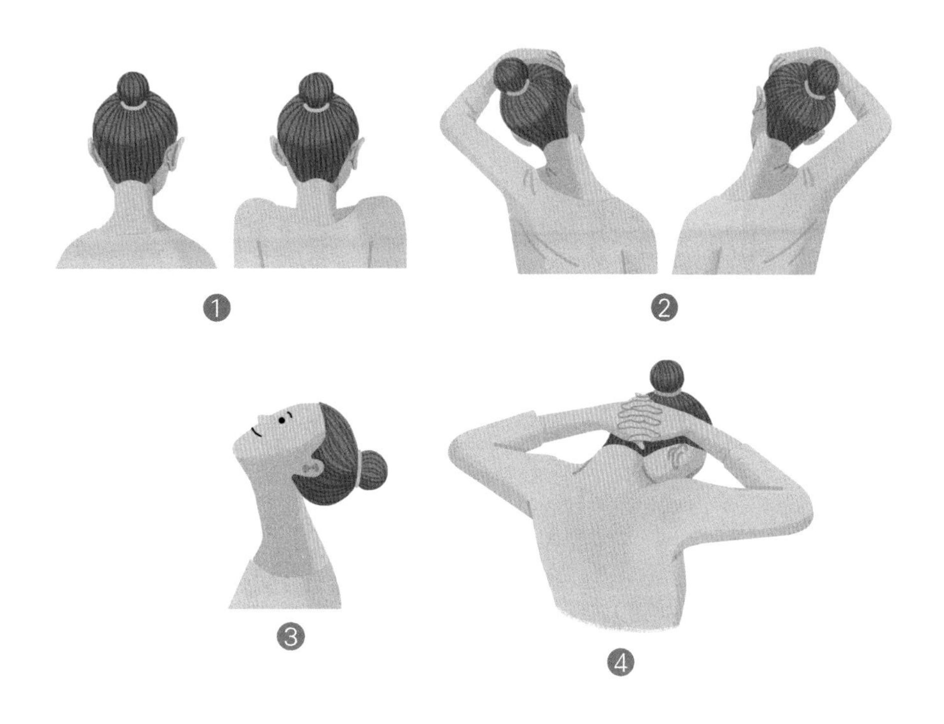

스마트폰 이용 시간이 갈수록 길어지면서, 거북목으로 고생하는 사람이 늘어나고 있습니다. 거북목이 심해지면 관절염은 물론 호흡기 계통의 질병도 생길 수 있다고 해요. 주기적인 스트레칭으로 목 건강을 지켜 주세요.

❶ 어깨에 힘을 빼고 위로 올렸다, 아래로 떨어뜨리기를 3회 정도 반복해 주세요.

❷ 척추를 바르게 펴고, 고개를 왼쪽으로 젖혀 줍니다. 10초 정도 유지한 다음, 오른쪽도 똑같이 반복해 주세요.

❸ 고개를 천천히 뒤로 젖혀 줍니다. 10초 동안 유지합니다.

❹ 두 손으로 깍지를 끼고, 목을 앞으로 굽힌 후 목덜미를 지그시 눌러 주세요. 목이 아프고 뻐근할 때마다 위 과정을 반복하시면 됩니다.

정답과 풀이

천재교육

정답과 해설 포인트 3가지

- 혼자서도 이해할 수 있는 친절한 문제 풀이
- 문제 해결에 필요한 핵심 내용을 설명한 참고 BOX
- 문제 해결을 더 쉽게 해주는 킬러 격파 Tip

Top of the Top

정답과 풀이

공통+확률과 통계

집중공략 유형 01 지수·로그함수의 그래프			p. 5~14
01 15	**02-1** 54	**02-2** ⑤	**03-1** 60
03-2 12	**04** ④	**05** 97	**06** 54
07 176	**08** 23	**09** ①	**10** 896
11 450	**12** 58	**13** ②	**14** ①

01 답 15

두 곡선 $y=4^x$, $y=a^{-x+4}$과 직선 $y=1$로 둘러싸인 영역의 내부 또는 그 경계에 포함되고 x좌표와 y좌표가 모두 정수인 점의 개수를 $f(a)$라 하자.

두 지수함수 $y=4^x$, $y=a^{-x+4}$의 교점을 $P(\alpha, 4^\alpha)$라 하면 $4^\alpha=a^{-\alpha+4}$에서 다음 3가지 경우로 나누어 생각하자.

(i) $2\le a<4$일 때

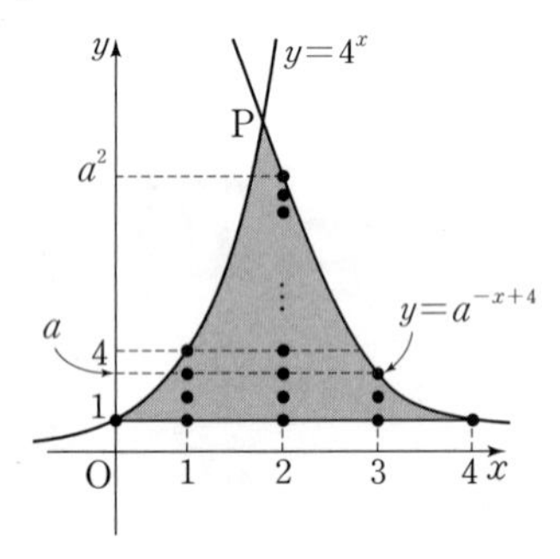

$x=0$인 격자점은 $(0, 1)$

$x=1$인 격자점은 $(1, 1)$, $(1, 2)$, $(1, 3)$, $(1, 4)$

$x=2$인 격자점은 $(2, 1)$, $(2, 2)$, $\cdots$, $(2, a^2)$

$x=3$인 격자점은 $(3, 1)$, $\cdots$, $(3, a)$

$x=4$인 격자점은 $(4, 1)$

즉 $f(a)=1+4+a^2+a+1=a^2+a+6$이고

$f(2)=4+2+6=12$, $f(3)=9+3+6=18$

이므로 $2\le a<4$이면 문제의 조건을 만족시키지 않는다.

(ii) $a=4$일 때

위와 같이 생각하면 $f(4)=1+4+16+4+1=26$이므로 조건을 만족시킨다.

(iii) $a\ge5$일 때

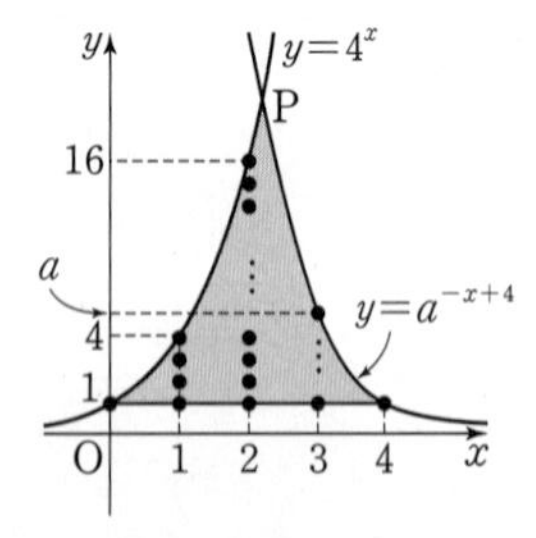

위와 같이 생각하면 $f(a)=1+4+16+a+1=a+22$이고

주어진 조건에서 $20\le a+22\le 40$ 이므로 $-2\le a\le 18$

$a\ge5$에서 $5\le a\le18$이므로 자연수 a는 14개

(i)~(iii)에서 자연수 a의 개수는 $1+14=15$

02-1 답 54

직선 $y=x+n-2^n$이 x축과 만나는 점을 C라 하자.

(i) $n=1$일 때, 주어진 함수를 그림으로 나타내면 다음과 같다.

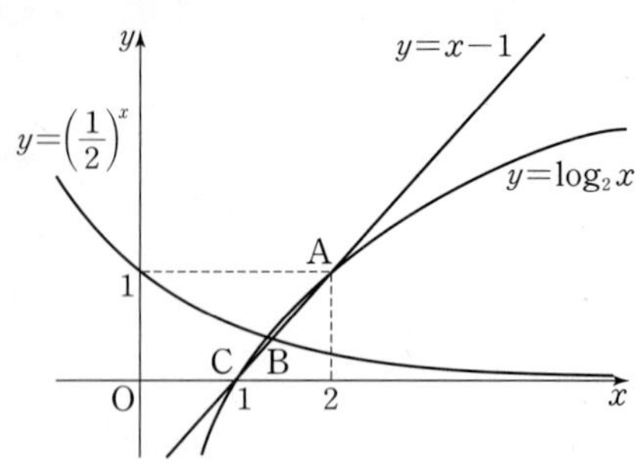

점 A$(2, 1)$, 점 C$(1, 0)$이므로 $\overline{AC}=\sqrt{2}$

$\overline{AB}<\overline{AC}$이므로 ❶ $\overline{AB}<\sqrt{2}$

즉 $n=1$일 때 $1<\dfrac{\overline{AB}}{\sqrt{2}}$을 만족시키지 않는다.

(ii) $n\ge2$일 때 주어진 함수를 그림으로 나타내면 다음과 같다.

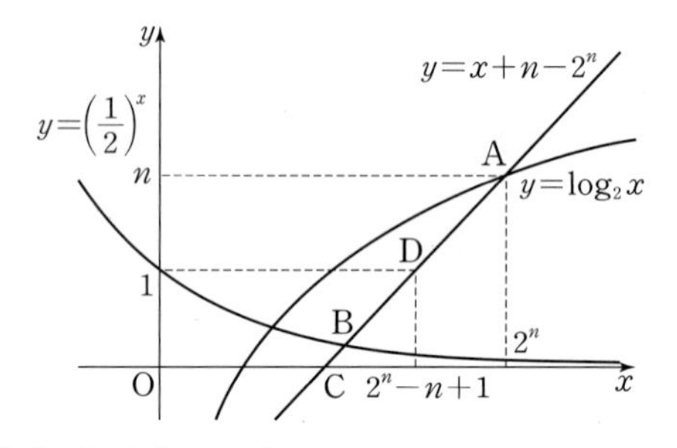

점 C의 좌표는 $(2^n-n, 0)$

직선 $y=x+n-2^n$이 직선 $y=1$과 만나는 점을 D라 하면, 점 D의 좌표는 $(2^n-n+1, 1)$

$\overline{AD}<\overline{AB}<\overline{AC}$이고, $\overline{AD}=(n-1)\sqrt{2}$, $\overline{AC}=n\sqrt{2}$

즉 $n-1<\dfrac{\overline{AB}}{\sqrt{2}}<n$

(i), (ii)에서 $1<\dfrac{\overline{AB}}{\sqrt{2}}<10$을 만족시키는 자연수 n은

2, 3, 4, $\cdots$, ❷ 10 이다.

따라서 $2+3+4+\cdots+10=54$

02-2 답 ⑤

직선 $y=x+n-2^n$이 x축과 만나는 점을 C라 하자.

ㄱ. $n=1$일 때, **02-1** 풀이의 (i)과 같으므로 $\overline{AB}<\sqrt{2}$ (○)

ㄴ. $n=4$일 때, 주어진 함수를 그림으로 나타내면 다음과 같다.

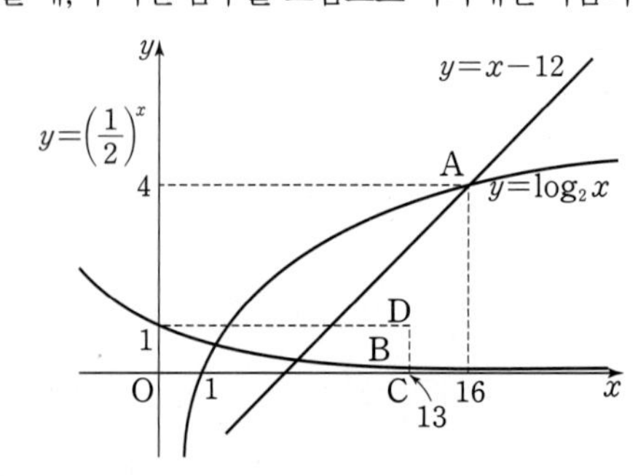

점 C의 좌표는 $(12, 0)$

직선 $y=x-12$이 직선 $y=1$과 만나는 점을 D라 하면,

점 D의 좌표는 $(13, 1)$이므로 $\overline{AD}=3\sqrt{2}$, $\overline{AC}=4\sqrt{2}$

$\overline{AD}<\overline{AB}<\overline{AC}$이고, 즉 ❶ $\underline{3\sqrt{2}<\overline{AB}<4\sqrt{2}}$ (○)

ㄷ. $n\geq2$일 때 **02-1** 풀이의 (ii)와 같으므로

❷ $\underline{(n-1)\sqrt{2}<\overline{AB}<n\sqrt{2}}$

이때 $4\sqrt{2}<\overline{AB}<20\sqrt{2}$를 만족시키는 자연수 n은

$5, 6, 7, \cdots, 19, 20$이고

그 합은 $\dfrac{20\times21}{2}-\dfrac{4\times5}{2}=210-10=200$ (○)

한편 그림에서 ★로 나타낸 부분의 넓이가 서로 같으므로

$0\leq x\leq2$에서 색칠한 부분의 넓이는 ❶ $\underline{1}$ 이다.

같은 방법으로 $2\leq x\leq4$에서 색칠한 부분의 넓이는 ❷ $\underline{\dfrac{1}{2}}$,

$4\leq x\leq6$에서 색칠한 부분의 넓이는 $\dfrac{1}{4}$,

$6\leq x\leq8$에서 색칠한 부분의 넓이는 $\dfrac{1}{8}$이다.

따라서 $S=1+\dfrac{1}{2}+\dfrac{1}{4}+\dfrac{1}{8}=\dfrac{15}{8}$이므로 $32S=60$

03-1 답 60

(가)에서 $f(x)=\begin{cases}2^x-1 & (0\leq x\leq1)\\ 2-2^{x-1} & (1<x\leq2)\end{cases}$

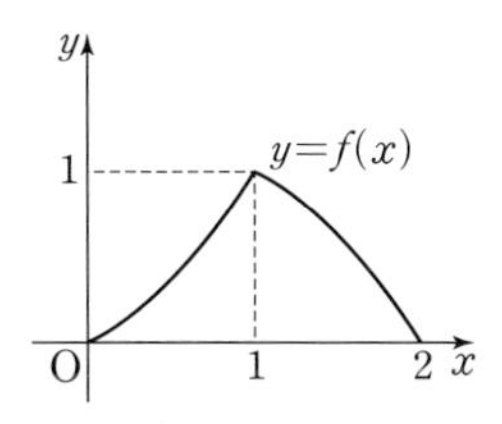

이고, 그래프 개형은 그림과 같다.

이때 n값에 따라 (나) 조건을 이용해 보자.

(i) $n=1$인 경우

$2f(x)=f(x-2)$ $(2<x\leq4)$

$\therefore f(x)=\dfrac{1}{2}f(x-2)=\begin{cases}2^{x-3}-\dfrac{1}{2} & (2<x\leq3)\\ 1-2^{x-4} & (3<x<4)\end{cases}$

(ii) $n=2$인 경우

$2^2f(x)=f(x-4)$ $(4<x\leq6)$

$\therefore f(x)=\dfrac{1}{4}f(x-4)=\begin{cases}2^{x-6}-\dfrac{1}{4} & (4<x<5)\\ \dfrac{1}{2}-2^{x-7} & (5<x<6)\end{cases}$

(iii) $n=3$인 경우

$2^3f(x)=f(x-6)$ $(6<x\leq8)$

$\therefore f(x)=\dfrac{1}{8}f(x-6)=\begin{cases}2^{x-9}-\dfrac{1}{8} & (6<x\leq7)\\ \dfrac{1}{4}-2^{x-10} & (7<x\leq8)\end{cases}$

즉 $0\leq x\leq8$에서 $y=f(x)$의 그래프 개형은 다음과 같고, 색칠한 부분의 넓이가 S이다.

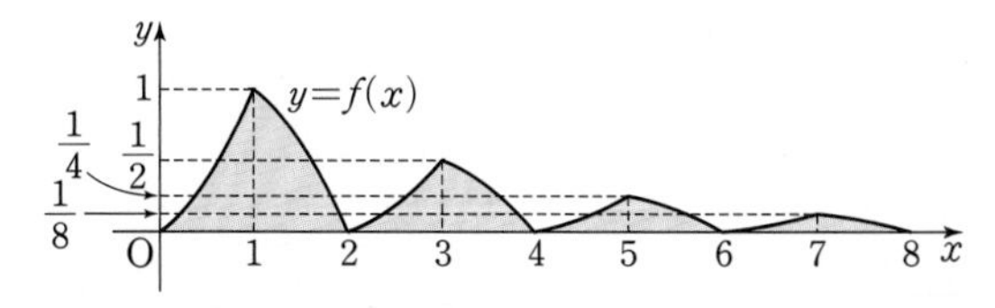

$0\leq x\leq1$에서 함수 $y=2^x-1$의 그래프(㉠)를 x축에 대하여 대칭이동(㉡)한 후 x축 방향으로 1만큼, y축 방향으로 1만큼 평행이동한 그래프(㉢)는 $1\leq x\leq2$에서 함수 $y=2-2^{x-1}$의 그래프와 같게 된다.

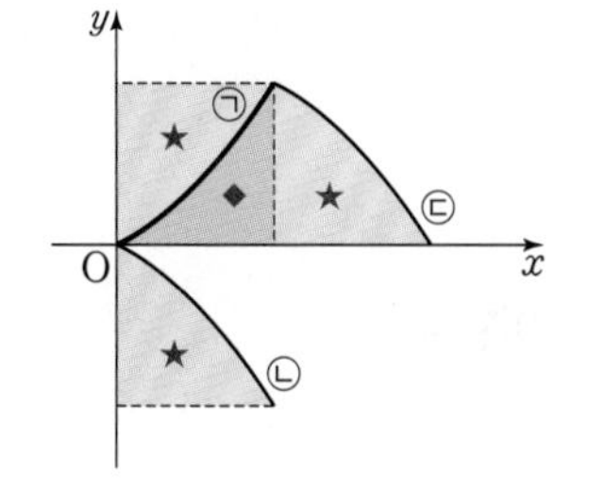

03-2 답 12

(가)에서 $f(x)=\begin{cases}3^x-1 & (0\leq x\leq1)\\ 3-3^{x-1} & (1<x\leq2)\end{cases}$

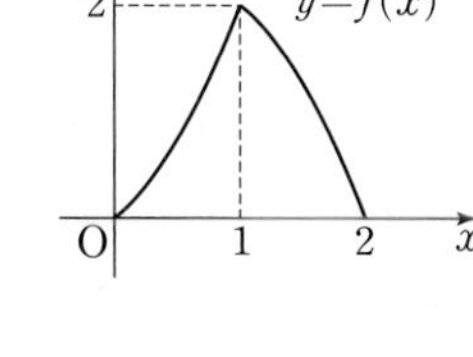

이고, 그래프 개형은 그림과 같다.

이때 n값에 따라 (나) 조건을 이용해 보자.

(i) $n=1$인 경우

$2f(x)=f(x-2)$ $(2<x\leq4)$

$\therefore f(x)=\dfrac{1}{2}f(x-2)=\begin{cases}\dfrac{1}{2}(3^{x-2}-1) & (2<x\leq3)\\ \dfrac{1}{2}(3-3^{x-3}) & (3<x\leq4)\end{cases}$

(ii) $n=2$인 경우

$2^2f(x)=f(x-4)$ $(4<x\leq6)$

$\therefore f(x)=\dfrac{1}{4}f(x-4)=\begin{cases}\dfrac{1}{4}(3^{x-4}-1) & (4<x\leq5)\\ \dfrac{1}{4}(3-3^{x-5}) & (5<x\leq6)\end{cases}$

(iii) $n=3$인 경우

$2^3f(x)=f(x-6)$ $(6<x\leq8)$

$\therefore f(x)=\dfrac{1}{8}f(x-6)=\begin{cases}\dfrac{1}{8}(3^{x-6}-1) & (6<x\leq7)\\ \dfrac{1}{8}(3-3^{x-7}) & (7<x\leq8)\end{cases}$

즉 $0\leq x\leq8$에서 $y=f(x)$의 그래프 개형은 다음과 같다.

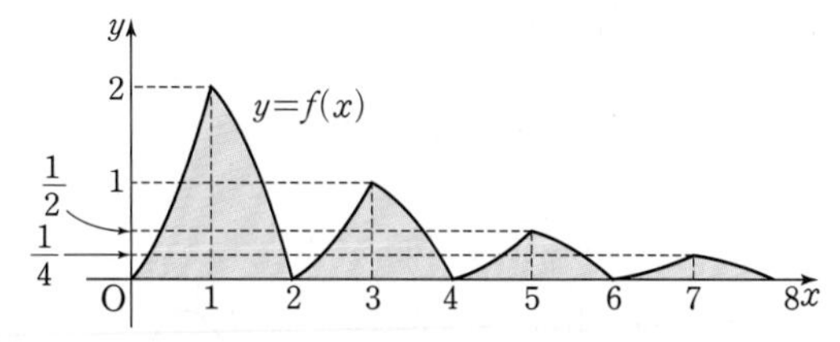

$0\leq x\leq1$에서 함수 $y=3^x-1$의 그래프(㉠)를 x축에 대하여 대칭이동(㉡)한 후 x축 방향으로 1만큼, y축 방향으로 1만큼 평행이동한 그래프(㉢)는 $1\leq x\leq2$에서 함수 $y=3-3^{x-1}$의 그래프와 같게 된다. 한편 그림에서 ★로 표시한 색칠한 두 부분의 넓이가 서로

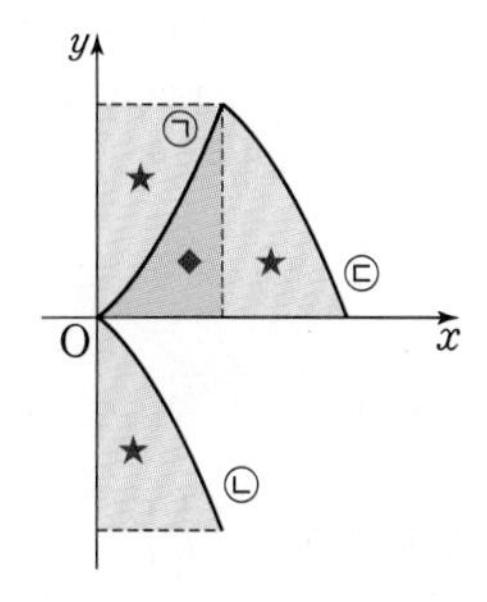

같으므로 $0\le x\le 2$에서 함수 $y=f(x)$의 그래프와 x축으로 둘러싸인 부분의 넓이는 ❶ 2 이다.

같은 방법으로 $2\le x\le 4$에서 색칠한 부분의 넓이는 ❷ 1,

$4<x<6$에서 색칠한 부분의 넓이는 $\frac{1}{2}$,

$6\le x\le 8$에서 색칠한 부분의 넓이는 $\frac{1}{4}$이다.

즉 함수 $y=f(x)$의 그래프와 x축으로 둘러싸인 부분의 넓이 S는 첫째항이 2이고 공비가 $\frac{1}{2}$인 등비수열의 항 p개의 합이다.

$\therefore S=2+1+\frac{1}{2}+\frac{1}{4}+\cdots+\left(\frac{1}{2}\right)^{p-2}$

$$S=\frac{2\left\{1-\left(\frac{1}{2}\right)^{p}\right\}}{1-\frac{1}{2}}=4\left\{1-\left(\frac{1}{2}\right)^{p}\right\}$$

따라서 $S=4-\left(\frac{1}{2}\right)^{10}$에서 $p=12$

04 답 ④

주어진 부등식을 풀기 위해 밑을 같게 하면

$\left(\frac{1}{2}\right)^{f(x)g(x)}\ge\left(\frac{1}{2}\right)^{3g(x)}$

이때 밑이 1보다 작으므로 $f(x)g(x)\le 3g(x)$

$\therefore g(x)\{f(x)-3\}\le 0$

즉 $g(x)$의 부호에 따라 다음과 같이 정리된다.

(i) $g(x)\le 0$, $f(x)\ge 3$인 경우 그래프에서 $x\le 1$

(ii) $g(x)\ge 0$, $f(x)\le 3$인 경우 그래프에서 $3\le x\le 5$

따라서 조건을 만족시키는 자연수 $x=$ 1, 3, 4, 5 이므로

구하려는 값은 $1+3+4+5=13$

다른 풀이

주어진 그래프에서 이차함수 $f(x)=a(x-2)(x-4)$이고

$f(1)=3a=3$에서 $a=1$ $\therefore f(x)=(x-2)(x-4)$

또 $g(x)$는 점 $(3, 0)$을 지나고 기울기가 $\frac{3}{2}$이므로

$g(x)=\frac{3}{2}(x-3)$

이때 부등식 $\left(\frac{1}{2}\right)^{f(x)g(x)}\ge\left(\frac{1}{8}\right)^{g(x)}=\left(\frac{1}{2}\right)^{3g(x)}$에서

$\frac{3}{2}(x-2)(x-3)(x-4)\le\frac{9}{2}(x-3)$

정리하면 $(x-3)\{(x-2)(x-4)-3\}\le 0$

즉 $(x-1)(x-3)(x-5)\le 0$에서

자연수 x는 $x=1, 3, 4, 5$

따라서 구하려는 값은 $1+3+4+5=13$

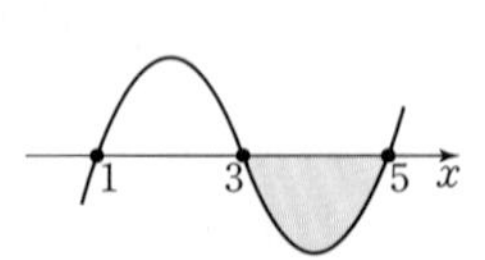

05 답 97

함수 $f(x)=\left(\frac{1}{2}\right)^{x-3}-16$의 그래프는 $y=\left(\frac{1}{2}\right)^{x}$의 그래프를 x축 방향으로 3만큼, y축 방향으로 -16만큼 평행이동한 것이므로 이 그래프가 y축과 만나는 점의 y좌표는

$f(0)=\left(\frac{1}{2}\right)^{-3}-16=2^3-16=-8$

또 x축과 만나는 점은

$f(x)=\left(\frac{1}{2}\right)^{x-3}-16=2^{-x+3}-2^4=0$에서

$x=-1$이므로 $(-1, 0)$

점근선의 방정식은 $y=-16$

이므로 $f(x)=\left(\frac{1}{2}\right)^{x-3}-16$

의 그래프에서 그림과 같은

$y=|f(x)|$의 그래프를 그릴 수 있다.

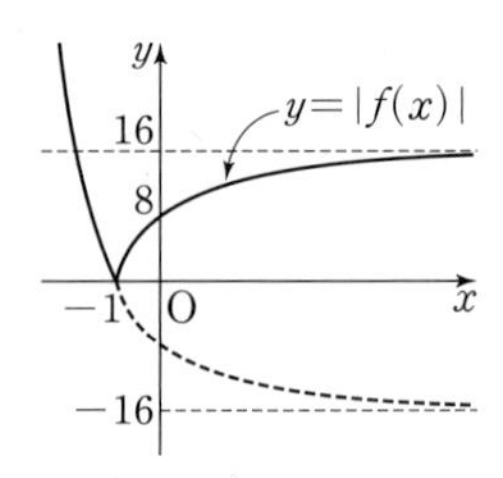

이때 $g(x)=\left(\frac{1}{2}\right)^{x-a}+b$는 감소함수이므로

$g(0)>$ ❶ 8 이고, $y=g(x)$의 점근선 $b<$ ❷ 16 이면

그림과 같이 함수 $y=|f(x)|$의 그래프와 곡선 $y=g(x)$가 제1사분면에서 만난다.

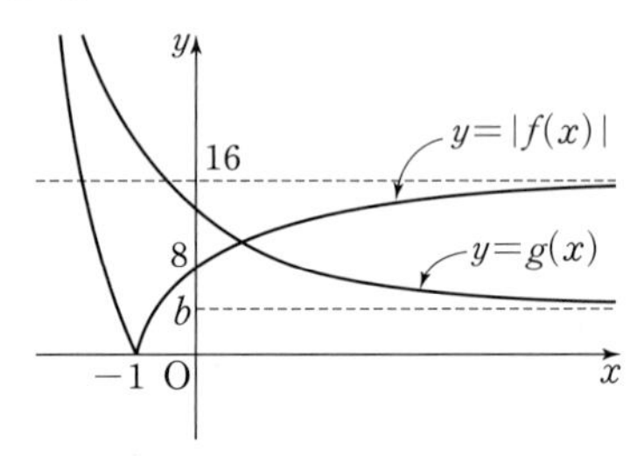

즉 $g(0)=2^a+b>8$에서 $b>8-2^a$이고, $b<16$이므로

$8-2^a<b<16$

$a=1$일 때 ⇨ $6<b<16$이므로 순서쌍 (a, b)는 9개

$a=2$일 때 ⇨ $4<b<16$이므로 순서쌍 (a, b)는 11개

$a=3$일 때 ⇨ $0<b<16$이므로 순서쌍 (a, b)는 15개

$a=4$일 때 ⇨ $-8<b<16$이므로 순서쌍 (a, b)는 23개

$a=5$일 때 ⇨ $-24<b<16$이므로 순서쌍 (a, b)는 39개

따라서 구하려는 순서쌍 (a, b)의 개수는

$9+11+15+23+39=97$

킬러 격파 Tip

$8-2^a<b<16$을 만족시키는 정수 b의 개수는

$16-(8-2^a)-1=7+2^a$이므로

구하려는 순서쌍 개수는

$\sum_{a=1}^{5}(7+2^a)=35+\frac{2(2^5-1)}{2-1}=35+62=97$

06 답 54

점 A의 x좌표를 a라 하면 점 $\mathrm{A}(a, 2)$는 곡선 $y=\log_2 4x$ 위의 점이므로 $2=\log_2 4a$에서 $a=1$ $\therefore \mathrm{A}(1, 2)$

점 B의 x좌표를 b라 하면 점 $\mathrm{B}(b,\ 2)$는 곡선 $y=\log_2 x$ 위의 점이므로 $2=\log_2 b$이고 $b=4$ $\quad\therefore \mathrm{B}(4,\ 2)$

점 C의 x좌표를 c라 하면 점 $\mathrm{C}(c,\ k)$는 곡선 $y=\log_2 4x$ 위의 점이므로 $k=\log_2 4c$에서 $c=2^{k-2}$ $\quad\therefore \mathrm{C}(2^{k-2},\ k)$

점 D의 x좌표를 d라 하면 점 $\mathrm{D}(d,\ k)$는 곡선 $y=\log_2 x$ 위의 점이므로 $k=\log_2 d$이고 $d=2^k$ $\quad\therefore \mathrm{D}(2^k,\ k)$

또 점 E의 x좌표는 점 B의 x좌표와 같으므로 4이고, E가 선분 CD를 1 : 2로 내분하는 점이므로

$\dfrac{1\times 2^k+2\times 2^{k-2}}{1+2}=4$에서 $k=$ ❶ 3

이때 $\mathrm{C}(2,\ 3)$, $\mathrm{D}(8,\ 3)$, $\mathrm{E}(4,\ 3)$이므로

$\overline{\mathrm{AB}}=$ ❷ 3, $\overline{\mathrm{CD}}=$ ❸ 6, $\overline{\mathrm{BE}}=1$

$\therefore S=\dfrac{1}{2}(\overline{\mathrm{AB}}+\overline{\mathrm{CD}})\times\overline{\mathrm{BE}}=\dfrac{1}{2}(3+6)\times 1=$ ❹ $\dfrac{9}{2}$

따라서 $12S=54$

07 답 176

두 함수 $y=3^x-n$, $y=\log_3(x+n)$은 역함수 관계이므로 두 곡선은 $y=x$에 대칭이다.

문제에서 주어진 $a_4=21$이 맞는지 확인해 보자.

$y=3^x-4$의 그래프는 점근선이 $y=-4$이고, 지나는 점이 $(0,\ -3)$, $(1,\ -1)$, $(2,\ 5)$임을 이용해 그래프를 그릴 수 있다.

이때 $y=\log_3(x+4)$의 그래프는 $y=3^x-4$와 $y=x$에 대하여 대칭임을 이용한다.

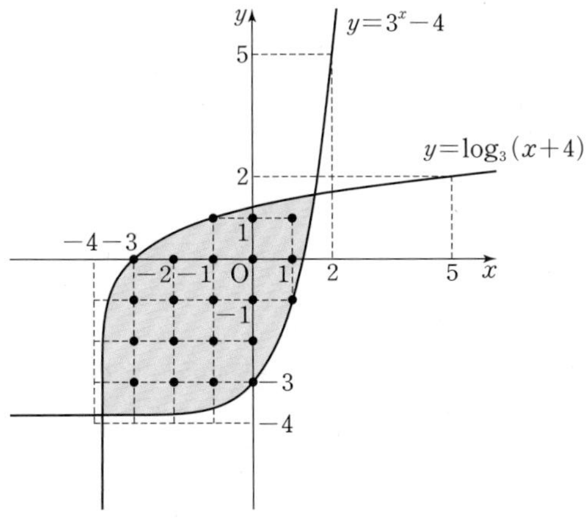

그림에서 두 곡선 사이에 있는 격자점 개수는 $2+2+16+1=21$, 즉 $a_4=21$이다.

지수함수 $y=3^x-12$의 그래프는 점근선이 $y=-12$이고 $(0,\ -11)$, $(1,\ -9)$, $(2,\ -3)$, $(3,\ 15)$를 지나고 직선 $y=x$와 만나는 점의 x좌표는 2와 3 사이에 있다. 이때 $y=\log_3(x+12)$의 그래프는 $y=3^x-12$와 $y=x$에 대칭이고 $(-11,\ 0)$, $(-9,\ 1)$, $(-3,\ 2)$, $(15,\ 3)$을 지나는 것을 이용하면 다음 그림처럼 격자점을 생각할 수 있다.

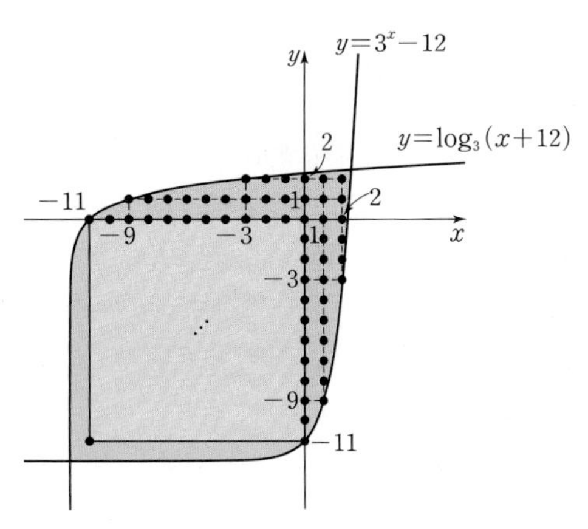

제1사분면 ⇨ ❶ 4 개

y축과 제2사분면 ⇨ $10+4=$ ❷ 14 (개)

제3사분면과 x, y축 ⇨ $12\times 12=$ ❸ 144 (개)

x축과 제4사분면 ⇨ $10+4=$ ❹ 14 (개)

따라서 격자점의 개수는 $144+14+14+4=176$

참고

두 곡선의 교점은 모두 격자점이 아니다. 또 점근선인 $x=-12$와 $y=-12$의 교점인 $(-12,\ -12)$는 영역 밖의 점이다.

08 답 23

$\mathrm{P}(k,\ a^k)$, $\mathrm{Q}(k,\ a^{2k})$, $\mathrm{R}(k,\ k)$이고, $k=2$일 때 두 점 Q, R가 일치하므로 $a^4=2$, 즉 $a=\sqrt[4]{2}=2^{\frac{1}{4}}$ $(\because a>1)$에서

$f(x)=a^x=2^{\frac{x}{4}}$, $g(x)=a^{2x}=2^{\frac{x}{2}}$이므로

$\overline{\mathrm{PQ}}=|f(k)-g(k)|=|2^{\frac{k}{2}}-2^{\frac{k}{4}}|=\dfrac{1}{n}$

이때 $2^{\frac{k}{4}}=t\ (t>0)$라 하면 $\overline{\mathrm{PQ}}=|t^2-t|\ (t>0)$이므로

$y=|t^2-t|=\left|\left(t-\dfrac{1}{2}\right)^2-\dfrac{1}{4}\right|$

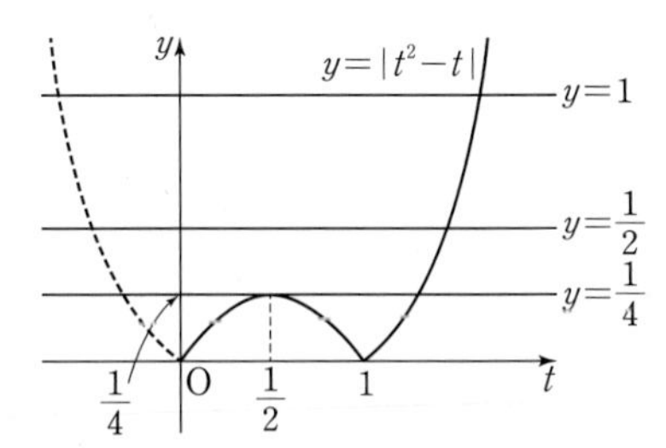

$\therefore p_1=p_2=p_3=$ ❶ 1, $p_4=2$, $p_5=p_6=\cdots=p_{10}=$ ❷ 3

따라서 $\displaystyle\sum_{n=1}^{10} p_n=1\times 3+2+3\times 6=3+2+18=23$

참고

$2^{\frac{k}{4}}=t$라 했으므로 $t>0$일 때 $|t^2-t|=\dfrac{1}{n}$을 만족시키는 t가 1개면 실수 k도 1개, t가 2개면 실수 k도 2개, t가 3개면 실수 k도 3개 존재한다.

09 답 ①

한 변의 길이가 3이거나 4이면서 꼭짓점의 좌표가 모두 자연수인 정사각형의 각 변은 좌표축에 평행하다.

이때 a, b가 자연수인 꼭짓점 $\mathrm{D}(a, b)$에 대하여 나머지 세 꼭짓점의 좌표를 $\mathrm{A}(a, b+n)$, $\mathrm{B}(a+n, b+n)$, $\mathrm{C}(a+n, b)$라 할 수 있으므로 (가)와 (나)를 만족시키는 정사각형과 두 곡선의 일부를 그려보면 다음과 같다.

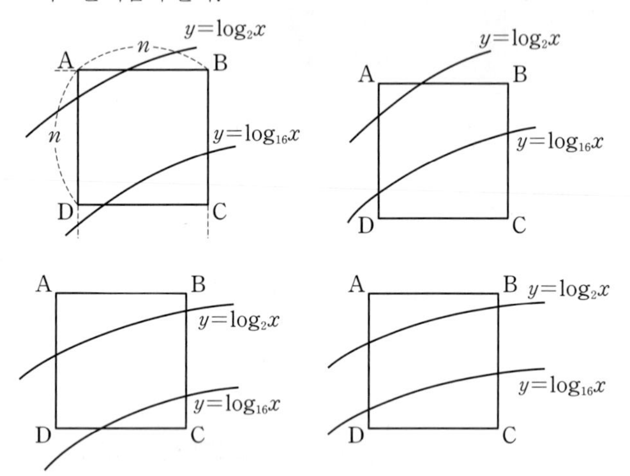

즉 꼭짓점 A가 곡선 $y=\log_2 x$보다 위에 있으면서

꼭짓점 C가 곡선 $y=\log_{16} x$보다 아래에 있으면 (나)를 만족시킨다.

이것을 부등식으로 나타내면

꼭짓점 A에 대하여 $\log_2 a < b+n$, 즉 $a < 2^{b+n}$

꼭짓점 C에 대하여 $\log_{16}(a+n) > b$, 즉 $a > 2^{4b}-n$

$\therefore 2^{4b}-n < a < 2^{b+n}$

(i) $n=3$이면 $2^{4b}-3 < a < 2^{b+3}$

$b=1$이면 $16-3 < a < 16$이므로 $a=14, 15$

$b \geq 2$이면 항상 $2^{4b}-3 > 2^{b+3}$이므로 a는 없다.

$\therefore a_3=$ ❶ 2

(ii) $n=4$이면 $2^{4b}-4 < a < 2^{b+4}$

$b=1$이면 $16-4 < a < 32$이므로 $a=13, 14, \cdots, 31$

$b \geq 2$이면 항상 $2^{4b}-4 > 2^{b+4}$이므로 a는 없다.

$\therefore a_4=$ ❷ 19

따라서 $a_3+a_4=2+19=21$

10 답 896

문제에서 주어진 그림은 다음과 같다.

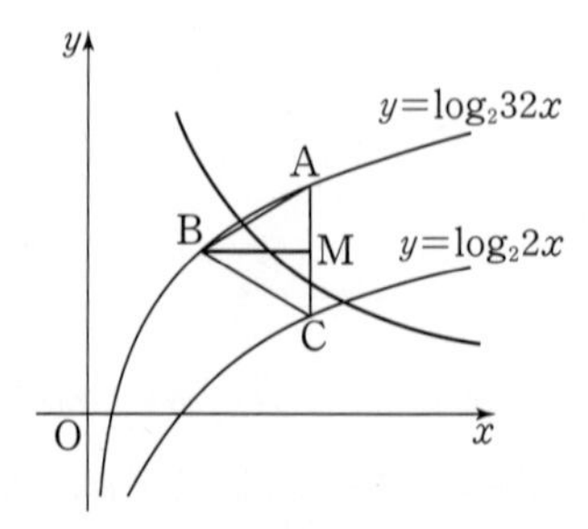

선분 AC가 y축에 평행하므로 두 점 A, C의 좌표를 각각 $\mathrm{A}(t, \log_2 32t)$, $\mathrm{C}(t, \log_2 2t)$ $(t>1)$라 하면

$\overline{\mathrm{AC}}=\log_2 32t-\log_2 2t=\log_2 \frac{32t}{2t}=4$이므로

정삼각형 ABC의 한 변의 길이는 4

위 그래프에서 선분 AC의 중점을 M이라 하면

$\overline{\mathrm{BM}}=2\sqrt{3}$이므로 점 B의 x좌표는 $t-2\sqrt{3}$이다.

또 점 B의 y좌표는 점 M의 y좌표와 같으므로

$\frac{\log_2 2t+\log_2 32t}{2}=\frac{2\log_2 t+6}{2}=\log_2 8t$

$\therefore \mathrm{B}(t-2\sqrt{3}, \log_2 8t)$

한편 점 B는 $y=\log_2 32x$ 위의 한 점이므로

$\log_2 8t=\log_2 32(t-2\sqrt{3})$에서

$8t=32(t-2\sqrt{3}) \qquad \therefore t=$ ❶ $\frac{8\sqrt{3}}{3}$

또 $\mathrm{A}(t, \log_2 32t)$, $\mathrm{B}(t-2\sqrt{3}, \log_2 8t)$, $\mathrm{C}(t, \log_2 2t)$의 무게중심 점 G의 좌표는

$\mathrm{G}\left(\frac{t+(t-2\sqrt{3})+t}{3}, \frac{\log_2 32t+\log_2 8t+\log_2 2t}{3}\right)$

즉 $\mathrm{G}\left(\frac{3t-2\sqrt{3}}{3}, \log_2 t+3\right)$에서

$t=\frac{8\sqrt{3}}{3}$이므로 무게중심은 $\mathrm{G}\left(2\sqrt{3}, \log_2 \frac{64\sqrt{3}}{3}\right)$

$\therefore p=$ ❷ $2\sqrt{3}$, $q=$ ❸ $\log_2 \frac{64\sqrt{3}}{3}$

$y=\log_{\frac{1}{2}} x+k$의 그래프가 무게중심 G를 지나므로

$\log_2 \frac{64\sqrt{3}}{3}=-\log_2 2\sqrt{3}+k$에서

$k=\log_2 \frac{64\sqrt{3}}{3}+\log_2 2\sqrt{3}=\log_2\left(\frac{64\sqrt{3}}{3}\times 2\sqrt{3}\right)=7$

$\therefore k\times p\times 2^q=7\times 2\sqrt{3}\times \frac{64\sqrt{3}}{3}=896$

11 답 450

$y=\log_2|5x|$, $y=\log_2(x+2)$, $y=\log_2(x+m)$의 그래프와 교점을 함께 나타내면 그림과 같다.

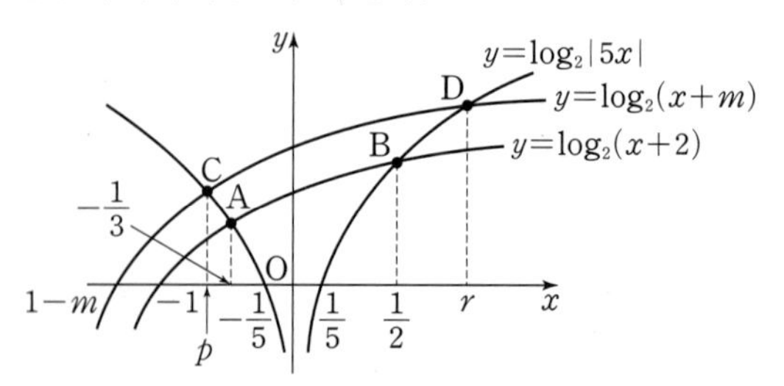

두 그래프 $y=\log_2|5x|$, $y=\log_2(x+2)$의 교점의 x좌표는

$|5x|=x+2$에서

$x>0$일 때 $5x=x+2$, $x=\frac{1}{2}$

$x<0$일 때 $-5x=x+2$, $x=-\frac{1}{3}$

$\therefore$ ❶ $A\left(-\frac{1}{3}, \log_2\frac{5}{3}\right)$, $B\left(\frac{1}{2}, \log_2\frac{5}{2}\right)$

또 두 그래프 $\log_2|5x|$, $y=\log_2(x+m)$의 교점의 좌표는

$|5x|=x+m$에서 $x=\frac{m}{4}$, $-\frac{m}{6}$

$\therefore C\left(-\frac{m}{6}, \log_2\frac{5m}{6}\right)$, $D\left(\frac{m}{4}, \log_2\frac{5m}{4}\right)$

직선 AB의 기울기는 $\dfrac{\log_2\frac{5}{2}-\log_2\frac{5}{3}}{\frac{1}{2}-\left(-\frac{1}{3}\right)}=\frac{6}{5}\log_2\frac{3}{2}$

직선 CD의 기울기는 $\dfrac{\log_2\frac{5m}{4}-\log_2\frac{5m}{6}}{\frac{m}{4}-\left(-\frac{m}{6}\right)}=\frac{12}{5m}\log_2\frac{3}{2}$

직선 AB 기울기의 2배가 직선 CD 기울기의 3배이므로

$2\times\frac{6}{5}\log_2\frac{3}{2}=3\times\frac{12}{5m}\log_2\frac{3}{2}$ $\quad\therefore m=3$

즉 ❷ $C\left(-\frac{1}{2}, \log_2\frac{5}{2}\right)$, $D\left(\frac{3}{4}, \log_2\frac{15}{4}\right)$

이때 점 B의 y좌표와 점 C의 y좌표가 같다.

한편 사각형 ABDC의 넓이는 삼각형 CAB와 삼각형 CBD 각각의 넓이를 더한 것과 같고 $\overline{BC}=\frac{1}{2}-\left(-\frac{1}{2}\right)=1$이다.

$\triangle$ABC의 높이는 $\log_2\frac{5}{2}-\log_2\frac{5}{3}=\log_2\frac{3}{2}$

$\triangle$DBC의 높이는 $\log_2\frac{15}{4}-\log_2\frac{5}{2}=\log_2\frac{3}{2}$

$$\square ABDC=\triangle ABC+\triangle DBC=\frac{1}{2}\log_2\frac{3}{2}+\frac{1}{2}\log_2\frac{3}{2}=\log_2\frac{3}{2}$$

따라서 $k=\frac{3}{2}$이므로 $200k^2=450$

12 답 58

$f(x)=a^{x+1}$, $g(x)=b^x$이라 하면

$\overline{PQ}=|f(t)-g(t)|=|a^{t+1}-b^t|$

(나)에서 $t\geq1$인 어떤 실수 t에 대하여 $\overline{PQ}\leq12$는 $\overline{PQ}\leq12$를 만족시키는 실수가 적어도 하나 존재한다는 것이므로

($\overline{PQ}$의 최솟값)≤12임을 뜻한다.

(i) $a\geq b$ …… ㉠일 때

그림처럼 생각하면 $a>b$이거나 $a=b$이면 $\overline{PQ}$가 최소가 되는 것은 $t=1$일 때이다. 즉 $f(1)-g(1)=a^2-b\leq12$에서

$a^2-12\leq b$ …… ㉡

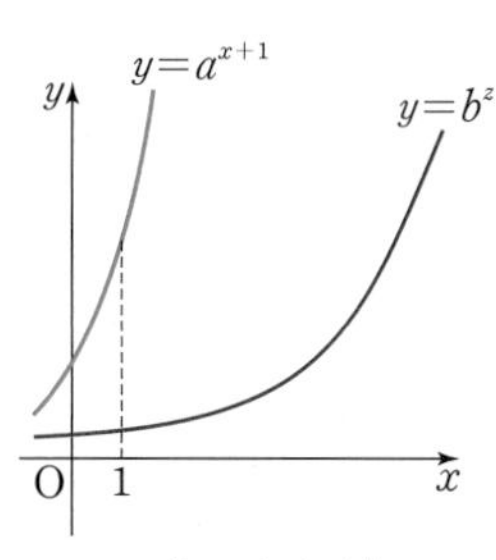

[$a>b$일 때]

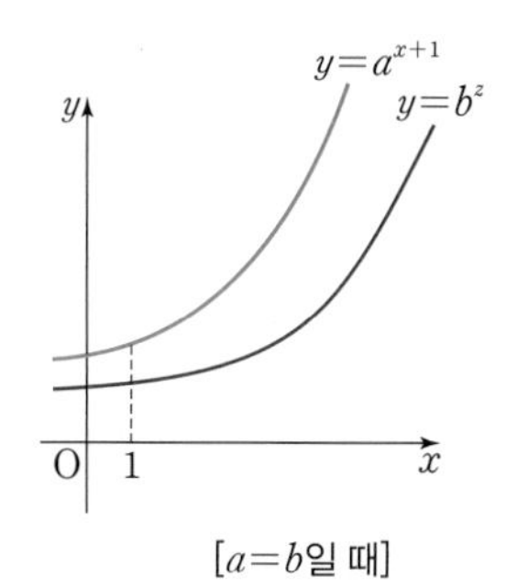

[$a=b$일 때]

㉠, ㉡에서 $a^2-12\leq b\leq a$ $\quad\therefore a=2, 3, 4$

$a=2$일 때 $-8\leq b\leq2$와 (가)에서 $b=2$

$a=3$일 때 $-3\leq b\leq3$과 (가)에서 $b=2, 3$

$a=4$일 때 $4\leq b\leq4$에서 $b=4$

이므로 (a, b)의 순서쌍 개수는 $1+2+1=$ ❶ 4

(ii) $a<b$일 때

두 곡선 $f(x)=a^{x+1}$과 $g(x)=b^x$이 만날 때의 x값을 α라 하면 $\overline{PQ}=f(\alpha)-g(\alpha)=0$이고, α의 위치에 따라 다음 두 가지 경우로 나누어 생각할 수 있다.

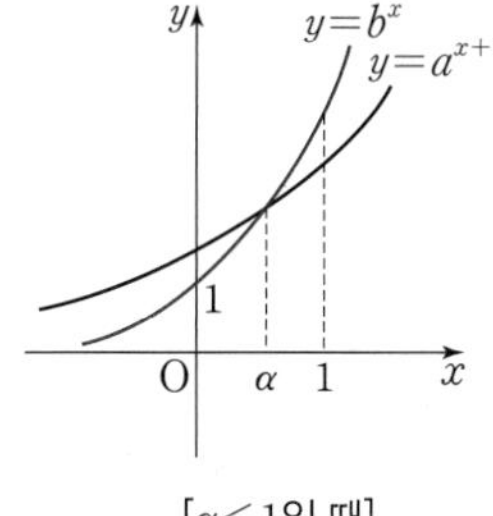

[$\alpha<1$일 때]

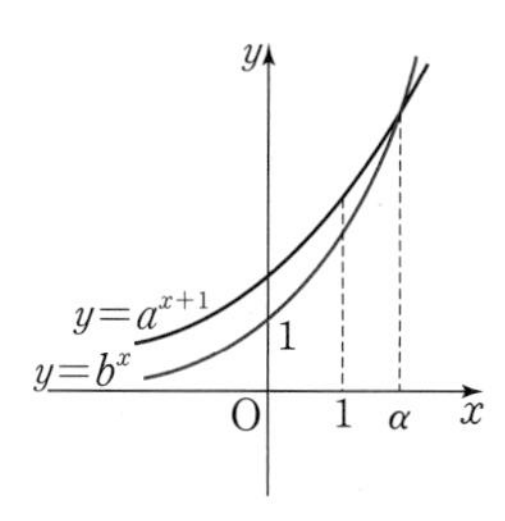

[$\alpha\geq1$일 때]

$\alpha<1$이면 $\overline{PQ}$가 최소가 되는 것은 $t=1$일 때, 즉

$g(1)-f(1)=b-a^2\leq12$이고,

$b\leq a^2+12$는 (가)의 모든 (a, b)에 대하여 항상 성립한다.

$\alpha\geq1$이면 $\overline{PQ}$의 최솟값은 0이므로

$a<b$인 두 자연수 a, b에 대하여

$\overline{PQ}\leq12$인 t가 적어도 하나 존재한다.

즉 $2\leq a<b\leq12$에서

$b=3$일 때 $a=2$

$b=4$일 때 $a=2, 3$

$b=5$일 때 $a=2, 3, 4$

⋮

$b=11$일 때 $a=2, 3, 4, \cdots, 10$

$b=12$일 때 $a=2, 3, 4, \cdots, 10$

이므로 (a, b)의 순서쌍 개수는 $1+2+\cdots+9+9=$ ❷ 54

(i), (ii)에서 구하려는 순서쌍 개수는 $4+54=58$

13 답 ②

$y=3^x-n$과 $y=\log_3(x+n)$은 서로 역함수이므로 직선 $y=x$에 대하여 대칭이다. 다음 그림처럼 생각하면 a_n은 직선 $y=x$ 중 색칠한 영역에 속하는 x, y 좌표가 모두 정수인 점의 개수와 같다.

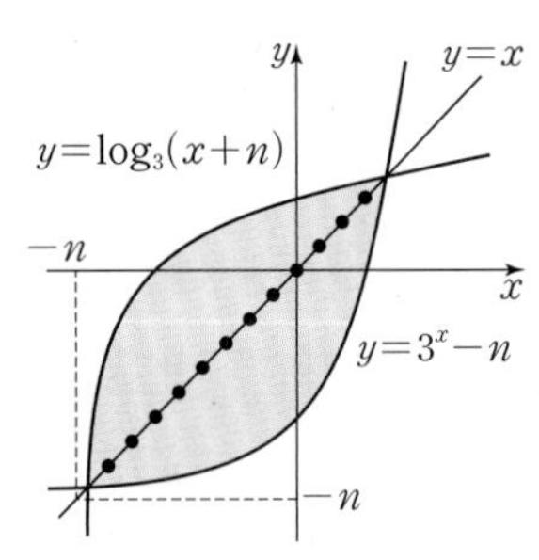

이때 원점을 포함해 제3사분면에 있는 격자점의 개수를 b_n,
제1사분면에 있는 격자점의 개수를 c_n이라 하면
$a_n=b_n+c_n$이라 할 수 있다.

$\therefore \sum_{n=1}^{100} a_n=\sum_{n=1}^{100} b_n+\sum_{n=1}^{100} c_n$

$n=k$일 때 조건을 만족시키는 격자점의 x좌표를 생각하면
원점을 포함한 제3사분면에서 $-k+1,\ -k+2,\ \cdots,\ -1,\ 0$까지
k개이고, 제1사분면에서 $y=x$이므로 $x\ge 3^x-k$, 즉 $3^x-x\le k$
를 만족시키는 자연수 x의 개수를 구하면 된다.

(i) $n=k$일 때 $b_n=k$이므로

$\sum_{k=1}^{100} b_k=\sum_{k=1}^{100} k=\frac{100\times101}{2}=$ ❶ $\underline{5050}$

(ii) $n=k$일 때 제1사분면에서 격자점의 개수는
$3^x-x\le k$에서 k값에 따라 자연수 x를 구하면 된다. 즉
$k=1$일 때 $3^x-x\le 1$인 자연수 x는 없다.
$k=2$일 때 $3^x-x\le 2$인 자연수 $x=1$, 즉 1개
$k=3$일 때 $3^x-x\le 3$인 자연수 $x=1$, 즉 1개
⋮
$k=7$일 때 $3^x-x\le 7$인 자연수 $x=1,\ 2$, 즉 2개
⋮
$k=24$일 때 $3^x-x\le 24$인 자연수 $x=1,\ 2,\ 3$, 즉 3개
⋮
$k=77$일 때 $3^x-x\le 77$인 자연수 $x=1,\ 2,\ 3,\ 4$, 즉 4개
⋮
$k=100$일 때 $3^x-x\le 100$인 자연수 $x=1,\ 2,\ 3,\ 4$, 즉 4개

$\sum_{k=1}^{100} c_k=\underbrace{1+\cdots+1}_{5개}+\underbrace{2+\cdots+2}_{17개}+\underbrace{3+\cdots+3}_{53개}+\underbrace{4+\cdots+4}_{24개}$
$=1\times5+2\times17+3\times53+4\times24$
$=$ ❷ $\underline{294}$

(i), (ii)에서 $\sum_{n=1}^{100} a_n=\sum_{n=1}^{100} b_n+\sum_{n=1}^{100} c_n=5050+294=5344$

다른 풀이

(ii)에서 $3^x-x\le k$ ……㉠를 만족시켜야 하므로 각 격자점을 포함하는 k의 개수를 구해서 더한다.
격자점 $(1,\ 1)$을 포함하려면 ㉠에 $x=1$을 대입한 $k\ge 2$에서
$2\le k\le 100$, 즉 k는 $100-2+1=99$(개)
격자점 $(2,\ 2)$를 포함하려면 ㉠에 $x=2$를 대입한 $k\ge 7$에서
$7\le k\le 100$, 즉 k는 94개
격자점 $(3,\ 3)$를 포함하려면 ㉠에 $x=3$을 대입한 $k\ge 24$에서
$24\le k\le 100$, 즉 77개
격자점 $(4,\ 4)$를 포함하려면 ㉠에 $x=4$를 대입한 $k\ge 77$에서
$77\le k\le 100$, 즉 24개
격자점 $(5,\ 5)$를 포함하려면 ㉠에 $x=5$를 대입한 $k\ge 238$
즉 격자점 $(5,\ 5)$를 포함하는 경우는 없다.

$\therefore \sum_{k=1}^{100} c_k=99+94+77+24=294$

참고

다음 사실을 주목해야 한다.
첫째, 점 $(-n,\ -n)$은 조건에 맞는 격자점이 아니다. 곡선 $y=3^x-n$의 점근선이 $y=-n$이므로 이 점을 지날 수 없기 때문이다.
점 $(-n+1,\ -n+1)$은 언제나 조건에 맞는 격자점이다.
둘째, 제1사분면에서 두 곡선이 만나는 점은 조건에 맞는 격자점이 될 수도 있고 안 될 수도 있다. 예를 들어 $n=2$일 때 $y=3^x-2$에 대하여 $(2,\ 2)$는 영역 밖의 점이지만 $n=7$일 때는 $(2,\ 2)$는 조건에 맞는 점이 된다.

14 답 ①

두 곡선 $f(x)=x^3+2$, $g(x)=a^{-x+5}$의 교점의 x좌표를 k라 하자. 즉 $k^3+2=a^{-k+5}$에서

$k=0$이면 $a^5=2$　　$\therefore a=\sqrt[5]{2}$
$k=1$이면 $a^4=3$　　$\therefore a=\sqrt[4]{3}$
$k=2$이면 $a^3=10$　　$\therefore a=\sqrt[3]{10}$
$k=3$이면 $a^2=29$　　$\therefore a=\sqrt{29}$
$k=4$이면 $a=66$이다.

(i) $0<k\le 1$일 때
$\sqrt[5]{2}<a\le\sqrt[4]{3}$을 만족시키는 자연수 a는 없다.

(ii) $1<k\le 2$일 때
$\sqrt[4]{3}<a\le\sqrt[3]{10}$이므로 $a=2$

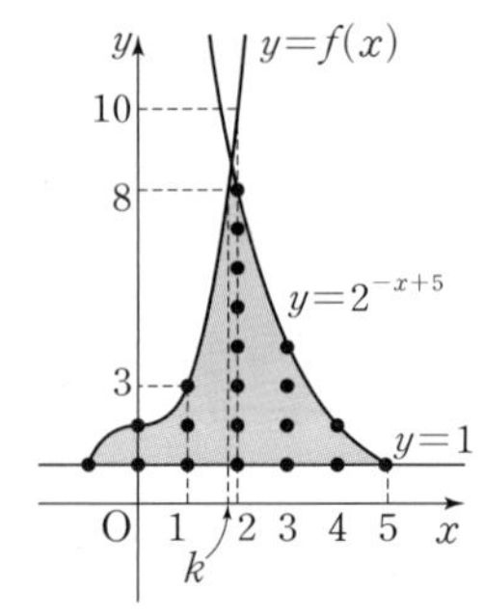

즉 $f(x)=x^3+2$, $g(x)=2^{-x+5}$에서
$N(2)=1+2+3+2^3+2^2+2+1=$ ❶ $\underline{21}$
이므로 $a=2$는 $35\le N(a)\le 100$을 만족시키지 않는다.

(iii) $2<k\le 3$일 때
$\sqrt[3]{10}<a\le\sqrt{29}$이므로 $a=3,\ 4,\ 5$

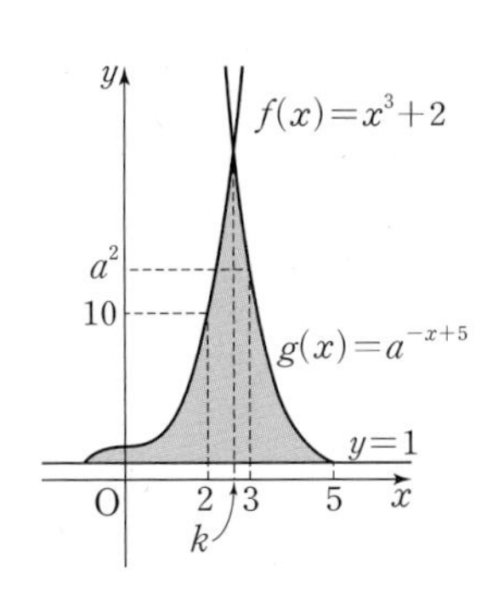

$N(a)=1+2+3+10+a^2+a+1=$ ❷ $\underline{a^2+a+17}$ 이므로

$N(3)=9+3+17=29$

$N(4)=16+4+17=37$

$N(5)=25+5+17=47$

즉 $35\le N(a)\le 100$에 맞는 a는 $a=4$, 5이므로 2개

(ⅳ) $3<k\le 4$일 때 $\sqrt{29}<a\le 66$이므로 $a=6, 7, \cdots, 66$

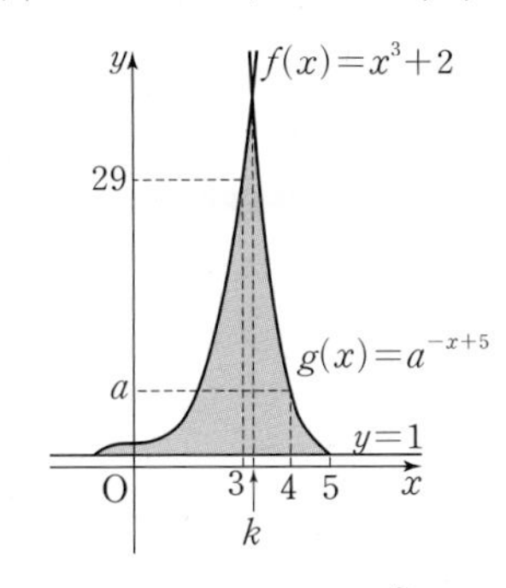

$N(a)=1+2+3+10+29+a+1=$ ❸ $\underline{a+46}$

이므로 $35\le N(a)\le 100$을 만족시키는 a는

$a=6, 7, \cdots, 54$, 즉 49개

(ⅴ) $4<k\le 5$일 때 $66<a$이므로 $a=67, 68, \cdots$

이때 $N(a)=1+2+3+10+29+66+1=112$

이므로 $35\le N(a)\le 100$에 맞는 자연수 a는 없다.

(ⅰ)~(ⅴ)에서 조건을 만족시키는 자연수 a의 개수는

$2+49=51$

p. 15~20

집중공략 유형 02 지수·로그함수에서 옳은 것 찾기 (합답형)

01 ③	02-1 ⑤	02-2 ②	03-1 ④
03-2 ④	04 ③	05 ①	06 ⑤
07 ③	08 ③		

01 답 ③

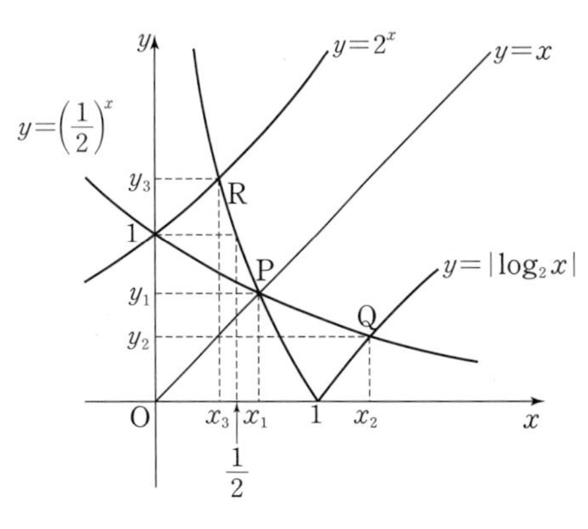

ㄱ. $y=|\log_2 x|$의 그래프 위의 점 $\left(\frac{1}{2}, 1\right)$과 $\mathrm{P}(x_1, y_1)$의 y좌표를 비교하면 $y_1<1$이고, $\frac{1}{2}<x_1<1$ (○)

ㄴ. $y=2^x$의 역함수는 $y=\log_2 x$이고, $y=-\log_2 x$의 역함수는 $y=\left(\frac{1}{2}\right)^x$이므로 $y=2^x$와 $y=-\log_2 x$의 교점 $\mathrm{R}(x_3, y_3)$와 $y=\log_2 x$와 $y=\left(\frac{1}{2}\right)^x$의 교점 $\mathrm{Q}(x_2, y_2)$는 직선 $y=x$에 대해 대칭이다. 즉 $x_3=y_2$, $x_2=y_3$이므로 $x_2y_2=x_3y_3$ (○)

ㄷ. $\mathrm{A}(0, 1)$이라 하면

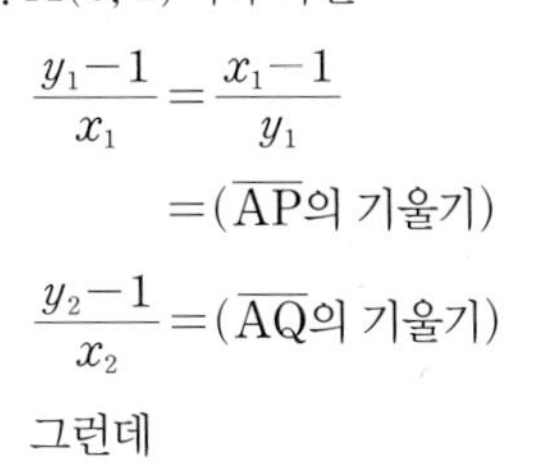

$\frac{y_1-1}{x_1}=\frac{x_1-1}{y_1}$

$=(\overline{\mathrm{AP}}$의 기울기)

$\frac{y_2-1}{x_2}=(\overline{\mathrm{AQ}}$의 기울기)

그런데

$(\overline{\mathrm{AP}}$의 기울기$)<(\overline{\mathrm{AQ}}$의 기울기)

이므로 $\frac{x_1-1}{y_1}<\frac{y_2-1}{x_2}$에서 x_2y_1을 곱해 정리하면

$x_2(x_1-1)<y_1(y_2-1)$ (×)

따라서 옳은 것은 ㄱ, ㄴ

참고

❶ 점 P는 역함수 관계인 $y=\left(\frac{1}{2}\right)^x$과 $y=-\log_2 x$가 만나는 점이므로 $y=x$ 위에 있다. 즉 $x_1=y_1$임을 이용한다.

❷ x_2y_2, x_3y_3은 각각 그림에서 색칠한 직사각형의 넓이를 나타내므로 $y=x$에 대한 대칭을 생각하면 두 직사각형의 넓이가 서로 같음을 알 수 있다.
즉 $x_2y_2=x_3y_3$이므로 $x_2y_2-x_3y_3=0$

02-1 답 ⑤

ㄱ. $p=\frac{1}{2}$이면 $\log_a \frac{1}{2}=\frac{1}{2}$이므로

$a^{\frac{1}{2}}=\frac{1}{2}$에서 $a=\left(\frac{1}{2}\right)^2=\frac{1}{4}$ (○)

ㄴ. $0<a<\frac{1}{2}$에서 $0<a<2a<1$이므로 두 함수

$y=\log_a x$, $y=\log_{2a} x$를 함께 나타내면 그림과 같다.

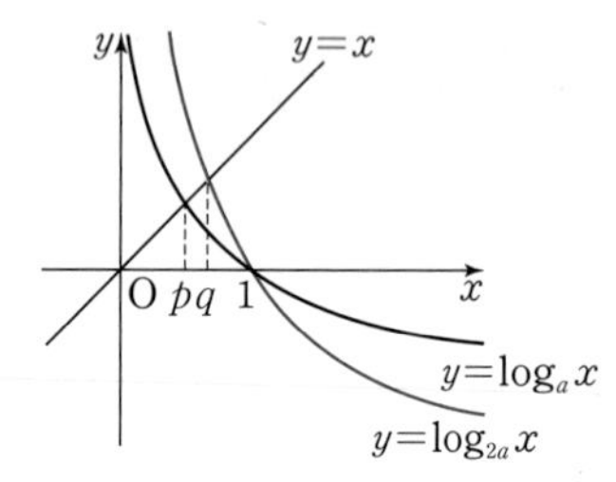

그림에서 $p<q$ (○)

ㄷ. $\log_a p=p$에서 $a^p=p$ ······㉠

$\log_{2a} q=q$이므로 $(2a)^q=q$에서 $a^q=\frac{q}{2^q}$ ······㉡

㉠, ㉡에서 변끼리 곱하면

$a^p\times a^q=\frac{pq}{2^q}$ (○)

따라서 옳은 것은 ㄱ, ㄴ, ㄷ

02-2 답 ②

$0<a<\frac{1}{2}$에서 $0<a<2a<1$이므로 두 함수

$y=a^x$, $y=(2a)^x$를 함께 나타내면 그림과 같다.

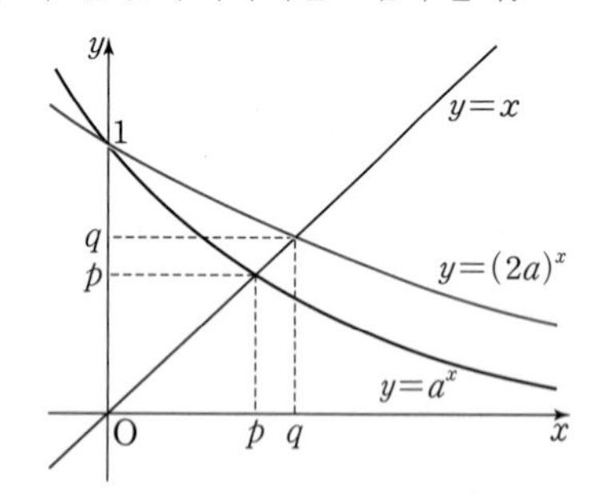

ㄱ. 그림에서 $p<q$ (×)

ㄴ. $a^p=$❶ p 에서 $p=\log_a p$이고, $(2a)^q=$❷ q 에서 $q=\log_{2a} q$ 이다. (○)

ㄷ. ㄴ에서 $a^p=p$, $(2a)^q=q$, 즉 $a^p=p$, $a^q=\frac{q}{2^q}$이므로

$a^{p+q}=a^p\times a^q=p\times\frac{q}{2^q}=\frac{pq}{2^q}$ (×)

따라서 옳은 것은 ㄴ

03-1 답 ④

ㄱ. $y=|\log_2 x|=\begin{cases}\log_2 x & (x\ge1)\\ -\log_2 x & (0<x<1)\end{cases}$ 이므로 a_2, b_2는 그림처럼 나타낼 수 있다.

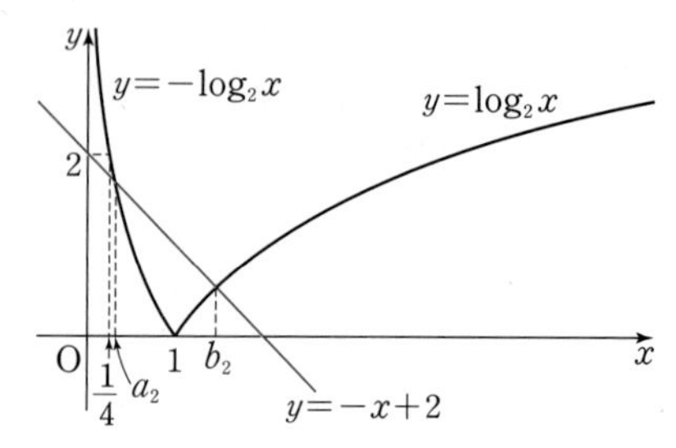

이때 $2=-\log_2 x$에서 $x=\frac{1}{4}$이므로 $a_2>\frac{1}{4}$이다. (×)

ㄴ. 위 그림에서 n값이 커질수록 a_n의 값이 ❶작아진다는 것을 생각하면 $0<a_{n+1}<a_n$이고, 부등식의 각 항을 a_n으로 나누면

$0<\frac{a_{n+1}}{a_n}<1$ (○)

ㄷ.

$\log_2 b_n<\log_2 n$이므로 $n-\log_2 b_n>n-\log_2 n$

또 $x=b_n$일 때 $-b_n+n=\log_2 b_n$에서

$n-\log_2 b_n=b_n$이므로 $b_n>n-\log_2 n$

이때 ❷ $b_n<n$ 이므로 $n-\log_2 n<b_n<n$

위 부등식을 자연수 n으로 나누면 $1-\frac{\log_2 n}{n}<\frac{b_n}{n}<1$ (○)

따라서 옳은 것은 ㄱ, ㄴ, ㄷ

03-2 답 ④

$y=|\log_2 x|=\begin{cases}\log_2 x & (x\ge1)\\ -\log_2 x & (0<x<1)\end{cases}$

ㄱ.

위 그림에서 $y=-x+n$과 $y=|\log_2 x|$ 그래프의 교점의 x좌표인 a_n은 $y=-x+n+1$과 $y=|\log_2 x|$ 그래프의 교점의 x좌표인 a_{n+1}보다 크다.

즉 $a_{n+1}<a_n$에서 $0<\dfrac{a_{n+1}}{a_n}<1$

마찬가지로 $b_{n+1}>b_n$이므로 $\dfrac{b_{n+1}}{b_n}>1$

$\therefore \dfrac{a_{n+1}}{a_n}<1<\dfrac{b_{n+1}}{b_n}$ (○)

ㄴ. $y=-x+n$과 $y=-\log_2 x$가 만나는 점을 $A_n(a_n, -\log_2 a_n)$, $y=-x+n$과 $y=\log_2 x$가 만나는 점을 $B_n(b_n, \log_2 b_n)$이라 하면,

직선 A_nB_n의 기울기가 -1이므로

$\dfrac{\log_2 b_n-(-\log_2 a_n)}{b_n-a_n}=-1$

정리하면 $\dfrac{\log_2 b_n+\log_2 a_n}{b_n-a_n}=\dfrac{\log_2 a_n b_n}{b_n-a_n}=-1$

$\therefore \dfrac{\log_2 a_n b_n}{a_n-b_n}=1$

같은 방법으로 $\dfrac{\log_2 a_{n+1}b_{n+1}}{a_{n+1}-b_{n+1}}=1$

$\therefore \dfrac{\log_2 a_n b_n}{a_n-b_n}+\dfrac{\log_2 a_{n+1}b_{n+1}}{a_{n+1}-b_{n+1}}=1+1=2$ (○)

ㄷ. $P(1, 0)$이라 하면 $y=\log_2 x$의 그래프가 위로 볼록이므로

(직선 PB_n의 기울기) > (직선 PB_{n+1}의 기울기)

즉 $\dfrac{\log_2 b_n}{b_n-1}>\dfrac{\log_2 b_{n+1}}{b_{n+1}-1}$ (×)

따라서 옳은 것은 ㄱ, ㄴ

04 답 ③

$k>1$이므로 $f(x)=\log_k x$의 그래프는 위로 볼록이다.

그래프 위의 두 점을 $P(a, f(a))$, $Q(b, f(b))$라 하자.

ㄱ. 선분 PQ를 1 : 2로 내분하는

점 S❶$\left(\dfrac{2a+b}{3}, \dfrac{2f(a)+f(b)}{3}\right)$와

$x=\dfrac{2a+b}{3}$일 때 $y=f(x)$ 그래프 위의 점

$R\left(\dfrac{2a+b}{3}, f\left(\dfrac{2a+b}{3}\right)\right)$의 y좌표를 비교해 보자.

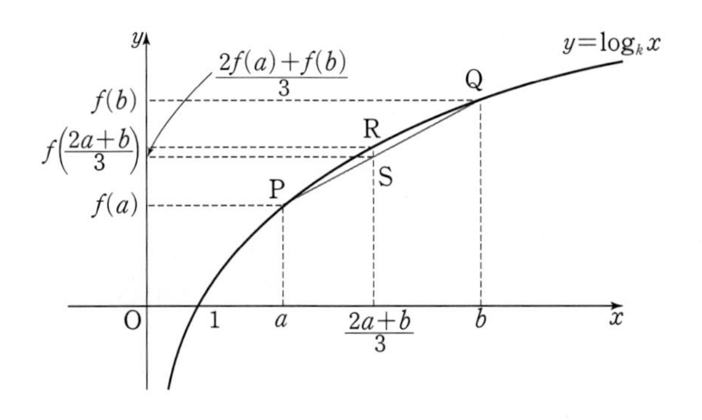

그림에서 $f\left(\dfrac{2a+b}{3}\right)>\dfrac{2f(a)+f(b)}{3}$이므로

$\log_k \dfrac{2a+b}{3}>\dfrac{2\log_k a+\log_k b}{3}$

양변에 3을 곱하면 $3\log_k \dfrac{2a+b}{3}>2\log_k a+\log_k b$ (○)

ㄴ. 두 점 $P(a, f(a))$, $Q(b, f(b))$와 원점 O에 대하여

직선 OP의 기울기는 $\dfrac{\log_k a}{a}$, 직선 OQ의 기울기는 $\dfrac{\log_k b}{b}$

이다.

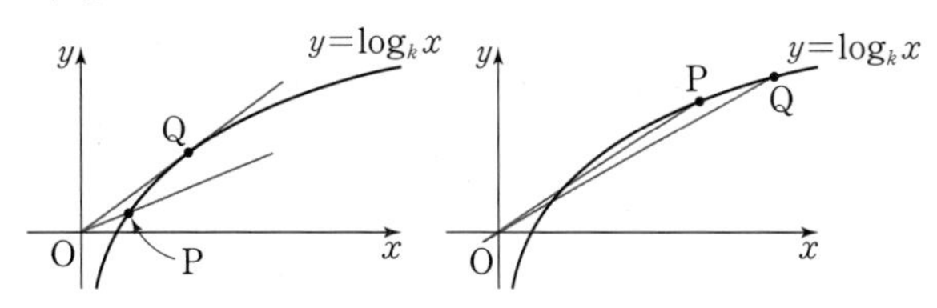

그림처럼 생각하면

(직선 OP의 기울기) < (직선 OQ의 기울기) 또는

(직선 OP의 기울기) > (직선 OQ의 기울기)

가 될 수 있음을 알 수 있다. 즉 두 점 P, Q의 위치에 따라

$\dfrac{\log_k a}{a}<\dfrac{\log_k b}{b}$ ⇨ $b\log_k a<a\log_k b$

$\dfrac{\log_k a}{a}>\dfrac{\log_k b}{b}$ ⇨ $b\log_k a>a\log_k b$

두 가지 모두 가능하다. (×)

ㄷ. C (1, 0)이라 하면

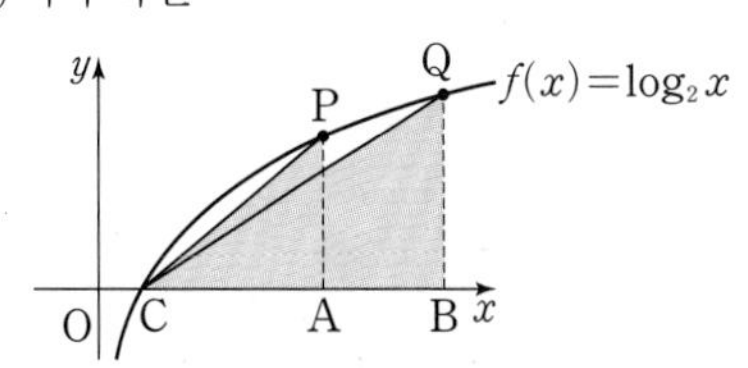

(△PCA의 넓이) =❷ $\dfrac{1}{2}(a-1)\log_k a$

(△QCB의 넓이) $=\dfrac{1}{2}(b-1)\log_k b$

이고, (△PCA의 넓이) < (△QCB의 넓이)이므로

$\dfrac{1}{2}(a-1)\log_k a<\dfrac{1}{2}(b-1)\log_k b$

$1<a<b$이므로 양변을 $(a-1)(b-1)$로 나누면

$\dfrac{\log_k a}{2(b-1)}<\dfrac{\log_k b}{2(a-1)}$ (○)

따라서 옳은 것은 ㄱ, ㄷ

05 답 ①

$f(x)=2^x-1$은 두 점 (0, 0), (1, 1)을 지나는 증가함수이고,

$h(x)=\log_2(x+1)$과 역함수 관계이므로

다음 그림처럼 생각할 수 있다.

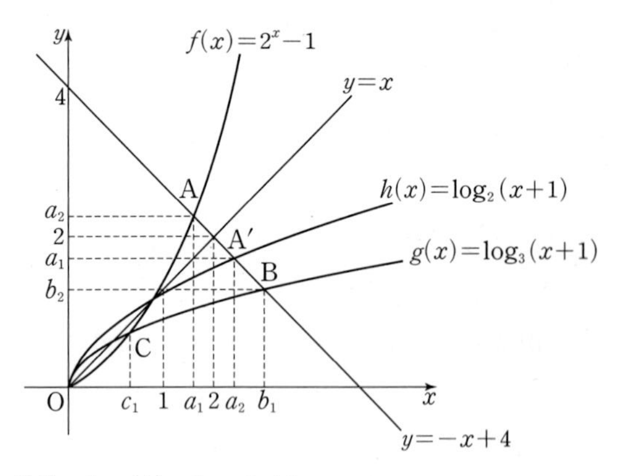

ㄱ. $f(1)=1$, $g(1)=\log_3 2<1$,

즉 $g(c_1)<g(1)<g(2)$이므로 $c_1<1$이다. (○)

ㄴ. 곡선 $f(x)=2^x-1$ 위에 있는 서로 다른 두 점 $\mathrm{P}(a, f(a))$, $\mathrm{Q}(b, f(b))$를 지나는 직선의 기울기는

$$\frac{(2^b-1)-(2^a-1)}{b-a}=\frac{2^b-2^a}{b-a}=k$$

이고, 두 점의 위치에 따라 k는 $k\geq 1$일 수도 있고, $k<1$일 수도 있다. (×)

ㄷ. 함수 $f(x)=2^x-1$과 $h(x)=\log_2(x+1)$은 서로 역함수 관계이므로 점 $\mathrm{A}(a_1, a_2)$에서 x축, y축에 수선의 발을 내렸을 때 생기는 직사각형의 넓이 $a_1\times a_2$는 점 $\mathrm{A}'(a_2, a_1)$에서 x축, y축에 수선의 발을 내렸을 때 생기는 직사각형의 넓이 $a_2\times a_1$과 같다. 그림과 같이 가로 길이가 a_2, 세로 길이가 a_1인 직사각형과 점 $\mathrm{B}(b_1, b_2)$에서 x축, y축에 수선의 발을 내렸을 때 생기는 직사각형에 대하여 공통부분을 제외한 두 직사각형의 넓이를 각각 S_1, S_2라 하자.

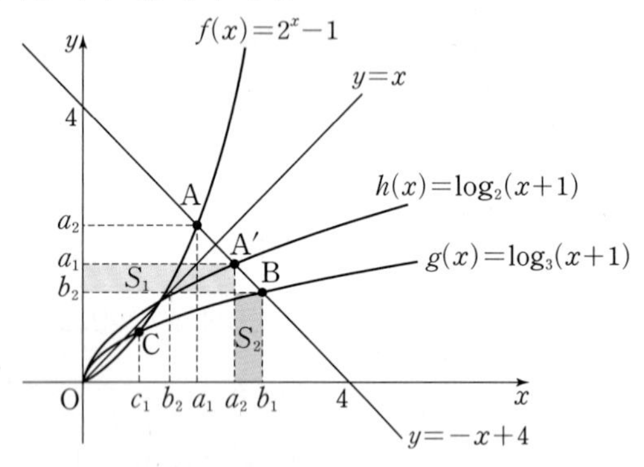

이때 직선 A′B의 기울기의 절댓값이 1이므로 S_1의 세로 길이와 S_2의 가로 길이가 같다.

그런데 $a_2>b_2$이므로 $S_1>S_2$

$\therefore$ $a_1a_2>b_1b_2$ (×)

참고

그림과 같이 생각하면 직선 $\mathrm{P_1Q_1}$의 기울기는 1보다 작지만, 직선 $\mathrm{P_2Q_2}$의 기울기는 1보다 크다는 것을 알 수 있다.

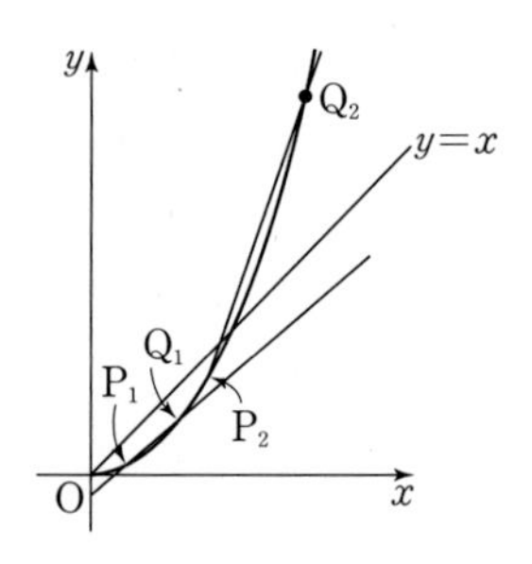

06 답 ⑤

$f(x)=|4^{-x}-1|$, $g(x)=-2x^2+2$라 하자.

이때 두 곡선의 교점의 위치를 나타낼 수 있다. 또 두 곡선과 직선 $y=1$의 교점을 생각하면

$f\left(-\frac{1}{2}\right)=1$, $g\left(\pm\frac{1}{\sqrt{2}}\right)=1$이고 또 $f\left(\frac{1}{2}\right)=\frac{1}{2}$, $g\left(-\frac{1}{2}\right)=\frac{3}{2}$

이므로 그림처럼 생각할 수 있다.

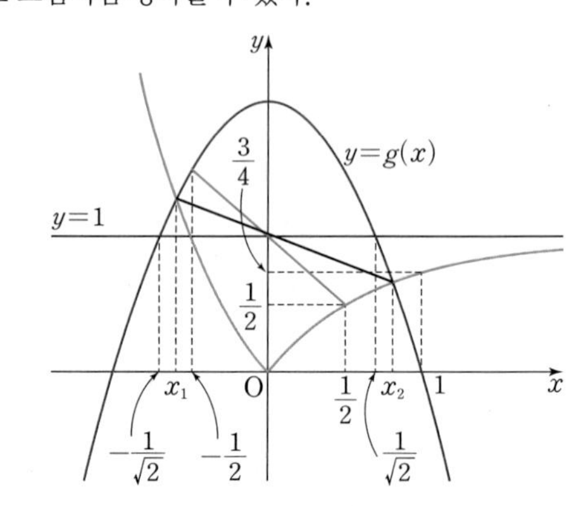

ㄱ. 그림처럼 생각하면 $-\frac{1}{\sqrt{2}}<x_1<-\frac{1}{2}$, $\frac{1}{2}<x_2<1$ (○)

ㄴ. $g\left(-\frac{1}{2}\right)=\frac{3}{2}$이므로 $1<y_1<\frac{3}{2}$ ……㉠

$g\left(\frac{1}{\sqrt{2}}\right)=1$과 $f(1)=\frac{3}{4}$에서 $\frac{3}{4}<y_2<1$ ……㉡

㉠, ㉡에서 $1<\frac{y_1}{y_2}<2$ (○)

ㄷ. $f\left(\frac{1}{2}\right)=\frac{1}{2}$, $g\left(-\frac{1}{2}\right)=\frac{3}{2}$이므로 두 점 $\left(-\frac{1}{2}, \frac{3}{2}\right)$, $\left(\frac{1}{2}, \frac{1}{2}\right)$을 지나는 직선의 기울기 -1과 두 점 (x_1, y_1), (x_2, y_2)를 지나는 직선의 기울기를 비교하면

$\frac{y_2-y_1}{x_2-x_1}>-1$에서 $\frac{y_1-y_2}{x_2-x_1}<1$ (○)

따라서 옳은 것은 ㄱ, ㄴ, ㄷ

07 답 ③

ㄱ. 함수 $f(x)=5\times 2^x+a$의 그래프를 x축 방향으로 $\log_2 40$만큼 평행이동한 그래프는 $y=5\times 2^{x-\log_2 40}+a$이므로

$y-a=5\times 2^{x-\log_2 40}$, $\frac{y-a}{5}=2^{x-\log_2 40}$에서

$x-\log_2 40=\log_2 \dfrac{y-a}{5}$ 이므로

$x=\log_2 40+\log_2 \dfrac{y-a}{5}=\log_2 8(y-a)$

즉 $y=5\times 2^{x-\log_2 40}+a$의 역함수는 ❶ $y=\log_2 8(x-a)$ 이고 함수 $g(x)=\log_2 bx$의 그래프를 x축 방향으로 2만큼 평행이동한 그래프는 $y=\log_2 b(x-2)$

이때 문제의 조건에서 $y=\log_2 8(x-a)$과 $y=\log_2 b(x-2)$가 서로 같으므로 $a=2$, $b=8$

$\therefore a+b=10$ (○)

ㄴ. $g(x)=\log_2 8x=\log_2 x+3$과 $y=x$를 그려 α, β의 위치를 알아보면 다음과 같다.

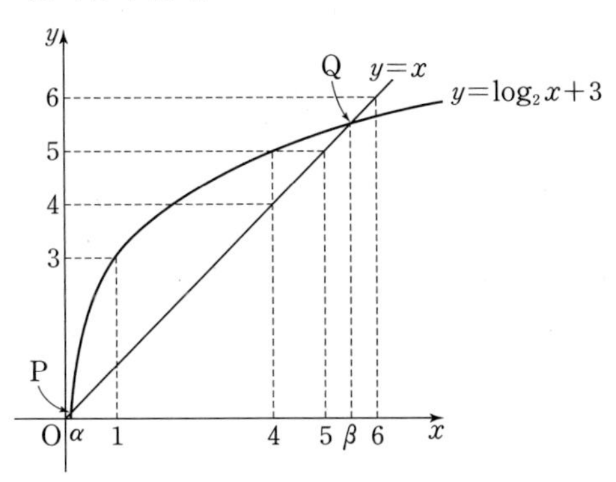

$g\left(\dfrac{1}{8}\right)=0$, $g\left(\dfrac{1}{4}\right)=1>\dfrac{1}{4}$이므로 $\dfrac{1}{8}<\alpha<\dfrac{1}{4}$

$g(4)=5$이고, $g(5)=\log_2 5+3>5$, $g(6)=\log_2 6+3<6$이므로 ❷ $5<\beta<6$ 이다.

$\therefore 6<8\alpha+\beta<8$ (○)

ㄷ. 함수 $g(x)=\log_2 x+3$과 $y=x$가 만나는 두 교점을 위 그림처럼 $P(\alpha, \log_2\alpha+3)$, $Q(\beta, \log_2\beta+3)$라 하면 직선 PQ의 기울기가 1이므로

$\dfrac{(\log_2\beta+3)-(\log_2\alpha+3)}{\beta-\alpha}=\dfrac{\log_2\beta-\log_2\alpha}{\beta-\alpha}=1$

또 점 $Q(\beta, \log_2\beta+3)$는 $y=x$ 위의 점이므로

$\beta=\log_2\beta+3$에서 $\beta-3=\log_2\beta$

$\therefore \dfrac{\log_2\beta}{\beta-3}=$ ❸ 1

즉 $\dfrac{\log_2\beta-\log_2\alpha}{\beta-\alpha}=\dfrac{\log_2\beta}{\beta-3}=1$ (×)

참고

$A(3, 0)$, $Q'(\beta, \log_2\beta)$ $R(6, \log_2\alpha)$이라 하면
(직선 PQ의 기울기)
=(직선 AQ′ 기울기)
즉 $1=\dfrac{\log_2\beta}{\beta-3}$
임을 알 수 있다.
또 (직선 AQ′ 기울기)>(직선 AR의 기울기)

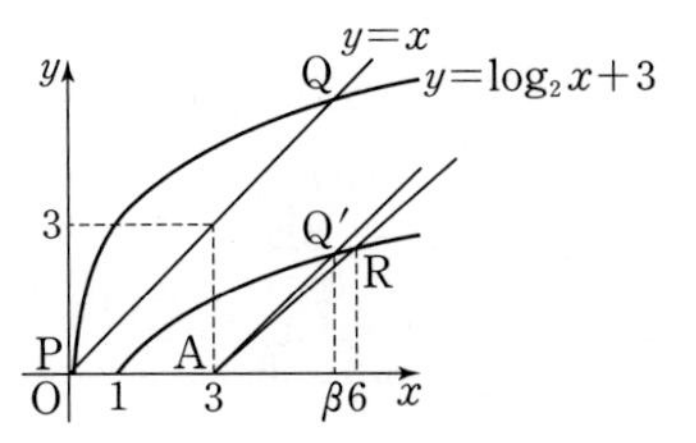

08 답 ③

ㄱ. 두 점 $(2, 0)$, $(a, \log_n a)$를 지나는 직선의 기울기는 $\dfrac{\log_n a}{a-2}$이고 (나)에서 ❶ $\dfrac{\log_n a}{a-2}\le\dfrac{1}{2}$

$a\ge 3$이므로 위 부등식을 정리하면

$\log_n a\le\dfrac{1}{2}(a-2)$ (○)

ㄴ. $n=4$, 즉 $y=\log_4 x$의 그래프에서 두 점 $(2, 0)$, $(a, \log_n a)$를 지나는 직선의 기울기가 $\dfrac{1}{2}$ 이하가 되도록 하는 자연수 a는 4, 5, 6, ⋯

따라서 이 값들 중에서 주어진 조건을 만족시키는 가장 작은 자연수는 4이므로 $f(4)=4$ (○)

ㄷ. $y=\log_5 x$에서 다음과 같이 $f(5)$를 생각할 수 있다.

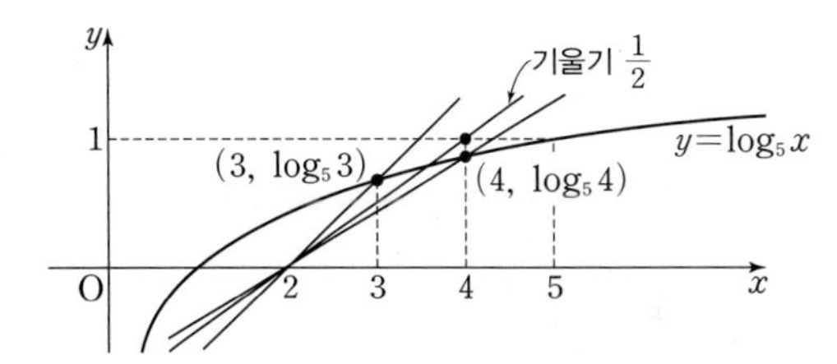

그림처럼 생각하면 두 점 $(2, 0)$, $(3, \log_5 3)$을 지나는 직선의 기울기는 $\log_5 3>\log_5\sqrt{5}=\dfrac{1}{2}$이고, $(2, 0)$, $(4, \log_5 4)$를 지나는 직선의 기울기는 $\dfrac{\log_5 4}{2}<\dfrac{\log_5 5}{2}=\dfrac{1}{2}$이다.

즉 두 점 $(2, 0)$, $(a, \log_5 a)$를 지나는 직선의 기울기가 $\dfrac{1}{2}$ 이하가 되도록 하는 자연수 a값은 4, 5, 6, ⋯이므로

가장 작은 자연수는 4, 즉 $f(5)=4$

마찬가지로 생각하면 $n=6$일 때 두 점 $(2, 0)$, $(3, \log_6 3)$을 지나는 직선의 기울기가 $\dfrac{1}{2}$보다 크고, 이것은 $n=7$, 8일 때도 마찬가지이다.

$n=9$일 때 두 점 $(2, 0)$, $(3, \log_9 3)$을 지나는 직선의 기울기는 $\log_9 3=\dfrac{1}{2}$이므로 두 점 $(2, 0)$, $(a, \log_9 a)$를 지나는 직선의 기울기가 $\dfrac{1}{2}$ 이하가 되도록 하는 자연수 a는 3, 4, 5, 6, ⋯이다. 즉 $f(9)=$ ❷ 3 이다.

$n=10, 11, \cdots, 32$일 때

$\log_{10} 3<\dfrac{1}{2}$, $\log_{11} 3<\dfrac{1}{2}$, ⋯, $\log_{32} 3<\dfrac{1}{2}$이므로

$f(9)=f(10)=\cdots=f(32)=3$

$\therefore \displaystyle\sum_{n=4}^{32} f(n)=4\times 5+3\times 24=92$ (×)

따라서 옳은 것은 ㄱ, ㄴ

다른 풀이

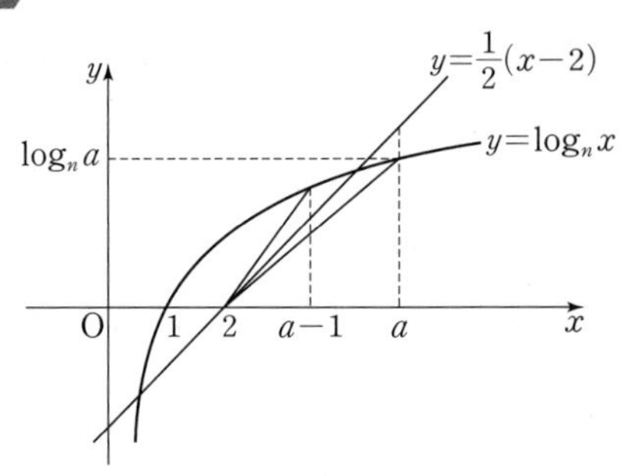

$\frac{\log_n a}{a-2} \le \frac{1}{2}$ ······㉠

이고, 그림처럼 생각하면 3보다 큰 자연수 n에 대하여 ㉠을 만족시키는 가장 작은 자연수 a는 다음 두 부등식을 동시에 만족시킨다.

$\log_n a \le \frac{1}{2}(a-2)$ ······㉡ ($\because a \ge 3$)

$\log_n (a-1) > \frac{1}{2}\{(a-1)-2\}$ ······㉢

(i) $a=3$일 때

㉡에서 $\log_n 3 \le \frac{1}{2}$, $n \ge 9$

㉢에서 3보다 큰 모든 n에 대하여 $\log_n 2 > 0$

즉 $n \ge 9$인 자연수 n에 대하여 $f(n)=3$

(ii) $a=4$일 때

㉡에서 $\log_n 4 \le 1$, $n \ge 4$

㉢에서 9보다 작은 자연수 n에 대하여 $\log_n 3 > \frac{1}{2}$

$\therefore 4 \le n < 9$ ($\because n \ge 4$)

즉 $4 \le n < 9$인 자연수 n에 대하여 $f(n)=4$

(i), (ii)에서 $f(n)=\begin{cases} 4 & (4 \le n < 9) \\ 3 & (n \ge 9) \end{cases}$

집중공략 유형03 삼각함수와 그 활용

p. 21~28

01 ②	02-1 ③	02-2 ③	03-1 ③
03-2 13	04 ④	05 ⑤	06 67
07 8	08 53	09 ①	10 19
11 ④	12 18		

01 답 ②

원의 중심을 O라 하자.

$\triangle$OAB와 $\triangle$OBC는 정삼각형이므로 $\overline{AB}=\overline{BC}=3$

$\triangle$ABC에서 $\angle ABC=\frac{2\pi}{3}$이므로

코사인법칙에 따라

$\overline{AC}^2=3^2+3^2-2\times3\times3\times\cos\frac{2\pi}{3}=27 \quad \therefore \overline{AC}=3\sqrt{3}$

□ABCP가 원에 내접하므로

$\angle ABC+\angle APC=\pi$, 즉 $\angle APC=\frac{\pi}{3}$

$\overline{AP}=x$, $\overline{CP}=y$라 하면 $\triangle$ACP에서 코사인법칙에 따라

$(3\sqrt{3})^2=x^2+y^2-2xy\cos\frac{\pi}{3}$

즉 $27=(x+y)^2-3xy$에서 $x+y=8$이므로 $xy=\frac{37}{3}$

($\triangle$ABC의 넓이)$=\frac{1}{2}\times3\times3\times\sin\frac{2\pi}{3}=\frac{9\sqrt{3}}{4}$

($\triangle$ACP의 넓이)$=\frac{1}{2}\times x\times y\times\sin\frac{\pi}{3}=\frac{37\sqrt{3}}{12}$

$\therefore$ (□ABCP의 넓이)$=\frac{9\sqrt{3}}{4}+\frac{37\sqrt{3}}{12}=\frac{16\sqrt{3}}{3}$

02-1 답 ③

$\angle ABE=\angle AEB=30°$이므로 $\triangle$ABE는 $\overline{AB}=\overline{AE}$인 이등변삼각형이다. $\overline{AE}=3$이므로 $\overline{ED}=$ ❶ 2

$\triangle$BCD에서 코사인법칙을 이용하면

$\overline{BD}^2=\overline{BC}^2+\overline{CD}^2-2\times\overline{BC}\times\overline{CD}\times\cos\frac{2\pi}{3}=49$

$\therefore \overline{BD}=$ ❷ 7

$\triangle$BDE에서 사인법칙을 이용하면

$\frac{\overline{ED}}{\sin\theta}=\frac{\overline{BD}}{\sin\angle BED}$

즉 $\frac{2}{\sin\theta}=\frac{7}{\sin 150°}$이므로

$\sin\theta=\frac{1}{7}$

다른 풀이

$\triangle$BDE는 밑변 $\overline{ED}=2$, 높이 $\overline{AB}\sin\frac{\pi}{3}=\frac{3\sqrt{3}}{2}$이므로 넓이가 $\frac{3\sqrt{3}}{2}$이다.

이등변삼각형 ABE에서 $\overline{BE}=3\sqrt{3}$이므로

$\triangle BDE=\frac{1}{2}\times\overline{BE}\times\overline{BD}\times\sin\theta=\frac{21\sqrt{3}}{2}\sin\theta$

즉 $\frac{3\sqrt{3}}{2}=\frac{21\sqrt{3}}{2}\sin\theta$에서 $\sin\theta=\frac{1}{7}$

02-2 답 ③

$\triangle$ABC에서 코사인법칙을 이용하면

$\overline{AC}^2=\overline{AB}^2+\overline{BC}^2-2\times\overline{AB}\times\overline{BC}\times\cos\frac{2\pi}{3}=49$

$\therefore\ \overline{AC}=$ ❶ 7

$\angle ABD=\angle CBD$, 즉 삼각형 내각의 이등분선의 성질에서

$\overline{BC}:\overline{AB}=\overline{CD}:\overline{DA}=5:3$

$\overline{CD}=\overline{AC}\times\frac{5}{8}=7\times\frac{5}{8}=$ ❷ $\frac{35}{8}$

$\triangle$BCD에서 사인법칙을 이용하면 $\frac{\overline{BC}}{\sin\theta}=\frac{\overline{CD}}{\sin\angle CBD}$

즉 $\frac{5}{\sin\theta}=\frac{\frac{35}{8}}{\sin 60^\circ}$이므로 $\sin\theta=\frac{4\sqrt{3}}{7}$

03-1 답 ③

$x-\frac{3}{4}\pi=\theta$라 하면 $x=\frac{3}{4}\pi+\theta$이므로 $x-\frac{\pi}{4}=\theta+\frac{\pi}{2}$

이때 $f(x)=\cos^2\left(x-\frac{3}{4}\pi\right)-\cos\left(x-\frac{\pi}{4}\right)+k$에서

$$f\left(\theta+\frac{3}{4}\pi\right)=\cos^2\theta-\cos\left(\theta+\frac{\pi}{2}\right)+k$$
$$=1-\sin^2\theta+\sin\theta+k$$
$$=-\left(\sin\theta-\frac{1}{2}\right)^2+k+\frac{5}{4}$$

$-1\le\sin\theta\le1$이므로 주어진 함수에서

최댓값은 $\sin\theta=\frac{1}{2}$일 때, $k+\frac{5}{4}=3$ $\quad\therefore\ k=$ ❶ $\frac{7}{4}$

최솟값은 $\sin\theta=-1$일 때, $-\frac{9}{4}+\frac{7}{4}+\frac{5}{4}=$ ❷ $\frac{3}{4}=m$

$\therefore\ k+m=\frac{7}{4}+\frac{3}{4}=\frac{5}{2}$

참고

θ에 대한 함수 $f(\theta)$와 $f\left(\theta+\frac{3}{4}\pi\right)$를 비교하면 $f\left(\theta+\frac{3}{4}\pi\right)$의 그래프는 $f(\theta)$의 그래프를 θ축 방향으로 $-\frac{3}{4}\pi$만큼 평행이동한 것과 같으므로 최대, 최소에는 변함이 없다.

즉 $f(\theta)$와 $f\left(\theta+\frac{3}{4}\pi\right)$의 최대, 최소는 각각 서로 같다.

03-2 답 13

$x-\frac{\pi}{6}=\theta$라 하면 $x=\frac{\pi}{6}+\theta$이므로 $x+\frac{\pi}{3}=\theta+\frac{\pi}{2}$

이때 $f(x)=\sin^2\left(x-\frac{\pi}{6}\right)+2k\sin\left(x+\frac{\pi}{3}\right)+1$에서

$$f\left(\theta+\frac{\pi}{6}\right)=\sin^2\theta+2k\sin\left(\theta+\frac{\pi}{2}\right)+1$$
$$=-\cos^2\theta+2k\cos\theta+2$$
$$=-(\cos\theta-k)^2+k^2+2$$

$-1\le\cos\theta\le1$이므로 k값의 범위에 따라 나누어 생각하자.

(i) $k<-1$인 경우

최댓값은 $\cos\theta=-1$일 때 $-2k+1=5$, $k=-2$

최솟값은 $\cos\theta=1$일 때 $-9+6=-3=m$

(ii) $-1\le k<1$인 경우

최댓값은 $\cos\theta=k$일 때 $k^2+2=5$

이때 $k=\pm\sqrt{3}$이므로 범위 밖이다.

(iii) $k\ge1$인 경우

최댓값은 $\cos\theta=1$일 때 $2k+1=5$, $k=2$

최솟값은 $\cos\theta=-1$일 때 $-9+6=-3=m$

(i)~(iii)에서 $k=$ ❶ ±2이고, $m=$ ❷ -3이므로 $k^2+m^2=13$

04 답 ④

ㄱ. 삼차방정식 $x^3-15x^2+kx-105=0$의 세 실근이 등차수열을 이루므로 세 실근을 $a-d$, a, $a+d$라 하면 삼차방정식의 근과 계수의 관계에서 $(a-d)+a+(a+d)=15$

$\therefore\ a=5$

즉 주어진 방정식의 한 근이 5이므로 $x=5$를 대입하면

$5^3-15\times5^2+5k-105=0$ $\quad\therefore\ k=$ ❶ 71 $\quad$ (×)

ㄴ. $k=71$을 방정식에 대입하면

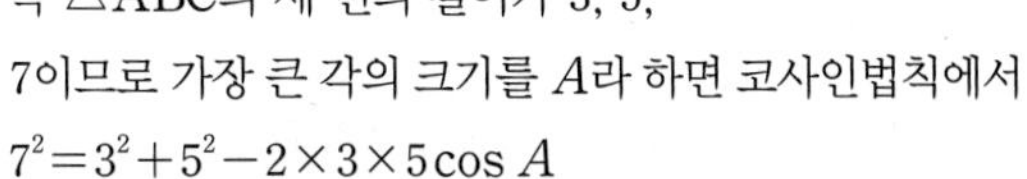

$x^3-15x^2+71x-105$

$=(x-3)(x-5)(x-7)=0$

즉 $\triangle$ABC의 세 변의 길이가 3, 5, 7이므로 가장 큰 각의 크기를 A라 하면 코사인법칙에서

$7^2=3^2+5^2-2\times3\times5\cos A$

$\cos A=\frac{3^2+5^2-7^2}{2\times3\times5}=-\frac{1}{2}$ $\quad\therefore\ A=$ ❷ 120° $\quad$ (○)

ㄷ. $\triangle$ABC에서 $A=120^\circ$이므로

$(\triangle ABC의\ 넓이)=\frac{1}{2}\times5\times3\times\sin120^\circ=\frac{15\sqrt{3}}{4}$ $\quad$ (○)

참고

세 변의 길이를 알고 있으므로 헤론의 공식을 이용할 수 있다.

이때 $s=\frac{3+5+7}{2}=\frac{15}{2}$

$S=\sqrt{s(s-a)(s-b)(s-c)}=\sqrt{\frac{15}{2}\times\frac{9}{2}\times\frac{5}{2}\times\frac{1}{2}}=\frac{15\sqrt{3}}{4}$

05 답 ⑤

$-2^n \le x < 2^n$일 때 $-\pi \le \frac{\pi}{2^n}x < \pi$이므로

부등식 $\sin\left(\frac{\pi}{2^n}x\right) \ge -\frac{\sqrt{2}}{2}$에서 $t=\frac{\pi}{2^n}x$라 할 때,

$-\pi \le t \le -\frac{3\pi}{4}$, $-\frac{\pi}{4} \le t < \pi$이므로

$-2^n \le x \le -\frac{3\times 2^n}{4}$, $-\frac{2^n}{4} \le x < 2^n$이다.

$n=1$이면 $-2 \le x \le -\frac{3}{2}$, $-\frac{1}{2} \le x < 2$ $\quad \therefore a_1=3$

$n=2$이면 $-4 \le x \le -3$, $-1 \le x < 4$ $\quad \therefore a_2=7$

$n=3$이면 $-8 \le x \le -6$, $-2 \le x < 8$ $\quad \therefore a_3=$ ❶ 13

$n=4$이면 $-16 \le x \le -12$, $-4 \le x < 16$ $\quad \therefore a_4=25$

$n=5$이면 $-32 \le x \le -24$, $-8 \le x < 32$ $\quad \therefore a_5=$ ❷ 49

$\sum_{n=1}^{5} a_n = 3+7+13+25+49=97$

06 답 67

함수 $y=2\cos\pi x+1$의 그래프 개형은 다음과 같다.

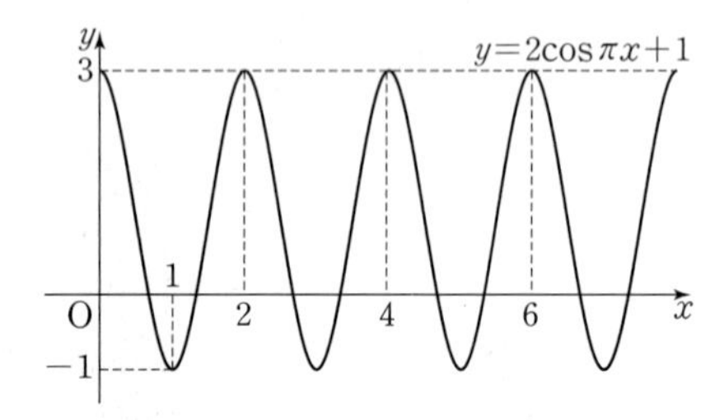

이를 이용하여 함수 $y=f(x)$를 그려보면 다음과 같다.

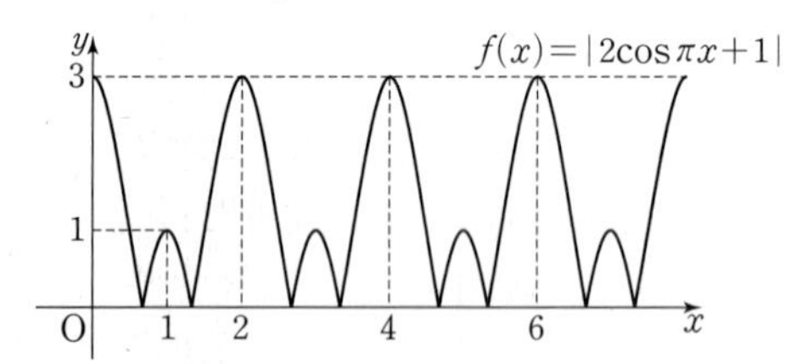

함수 $g(x)=\log_4 x$는 $1 \le x < 4$일 때, $0 \le g(x) < 1$이고,

$4 \le x \le 64$일 때, $1 \le g(x) \le 3$이므로

$1 \le x < 4$일 때, 교점은 ❶ 6 개다.

$4 \le x < 64$일 때, $1 \le y < 3$에서 교점이 생기고, $f(x)$는 주기가 2인 함수이므로 x값이 2만큼 커질 때마다 교점이 2개씩 생긴다.

즉 $4 \le x < 64$에서 교점은 ❷ 60 개다.

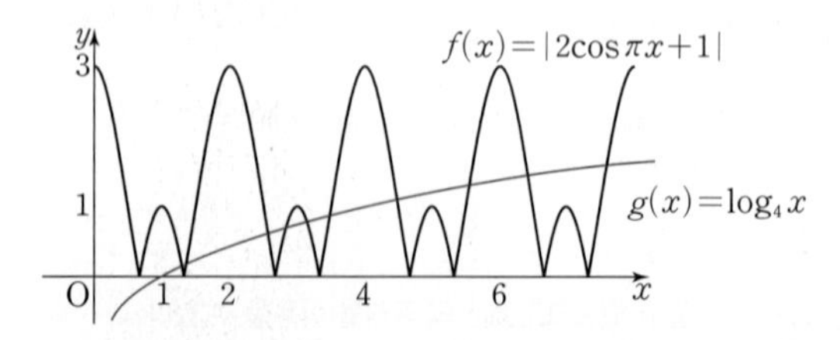

또 $x=64$일 때, $f(64)=g(64)=3$이므로 교점이 ❸ 1 개 생긴다.

$x>64$일 때, $g(x)>3$이므로 교점은 더 이상 없다.

따라서 구하려는 교점의 개수는 $6+60+1=67$

07 답 8

방정식 $4\cos^2\left(\frac{\pi}{2}+x\right)+4\cos x+a-4=0$에서

$\cos^2\left(\frac{\pi}{2}+x\right)=\sin^2 x=1-\cos^2 x$를 이용해 정리하면

$4\cos^2 x-4\cos x=a$이고

$\cos x=t$로 치환하면

$4t^2-4t=a$ $(-1 \le t \le 1)$

이때 $f(t)=4t^2-4t$라 하고,

함수 $y=f(t)$의 그래프를 그리면 그림과 같다.

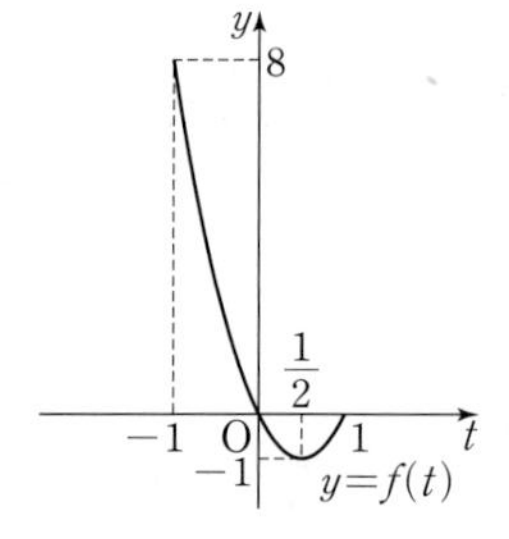

$a=-1$일 때, $t=\frac{1}{2}$이므로 그림처럼 $y=\cos x$의 그래프와 직선 $y=\frac{1}{2}$의 교점은 2개다.

즉 실근 x는 ❶ 2 개다.

$-1<a<0$일 때, $t=\alpha, \beta$ $(\alpha<\beta)$라 하면

$0<\alpha<\frac{1}{2}$, $\frac{1}{2}<\beta<1$이다.

이때 $y=\cos x$의 그래프와 두 직선 $y=\alpha$, $y=\beta$의 교점은 그림처럼 모두 4개이므로 실근 x는 ❷ 4 개다.

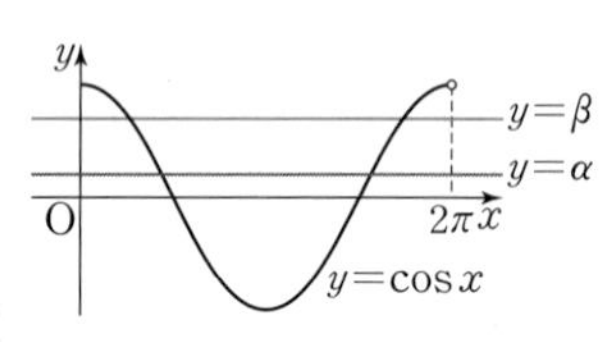

$a=0$일 때, $t=0$, 1이므로 그림처럼 $y=\cos x$의 그래프와 $y=0$, $y=1$의 교점은 3개다. 즉 실근 x는 ❸ 3 개다.

$0<a<8$일 때, $t=\gamma$라 하면

$-1<\gamma<0$이다.

이때 $y=\cos x$의 그래프와 직선 $y=\gamma$의 교점은 그림처럼 2개이므로 실근 x도 2개다.

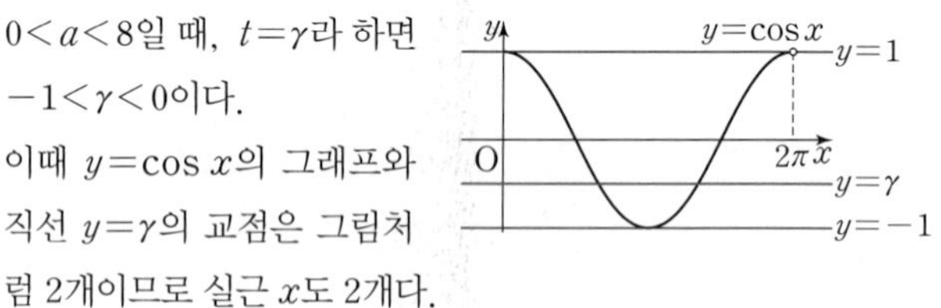

$a=8$일 때, $t=-1$이므로 $y=\cos x$의 그래프와 직선 $y=-1$의 교점은 그림처럼 1개이므로 실근 x도 1개다.

따라서 실근이 2개가 되도록 하는 a값의 범위는

$a=-1$, $0<a<8$이므로 가능한 정수 a는 8개다.

08 답 53

원 O의 반지름 길이를 R, 원 O'의 반지름 길이를 r라 하면

사인법칙에서 $\frac{\overline{AC}}{\sin\alpha}=2R$, $\frac{\overline{AC}}{\sin\beta}=2r$

두 식끼리 나누면 $\frac{\sin\beta}{\sin\alpha}=\frac{R}{r}=\frac{5}{3}$

즉 두 외접원의 반지름 길이의 비는 $5:3$이므로 $r=$ ❶ $\frac{3}{5}R$

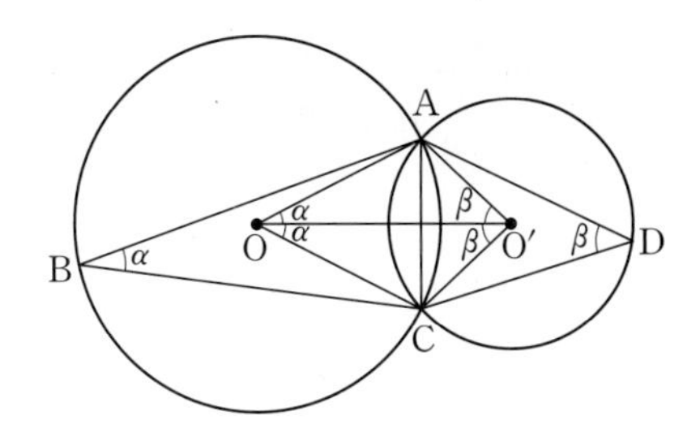

한편 $\angle AOC=2\alpha$, $\angle AO'C=2\beta$이고,

$\triangle AOO' \equiv \triangle COO'$(SSS 합동)이므로

$\angle AOO'=\alpha$, $\angle AO'O=\beta$ 이때 $\angle OAO'=\pi-(\alpha+\beta)$

$\triangle AOO'$에서 $1=R^2+r^2-2Rr\cos(\pi-(\alpha+\beta))$

즉 $1=R^2+\frac{9}{25}R^2+\frac{6}{5}R^2\times\left(-\frac{1}{5}\right)$에서 $R^2=$ ❷ $\underline{\frac{25}{28}}$

$\therefore$ ($\triangle ABC$의 외접원의 넓이)$=\pi R^2=\frac{25}{28}\pi$

따라서 $p+q=28+25=53$

09 답 ①

원의 둘레를 10등분했으므로 $\theta=36°$다.

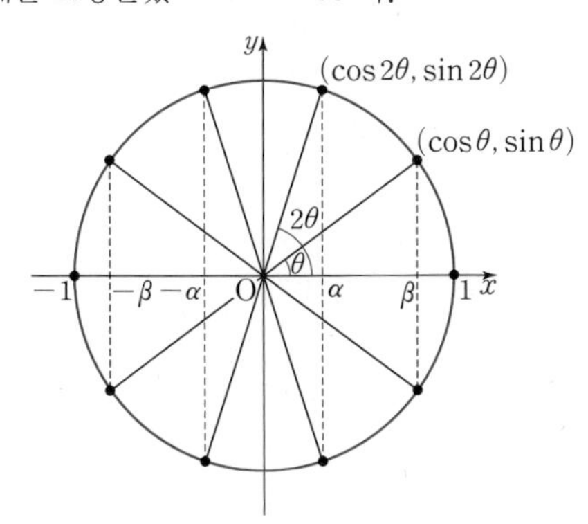

$\cos\theta=\beta$, $\cos 2\theta=\alpha$라 하면

$\cos 3\theta=-\alpha$, $\cos 4\theta=-\beta$, $\cos 5\theta=-1$, $\cos 6\theta=-\beta$,

$\cos 7\theta=-\alpha$, $\cos 8\theta=\alpha$, $\cos 9\theta=\beta$이므로

$\sum_{k=1}^{9} k\cos k\theta=\cos\theta+2\cos 2\theta+3\cos 3\theta+\cdots+9\cos 9\theta$

$=(2-3-7+8)\alpha+(1-4-6+9)\beta-5=$ ❶ $\underline{-5}$

마찬가지로 $\tan\theta=a$, $\tan 2\theta=b$라 하면

$\tan 4\theta=-a$, $\tan 6\theta=a$, $\tan 5\theta=0$이고

$\sum_{k=1}^{9} \tan k^2\theta=\tan\theta+\tan 4\theta+\tan 9\theta+\cdots+\tan 81\theta$

$=a-a-a+a+0+a-a-a+a=$ ❷ $\underline{0}$

$\therefore \sum_{k=1}^{9}(k\cos k\theta+\tan k^2\theta)=-5$

10 답 19

$\angle BAD=\angle BCD=\beta$라 하면

두 삼각형 ABD, CBD의 넓이를 각

각 S_1, S_2라 했으므로

$S_1=\frac{1}{2}\times 8\times\overline{AD}\times\sin\beta$

$=4\overline{AD}\sin\beta$

$S_2=\frac{1}{2}\times 5\times\overline{BC}\times\sin\beta=\frac{5}{2}\overline{BC}\sin\beta$

주어진 조건에서 $S_1 : S_2=8 : 5$ 이므로

$S_1 : S_2=8\overline{AD} : 5\overline{BC}=8 : 5$이려면 $\overline{AD}=\overline{BC}$라야 한다.

이때 $\overline{AD}=\overline{BC}=a$, $\overline{AC}=b$라 하자.

또 조건에서 $\cos\alpha=\frac{13}{14}$이므로

$\triangle ABC$에서 $b^2=8^2+a^2-2\times 8\times a\times\cos\alpha$

$\triangle ADC$에서 $b^2=5^2+a^2-2\times 5\times a\times\cos\alpha$

즉 $64+a^2-\frac{104}{7}a=25+a^2-\frac{65}{7}a$

정리하면 $\frac{39}{7}a=39$이므로 $a=\overline{AD}=\overline{BC}=$ ❶ $\underline{7}$

한편 $\sin\alpha=\sqrt{1-\left(\frac{13}{14}\right)^2}=\frac{3\sqrt{3}}{14}$

$\therefore S=\frac{1}{2}\times 5\times 7\times\sin\alpha=$ ❷ $\underline{\frac{15\sqrt{3}}{4}}$

따라서 $p+q=15+4=19$

11 답 ④

$h(x)=g(f(x))$이므로

$g(f(x))=\sqrt{1+2\sin x\cos x}-\sqrt{1-2\sin x\cos x}$

$=\sqrt{(\sin x+\cos x)^2}-\sqrt{(\sin x-\cos x)^2}$

$=|\sin x+\cos x|-|\sin x-\cos x|$

ㄱ. $h\left(\frac{\pi}{5}\right)=\left|\sin\frac{\pi}{5}+\cos\frac{\pi}{5}\right|-\left|\sin\frac{\pi}{5}-\cos\frac{\pi}{5}\right|$

$=\left(\sin\frac{\pi}{5}+\cos\frac{\pi}{5}\right)-\left(\cos\frac{\pi}{5}-\sin\frac{\pi}{5}\right)$

$=2\sin\frac{\pi}{5}$ $\left(\because 0<\sin\frac{\pi}{5}<\cos\frac{\pi}{5}\right)$ (×)

한편 $h(x)=|\sin x+\cos x|-|\sin x-\cos x|$에서

$x=\frac{\pi}{4}, \frac{3}{4}\pi, \frac{5}{4}\pi, \frac{7}{4}\pi$일 때 절댓값 기호 안의 값이 0이므로 범위를 나누어 $y=h(x)$의 그래프를 생각해 보자.

(i) $0\le x<\frac{\pi}{4}$일 때

$h(x)=|\sin x+\cos x|-|\sin x-\cos x|$

$=(\sin x+\cos x)-(\cos x-\sin x)$

$=$ ❶ $\underline{2\sin x}$

(ii) $\frac{\pi}{4} \le x < \frac{3}{4}\pi$일 때

$h(x) = |\sin x + \cos x| - |\sin x - \cos x|$

$= (\sin x + \cos x) - (\sin x - \cos x)$

$=$ ❷ $\underline{2\cos x}$

(iii) $\frac{3}{4}\pi \le x < \frac{5}{4}\pi$일 때

$h(x) = |\sin x + \cos x| - |\sin x - \cos x|$

$= -(\sin x + \cos x) - (\sin x - \cos x)$

$=$ ❸ $\underline{-2\sin x}$

(iv) $\frac{5}{4}\pi \le x < \frac{7}{4}\pi$일 때

$h(x) = |\sin x + \cos x| - |\sin x - \cos x|$

$= -(\sin x + \cos x) + (\sin x - \cos x)$

$= -2\cos x$

(v) $\frac{7}{4}\pi \le x < \frac{9}{4}\pi$일 때

$h(x) = |\sin x + \cos x| - |\sin x - \cos x|$

$= (\sin x + \cos x) - (\cos x - \sin x)$

$= 2\sin x$

즉 $x \ge 0$에서 $y = h(x)$의 그래프는 다음과 같다.

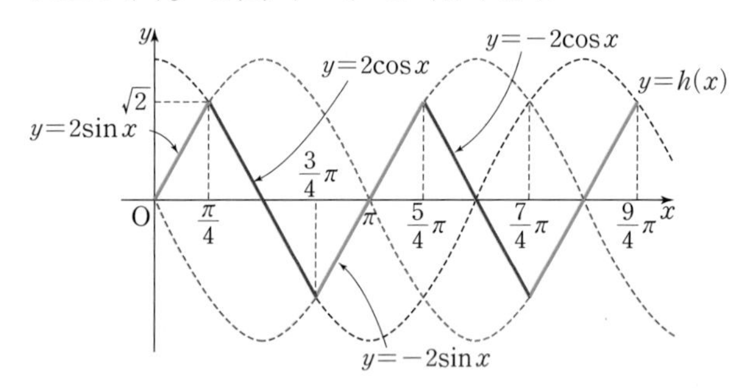

ㄴ. 위 그래프에서 $y = h(x)$의 주기는 π (○)

ㄷ. $y = h(x)$의 최댓값은 $\sqrt{2}$ (○)

12 답 18

$y = \sin\frac{\pi x}{5}$의 주기는 10이므로 그래프 개형은 다음과 같다.

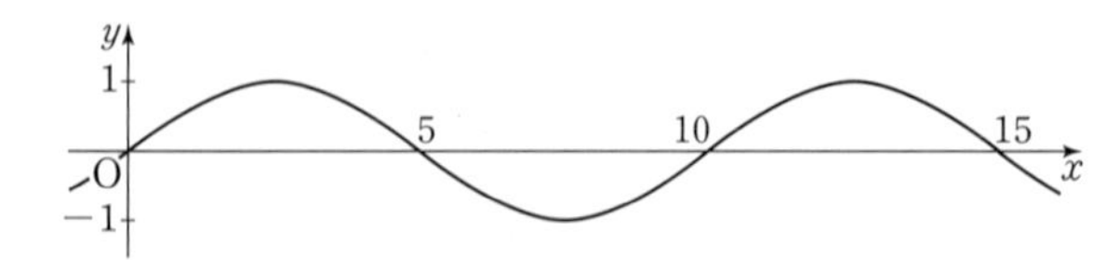

k가 정수일 때,

$10k < x < 10k+5$이면 $\sin\frac{\pi x}{5} > 0$,

$10k+5 < x < 10k+10$이면 $\sin\frac{\pi x}{5} < 0$

$x = 5k$이면 $\sin\frac{\pi x}{5} = 0$이므로

$\sin\frac{\pi x}{5} > 0$이면 $\dfrac{\sin\frac{\pi x}{5}}{\sin\frac{\pi x}{5}} + n = n+1$

$\sin\frac{\pi x}{5} < 0$이면 $\dfrac{-\sin\frac{\pi x}{5}}{\sin\frac{\pi x}{5}} + n = n-1$

$$\therefore f(x) = \begin{cases} n+1 & (10k < x < 10k+5) \\ n-1 & (10k+5 < x < 10k+10) \\ n & (x = 5k) \end{cases}$$

이때 함수 $f(x)$의 치역은 $\{n-1, n, n+1\}$이므로 실수 전체 집합에서 함수 $(f \circ f)(x)$가 상수함수가 되는 n값을 구해 보자.

실수 전체의 집합에서 $X_1 = \{x \mid 10k < x < 10k+5\}$,

$X_2 = \{x \mid 10k+5 < x < 10k+10\}$, $X_3 = \{x \mid x = 5k\}$라 하면

함수 $(f \circ f)(x)$가 상수함수인 경우는 다음과 같다.

(i) $(f \circ f)(x) = n+1$인 경우

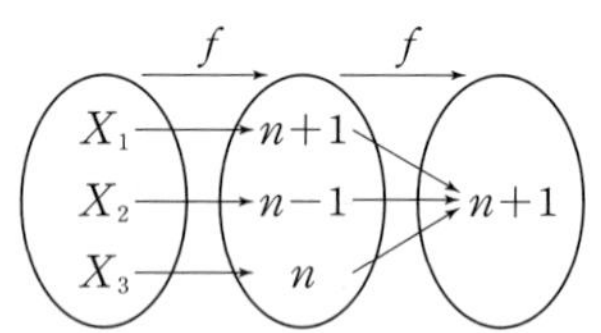

즉 $n+1 \in X_1$, $n-1 \in X_1$, $n \in X_1$이면 가능하다. 이때

$10k < n+1 < 10k+5$,

$10k < n-1 < 10k+5$,

$10k < n < 10k+5$

를 만족시키는 공통 범위는 $10k+1 < n < 10k+4$이므로

$n =$ ❶ $\underline{10k+2,\ 10k+3}$ (k는 정수)

(ii) $(f \circ f)(x) = n-1$인 경우

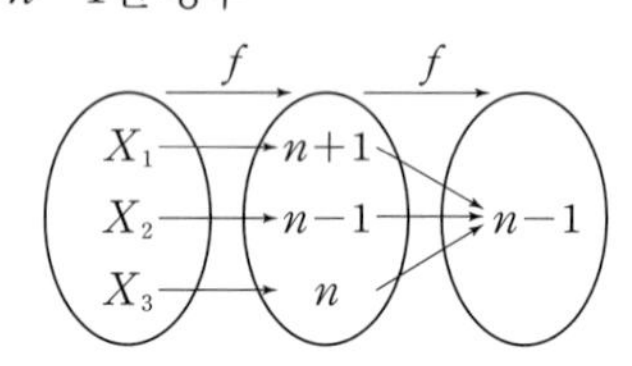

즉 $n+1 \in X_2$, $n-1 \in X_2$, $n \in X_2$이면 가능하다. 이때

$10k+5 < n+1 < 10k+10$,

$10k+5 < n-1 < 10k+10$,

$10k+5 < n < 10k+10$

을 만족시키는 공통 범위는 $10k+6 < n < 10k+9$이므로

$n =$ ❷ $\underline{10k+7,\ 10k+8}$ (k는 정수)

(iii) $(f \circ f)(x) = n$인 경우

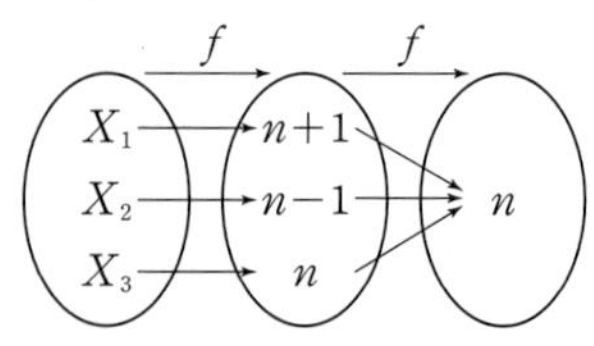

즉 $n+1 \in X_3$, $n-1 \in X_3$, $n \in X_3$이어야 하는데, 이런 자연수 n은 존재하지 않는다.

(i)~(iii)에서 가능한 자연수 n은

$10k+2$, $10k+3$, $10k+7$, $10k+8$ (k는 정수)이므로

30 이하의 자연수 중에서는

2, 3, 7, 8, 12, 13, 17, 18, 22, 23, 27, 28이다.

즉 $(f \circ f)(x)$가 상수함수가 되는 n값은 12개다.

따라서 구하려는 자연수 n의 개수는 $30-12=18$

참고

(i)에서 n값의 범위를 수직선 위에서 생각하면 공통 범위는 $10k+1<n<10k+4$이므로 이때 $n=10k+2$, $10k+3$이 가능하다.

집중공략 유형 04 수열의 합과 수열의 규칙성

p. 29~38

01 ④	02-1 ②	02-2 96	03-1 212
03-2 204	04 51	05 ④	06 162
07 ②	08 ④	09 ④	10 ⑤
11 117	12 624	13 ⑤	14 ③

01 답 ④

(가)에서 $a_{10}=a_{20}+1=1+1=2$, $a_5=a_{10}+1=2+1=3$

(나)에서 $a_2=\dfrac{a_5-1}{2}=\dfrac{3-1}{2}=1$

(가)에서 $a_1=a_2+1=1+1=2$

또 (가), (나)를 더하면 $a_{2n}+a_{2n+1}=3a_n$ ⋯⋯ ㉠

㉠에 $n=1$을 대입하면 $a_2+a_3=3a_1$

㉠에 $n=2$, 3을 각각 대입하여 더하면

$$\begin{aligned}(a_4+a_5)+(a_6+a_7)&=3a_2+3a_3\\&=3(a_2+a_3)\\&=3^2a_1\end{aligned}$$

즉 $a_4+a_5+a_6+a_7=3^2a_1$ ⋯⋯ ㉡

같은 방법으로 ㉠에 $n=4$, 5, 6, 7을 각각 대입하여 더하면

$(a_8+a_9)+(a_{10}+a_{11})+(a_{12}+a_{13})+(a_{14}+a_{15})$

$=3(a_4+a_5+a_6+a_7)=3^3a_1$

따라서 $a_8+a_9+a_{10}+\cdots+a_{15}=3^3a_1$ ⋯⋯ ㉢

또 ㉠에 $n=8$, 9, 10, ⋯, 15를 각각 대입하여 더하면

$(a_{16}+a_{17})+(a_{18}+a_{19})+\cdots+(a_{30}+a_{31})$

$=3(a_8+a_9+\cdots+a_{15})=3^4a_1$ ⋯⋯ ㉣

또 ㉠에 $n=16$, 17, 18, ⋯, 31을 각각 대입하여 더하면

$(a_{32}+a_{33})+(a_{34}+a_{35})+\cdots+(a_{62}+a_{63})$

$=3(a_{16}+a_{17}+\cdots+a_{31})=3^5a_1$

$$\begin{aligned}\therefore \sum_{n=1}^{63}a_n&=a_1+(a_2+a_3)+(a_4+\cdots+a_7)+(a_8+\cdots+a_{15})\\&\quad+(a_{16}+\cdots+a_{31})+(a_{32}+\cdots+a_{63})\\&=a_1+3a_1+3^2a_1+3^3a_1+3^4a_1+3^5a_1\\&=\frac{2(3^6-1)}{3-1}=728\end{aligned}$$

02-1 답 ②

수열 $\{a_n\}$은 첫째항이 30이고 공차가 $-d$인 등차수열이므로

$a_n=30-(n-1)d$ $(n\geq 1)$이고

$a_m+a_{m+1}+\cdots+a_{m+k}$

$=\dfrac{(k+1)\{30-(m-1)d+30-(m+k-1)d\}}{2}$

$=\dfrac{(k+1)\{60-(2m+k-2)d\}}{2}=0$

$k+1>0$이므로 ❶ $\underline{(2m+k-2)d}=60$

$\therefore 2m+k=2+\dfrac{60}{d}$

이 등식을 만족시키는 자연수 m, k가 존재하려면 d가 ❷ $\underline{60\text{의 약수}}$이어야 한다.

$60=2^2\times3\times5$에서 60의 약수 $3\times2\times2=12$(개)는 조건을 만족시키는 d가 된다.

다른 풀이

등차수열의 부분합이 0이므로

$a_m+a_{m+1}+a_{m+2}+\cdots+a_{m+k}=0$에서 이 $(k+1)$개의 등차수열이 대칭성을 이루는 경우를 생각한다.

(i) $k+1$이 홀수, 즉 한 가운데 있는 항이 0일 때

a_m … a_{p-1} a_p a_{p+1} … a_{m+k} (d, d)

그림처럼 생각하면 $a_p=30+(p-1)(-d)=0$에서

$p=1+\dfrac{30}{d}$이 자연수이므로 d는 $30=2\times3\times5$의 약수가 된다.

즉 d가 될 수 있는 자연수는 $2\times2\times2=8$(개)

(ii) $k+1$이 짝수, 즉 한 가운데 있는 항이 존재하지 않을 때

a_m … a_{p-2} a_{p-1} 0 a_p a_{p+1} … a_{m+k} (d, $\frac{d}{2}$, $\frac{d}{2}$)

그림처럼 생각하며 $a_{p-1}=30+(p-2)(-d)=\dfrac{d}{2}$에서

$p=\dfrac{30}{d}+\dfrac{3}{2}$이 자연수가 되도록하는 자연수 d는 4, 12, 20, 60

(i), (ii)에서 d가 될 수 있는 자연수는 $8+4=12$(개)

02-2 답 96

수열 $\{a_n\}$은 첫째항이 30이고 공차가 $-d$인 등차수열이므로

$a_n=30-(n-1)d\ (n\geq1)$이고

(가)에 따라 $a_n=30-(n-1)d\neq0$, 즉 $(n-1)d\neq30$에서

d는 ❶ $\underline{30}$의 약수가 아니다.

또 (나)에서

$a_m+a_{m+1}+\cdots+a_{m+k}$

$=\dfrac{(k+1)\{30-(m-1)d+30-(m+k-1)d\}}{2}$

$=\dfrac{(k+1)\{60-(2m+k-2)d\}}{2}=0$

$k+1>0$이므로 $(2m+k-2)d=60$

$\therefore 2m+k=2+\dfrac{60}{d}$

이 등식을 만족시키는 자연수 m, k가 존재하려면 d가 60의 약수이어야 한다. 즉 d는 30의 약수가 아니면서 60의 약수가 되는 자연수이므로 가능한 d는 ❷ $\underline{4,\ 12,\ 20,\ 60}$이다.

따라서 구하려는 합은 $4+12+20+60=96$

03-1 답 212

문제의 조건에서 $a_1=4k$ (k는 자연수)이므로 이것을 이용하면 $a_5=7$이 되는 정수 k값은 다음과 같다.

<table>
<tr><td>a_1</td><td colspan="3">$4k$</td></tr>
<tr><td>a_2</td><td colspan="3">$2k$</td></tr>
<tr><td>a_3</td><td colspan="3">k</td></tr>
<tr><td rowspan="2">a_4</td><td>k가 홀수</td><td colspan="2">k가 짝수</td></tr>
<tr><td>$k+3$</td><td colspan="2">$\frac{k}{2}$</td></tr>
<tr><td rowspan="2">a_5</td><td rowspan="2">$\frac{k+3}{2}$</td><td>$\frac{k}{2}$가 홀수</td><td>$\frac{k}{2}$가 짝수</td></tr>
<tr><td>$\frac{k}{2}+3$</td><td>$\frac{k}{4}$</td></tr>
<tr><td>k</td><td>11</td><td>8</td><td>28</td></tr>
</table>

(i) $k=11$인 경우 $a_3=k$가 홀수 조건을 만족시키므로 $a_1=44$

(ii) $k=8$인 경우 $a_4=4$이므로 홀수라는 조건에 어긋난다.

(iii) $k=28$인 경우 k가 짝수라는 조건과 $a_4=14$가 짝수라는 조건을 모두 만족시키므로 $a_1=112$

즉 a_1로 가능한 값은 ❶ $\underline{44,\ 112}$이므로 그 합은 $44+112=156$

또 $a_5=7$이므로 주어진 수열의 정의에 대입해 보면

$a_6=10$, $a_7=5$, $a_8=8$, $a_9=4$, $a_{10}=2$, $a_{11}=1$

$a_{12}=$ ❷ $\underline{4}$, $a_{13}=2$, $a_{14}=1$, $a_{15}=4$, …

즉 9번째 항부터 4, 2, 1이 반복된다.

$\sum_{n=9}^{32}a_n=(4+2+1)+(4+2+1)+\cdots+(4+2+1)$

$=(4+2+1)\times8=56$

따라서 $p=156$, $q=56$이므로 $p+q=212$

참고

❶ $a_1=44$일 때 수열 $\{a_n\}$을 직접 구해보면 다음과 같다.

44, 22, 11, 14, 7, 10, 5, 8, 4, 2, 1, 4, 2, 1, 4, …

❷ $a_1=112$일 때 수열 $\{a_n\}$을 직접 구해보면 다음과 같다.

112, 56, 28, 14, 7, 10, 5, 8, 4, 2, 1, 4, 2, 1, …

03-2 답 204

$a_1=4k$, $4k+2$ 각각에 대하여 $a_5=6$이 되는 정수 k값을 다음과 같이 구할 수 있다.

(i) $a_1=4k$인 경우

<table>
<tr><td>a_1</td><td colspan="3">$4k$</td></tr>
<tr><td>a_2</td><td colspan="3">$2k$</td></tr>
<tr><td>a_3</td><td colspan="3">k</td></tr>
<tr><td rowspan="2">a_4</td><td>k가 홀수</td><td colspan="2">k가 짝수</td></tr>
<tr><td>$k+3$</td><td colspan="2">$\frac{k}{2}$</td></tr>
<tr><td rowspan="2">a_5</td><td rowspan="2">$\frac{k+3}{2}$</td><td>$\frac{k}{2}$가 홀수</td><td>$\frac{k}{2}$가 짝수</td></tr>
<tr><td>$\frac{k}{2}+3$</td><td>$\frac{k}{4}$</td></tr>
<tr><td>k</td><td>9</td><td>6</td><td>24</td></tr>
</table>

$k=9$, 6, 24는 모두 가능하므로

첫째항 a_1이 될 수 있는 수는 36, 24, 96으로 3개다.

(ii) $a_1=4k+2$인 경우

a_1	$4k+2$	
a_2	$2k+1$	
a_3	$2k+4$	
a_4	$k+2$	
a_5	a_4가 홀수 (k가 홀수)	a_4가 짝수 (k가 짝수)
	$k+5$	$\frac{k+2}{2}$
k	1	10

$k=1$, 10은 모두 가능하므로

첫째항 a_1이 될 수 있는 수는 6, 42로 2개다.

(i), (ii)에서 첫째항 a_1이 될 수 있는 수는 ❶ 5 개이고

그 합은 $36+24+96+6+42=204$

04 답 51

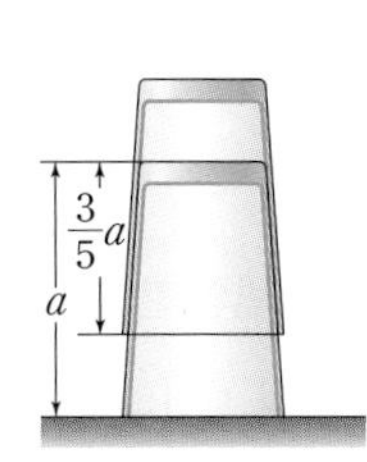

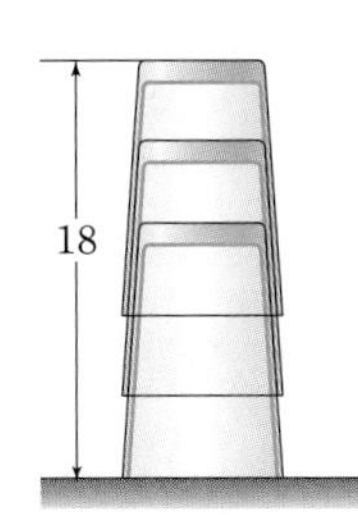

주어진 조건에 따라 마지막으로 쌓은 유리컵의 밑면까지의 높이가 a_n이므로 그림처럼 유리컵을 쌓을 때,

$$a_2=a+\left(a-\frac{3}{5}a\right)=a+\frac{2}{5}a,\ a_3=\left(a+\frac{2}{5}a\right)+\frac{2}{5}a$$

즉 수열 $\{a_n\}$은 첫째항이 a이고 공차가 ❶ $\frac{2}{5}a$ 인 등차수열이다.

$$\therefore a_n=a+(n-1)\times\frac{2}{5}a=\left(\frac{2n+3}{5}\right)a$$

또 $a_3=\frac{9}{5}a=18$이므로 $a=$ ❷ 10

이때 $a_n=2(2n+3)=4n+6$

$$\sum_{n=1}^{10}\frac{1}{a_na_{n+1}}=\sum_{n=1}^{10}\frac{1}{a_{n+1}-a_n}\left(\frac{1}{a_n}-\frac{1}{a_{n+1}}\right)$$
$$=\frac{1}{4}\left\{\left(\frac{1}{a_1}-\frac{1}{a_2}\right)+\cdots+\left(\frac{1}{a_{10}}-\frac{1}{a_{11}}\right)\right\}$$
$$=\frac{1}{4}\left(\frac{1}{10}-\frac{1}{50}\right)=\frac{1}{50}$$

따라서 $p=50$, $q=1$이므로 $p+q=51$

05 답 ④

첫째항이 -21이고 공차가 4인 등차수열의 첫째항부터 제n항까지의 합 S_n은 $S_n=\frac{n\{2(-21)+(n-1)\times 4\}}{2}=$ ❶ $n(2n-23)$

즉 S_n이 n에 대한 이차함수이고, 그래프 개형은 다음과 같다.

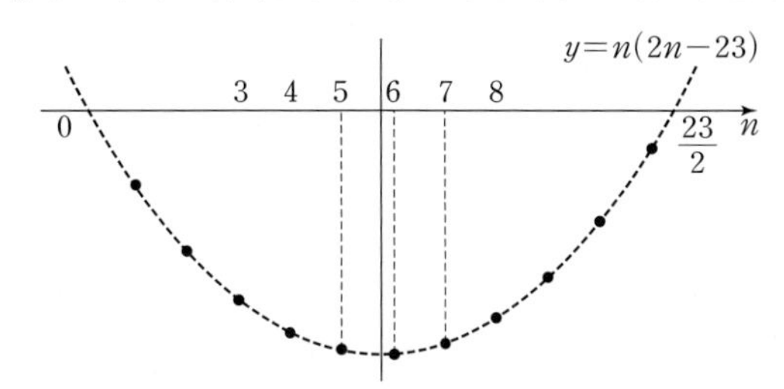

$y=S_n$의 그래프에서 축은 $\frac{23}{4}=5.75$이므로 S_6이 최소이고,

$5.75-3=2.75$, $8-5.75=2.25$이므로 $S_3>S_8$이다.

즉 $S_6<S_5<S_7<S_4<S_8(=-56)<S_3(=-51)\cdots$에서

$S_4+S_5+S_6+S_7+S_8<S_3+S_4+S_5+S_6+S_7$

그러므로 $\sum_{k=m}^{m+4}S_k=S_m+S_{m+1}+S_{m+2}+S_{m+3}+S_{m+4}$는

$m=$ ❷ 4 일 때 최소임을 알 수 있다.

$$\therefore \sum_{k=4}^{8}S_k=\sum_{k=4}^{8}(2k^2-23k)$$
$$=2\left(\frac{8\times 9\times 17}{6}-\frac{3\times 4\times 7}{6}\right)-23\left(\frac{8\times 9}{2}-\frac{3\times 4}{2}\right)$$
$$=2\times 190-23\times 30=-310$$

06 답 162

등비수열 $\{a_n\}$의 공비를 r (r는 정수)라 하면

첫째항이 2이므로 $a_n=2r^{n-1}$, 이때 $a_2=2r$, $a_3=2r^2$

(가)에서 $4<2r+2r^2\le 12$, 즉 $2<r+r^2\le 6$

$r^2+r>2$에서 $r^2+r-2=(r+2)(r-1)>0$이므로

$r<-2$ 또는 $r>1$ ······ ㉠

$r^2+r\le 6$에서 $r^2+r-6=(r+3)(r-2)\le 0$이므로

$-3\le r\le 2$ ······ ㉡

㉠, ㉡에서 $-3\le r<-2$ 또는 $1<r\le 2$

r가 정수이므로 $r=-3$ 또는 $r=2$

(i) $r=2$인 경우

(나)에서 $\sum_{k=1}^{m}a_k=\sum_{k=1}^{m}(2\times 2^{k-1})=2(2^m-1)$

즉 $2(2^m-1)=122$에서

$2^m=62$를 만족시키는 자연수 m은 존재하지 않는다.

(ii) $r=-3$인 경우

(나)에서 $\sum_{k=1}^{m}a_k=\sum_{k=1}^{m}\{2\times(-3)^{k-1}\}=\frac{1-(-3)^m}{2}$

즉 $\frac{1-(-3)^m}{2}=122$에서

$1-(-3)^m=244$ $\quad\therefore m=5$

(i), (ii)에서 $r=$ ❶ -3, $m=$ ❷ 5 이므로

$a_m=a_5=2\times(-3)^4=162$

07 답 ②

모든 자연수 k에 대하여

$\frac{^{(가)}\sqrt{2k+1}+\sqrt{2k-1}}{2}<\sqrt{2k+1}<\frac{\sqrt{2k+1}+\sqrt{2k+3}}{2}$이므로

$\frac{2}{\sqrt{2k+1}+\sqrt{2k+3}}<\frac{1}{\sqrt{2k+1}}<\frac{2}{^{(가)}\sqrt{2k+1}+\sqrt{2k-1}}$

즉 $\sum_{k=1}^{264}\frac{2}{\sqrt{2k+1}+\sqrt{2k+3}}<\sum_{k=1}^{264}\frac{1}{\sqrt{2k+1}}$

$<\sum_{k=1}^{264}\frac{2}{\sqrt{2k+1}+\sqrt{2k-1}}$

이때

$\sum_{k=1}^{264}\frac{2}{\sqrt{2k+1}+\sqrt{2k+3}}$

$=\sum_{k=1}^{264}(\sqrt{2k+3}-\sqrt{2k+1})$

$=(\sqrt{5}-\sqrt{3})+(\sqrt{7}-\sqrt{5})+\cdots+(\sqrt{531}-\sqrt{529})$

$=-\sqrt{3}+\sqrt{531}>-2+23=21$

$(\because \sqrt{531}>\sqrt{529}=23,\ -\sqrt{3}>-2)$

같은 방법으로

$\sum_{k=1}^{264}\frac{2}{\sqrt{2k+1}+\sqrt{2k-1}}$

$=\sum_{k=1}^{264}(\sqrt{2k+1}-\sqrt{2k-1})$

$=(\sqrt{3}-\sqrt{1})+(\sqrt{5}-\sqrt{3})+\cdots+(\sqrt{529}-\sqrt{527})$

$=-\sqrt{1}+\sqrt{529}$

$=-1+23={}^{(나)}22$

즉 $21<\sum_{k=1}^{264}\frac{1}{\sqrt{2k+1}}<{}^{(나)}22$이므로

S_{264}의 정수부분은 $^{(다)}21$이다.

$\therefore$ (가) $\sqrt{2k+1}+\sqrt{2k-1}$ (나) 22 (다) 21

즉 $f(k)=\sqrt{2k+1}+\sqrt{2k-1}$이므로 $f(24)=7+\sqrt{47}$이고

$a=22,\ b=21$이므로 $f(24)+2a+b=72+\sqrt{47}$

$\therefore m+n=72+47=119$

08 답 ④

그림 R_1에서 부채꼴 OA_1B_2의 호 A_1B_2와 선분A_1B_1이 만나는 점을 C_1이라 하자.

$\overline{OA_1}=6,\ \overline{OB_1}=6\sqrt{3}$이므로

$\angle B_1A_1O=60°$이고

$\overline{OA_1}=\overline{OC_1}=6$이므로

$\triangle OA_1C_1$은 정삼각형이다.

$\angle C_1OA_1=60°$이므로

부채꼴 C_1OA_1의 넓이와 삼각형 C_1OA_1의 넓이 차는

$\frac{1}{2}\times 36\times\frac{\pi}{3}-\frac{1}{2}\times 36\times\sin 60°=6\pi-9\sqrt{3}$ ⋯⋯ ㉠

또 $\angle C_1OB_1=30°$이므로

삼각형 C_1OB_1의 넓이와 부채꼴 C_1OB_2의 넓이 차는

$\frac{1}{2}\times 6\times 6\sqrt{3}\times\sin 30°-\frac{1}{2}\times 6^2\times\frac{\pi}{6}=9\sqrt{3}-3\pi$ ⋯⋯ ㉡

㉠, ㉡에서

$S_1=(6\pi-9\sqrt{3})+(9\sqrt{3}-3\pi)=$ ❶ $\underline{3\pi}$

한편 삼각형 B_1OA_1과 삼각형 B_2OA_2의 닮음비는

$\overline{OB_1}:\overline{OB_2}=6\sqrt{3}:6=\sqrt{3}:1$

이므로 R_2에서 새로 만들어진 작은 ◣ 모양 도형의 넓이는

$S_1\times\left(\frac{1}{\sqrt{3}}\right)^2=\frac{1}{3}S_1$, 즉 $S_2=S_1+$ ❷ $\underline{\frac{1}{3}S_1}$

마찬가지로 R_3에서 새로 만들어진 작은 ◣ 모양 도형의 넓이는

$\frac{1}{3}S_1\times\left(\frac{1}{\sqrt{3}}\right)^2=\frac{1}{9}S_1$, 즉 $S_3=S_1+\frac{1}{3}S_1+\left(\frac{1}{3}\right)^2S_1$

$\therefore S_{12}=S_1+\frac{1}{3}S_1+\left(\frac{1}{3}\right)^2S_1+\cdots+\left(\frac{1}{3}\right)^{11}S_1$

$=\frac{3\pi\left\{1-\left(\frac{1}{3}\right)^{12}\right\}}{1-\frac{1}{3}}=\frac{9}{2}\pi\left\{1-\left(\frac{1}{3}\right)^{12}\right\}$

09 답 ④

n단계에서 새로 만들어지는 정삼각형의 한 변의 길이는

$(n-1)$단계에서 만들어진 정삼각형의 한 변 길이의 $\frac{1}{3}$이므로

n단계에서 새로 만들어지는 정삼각형 1개의 넓이는

$(n-1)$단계에서 새로 만들어진 정삼각형 1개 넓이의 ❶ $\underline{\frac{1}{9}}$ 이다.

또 그 개수는$(n-1)$단계의 도형의 변의 개수와 같다.

또 각 단계에서 변의 개수는 첫째항이 3이고 공비가 ❷ $\underline{4}$ 인 등비수열을 따르므로 n번째 단계에서 만들어진 도형의 넓이를 S_n이라 하면 다음과 같이 정리할 수 있다.

$S_1=10$

$S_2=S_1+10\times\frac{1}{9}\times 3=10+10\times\frac{1}{3}$

$S_3=S_2+10\times\left(\frac{1}{9}\right)^2\times(3\times 4)=10+10\times\frac{1}{3}+10\times\frac{1}{3}\times\frac{4}{9}$

$S_4=S_3+10\times\left(\frac{1}{9}\right)^3\times(3\times 4^2)$

$=10+10\times\frac{1}{3}+10\times\frac{1}{3}\times\frac{4}{9}+10\times\frac{1}{3}\times\left(\frac{4}{9}\right)^2$

이때 n번째 단계에서 만들어진 코흐 눈송이의 넓이는

$S_n=10+\left\{10\times\left(\frac{1}{3}\right)\right\}+\left\{10\times\left(\frac{1}{3}\right)\times\left(\frac{4}{9}\right)\right\}$

$+\left\{10\times\left(\frac{1}{3}\right)\times\left(\frac{4}{9}\right)^2\right\}+\cdots+\left\{10\times\left(\frac{1}{3}\right)\times\left(\frac{4}{9}\right)^{n-2}\right\}$

즉 코흐 눈송이의 넓이는 두 번째 항부터 공비가 $\frac{4}{9}$인 등비수열의 합이므로 구하려는 S_{10}은

$$S_{10}=10+\left\{10\times\left(\frac{1}{3}\right)\right\}+\left\{10\times\left(\frac{1}{3}\right)\times\left(\frac{4}{9}\right)\right\}$$

$$+\left\{10\times\left(\frac{1}{3}\right)\times\left(\frac{4}{9}\right)^2\right\}+\cdots+\left\{10\times\left(\frac{1}{3}\right)\times\left(\frac{4}{9}\right)^8\right\}$$

$$=10+\frac{10\times\left(\frac{1}{3}\right)\times\left\{1-\left(\frac{4}{9}\right)^9\right\}}{1-\frac{4}{9}}$$

$$=10+6\times\left\{1-\left(\frac{4}{9}\right)^9\right\}$$

$$=16-6\left(\frac{2}{3}\right)^{18}$$

따라서 $p=16$, $q=18$이므로 $p+q=34$

10 답 ⑤

함수 $g(x)=2x^2-3x+1=(x-1)(2x-1)$이므로

직선 $f(x)=k(x-1)$과 만나는 점의 좌표는 $(1, 0)$이다.

(가)에서 세 수 $h(2)$, $h(3)$, $h(4)$가

이 순서대로 등차수열을 이루려면 직선 위의 점이어야 하므로

좌표평면 위의 세 점 $(2, h(2))$, $(3, h(3))$, $(4, h(4))$는

직선 $y=f(x)$ 위의 점이 된다. 즉

$h(2)=f(2)=k$, $h(3)=f(3)=2k$, $h(4)=f(4)=3k$

또 (나)에서 세 수 $h(3)$, $h(4)$, $h(5)$가

이 순서대로 등비수열을 이룰 때 $h(3)=2k$, $h(4)=3k$이므로 이 등비수열의 공비는 ❶ $\frac{3}{2}$ 이다. 즉 $h(5)=3k\times\frac{3}{2}=\frac{9}{2}k$

한편 $f(5)=4k$이고, $k\neq0$이므로 $f(5)\neq h(5)$

즉 $h(5)=g(5)$에서 $\frac{9}{2}k=36$이므로 $k=$ ❷ 8

$$\therefore h(n)=\begin{cases}8(n-1) & (1\le n\le 4)\\ 2n^2-3n+1 & (n\ge5)\end{cases}$$

$$\sum_{n=1}^{10}h(n)=\sum_{n=1}^{4}8(n-1)+\sum_{n=5}^{10}(2n^2-3n+1)$$

$$=8(1+2+3)+2\left(\frac{10\times11\times21}{6}-\frac{4\times5\times9}{6}\right)$$

$$-3\left(\frac{10\times11}{2}-\frac{4\times5}{2}\right)+6$$

$$=48+2(385-30)-3(55-10)+6$$

$$=48+710-135+6=629$$

참고

$y=h(x)$의 그래프는 그림에서 붉은 색선으로 나타낸 부분이다. 그림은 실제 기울기인 8보다 훨씬 더 완만하게 그려 문제 내용을 좀 더 이해하기 쉽도록 나타낸 것으로 생각한다.

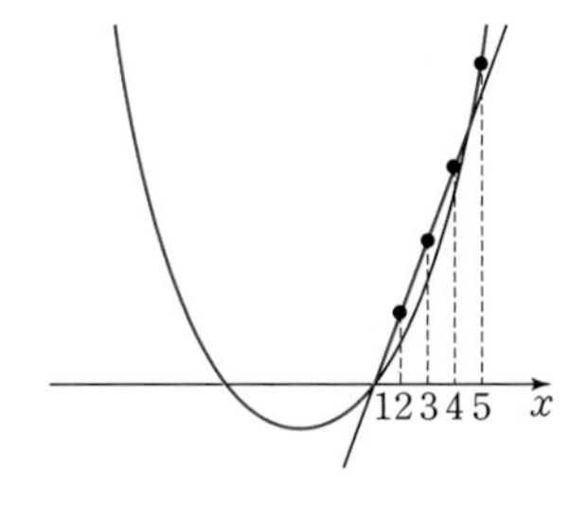

11 답 117

등차수열 $\{a_n\}$의 첫째항을 자연수 a_1, 공차를 음의 정수 d라 하면 모든 항은 정수이다. 마찬가지로 등비수열 $\{b_n\}$의 첫째항을 자연수 b_1, 공비를 음의 정수 r라 하면 모든 항은 정수이다. 이때

$$\sum_{n=1}^{5}(a_n+b_n)=27 \quad \cdots\cdots ㉠$$

$$\sum_{n=1}^{5}(a_n+|b_n|)=67 \quad \cdots\cdots ㉡$$

$$\sum_{n=1}^{5}(|a_n|+|b_n|)=81 \quad \cdots\cdots ㉢$$

이라 하면 ㉡$-$㉠에서 $\sum_{n=1}^{5}(|b_n|-b_n)=40$ ······ ㉣

등비수열 $\{b_n\}$에서 공비 $r<0$이므로

b_1, b_3, b_5는 양수이고 b_2, b_4는 음수이다.

즉 $|b_1|=b_1$, $|b_3|=b_3$, $|b_5|=b_5$이므로

㉣에서 $\sum_{n=1}^{5}(|b_n|-b_n)=-2(b_2+b_4)=40$

이때 $b_2+b_4=b_1r(1+r^2)=-20$ ······ ㉤

에서 $1+r^2$은 20의 약수이고, r가 음의 정수임을 생각하면

r는 -1, -2, -3만 가능하다.

$r=-1$이면 ㉤에서 $-2b_1=-20$, 즉 $b_1=10$이므로 가능

$r=-2$이면 ㉤에서 $-10b_1=-20$, 즉 $b_1=2$이므로 가능

$r=-3$이면 ㉤에서 $-30b_1=-20$, 즉 b_1이 자연수가 아니다.

즉 등비수열 $\{b_n\}$에서 공비로 가능한 값은 -1과 -2이므로

다음과 같이 $\sum_{n=1}^{5}b_n$을 구할 수 있다.

(i) $b_1=10$, $r=-1$인 경우

$b_n=10(-1)^{n-1}$이므로 $\sum_{n=1}^{5}b_n=\frac{10\{1-(-1)^5\}}{2}=10$

㉠에서 $\sum_{n=1}^{5}a_n=27-\sum_{n=1}^{5}b_n=27-10=17$

즉 $\sum_{n=1}^{5}a_n=\frac{5(2a_1+4d)}{2}=17$이므로 $a_1+2d=\frac{17}{5}$

그런데 a_1과 d가 모두 정수이므로 가능하지 않다.

(ii) $b_1=2$, $r=-2$인 경우

$b_n=$ ❶ $2(-2)^{n-1}$ 이므로 $\sum_{n=1}^{5}b_n=\frac{2\{1-(-2)^5\}}{3}=22$

㉠에서 $\sum_{n=1}^{5}a_n=27-\sum_{n=1}^{5}b_n=27-22=5$

즉 $\sum_{n=1}^{5}a_n=\frac{5\{2a_1+4d\}}{2}=5$에서 $a_1+2d=$ ❷ 1

을 만족시키는 자연수 a_1과 음의 정수 d가 존재한다.

그런데 $a_3=a_1+2d=1$이고, 공차 d가 음의 정수이므로

$a_1>0$, $a_2>0$, $a_3=1$, $a_4=0$, $a_5<0$

또는 $a_1>0$, $a_2>0$, $a_3=1$, $a_4<0$, $a_5<0$

인 두 가지 경우로 나눌 수 있고,

㉢$-$㉡에서 $\sum_{n=1}^{5}(|a_n|-a_n)=14$를 이용할 수 있다.

첫째, $a_1>0$, $a_2>0$, $a_3=1$, $a_4=0$, $a_5<0$인 경우

공차 $d=-1$이므로 $a_5=-1$인데, $\sum_{n=1}^{5}(|a_n|-a_n)=-2a_5=14$

에서 $a_5=-7$이므로 모순

둘째, $a_1>0$, $a_2>0$, $a_3=1$, $a_4<0$, $a_5<0$인 경우

$\sum_{n=1}^{5}(|a_n|-a_n)=-2(a_4+a_5)=14$

에서 $a_4+a_5=(a_1+3d)+(a_1+4d)=2a_1+7d=-7$

이것과 $a_1+2d=1$을 연립해서 풀면 $a_1=7$, $d=-3$

$\therefore a_n=7-3(n-1)=10-3n$

따라서 $a_7+b_7=(10-21)+2(-2)^6=-11+128=117$

12 답 624

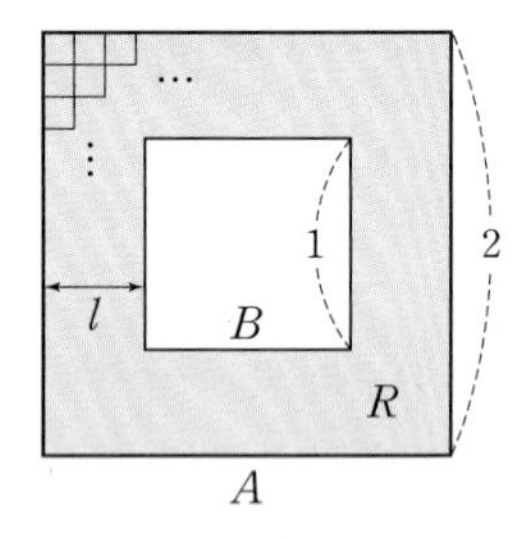

위 그림처럼 정사각형 A와 정사각형 B 사이의 폭을 l이라 하면 $l=\frac{1}{2}$이고, l을 $\frac{1}{n}$로 나누면 몫이 $\frac{n}{2}$이므로 n이 짝수, 즉 $n=2k$(k는 자연수)일 때는 한 변의 길이가 $\frac{1}{n}$인 작은 정사각형 k개를 딱 맞게 그릴 수 있다.

또 n이 홀수 즉 $n=2k+1$ (k는 자연수)일 때는 l을 $\frac{1}{n}$로 나눈 몫이 $\frac{n}{2}=k+\frac{1}{2}$이므로 A와 B의 경계에 걸쳐지는 정사각형이 존재한다. 그러므로 a_n은 다음과 같이 구할 수 있다.

(i) $n=2k$ (k는 자연수)일 때

규칙에 따라 R에 그릴 수 있는 한 변의 길이가 $\frac{1}{n}$인 작은 정사각형의 최대 개수는 정사각형 A의 내부에 그릴 수 있는 정사각형 개수에서 정사각형 B의 내부에 그릴 수 있는 정사각형 개수를 빼면 된다.

A의 한 변을 따라 작은 정사각형을 $4k$개 그릴 수 있으므로 A에 그릴 수 있는 정사각형 개수는 $4k\times4k=16k^2$,

마찬가지로 B에 그릴 수 있는 정사각형 개수는 $2k\times2k=4k^2$

$\therefore a_{2k}=16k^2-4k^2=$ ❶ $12k^2$

(ii) $n=2k+1$ (k는 자연수)일 때

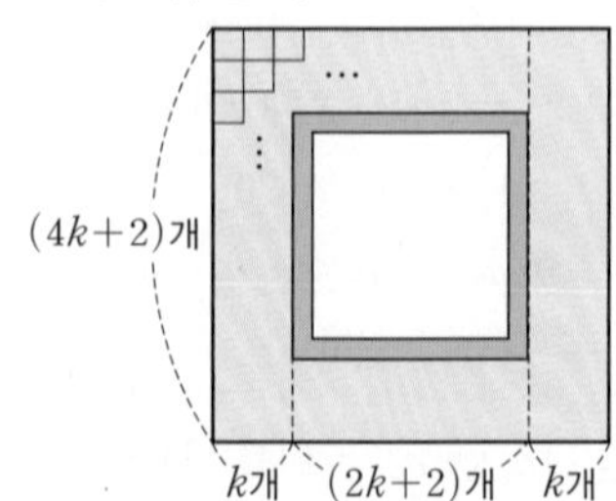

위 그림처럼 규칙에 따라 R에 그릴 수 있는 한 변의 길이가 $\frac{1}{n}$인 작은 정사각형의 최대 개수는 정사각형 A의 내부에 그릴 수 있는 정사각형 개수에서 정사각형 B의 내부와 경계에 걸쳐지는 정사각형 개수를 빼면 된다.

A의 한 변을 따라 그릴 수 있는 작은 정사각형 개수는

$\frac{2}{\frac{1}{2k+1}}=4k+2$이므로 A에 그릴 수 있는 정사각형 개수는 $(4k+2)^2$이고, 마찬가지로 생각하면 B의 내부와 경계에 그릴 수 있는 정사각형 개수는 $(2k+2)^2$이다.

$a_{2k+1}=(4k+2)^2-(2k+2)^2=$ ❷ $12k^2+8k$

$\therefore \sum_{n=2}^{25}(-1)^{n+1}a_n$

$=-a_2+a_3-a_4+a_5+\cdots+a_{23}-a_{24}+a_{25}$

$=(a_3+a_5+a_7+\cdots+a_{25})-(a_2+a_4+a_6+\cdots+a_{24})$

$=\sum_{k=1}^{12}a_{2k+1}-\sum_{k=1}^{12}a_{2k}$

$=\sum_{k=1}^{12}(12k^2+8k)-\sum_{k=1}^{12}12k^2$

$=\sum_{k=1}^{12}8k$

$=8\times\frac{12\times13}{2}=624$

참고

(i) n이 짝수일 때

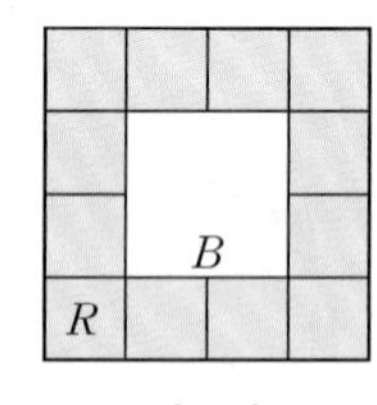

$a_2=4^2-2^2=12$

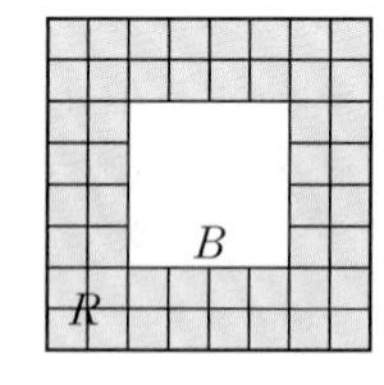

$a_4=8^2-4^2=48$

같은 방법으로 생각하면 $a_{2n}=(4n)^2-(2n)^2=12n^2$

(ii) n이 홀수일 때

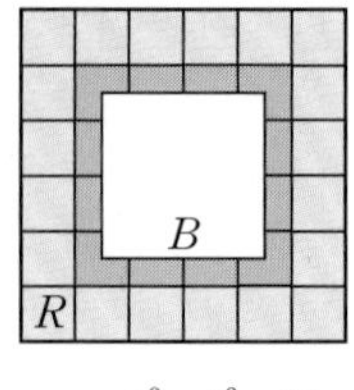

$a_3=6^2-4^2=20$

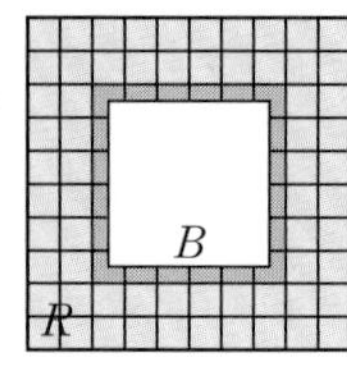

$a_5=10^2-6^2=64$

같은 방법으로 생각하면

$a_{2n+1}=\{2(2n+1)\}^2-(2n+2)^2=12n^2+8n$

13 답 ⑤

A_n은 점 A_{n-1}에서 점 P가 $\frac{2n-1}{36}$만큼 이동한 위치에 있는 점이고, 이때 A_n이 이동한 거리를 $f(\mathrm{A}_n)$이라 하자.

$f(\mathrm{A}_1)=f(\mathrm{A}_0)+\dfrac{2\times1-1}{36}=0+\dfrac{1}{36}=\dfrac{1}{36}$

$f(\mathrm{A}_2)=f(\mathrm{A}_1)+\dfrac{3}{36}=\dfrac{1+3}{36}=\dfrac{2^2}{36}$

$f(\mathrm{A}_3)=f(\mathrm{A}_2)+\dfrac{5}{36}=\dfrac{1+3+5}{36}=\dfrac{3^2}{36}$

$f(\mathrm{A}_4)=f(\mathrm{A}_3)+\dfrac{7}{36}=\dfrac{1+3+5+7}{36}=\dfrac{4^2}{36}$

$\cdots$

이므로

$f(\mathrm{A}_n)=f(\mathrm{A}_{n-1})+\dfrac{2n-1}{36}$

$=\dfrac{1+3+5+\cdots+(2n-1)}{36}$

$=\dfrac{n^2}{36}$

ㄱ. $f(\mathrm{A}_{16})=\dfrac{16^2}{36}=\dfrac{64}{9}=6+\dfrac{10}{9}=4+\dfrac{28}{9}$이므로

A_{16}의 위치는 $\left(4,\ \dfrac{28}{9}\right)$이다. (○)

ㄴ. 경로와 직선 $y=x$가 만나는 점의 좌표를 $(2k,\ 2k)$ (k는 자연수)라 하면 이때 $f(\mathrm{A}_n)=4k$,

즉 $\dfrac{n^2}{36}=4k$에서 $n^2=144k=12^2k$

n과 k는 모두 자연수이므로 n은 12의 배수이다.

$\therefore\ n=12,\ 24,\ 36,\ 48,\ \cdots$

이때 $y=x$ 위에 있는 A_n 중 원점에서 세 번째로 가까운 점은 ❶ A_{36}이므로 $n=36$이면 $k=9$

즉 A_{36}의 좌표는 $(18,\ 18)$ (○)

ㄷ. A_n이 $y=0$ 부분, $y=2$ 부분, $y=4$ 부분, $\cdots$에 있는 경우로 나누어 생각해 보자.

(i) A_n이 $y=0\ (0\le x\le 2)$에 존재하는 경우

$0\le f(\mathrm{A}_n)\le 2$이므로 $0\le \dfrac{n^2}{36}\le 2$에서 $0\le n^2\le 72$를 만족시키는 음이 아닌 정수 n의 값은 0부터 8까지 ❷ 9 개다.

(ii) A_n이 $y=2\ (2\le x\le 4)$에 존재하는 경우

$4\le f(\mathrm{A}_n)\le 6$이므로 $4\le \dfrac{n^2}{36}\le 6$에서 $144\le n^2\le 216$을 만족시키는 자연수 n의 값은 12부터 14까지 3개다.

(iii) A_n이 $y=4\ (4\le x\le 6)$에 존재하는 경우

$8\le f(\mathrm{A}_n)\le 10$이므로 $8\le \dfrac{n^2}{36}\le 10$에서 $288\le n^2\le 360$을 만족시키는 자연수 n의 값은 17과 18, 즉 2개다.

(iv) A_n이 $y=6\ (6\le x\le 8)$에 존재하는 경우

$12\le f(\mathrm{A}_n)\le 14$이므로 $12\le \dfrac{n^2}{36}\le 14$에서 $432\le n^2\le 504$를 만족시키는 자연수 n의 값은 21과 22, 즉 2개다.

(v) A_n이 $y=8\ (8\le x\le 10)$에 존재하는 경우

$16\le f(\mathrm{A}_n)\le 18$이므로 $16\le \dfrac{n^2}{36}\le 18$에서 $576\le n^2\le 648$을 만족시키는 자연수 n의 값은 24와 25, 즉 2개다.

(i)~(iv)에서 $9+3+2+2=16$이므로

경로 중 17번째로 x축에 평행한 선분에 있는 점은 $y=8\ (8\le x\le 10)$의 첫 번째 점이고,

이때 자연수 n값은 24다. (○)

따라서 옳은 것은 ㄱ, ㄴ, ㄷ

14 답 ③

$a_4=10$이고 (가)에서 $a_n=a_{n+1}-(n+1)$이므로

$n=3$을 대입하면 $a_3=a_4-4=10-4=6$

마찬가지로 $a_2=a_3-3=6-3=3$, $a_1=a_2-2=3-2=$ ❶ 1

즉 수열 $\{a_n\}$은 $1,\ 3,\ 6,\ 10,\ 15,\ 21,\ \cdots$

(나)에서 $n=1$을 대입하면 $b_3=2b_1=2^2$

$n=2$를 대입하면 $b_6=2b_3=2^3$

$n=3$을 대입하면 $b_{10}=2b_6=2^4$

$n=4$를 대입하면 $b_{15}=2b_{10}=2^5$

(다)에서

(i) $n=1$, 즉 $1\le m<2$일 때, $b_2=\dfrac{3}{2}b_1=\dfrac{3}{2}\times2=3$

(ii) $n=2$, 즉 $3\le m<5$일 때

$b_4=\dfrac{3}{2}b_3=\dfrac{3}{2}\times2^2=2\times3$

$b_5=\dfrac{3}{2}b_4=\dfrac{3}{2}\times(2\times3)=3^2$

(iii) $n=3$, 즉 $6\le m<9$일 때

$b_7=\dfrac{3}{2}b_6=\dfrac{3}{2}\times2^3=$ ❷ $2^2\times3$

$b_8=\dfrac{3}{2}b_7=\dfrac{3}{2}\times(2^2\times3)=2\times3^2$

$b_9=\dfrac{3}{2}b_8=\dfrac{3}{2}\times(2\times3^2)=3^3$

(iv) $n=4$, 즉 $10\le m<14$일 때

$b_{11}=\dfrac{3}{2}b_{10}=\dfrac{3}{2}\times2^4=2^3\times3$

$b_{12}=\dfrac{3}{2}b_{11}=\dfrac{3}{2}\times(2^3\times3)=2^2\times3^2$

$b_{13}=\dfrac{3}{2}b_{12}=\dfrac{3}{2}\times(2^2\times3^2)=2\times3^3$

$b_{14}=\dfrac{3}{2}b_{13}=\dfrac{3}{2}\times(2\times3^3)=3^4$

즉 수열 $\{b_n\}$을 차례대로 나열하면

$2,\ 3,\ 2^2,\ 2\times3,\ 3^2,\ 2^3,\ 2^2\times3,\ 2\times3^2,\ 3^3,\ 2^4,\ 2^3\times3,\ \cdots$

이고, $2^a\times3^b$ (a, b는 음이 아닌 정수)에서 각 항들을 $(a+b)$의 값을 기준으로 다음과 같은 묶음으로 구분할 수 있다.

$(2, 3), (2^2, 2\times3, 3^2), (2^3, 2^2\times3, 2\times3^2, 3^3),$
$(2^4, 2^3\times3, 2^2\times3^2, 2\times3^3, 3^4), \cdots$

이때 각 묶음 안에서 수열 $\{b_n\}$은 공비가 $\frac{3}{2}$인 등비수열이고, 각 묶음에 속한 항의 개수는 차례로 2, 3, 4, 5$\cdots$이다.

$2+3+4+\cdots+10=54$이므로 $\sum_{n=1}^{54} b_n$은 묶음 9개의 합이다.

n번째 묶음의 합을 S_n이라 하면 S_n은 첫째항이 2^n, 공비가 $\frac{3}{2}$인 등비수열을 이루는 항 $(n+1)$개의 합과 같다.

$$\therefore S_n=\frac{2^n\left\{\left(\frac{3}{2}\right)^{n+1}-1\right\}}{\frac{3}{2}-1}=3^{n+1}-2^{n+1}$$

$$\begin{aligned}\therefore \sum_{n=1}^{54} b_n&=(b_1+b_2)+(b_3+b_4+b_5)+(b_6+b_7+b_8+b_9)\\&\quad+(b_{10}+\cdots+b_{14})+\cdots+(b_{45}+\cdots+b_{54})\\&=\sum_{n=1}^{9} S_n\\&=\sum_{n=1}^{9}(3^{n+1}-2^{n+1})\\&=\frac{3^2(3^9-1)}{3-1}-\frac{2^2(2^9-1)}{2-1}\\&=\frac{3^{11}-9}{2}-(2^{11}-4)\\&=\frac{3^{11}-1}{2}-2^{11}\end{aligned}$$

참고

수열 $\{a_n\}$의 각 항이 1, 3, 6, 10, 15, 21, 28, 36, $\cdots$이므로 조건 (나)에 따라 $b_3=2b_1$, $b_6=2b_3$, $b_{10}=2b_6$, $b_{15}=2b_{10}$, $\cdots$
즉 수열 $\{a_n\}$을 따르는 항인 b_3, b_6, b_{10}, b_{15}, b_{21}, $\cdots$을 구할 수 있다. 수열 $\{b_n\}$을 완성할 수 있다고 생각하면서 접근한다. 수열 $\{b_n\}$의 각 항을 구하면서 규칙성을 찾아야 함은 물론이다.

집중공략 유형 05 함수의 극한과 연속

p. 39~48

01 ①	**02-1** 13	**02-2** 22	**03-1** ②
03-2 ②	**04** 4	**05** ②	**06** 16
07 30	**08** 4	**09** 40	**10** 27
11 ④	**12** 7	**13** 24	

01 답 ①

모든 실수 x에서 $f(x)g(x)=x(x+3)$이고, $g(0)=1$이므로 (가)에서 $f(0)=0$, 즉 $f(x)=x(x^2+ax+b)$로 놓을 수 있다.

이때 $g(x)=\frac{x(x+3)}{f(x)}=\frac{x(x+3)}{x(x^2+ax+b)}=\frac{x+3}{x^2+ax+b}$

에서 $g(0)=\frac{3}{b}=1$이므로 $b=3$

즉 $g(x)=\frac{x+3}{x^2+ax+3}$에서 함수 $g(x)$가 모든 실수에서 연속이려면 분모가 0이 아니어야 하므로 $x^2+ax+3\neq0$

$D=a^2-12<0$에서 $-2\sqrt{3}<a<2\sqrt{3}$

또 $f(1)=1+a+b=a+4$가 자연수이므로 a는 -3 이상인 정수고, 이때 $-2\sqrt{3}<a<2\sqrt{3}$인 a는 $-3, -2, -1, \cdots, 2, 3$

즉 $g(2)=\frac{5}{2a+7}$가 최소가 되려면 $2a+7$이 최대이면 된다.

따라서 $g(2)$의 최솟값은 $a=3$일 때 $\frac{5}{2\times3+7}=\frac{5}{13}$

02-1 답 13

$f(g(x))$가 $x=2$에서 불연속이려면 $\lim_{x\to2}f(g(x))\neq f(g(2))$

$g(x)=(x-2)^2+k-4$에서 $x\longrightarrow2$일 때, $g(x)\longrightarrow(k-4)+$

즉 $\lim_{t\to(k-4)+}f(t)\neq f(k-4)$이려면

$f(x)$에서 $x=k-4$일 때의 함숫값과 $x=k-4$일 때의 우극한이 서로 달라야 한다. 주어진 함수 $y=f(x)$의 그래프에서 함숫값과 우극한이 서로 다른 경우는

$k-4=2$ 또는 $k-4=3$일 때이므로 $k=\underline{6, 7}$

따라서 구하려는 모든 k값의 합은 $6+7=13$

다른 풀이

$f(g(2))=f(k-4)$이므로 $k-4\neq1$, $k-4\neq2$, $k-4\neq3$일 때, 함수 $(f\circ g)(x)$는 $x=k-4$에서 연속이다.

(i) $k-4=1$, 즉 $k=5$일 때, $\lim_{t\to1+}f(t)=3$, $f(1)=3$이므로
함수 $(f\circ g)(x)$는 $x=2$에서 연속이다.

(ii) $k-4=2$, 즉 $k=6$일 때, $\lim_{t\to2+}f(t)=2$, $f(2)=1$이므로
함수 $(f\circ g)(x)$는 $x=2$에서 불연속이다.

(iii) $k-4=3$, 즉 $k=7$일 때, $\lim_{t\to3+}f(t)=2$, $f(3)=1$이므로
함수 $(f\circ g)(x)$는 $x=2$에서 불연속이다.

(i), (ii), (iii)에서 구하려는 실수 k값은 6과 7

02-2 답 22

함수 $(f\circ g)(x)$가 $x=3$에서 불연속이 되려면

$\lim_{x\to 3} f(g(x)) \neq f(g(3))$

$g(x)=-(x-3)^2+9-k$에서 $x \longrightarrow 3$일 때,

$g(x) \longrightarrow (9-k)-$

즉 $\lim_{t\to (9-k)-} f(t) \neq f(g(3))$이어야 한다.

$f(g(3))=f(9-k)$이므로 $\lim_{t\to (9-k)-} f(t) \neq f(9-k)$이려면

함수 $f(x)$에서 $x=9-k$일 때의 함숫값과 $x=9-k$일 때의 좌극한이 서로 달라야 한다. 주어진 함수 $y=f(x)$의 그래프에서 함숫값과 좌극한이 서로 다른 경우는

$-k+9=0$ 또는 $-k+9=2$ 또는 $-k+9=3$이므로 $k=6, 7, 9$

따라서 구하려는 모든 k값의 합은 $6+7+9=22$

참고

$a=-1$일 때 그림처럼 생각하면 함수 $f(x)f(x-a)$는 실수 전체의 집합에서 연속이다. 즉 함수 $f(x)f(x-a)$가 실수 전체의 집합에서 연속이 되도록 하는 상수 a는 1과 -1, 두 개가 있다.

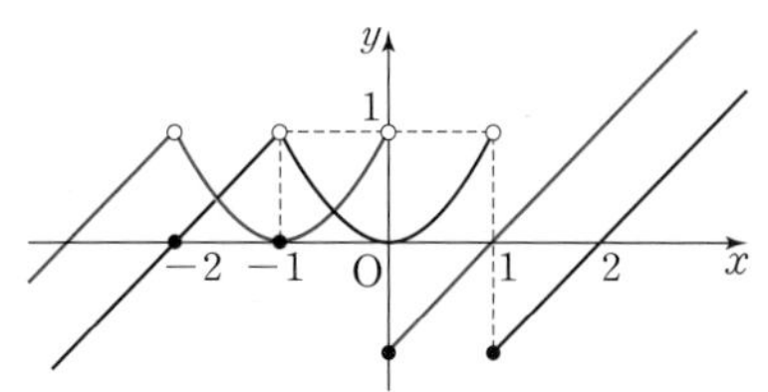

[$a=-1$일 때 $f(x)$와 $f(x+1)$]

※ 다음과 같이 함수 $f(x)f(x-a)$가 실수 전체에서 연속이 되도록 하는 상수 a값을 찾을 수 있다.

(i) $f(x)$의 불연속점에서 $f(x-a)=0$인 경우

$x=-1$일 때 $-1-a=-2, 0, 2$ $\quad\therefore a=-3, -1, 1$

$x=1$일 때 $1-a=-2, 0, 2$ $\quad\therefore a=3, 1, -1$

즉 $a=1, -1$

(ii) $f(x-a)$의 불연속점에서 $f(x)=0$인 경우

$x=-1+a$일 때 $-1+a=-2, 0, 2$ $\quad\therefore a=-1, 1, 3$

$x=1+a$일 때 $1+a=-2, 0, 2$ $\quad\therefore a=-3, -1, 1$

즉 $a=-1, 1$

03-1 답 ②

ㄱ. $-x=t$라 하면 $\lim_{x\to 1+} f(-x)=\lim_{x\to -1-} f(t)=1$

$\therefore \lim_{x\to 1+}\{f(x)+f(-x)\}=-1+1=0$ (○)

ㄴ. $g(x)=f(x)-|f(x)|$라 하면

$$g(x)=\begin{cases} 0 & (f(x)\geq 0) \\ 2f(x) & (f(x)<0) \end{cases}$$

$$g(x)=\begin{cases} 2x+4 & (x\leq -2) \\ 0 & (-2<x<1) \\ 2x-4 & (1\leq x<2) \\ 0 & (x\geq 2) \end{cases}$$

즉 그림처럼 나타낼 수 있으므로

함수 $g(x)=f(x)-|f(x)|$에서

$x=$❶ 1일 때만 불연속이다. (○)

ㄷ. (반례) $a=1$인 경우를 생각해 보자.

함수 $f(x)$와 $f(x-1)$의 그래프를 함께 나타내면 그림과 같다.

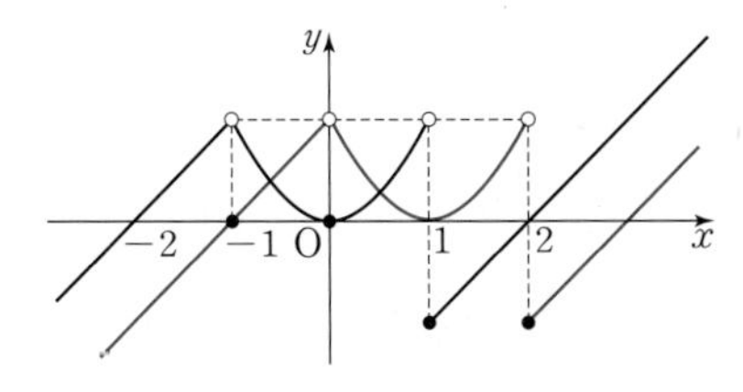

함수 $f(x)$가 $x=-1, 1$에서 불연속이지만

이때 $f(x-1)$은 연속이고 $f(-2)=f(0)=0$이므로

$f(x)f(x-1)$은 연속이다.

또 함수 $f(x-1)$은 $x=0, 2$에서 불연속이지만

이때 $f(x)$는 연속이고 $f(0)=f(2)=0$이므로

$f(x)f(x-1)$은 연속이다.

즉 $a=$❷ 1일 때 함수 $f(x)f(x-a)$는 실수 전체의 집합에서 연속이다. (×)

03-2 답 ②

ㄱ. $\lim_{x\to 0+}\{f(x)+f(-x)\}=-2+2=0$ (○)

ㄴ. $g(x)=f(x)+|f(x)|$라 하면

$$g(x)=\begin{cases} 2f(x) & (f(x)\geq 0) \\ 0 & (f(x)<0) \end{cases}$$

$$g(x)=\begin{cases} 0 & (x\leq -1) \\ 4x+4 & (-1<x<0) \\ 0 & (0\leq x<2) \\ 2x-4 & (x\geq 2) \end{cases}$$

즉 $g(x)$의 그래프가 그림과 같으므로

$x=$❶ 0일 때 불연속이다. (○)

ㄷ. 함수 $f(x)$는 $x=0$에서 불연속이고, $f(-1)=f(2)=0$이다.

함수 $f(x-a)$는 $f(x)$를 x축 방향으로 a만큼 평행이동한 것이므로 $x=a$에서 불연속이고

$f(-1+a)=f(2+a)=0$이다.

함수 $f(x)$에서 불연속인 x와 $f(x-a)$에서 연속이면서 0인 값을 가질 x가 같아지도록 하는 a값은 $-1+a=0$, $2+a=0$에서 $a=$❷ $-2, 1$이다.

또 함수 $f(x-a)$는 $x=a$에서 불연속이고,

이때 $f(x)$에서 연속이면서 0인 값을 가질

x가 같아지도록 하는 a값은 ❸ $-1, 2$이다.

즉 두 경우를 모두 만족시키는 값은 존재하지 않는다. (×)

04 답 4

(ⅰ) $x \longrightarrow \infty$일 때, $\frac{x+1}{x-1}=1+\frac{2}{x-1} \longrightarrow$ ❶ $\underline{1+}$

$\therefore \lim_{x\to\infty} f\left(\frac{x+1}{x-1}\right)=\lim_{t\to 1+} f(t)=1$

(ⅱ) $x \longrightarrow -\infty$일 때, $\frac{4x+1}{x+1}=4-\frac{3}{x+1} \longrightarrow$ ❷ $\underline{4+}$

$\therefore \lim_{x\to-\infty} f\left(\frac{4x+1}{x+1}\right)=\lim_{t\to 4+} f(t)=2$

(ⅲ) $x \longrightarrow 0-$일 때, $\frac{x}{x-1}=1+\frac{1}{x-1} \longrightarrow$ ❸ $\underline{0+}$

$\therefore \lim_{x\to 0-} f\left(\frac{x}{x-1}\right)=\lim_{t\to 0+} f(t)=1$

(ⅰ), (ⅱ), (ⅲ)에서

$\lim_{x\to\infty} f\left(\frac{x+1}{x-1}\right)+\lim_{x\to-\infty} f\left(\frac{4x+1}{x+1}\right)+\lim_{x\to 0-} f\left(\frac{x}{x-1}\right)$

$=1+2+1=4$

05 답 ②

함수 $f(x)$는 모든 실수에서 연속이므로 $x=a$에서도 연속이다.

$\therefore \lim_{x\to a} f(x)=f(a)$

함수 $g(x)$는 $x=a$에서 불연속이므로 $x=a$에서 극한값이 없거나 함숫값이 없거나 극한값과 함숫값이 다르다.

ㄱ. 함수 $f(x)+g(x)$는 $x=a$에서 연속이면

$\lim_{x\to a}\{f(x)+g(x)\}=$ ❶ $\underline{f(a)+g(a)}$ 이다.

하지만 $\lim_{x\to a}\{f(x)+g(x)\}=f(a)+\lim_{x\to a} g(x)$에서

$\lim_{x\to a} g(x)\neq g(a)$, 즉 $\lim_{x\to a}\{f(x)+g(x)\}\neq f(a)+g(a)$

이므로 함수 $f(x)+g(x)$는 $x=a$에서 불연속이다. (○)

ㄴ. 함수 $f(x)g(x)$가 $x=a$에서 연속이면

$\lim_{x\to a}\{f(x)g(x)\}=f(a)g(a)$이다.

함수 $f(x)$가 $x=a$에서 연속이므로 $\lim_{x\to a} f(x)=f(a)$

즉 $f(a)\lim_{x\to a} g(x)=f(a)g(a)$에서

$f(a)\{\lim_{x\to a} g(x)-g(a)\}=0$

그런데 $\lim_{x\to a} g(x)-g(a)\neq 0$이므로 $f(a)=$ ❷ $\underline{0}$ (○)

ㄷ. (반례)

$f(x)=x,\ g(x)=\begin{cases} 1 & (x\le 0) \\ \frac{1}{x} & (x>0) \end{cases}$ 이면

$f(x)g(x)=\begin{cases} x & (x\le 0) \\ 1 & (x>0) \end{cases}$ 이므로 $f(0)=0$이지만

함수 $f(x)g(x)$는 $x=0$에서 불연속이다. (×)

따라서 옳은 것은 ㄱ, ㄴ

06 답 16

$y=f(x)$의 그래프는 다음과 같다.

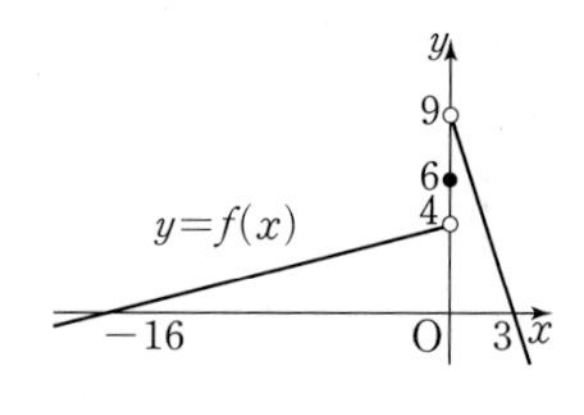

함수 $f(x)f(k-x)$가 $x=k$에서 연속이려면 $\lim_{x\to k} f(x)f(k-x)=f(k)f(0)$이어야 한다.

(ⅰ) $k>0$일 때 $f(k)f(0)=(-3k+9)\times 6$

$\lim_{x\to k+} f(x)f(k-x)=(-3k+9)\times 4$

$\lim_{x\to k-} f(x)f(k-x)=(-3k+9)\times 9$

이므로 $\lim_{x\to k} f(x)f(k-x)=f(k)f(0)$이려면

$-3k+9=0 \quad \therefore k=$ ❶ $\underline{3}$

(ⅱ) $k<0$일 때 $f(k)f(0)=\left(\frac{1}{4}k+4\right)\times 6$

$\lim_{x\to k+} f(x)f(k-x)=\left(\frac{1}{4}k+4\right)\times 4$

$\lim_{x\to k-} f(x)f(k-x)=\left(\frac{1}{4}k+4\right)\times 9$

이므로 $\lim_{x\to k} f(x)f(k-x)=f(k)f(0)$이려면

$\frac{1}{4}k+4=0 \quad \therefore k=$ ❷ $\underline{-16}$

(ⅲ) $k=0$일 때 $\{f(0)\}^2=36$

$\lim_{x\to 0+} f(x)f(-x)=9\times 4=36$

$\lim_{x\to 0-} f(x)f(-x)=4\times 9=36$

$\lim_{x\to 0} f(x)f(-x)=\{f(0)\}^2=36$

이므로 $x=$ ❸ $\underline{0}$ 에서 연속이다.

$f(x)f(k-x)$가 $x=k$에서 연속이 되도록 하는 k값은 $-16,\ 0,\ 3$으로 3개이고, 이때 k값의 합은

$-16+0+3=-13$

$\therefore a-b=3-(-13)=16$

07 답 30

$t=0$일 때, 주어진 방정식은 $4x-3=0$이고,

방정식의 근이 $x=\frac{3}{4}$이므로 실근의 개수는 1이다.

즉 $t=0$일 때 $f(t)=$ ❶ $\underline{1}$

$t\neq 0$일 때, 이차방정식 $tx^2+4x+t-3=0$에 대하여

$\frac{D}{4}=4-t(t-3)=-t^2+3t+4$에서

$-t^2+3t+4>0$, 즉 $-1<t<0,\ 0<t<4$일 때,

실근이 2개이므로 $f(t)=$ ❷ $\underline{2}$

$-t^2+3t+4=0$, 즉 $t=-1,\ 4$일 때,

중근을 가지므로 $f(t)=$ ❸ $\underline{1}$

$-t^2+3t+4<0$, 즉 $t<-1$, $t>4$일 때,
실근은 없으므로 $f(t)=$ ❹ $\underline{0}$
즉 함수 $f(t)$의 그래프는 그림과 같으므로 $t=-1$, 0, 4에서 불연속이다.
삼차함수 $g(t)$는 모든 실수 t에 대하여 연속이므로 함수 $f(t)g(t)$가 모든 실수에서 연속이 되려면 함수 $g(t)$가 $t=-1$, 0, 4에서 0이어야 한다.
$\therefore g(-1)=g(0)=g(4)=0$
따라서 $g(t)=t(t+1)(t-4)$이므로 $g(5)=30$

08 답 4

$\lim_{x\to\infty}\frac{f(x)}{x^3}=1$이므로 $f(x)$는 최고차항이 x^3이고
$\lim_{x\to1}\frac{f(x)}{x-1}=k$에서 $\lim_{x\to1}f(x)=0$, $f(1)=0$이므로
$f(x)$는 ❶ $\underline{(x-1)}$ 을 인수로 가진다.
또 $h(x)=f(x)g(x)$가 $x=3$에서 연속이므로
$\lim_{x\to3+}h(x)=\lim_{x\to3-}h(x)=h(3)$이다.
이때 $\lim_{x\to3+}h(x)=\lim_{x\to3+}\frac{f(x)}{x-3}$의 극한값이 존재해야 하므로
$\lim_{x\to3+}f(x)=0$, $f(3)=0$, 즉 $f(x)$는 ❷ $\underline{(x-3)}$ 을 인수로 가진다.
$f(x)=(x-1)(x-3)(x-\alpha)$라 하면
$\lim_{x\to3-}h(x)=\lim_{x\to3-}f(x)(x^2-3x+1)=f(3)=0$이므로
$\lim_{x\to3+}h(x)=\lim_{x\to3-}h(x)=h(3)=0$

$$\begin{aligned}\therefore \lim_{x\to3+}h(x)&=\lim_{x\to3+}\frac{(x-1)(x-3)(x-\alpha)}{x-3}\\&=\lim_{x\to3+}(x-1)(x-\alpha)\\&=2(3-\alpha)=0\end{aligned}$$

즉 $\alpha=3$이므로 $f(x)=$ ❸ $\underline{(x-1)(x-3)^2}$
$\therefore k=\lim_{x\to1}\frac{f(x)}{x-1}=\lim_{x\to1}(x-3)^2=4$

09 답 40

$f(x)$, $g(x)$는 삼차함수이므로 연속함수이다.
즉 $\lim_{x\to a}f(x)=f(a)$, $\lim_{x\to a}g(x)=g(a)$이고, (나)에서

$n=0$일 때, $\lim_{x\to0}\frac{f(x)}{g(x)}=0$ …… ㉠
$n=1$일 때, $\lim_{x\to1}\frac{f(x)}{g(x)}=0$ …… ㉡
$n=2$일 때, $\lim_{x\to2}\frac{f(x)}{g(x)}=1$ …… ㉢
$n=3$일 때, $\lim_{x\to3}\frac{f(x)}{g(x)}=3$ …… ㉣

조건 (가)에서 $g(0)=0$이므로 최고차항의 계수가 1인 삼차함수 $g(x)$는 $g(x)=xp(x)$로 놓을 수 있다.
㉠에서 극한값이 존재하고, (분모) ⟶ 0이므로 (분자) ⟶ 0이어야 한다. 이때 $f(0)=0$, 즉 $f(x)$는 x를 인수로 가지므로 $f(x)=xq(x)$로 놓을 수 있다.
또 $\lim_{x\to0}\frac{f(x)}{g(x)}=\lim_{x\to0}\frac{xq(x)}{xp(x)}=\lim_{x\to0}\frac{q(x)}{p(x)}=0$이므로
$q(0)=0$, 즉 $q(x)$는 x를 인수로 가지므로
$f(x)$는 x^2을 인수로 가진다.
㉡에서 극한값이 0이므로 $f(1)=0$
즉 $f(x)$는 $(x-1)$도 인수로 가지므로 $f(x)=$ ❶ $\underline{x^2(x-1)}$
㉢에서 $\frac{f(2)}{g(2)}=\frac{2^2\times1}{2p(2)}=\frac{2}{p(2)}=1$이므로 $p(2)=2$
㉣에서 $\frac{f(3)}{g(3)}=\frac{3^2\times2}{3p(3)}=\frac{6}{p(3)}=3$이므로 $p(3)=2$
따라서 $p(x)=(x-2)(x-3)+$ ❷ $\underline{2}$ 이고,
$g(x)=x\{(x-2)(x-3)+2\}$
$\therefore g(5)=40$

10 답 27

(가)에서 $\frac{1}{x}=t$로 치환하면 $x\longrightarrow0+$일 때 $t\longrightarrow\infty$이므로

$$\begin{aligned}\lim_{x\to0+}\frac{x^3f\left(\frac{1}{x}\right)-1}{x^2+2x}&=\lim_{t\to\infty}\frac{\frac{1}{t^3}f(t)-1}{\frac{1}{t^2}+\frac{2}{t}}\\&=\lim_{t\to\infty}\frac{f(t)-t^3}{2t^2+t}=3\end{aligned}$$

이다. 즉 $f(t)-t^3$은 최고차항이 $6t^2$인 이차함수이다.
$\therefore f(x)=$ ❶ $\underline{x^3+6x^2}+ax+b$
$f(x)$가 연속이므로 (나)에서 $\frac{x}{f(x)}$가 $x=-2$에서 불연속이려면
$f(-2)=0$이어야 한다.
이때 $-8+24-2a+b=0$, $b=2a-16$
$f(x)=x^3+6x^2+ax+2a-16=(x+2)(x^2+4x+a-8)$
$x=-2$에서만 불연속이므로 $x=-2$ 이외의 실근이 존재하면 안 된다. 즉 $x^2+4x+a-8=0$이 중근 -2를 가지거나 서로 다른 두 허근을 가져야 한다.
중근 -2를 가질 때 $a=12$

서로 다른 두 허근을 가질 때 $\frac{D}{4}=4-(a-8)<0$에서 $a>12$

따라서 ❷ $a\geq 12$ 에서 $f(1)=3a-9\geq 27$이므로

$f(1)$의 최솟값은 27

11 답 ④

$a<0$와 $a>0$일 때로 나누어 $f(x)=|x^2-2ax|$의 그래프를 그려보면 다음과 같다.

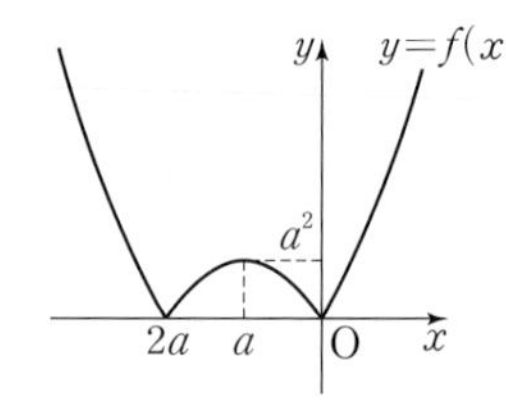

[$a<0$인 경우]

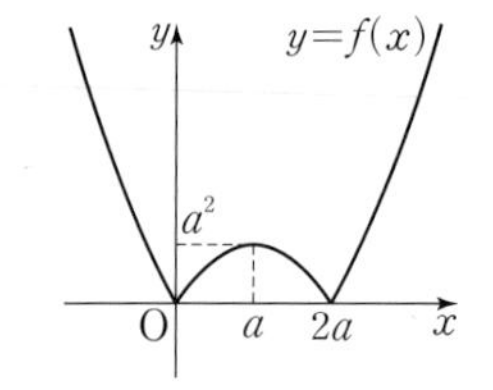

[$a>0$인 경우]

$a\neq 0$일 때 직선 $y=t$와 곡선 $y=f(x)$가 만나는 점의 개수가 $g(t)$라 하면 함수 $g(t)$와 그 그래프는 다음과 같다.

$$g(t)=\begin{cases}0 & (t<0)\\ 2 & (t=0)\\ 4 & (0<t<a^2)\\ 3 & (t=a^2)\\ 2 & (t>a^2)\end{cases}$$

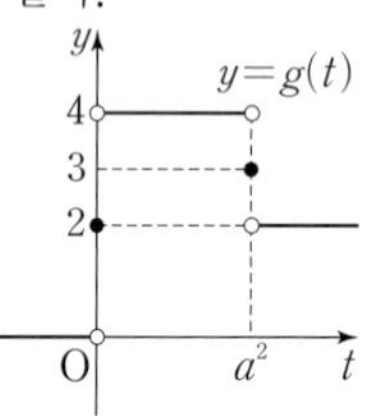

$a=0$일 때, $y=f(x)$의 그래프는 원점을 지나는 포물선이므로 함수 $g(t)$와 그 그래프는 다음과 같다.

$$g(t)=\begin{cases}0 & (t<0)\\ 1 & (t=0)\\ 2 & (t>0)\end{cases}$$

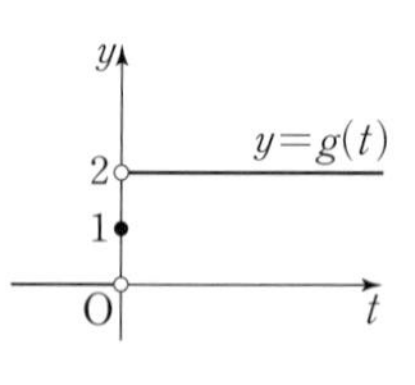

ㄱ. $a\neq 0$일 때와 $a=0$일 때 모두

$\lim_{t\to 0-}g(t)=$ ❶ $\underline{0}$, $\lim_{t\to a^2+}g(t)=$ ❷ $\underline{2}$ 이므로

$\lim_{t\to 0-}g(t)+\lim_{t\to a^2+}g(t)=2$ (○)

ㄴ. $a\neq 0$일 때, 함수 $y=g(x)$의 불연속점은 2개고, $a=0$일 때, 불연속점은 1개다. (×)

ㄷ. $a>0$일 때, 함수 $g(x)$는 $x=0$, a^2일 때, 불연속이다.

함수 $f(x)$가 $f(0)=f(2a)=0$이므로 $f(x)g(x)$가 모든 실수 x에 대하여 연속이려면 $a^2=2a$, 즉 $a=$ ❸ $\underline{2}$ 이어야 한다.

즉 $f(x)=|x^2-4x|$이고, $g(x)$는 $x=0$, 4일 때 불연속이다.

$\lim_{x\to 0}f(x)g(x)=f(0)\lim_{x\to 0}g(x)=0$

$\lim_{x\to 4}f(x)g(x)=f(4)\lim_{x\to 4}g(x)=0$

이므로 $x=0$, 4에서 각각 연속이다.

따라서 $a=2$일 때 함수 $y=f(x)g(x)$는 모두 실수에서 연속이다. (○)

12 답 7

$g(x)=\begin{cases}f(x) & (x<b)\\ kf(x-b) & (x\geq b)\end{cases}$에서

$x\geq b$일 때는 $y=ka(x-b)(x-2b)$ (단, $k>1$)이므로

그림과 같은 경우일 때 $|g(x)|=\frac{b}{4}$의 서로 다른 실근이 5개다.

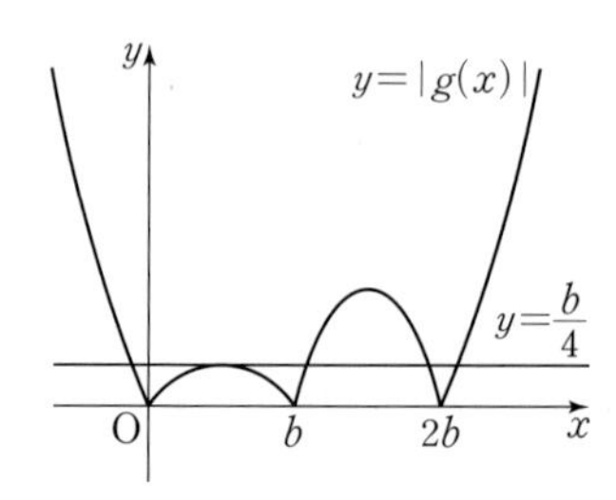

즉 직선이 포물선 $y=ax(x-b)$의 꼭짓점을 지나야 한다.

포물선의 대칭성을 생각하면 $-f\left(\frac{b}{2}\right)=\frac{b}{4}$에서 $ab=1$

a, b가 자연수이므로 가능한 순서쌍 (a, b)는 ❶ $\underline{(1, 1)}$ 뿐이다.

$\therefore g(x)=\begin{cases}x(x-1) & (x<1)\\ k(x-1)(x-2) & (x\geq 1)\end{cases}$

(가)에서 $g(3)=2k=8$이므로 $k=4$

$\therefore g(x)=\begin{cases}x(x-1) & (x<1)\\ 4(x-1)(x-2) & (x\geq 1)\end{cases}$

m이 양수일 때, 직선 $y=mx-\frac{7}{4}$과 $y=|g(x)|$의 교점의 개수가 $h(m)$이다.

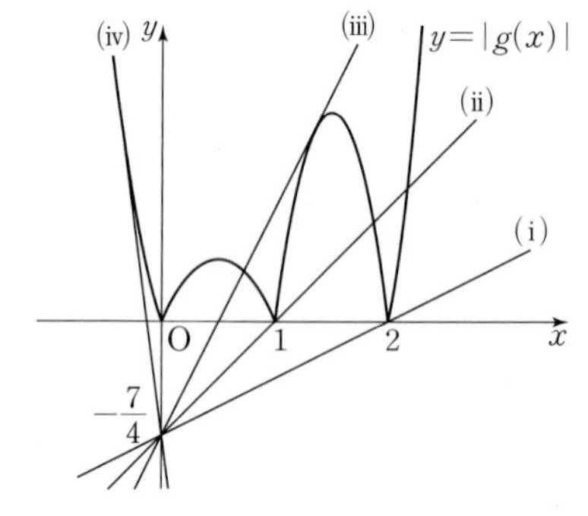

(i) 직선이 $(2, 0)$을 지날 때, $m=\frac{7}{8}$ ⇨ $h(m)=1$

(ii) 직선이 $(1, 0)$을 지날 때, $m=\frac{7}{4}$ ⇨ $h(m)=3$

(iii) $y=-4(x-1)(x-2)\,(1<x<2)$와 $y=mx-\frac{7}{4}$이 접할 때,

$-4x^2+12x-8=mx-\frac{7}{4}$에서

$D=(m-12)^2-4\times 4\times\frac{25}{4}=0$

이므로 $m=$ ❷ $\underline{2}$ ⇨ $h(m)=3$

(iv) $y=x(x-1)\,(x<0)$과 $y=mx-\frac{7}{4}$이 접할 때,

$x^2-x=mx-\frac{7}{4}$에서 $D=(m+1)^2-4\times 1\times\frac{7}{4}=0$이므로

$m=$ ❸ $\underline{-1-\sqrt{7}}$ ⇨ $h(m)=1$

(i) ~ (iv)에서 m값의 범위에 따라 생기는 교점의 개수를 이용해 함수 $h(m)$의 그래프를 그리면 그림과 같다.

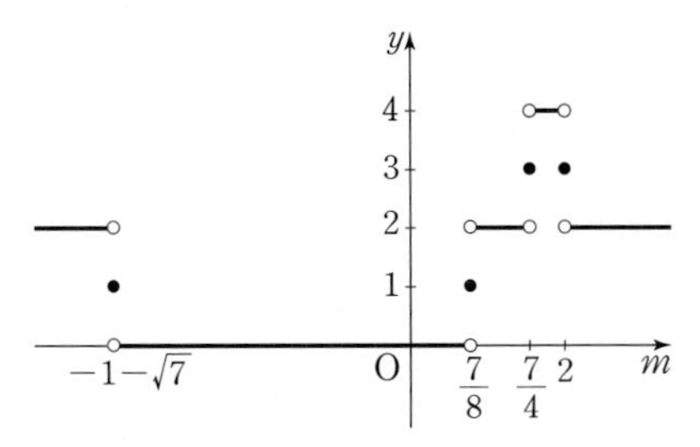

그래프에서 $\lim_{m \to \frac{7}{4}-} =2$, $\lim_{m \to \frac{7}{4}+} h(m)=4$,

$\lim_{x \to 2-} h(m)=4$, $\lim_{x \to 2+} h(m)=2$이므로

$\lim_{x \to t-} h(m) \times \lim_{x \to t+} h(m)=8$을 만족시키는 t값은 $t=\frac{7}{4}$, 2

따라서 모든 양수 t의 곱 $S=\frac{7}{2}$이므로 $2S=7$

13 답 24

$y=\frac{a-3x}{x}=\frac{a}{x}-3$ $(x>0)$의 그래프 개형은 그림과 같다. 이때

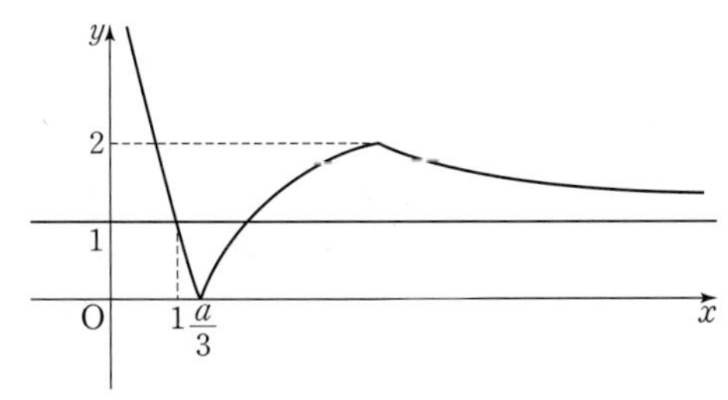

$g(x)=\begin{cases} 2k-f(x) & (f(x)<k) \\ f(x) & (f(x) \ge k) \end{cases}$

에서 함수 $y=g(x)$의 그래프는

$f(x) \ge k$일 때는 $y=f(x)$와 같고,

$f(x)<k$일 때는 $y=f(x)$의 그래프를 직선 $y=k$에 대하여 대칭이동한 것과 같다. 이때 (가)에서 $\lim_{x \to \infty} |g(x)|=1$이므로

$\lim_{x \to \infty} |g(x)|=\lim_{x \to \infty} \left|2k-\frac{a}{x}+3\right|=|2k+3|=1$에서

$k=$❶ $\underline{-2, -1}$

그런데 $k=-1$일 때 (나) 조건을 만족시키지 않는다.

$k=-2$일 때 $g(x)=\begin{cases} -4-f(x) & (f(x)<-2) \\ f(x) & (f(x) \ge -2) \end{cases}$

이고, $y=|g(x)|$의 그래프와 직선 $y=1$을 함께 나타내면 그림처럼 교점이 2개이므로 (나) 조건을 만족시킨다.

$y=|g(x)|$의 그래프가 $\left(1, -\frac{k}{2}\right)$, 즉 $(1, 1)$을 지나므로

$g(1)=\frac{a}{1}-3=1$에서 $a=$❷ $\underline{4}$

또 $-g(\alpha)=-\frac{4}{\alpha}+3=1$에서 $\alpha=$❸ $\underline{2}$

한편 직선 $y=m\left(x-\frac{22}{3}\right)+2$는 점 $\left(\frac{22}{3}, 2\right)$을 지나고 기울기가 m이다.

이때 $m=0$이면 $h(m)=2$ ⇨ (i)

또 직선이 점 $\left(\frac{4}{3}, 0\right)$을 지날 때 $m=\frac{1}{3}$이고 $h(m)=2$ ⇨ (ii)

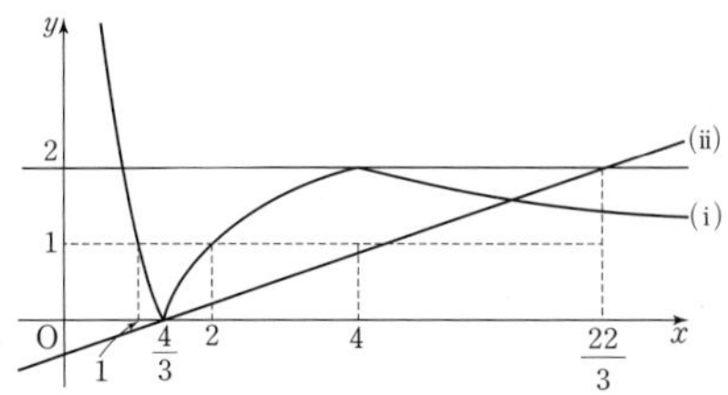

즉 m값의 범위에 따라 함수 $h(m)$의 그래프는 그림과 같다.

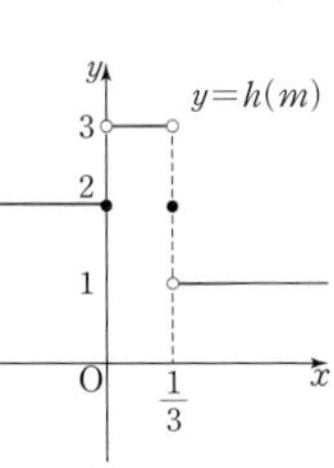

따라서 함수 $h(m)$에서 불연속인 m은 $0, \frac{1}{3}$이므로 $M=0+\frac{1}{3}=\frac{1}{3}$

$\therefore \frac{ka}{M}=|(-2) \times 4 \times 3|=24$

참고

❶ $g(x)=\begin{cases} 2k-f(x) & (f(x)<k) \\ f(x) & (f(x) \ge k) \end{cases}$에서 함수 $y=g(x)$의 그래프는

$f(x) \ge k$일 때는 함수 $y=f(x)$와 같고, $f(x)<k$, 즉 $f(x)$가 $y=k$ 아래에 있을 때는 $2k-f(x)=k+k-f(x)$라 생각해서 $y=k$ 아래 부분을 $y=k$에 대하여 대칭이동한 것과 같다.

다음은 $y=f(x)$가 이차함수일 때 $y=g(x)$의 그래프를 그리는 요령을 보여준다.

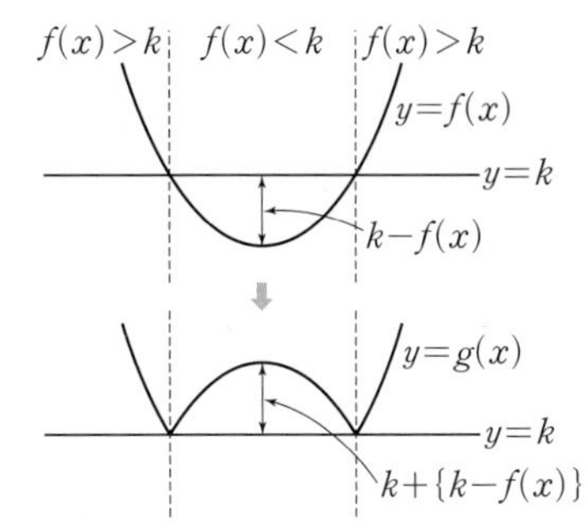

❷ $k=-1$일 때 $g(x)=\begin{cases} -2-f(x) & (f(x)<-1) \\ f(x) & (f(x) \ge -1) \end{cases}$이므로

$y=|g(x)|$의 그래프와 직선 $y=\frac{1}{2}$을 함께 나타내면 그림처럼 교점이 4개이므로 (나) 조건을 만족시키지 않는다.

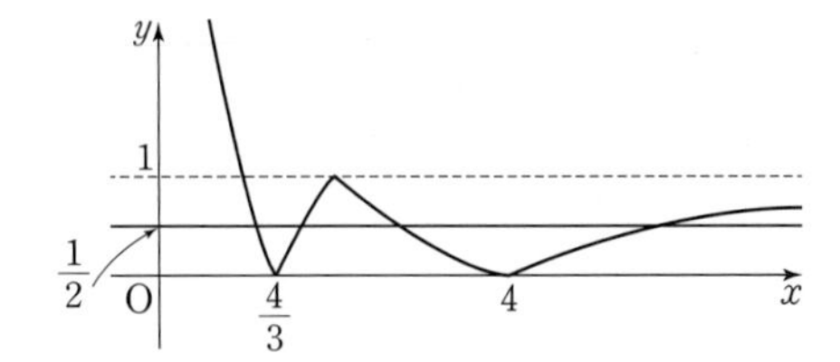

p. 49~58

집중공략 유형06 미분과 접선

01 42	02-1 ④	02-2 100	03-1 32
03-2 78	04 ①	05 ①	06 800
07 ②	08 12	09 ②	10 404
11 38	12 64	13 ③	14 ④

01 답 42

$-1, 0, 1, 2$가 1씩 증가하고, $f(-1), f(0), f(1), f(2)$가 이 순서대로 등차수열을 이루므로 $y=f(x)$ 그래프 위의

네 점 $(-1, f(-1)), (0, f(0)), (1, f(1)), (2, f(2))$는 모두 한 직선 위에 있다.

이 네 점을 지나는 직선을 $y=mx+n$이라 하자.

이때 사차함수의 그래프 $y=f(x)$와 직선 $y=mx+n$이 만나는 점의 x좌표는 $-1, 0, 1, 2$이므로 방정식 $f(x)=mx+n$의 해는 $-1, 0, 1, 2$이다. 또 $f(x)$는 최고차항의 계수가 1인 사차함수이므로 $f(x)-(mx+n)=x(x+1)(x-1)(x-2)$,

즉 $f(x)=x(x-1)(x+1)(x-2)+mx+n$

$\qquad =x^4-2x^3-x^2+(m+2)x+n$

이라 하면 $f'(x)=4x^3-6x^2-2x+(m+2)$

이때 $f'(-1)=m-6, f'(2)=m+6$

$f(-1)=-m+n, f(2)=2m+n$

즉 곡선 $y=f(x)$ 위의 점 $(-1, f(-1))$에서의 접선의 방정식은

$y=(m-6)(x+1)-m+n$ ······ ㉠

곡선 $y=f(x)$ 위의 점 $(2, f(2))$에서의 접선의 방정식은

$y=(m+6)(x-2)+2m+n$ ······ ㉡

두 접선이 점 $(k, 0)$에서 만나므로 ㉠, ㉡에 대입하면

$0=(m-6)(k+1)-m+n, 0=(m+6)(k-2)+2m+n$

이고, 각 등식을 정리하면

$(m-6)k=-n+6$ ······ ㉢

$(m+6)k=-n+12$ ······ ㉣

㉢에서 $k=\dfrac{-n+6}{m-6}$ ······ ㉤

이고, ㉣에서 $k=\dfrac{-n+12}{m+6}$

즉 $\dfrac{-n+6}{m-6}=\dfrac{-n+12}{m+6}$

이므로 이 등식의 양변에 $(m+6)(m-6)$을 곱해 정리하면

$m+2n=18$ ······ ㉥

이때 $m=-2n+18$을 ㉤에 대입하여 정리하면

$k=\dfrac{-n+6}{m-6}=\dfrac{-n+6}{(-2n+18)-6}=\dfrac{-n+6}{-2n+12}=\dfrac{1}{2}$

$\therefore f(2k)=f(1)=m+n=20$ ······ ㉦

㉥, ㉦을 연립해서 풀면 $m=22, n=-2$

$\therefore f(x)=x(x-1)(x+1)(x-2)+22x-2$

따라서 $f(4k)=f(2)=22\times2-2=42$

02-1 답 ④

접점 (t, t^3+at^2+bt)에서의 접선의 방정식은

$y=(3t^2+2at+b)(x-t)+t^3+at^2+bt$

즉 $y=(3t^2+2at+b)x-2t^3-at^2$이다.

이 접선이 y축과 만나는 점 P의 좌표는 $(0, -2t^3-at^2)$이고, 원점에서 점 P까지의 거리 $g(t)$는

$g(t)=|-2t^3-at^2|=t^2|2t+a|$

이때 $y=g(t)$의 그래프 개형은 다음 세 가지 경우로 나눌 수 있다.

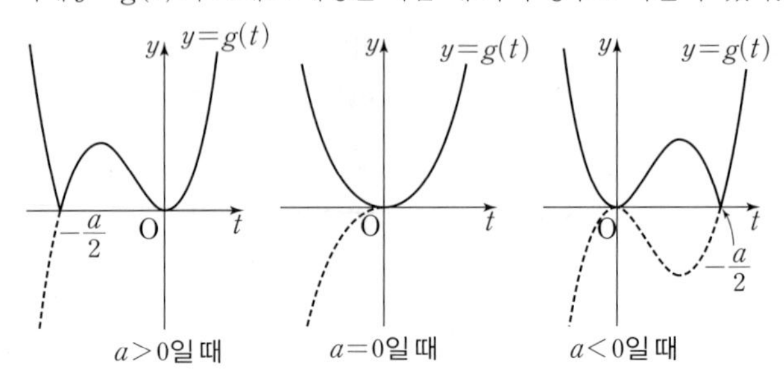

위 세 가지 중에서 $a=$ ❶ $\underline{0}$ 일 때만 함수 $g(t)$가 실수 전체의 집합에서 미분 가능하므로 $f(x)=x^3+bx$이고

(가) 조건에서 $f(1)=1+b=2 \quad \therefore b=1$

따라서 $f(x)=$ ❷ $\underline{x^3+x}$ 이므로 $f(3)=3^3+3=30$

킬러 격파 Tip

$g(x)$가 삼차함수일 때 $|g(x)|$가 모든 실수 x에 대하여 미분 가능하려면 $g(x)=a(x-\alpha)^3$ 꼴이어야 한다.

02-2 답 100

최고차항의 계수가 2이고, 원점을 지나는 삼차함수 $f(x)$를

$f(x)=2x^3+ax^2+bx$라 하자.

이때 접점 $(t, 2t^3+at^2+bt)$에서의 접선의 방정식은

$y=(6t^2+2at+b)(x-t)+2t^3+at^2+bt$

즉 $y=(6t^2+2at+b)x-4t^3-at^2$이다.

이 접선이 y축과 만나는 점 P의 좌표는 $(0, -4t^3-at^2)$이고, 원점에서 점 P까지의 거리 $g(t)$는

$g(t)=|-4t^3-at^2|=t^2|4t+a|$

이때 $y=g(t)$의 그래프 개형은 **02-1**과 마찬가지로 세 가지 경우로 나눌 수 있는데, 이때 $g(t)$가 $t=1$일 때만 미분 불가능하려면

$a<0$이고, $-\dfrac{a}{4}=1$이면 된다.

$\therefore a=$ ❶ $\underline{-4}$

이때 $g(t)=$ ❷ $\underline{4t^2|t-1|}$ 이고, $f(x)=2x^3-4x^2+bx$

(가) 조건에서 $f(1)=2-4+b=3$에서 $b=5$이므로

$f(x)=$ ❸ $\underline{2x^3-4x^2+5x}$

따라서 $g(2)+f(4)=16+84=100$

03-1 답 32

(가) 조건에서 함수 $f(x)$가 실수 전체의 집합에서 미분 가능하므로 $x=a$에서도 미분 가능해야 한다.

먼저 $x=a$에서 $f(x)$가 연속이려면 $a=-\frac{1}{2}$ 또는 $a=1$

한편 $x<a$에서 $f'(x)=0$이다.

$a=-\frac{1}{2}$인 경우,

$$\lim_{x\to-\frac{1}{2}+}\frac{(x-1)^2(2x+1)-0}{x+\frac{1}{2}}=\lim_{x\to-\frac{1}{2}+}2(x-1)^2=\frac{9}{2}$$

$a=1$인 경우,

$$\lim_{x\to1+}\frac{(x-1)^2(2x+1)-0}{x-1}=\lim_{x\to1+}2(x-1)(2x+1)=0$$

$a=1$일 때 좌우 미분계수가 같으므로 $a=$ ❶ $\underline{1}$

(나) 조건에서 모든 실수 x에 대하여 $f(x)\ge g(x)$이므로 $y=f(x)$의 그래프는 $y=g(x)$의 그래프보다 위쪽에 있거나 접해야 한다.

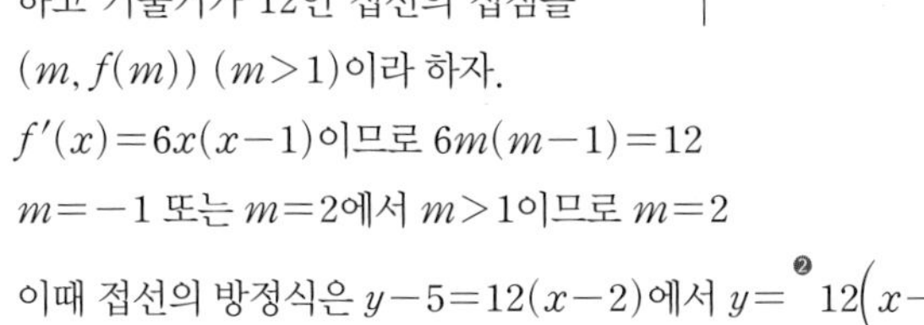

함수 $f(x)=(x-1)^2(2x+1)$에 접하고 기울기가 12인 접선의 접점을 $(m, f(m))$ $(m>1)$이라 하자.

$f'(x)=6x(x-1)$이므로 $6m(m-1)=12$

$m=-1$ 또는 $m=2$에서 $m>1$이므로 $m=2$

이때 접선의 방정식은 $y-5=12(x-2)$에서 $y=$ ❷ $\underline{12\left(x-\frac{19}{12}\right)}$

즉 $k\ge\frac{19}{12}$이면 (나)를 만족시키므로 k의 최솟값은 $\frac{19}{12}$

따라서 $a+p+q=1+12+19=32$

참고

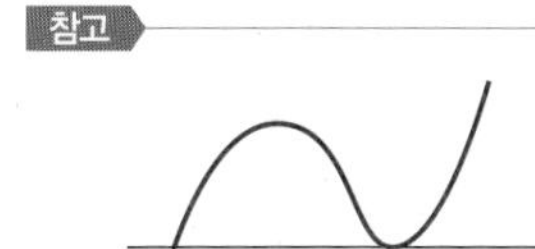

$[a=-\frac{1}{2}$일 때$]$

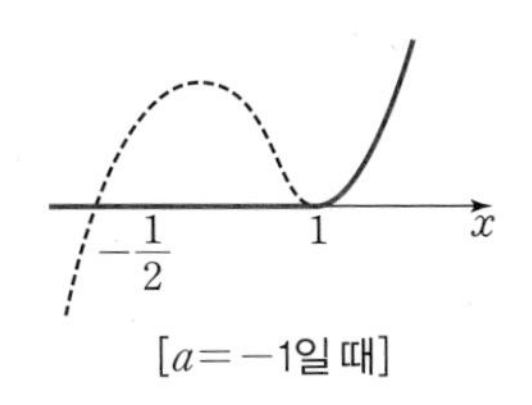

$[a=-1$일 때$]$

03-2 답 78

(가)에서 함수 $f(x)$가 실수 전체의 집합에서 미분 가능하므로 함수 $f(x)$는 $x=a$에서도 미분 가능해야 한다.

먼저 $x=a$에서 연속이려면

$\lim_{x\to a-}f(x)=\lim_{x\to a+}f(x)$이어야 하므로 $a=-1$ 또는 $a=3$

(i) $a=-1$일 때

$$\lim_{x\to a+}\frac{f(x)-f(a)}{x-a}=\lim_{x\to-1+}\frac{(x+1)(x-3)^3}{x-(-1)}=-64$$

$$\lim_{x\to a-}\frac{f(x)-f(a)}{x-a}=0$$

즉 $\lim_{x\to a+}\frac{f(x)-f(a)}{x-a}\ne\lim_{x\to a-}\frac{f(x)-f(a)}{x-a}$이므로

$a=-1$일 때, 함수 $f(x)$는 미분 가능하지 않다.

(ii) $a=3$일 때

$$\lim_{x\to a+}\frac{f(x)-f(a)}{x-a}=\lim_{x\to3+}\frac{(x+1)(x-3)^3}{x-3}=0$$

$$\lim_{x\to3-}\frac{f(x)-f(3)}{x-3}=0$$

즉 $\lim_{x\to3+}\frac{f(x)-f(3)}{x-3}=\lim_{x\to3-}\frac{f(x)-f(3)}{x-3}$이므로

$a=3$일 때 함수 $f(x)$는 미분 가능하다.

(i), (ii)에서 $a=$ ❶ $\underline{3}$

한편, (나)에서 모든 실수 x에 대하여 $f(x)\ge g(x)$이어야 하므로 함수 $y=f(x)$의 그래프는 그림처럼 생각하면 함수 $y=g(x)$의 그래프보다 위쪽에 있거나 접해야 한다.

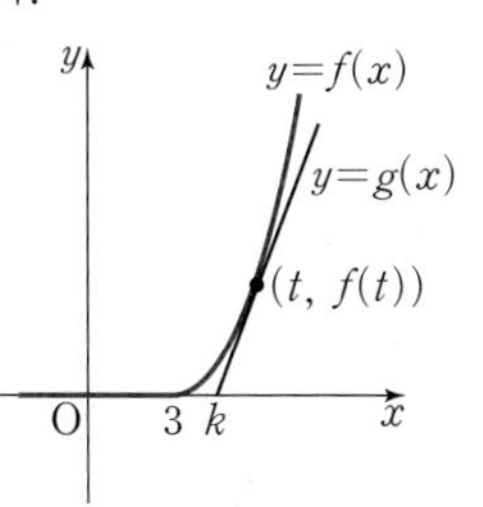

$x>3$에서 함수 $f(x)=(x+1)(x-3)^3$과 접하고 기울기가 16인 접선의 접점을 $(t, f(t))$ $(t>3)$라 하자.

$f'(x)=(x-3)^3+3(x+1)(x-3)^2=4x(x-3)^2$

이때 접선의 기울기가 16이므로

$4t(t-3)^2=16$을 정리하면 $(t-4)(t-1)^2=0$

즉 $t=4$ $(t>3)$이고, $f(4)=5$이므로 접점은 ❷ $\underline{(4, 5)}$ 이다.

즉 접선의 방정식은 $y=16(x-4)+5=16x-59$이므로

$k\ge\frac{59}{16}$이고, k의 최솟값은 $\frac{59}{16}$

따라서 $a+p+q=3+16+59=78$

04 답 ①

최고차항의 계수가 1인 삼차함수 $f(x)$에 대하여

함수 $f(x)-x^2+9x$도 최고차항의 계수가 1인 삼차함수이므로

$|f(x)-x^2+9x|$가 실수 전체의 집합에서 미분 가능하려면

$f(x)-x^2+9x=(x-\alpha)^3$이어야 한다.

즉 $f(x)=(x-\alpha)^3+x^2-9x$ ……㉠

또 $|x-1|f(x)$가 모든 실수 x에 대하여 미분 가능하려면 $x=1$에서 미분 가능해야 한다. 즉

$$\lim_{x\to1+}\frac{|x-1|f(x)}{x-1}=\lim_{x\to1+}\frac{(x-1)f(x)}{x-1}=f(1)$$

$$\lim_{x\to1-}\frac{|x-1|f(x)}{x-1}=\lim_{x\to1-}\frac{-(x-1)f(x)}{x-1}=-f(1)$$

에서 $f(1)=-f(1)$이어야 하므로 $f(1)=$ ❶ $\underline{0}$

㉠에서 $f(1)=(1-\alpha)^3+1-9=(1-\alpha)^3-8=0$ $\quad\therefore\ \alpha=-1$

$\therefore\ f(x)=(x+1)^3+x^2-9x=$ ❷ $\underline{x^3+4x^2-6x+1}$

이때 $f'(x)=3x^2+8x-6$이므로

$f'(2)=12+16-6=22$, $f(2)=8+16-12+1=13$

따라서 $(2, f(2))$에서의 접선의 방정식은

$y=f'(2)(x-2)+f(2)=22x-31$이고,

$m=22$, $n=-31$이므로 $3m+n=66-31=35$

킬러 격파 Tip

$|x-\alpha|f(x)$가 $x=\alpha$에서 미분 가능하려면 곧바로 $f(\alpha)=0$임을 이용할 수 있다. 즉 $f(1)=0$에서 $\alpha=-1$

05 답 ①

함수 $f(x)=x^3-5x$는 x축과 점 $(-\sqrt{5}, 0)$, $(\sqrt{5}, 0)$에서 만난다.

또 직선 l_1, l_2가 함수 $f(x)$는 각각 서로 다른 두 점에서 만나므로 두 직선은 기울기가 같은 $y=f(x)$의 접선이 된다.

또 곡선 $f(x)=x^3-5x$는 원점에 대하여 대칭이므로 평행한 두 접선도 원점에 대하여 대칭이다.

즉 두 접선의 x절편과 y절편도 원점에 대하여 대칭이므로 그림처럼 접선 l_2가 지나는 절편은 $(-a, 0)$, $(0, 7a)$이고, l_2의 기울기는

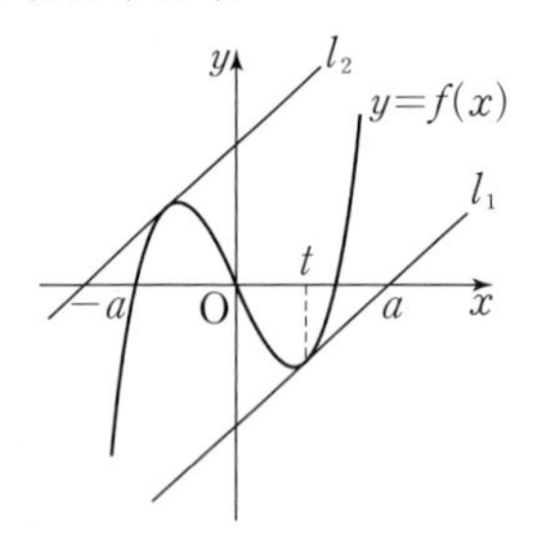

$\frac{7a-0}{0-(-a)}=$ ❶ 7 이므로 l_1의 기울기도 7이다.

또 접점의 x좌표를 t라 하면

$y'=3t^2-5=7$에서 $t=\pm 2$이므로

두 접점의 좌표는 $(2, -2)$, $(-2, 2)$이다.

즉 두 접선의 방정식은 각각

$y=7(x-2)-2$에서 ❷ $y=7x-16$ ⇨ l_1

$y=7(x+2)+2$에서 $y=7x+16$ ⇨ l_2

이때 구하려는 a는 l_1의 x절편 $\frac{16}{7}$이므로

$a=\frac{16}{7}$에서 $p+q=7+16=23$

06 답 800

$$f(x)g(x)=\begin{cases}(1-x)g(x) & (x<0)\\ (x^2-1)g(x) & (0\le x<1)\\ (x^3-1)g(x) & (x\ge 1)\end{cases}$$

에서 다음과 같이 생각할 수 있다.

(i) 함수 $f(x)g(x)$가 $x=0$에서 연속이어야 하므로

$\lim_{x\to 0-}f(x)g(x)=\lim_{x\to 0+}f(x)g(x)=f(0)g(0)$

$\lim_{x\to 0-}f(x)g(x)=\lim_{x\to 0-}(1-x)g(x)=g(0)$

$\lim_{x\to 0+}f(x)g(x)=\lim_{x\to 0+}(x^2-1)g(x)=-g(0)$

즉 $g(0)=-g(0)$ $\quad\therefore g(0)=0$

즉 함수 $g(x)$는 x를 인수로 가지므로 다항함수 $h(x)$를 써서 $g(x)=xh(x)$로 나타낼 수 있다.

(ii) 함수 $f(x)g(x)$가 $x=0$에서 미분 가능해야 하므로

$$\lim_{x\to 0-}\frac{f(x)g(x)-f(0)g(0)}{x}=\lim_{x\to 0-}\frac{(1-x)xh(x)}{x}=\lim_{x\to 0-}(1-x)h(x)=h(0)$$

$$\lim_{x\to 0+}\frac{f(x)g(x)-f(0)g(0)}{x}=\lim_{x\to 0+}\frac{(x^2-1)xh(x)}{x}=\lim_{x\to 0+}(x^2-1)h(x)=-h(0)$$

에서 $h(0)=-h(0)$ $\quad\therefore h(0)=0$

즉 함수 $h(x)$는 x를 인수로 가지므로 다항함수 $p(x)$를 써서 $h(x)=xp(x)$로 나타낼 수 있으므로

$g(x)=xh(x)=x^2p(x)$

(iii) 함수 $f(x)g(x)$가 $x=1$에서 미분 가능해야 하므로

$$\lim_{x\to 1-}\frac{f(x)g(x)-f(1)g(1)}{x-1}=\lim_{x\to 1-}\frac{(x^2-1)x^2p(x)}{x-1}=\lim_{x\to 1-}(x+1)x^2p(x)=2p(1)$$

$$\lim_{x\to 1+}\frac{f(x)g(x)-f(1)g(1)}{x-1}=\lim_{x\to 1+}\frac{(x^3-1)x^2p(x)}{x-1}=\lim_{x\to 1+}(x^2+x+1)x^2p(x)=3p(1)$$

에서 $2p(1)=3p(1)$ $\quad\therefore p(1)=0$

즉 $p(x)$는 $(x-1)$을 인수로 가지므로 $q(x)$를 써서 $p(x)=(x-1)q(x)$로 나타낼 수 있으므로

$g(x)=x^2p(x)=x^2(x-1)q(x)$

이때 (가)에서 $q(x)=x+k$라 하면 $g(x)=x^2(x-1)(x+k)$

이므로 $g'(x)=2x(x-1)(x+k)+x^2(x+k)+x^2(x-1)$

또 (다)에서 $g'(2)=4(2+k)+4(2+k)+4=8k+20=44$

이므로 $k=3$ $\quad\therefore g(x)=x^2(x-1)(x+3)$

따라서 구하려는 $g(5)=25\times 4\times 8=800$

07 답 ②

다항함수 $p(x)$는 실수 전체 집합에서 연속이므로

$\lim_{x\to 0+}p(x)=\lim_{x\to 0-}p(x)=p(0)$이다.

ㄱ. $f(0)=0$이고,

$\lim_{x\to 0-}f(x)=\lim_{x\to 0-}(-x)=0$

$\lim_{x\to 0+}f(x)=\lim_{x\to 0+}(x-1)=-1$

이므로

$\lim_{x\to 0-}p(x)f(x)=\lim_{x\to 0-}p(x)\times\lim_{x\to 0-}f(x)=0$

$\lim_{x\to 0+}p(x)f(x)=\lim_{x\to 0+}p(x)\times\lim_{x\to 0+}f(x)=-p(0)$

$p(0)f(0)=0$

이때 함수 $p(x)f(x)$가 실수 전체의 집합에서 연속이면 $x=0$에서도 연속이므로

$\lim_{x\to 0-} p(x)f(x)=\lim_{x\to 0+} p(x)f(x)=p(0)f(0)$

이 성립해야 한다. 즉 $-p(0)=0$이어야 하므로

$p(0)=0$ (○)

ㄴ. $g(x)=p(x)f(x)$라 하자. 함수 $g(x)$가 실수 전체의 집합에서 미분 가능하면 $x=2$에서도 미분 가능하므로

$\lim_{x\to 2}\frac{g(x)-g(2)}{x-2}$의 값이 존재해야 한다.

$$\begin{aligned}\lim_{x\to 2-}\frac{g(x)-g(2)}{x-2}&=\lim_{x\to 2-}\frac{p(x)f(x)-p(2)f(2)}{x-2}\\&=\lim_{x\to 2-}\frac{(x-1)p(x)-p(2)}{x-2}\\&=\lim_{x\to 2-}\frac{(x-2)p(x)+p(x)-p(2)}{x-2}\\&=^{❶}\underline{p(2)+p'(2)}\end{aligned}$$

$$\begin{aligned}\lim_{x\to 2+}\frac{g(x)-g(2)}{x-2}&=\lim_{x\to 2+}\frac{p(x)f(x)-p(2)f(2)}{x-2}\\&=\lim_{x\to 2+}\frac{(2x-3)p(x)-p(2)}{x-2}\\&=\lim_{x\to 2+}\frac{2(x-2)p(x)+p(x)-p(2)}{x-2}\\&=^{❷}\underline{2p(2)+p'(2)}\end{aligned}$$

에서 $\lim_{x\to 2-}\frac{g(x)-g(2)}{x-2}=\lim_{x\to 2+}\frac{g(x)-g(2)}{x-2}$

가 성립하려면 $p(2)+p'(2)=2p(2)+p'(2)$

즉 $p(2)=0$이어야 한다. (○)

ㄷ. (반례)

$p(x)=x^2(x-2)$, $h(x)=p(x)\{f(x)\}^2$이라 하자.

$$h(x)=\begin{cases}x^4(x-2) & (x\le 0)\\ x^2(x-1)^2(x-2) & (0<x\le 2)\\ x^2(2x-3)^2(x-2) & (x>2)\end{cases}$$

이때 $\lim_{x\to 0-}\frac{h(x)-h(0)}{x}=\lim_{x\to 0+}\frac{h(x)-h(0)}{x}=0$

이므로 함수 $h(x)$는 $x=0$에서 미분 가능하다.

또 $\lim_{x\to 2-}\frac{h(x)-h(2)}{x-2}=\lim_{x\to 2+}\frac{h(x)-h(2)}{x-2}=4$

이므로 함수 $h(x)$는 $x=2$에서 미분 가능하다.

즉 함수 $h(x)$는 실수 전체의 집합에서 미분 가능하지만 $p(x)$는 $x^2(x-2)^2$으로 나누어 떨어지지 않는다. (×)

따라서 옳은 것은 ㄱ, ㄴ

08 답 12

점 $(0, t)$를 지나는 직선이 곡선 $y=x^3-ax^2+3x-5$와 접할 때의 접점을 $(\alpha, \alpha^3-a\alpha^2+3\alpha-5)$라 하자.

$y'=3x^2-2ax+3$이므로 접선의 방정식은

$$\begin{aligned}y&=(3\alpha^2-2a\alpha+3)(x-\alpha)+\alpha^3-a\alpha^2+3\alpha-5\\&=(3\alpha^2-2a\alpha+3)x-2\alpha^3+a\alpha^2-5\end{aligned}$$

이고, 이 접선이 점 $(0, t)$를 지나므로

$t=-2\alpha^3+a\alpha^2-5$

즉 $f(t)$는 곡선 $y=-2\alpha^3+a\alpha^2-5$와 직선 $y=t$의 교점의 개수이다. 이때 $h(\alpha)=$❶ $\underline{-2\alpha^3+a\alpha^2-5}$ 라 하면

$h'(\alpha)=-6\alpha^2+2a\alpha=-2\alpha(3\alpha-a)$

$h'(0)=h'\left(\frac{a}{3}\right)=0$이고, $h(0)=-5$, $h\left(\frac{a}{3}\right)=\frac{a^3}{27}-5$이므로

곡선 $h(\alpha)=-2\alpha^3+a\alpha^2-5$의 그래프와 직선 $y=t$를 함께 나타내면 다음과 같다.

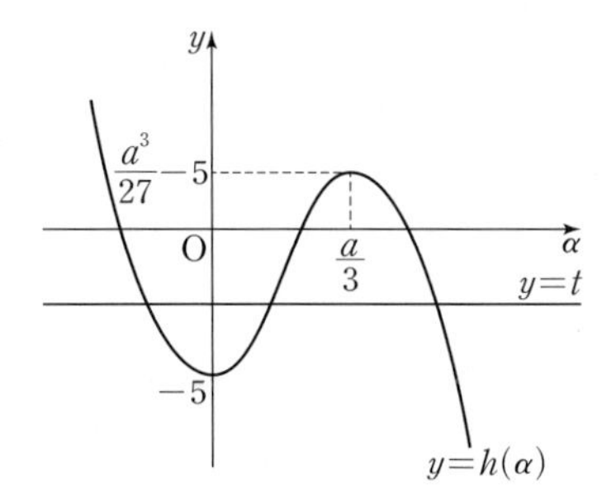

즉 함수 $f(t)$는 다음과 같다.

$$f(t)=\begin{cases}1 & (t<-5)\\ 2 & (t=-5)\\ 3 & \left(-5<t<\frac{a^3}{27}-5\right)\\ 2 & \left(t=\frac{a^3}{27}-5\right)\\ 1 & \left(t>\frac{a^3}{27}-5\right)\end{cases}$$

이때 $f(t)$가 불연속이 되는 모든 실수 t값은

❷ $\underline{-5,\ \frac{a^3}{27}-5}$ 이므로 그 합은 $\frac{a^3}{27}-10$

따라서 $\frac{a^3}{27}-10=54$가 되는 자연수 $a=4\times 3=12$

09 답 ②

(나)에서 $f(x)-2=a(x-b)^3$ (a, b는 상수)이라 할 수 있으므로

$f(x)=a(x-b)^3+2$

(가)에서 $f(x)$가 지나는 두 점이 $(-2, -6)$, $(3, 29)$이므로

$-6=a(-2-b)^3+2$에서 $a(b+2)^3=8$ ……㉠

$29=a(3-b)^3+2$에서 $a(3-b)^3=27$ ……㉡

㉠÷㉡에서 $\left(\frac{b+2}{3-b}\right)^3=\left(\frac{2}{3}\right)^3$ $\therefore b=0$

㉠에 $b=0$을 대입하면 $a=1$ $\therefore f(x)=$❶ $\underline{x^3+2}$

이때 접점을 (t, t^3+2)라 하고, 접선의 방정식을 구하면

$y=3t^2(x-t)+t^3+2$이고,

이 접선이 점 (m, n)을 지나므로

❷ $2t^3-3mt^2+(n-2)=0$ ……㉢

t에 대한 삼차방정식 ㉢이 서로 다른 세 실근을 가지면 된다.

$g(t)=2t^3-3mt^2+(n-2)$라 하면

$g'(t)=6t(t-m)$ $(0\le m\le 6)$에서

$m\ne 0$이면 $g(t)$는 $t=0$에서 극댓값이 $(n-2)$이고

$t=m$에서 극솟값이 $(-m^3+n-2)$이다.

삼차방정식 $g(t)=0$이 서로 다른 세 실근을 가지려면

(극댓값)>0, (극솟값)<0이어야 하므로

$n-2>0$, $-m^3+(n-2)<0$에서

$2<n<m^3+2$ $(0\le m\le 6)$ ……㉣

각 m에 대하여 순서쌍 (m, n)의 개수는 (m^3-1)개이므로

㉣에 $m=1, 2, \cdots, 6$을 각각 대입하여 구한

순서쌍 (m, n)의 개수의 합은

$$\sum_{m=1}^{6}(m^3-1)=\left(\frac{6\times 7}{2}\right)^2-6=441-6=435$$

참고

$m=0$이면 $g(t)=2t^3+$(상수) 꼴이므로 방정식 $g(t)=0$은 서로 다른 세 실근을 갖지 않는다.

10 답 404

$|f(x)|$는 기울기가 0이 아닌 x절편에서 미분이 불가능하다. x절편이 아니거나 기울기가 0인 x절편에서는 미분이 가능한데 곡선 $y=f(x)$가 $x=k$에서 x축과 만나면서 기울기가 0이면 $f(x)$는 $(x-k)^2$을 인수로 가진다.

한편 최고차항의 계수가 1인 사차함수 $f(x)$에 대하여 $f(1)=f(3)=0$이므로 $h(x)=|f(x)|$가 미분 불가능한 점이 1개이려면 $y=f(x)$의 그래프는 다음 두 가지 경우가 가능하다.

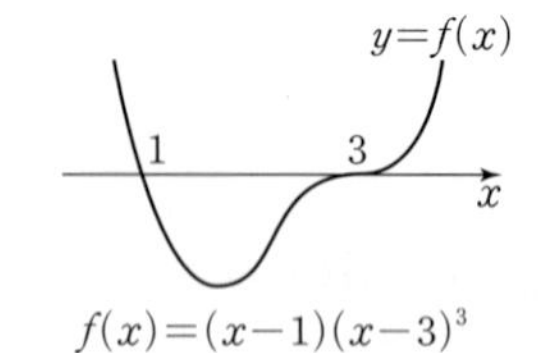

$f(x)=(x-1)(x-3)^3$

y=f(x) 1 3 x

$f(x)=(x-1)^3(x-3)$

(i) $f(x)=(x-1)(x-3)^3$인 경우

$f(a-x)=(x-a+1)(x-a+3)^3$이므로

$f(x)f(a-x)=(x-1)(x-a+1)(x-3)^3(x-a+3)^3$

$g(x)=|f(x)f(a-x)|$가 실수 전체에서 미분 가능하려면

$(x-1)$, $(x-a+1)$의 지수가 2 이상이어야 한다.

즉 가능한 a는 2, 4이다.

$a=2$일 때, $g(x)=|(x+1)^3(x-1)^2(x-3)^3|$

$a=4$일 때, $g(x)=|(x-1)^4(x-3)^4|$

가능한 $f(a)$의 값은 ❶ $f(2)=-1$, $f(4)=3$

(ii) $f(x)=(x-1)^3(x-3)$인 경우

$f(a-x)=(x-a+1)^3(x-a+3)$이므로

$f(x)f(a-x)=(x-1)^3(x-a+1)^3(x-3)(x-a+3)$

$g(x)=|f(x)f(a-x)|$가 실수 전체에서 미분 가능하려면

$(x-3)$, $(x-a+3)$의 지수가 2 이상이어야 하므로

가능한 a는 4, 6이다.

$a=4$일 때, $g(x)=|(x-1)^4(x-3)^4|$

$a=6$일 때, $g(x)=|(x-1)^3(x-3)^2(x-5)^3|$

가능한 $f(a)$의 값은 ❷ $f(4)=27$, $f(6)=375$

따라서 가능한 모든 $f(a)$의 값의 합은

$-1+3+27+375=404$

다른 풀이

$f(x)=(x-1)(x-3)^3$인 경우 $f(x)=0$의 근은 1, 3 (3은 중근)이므로 $f(a-x)=0$의 근은 $a-3$, $a-1$ ($a-3$은 중근)이다.

3, $a-3$에서는 이미 중근을 가지고 있어서 $f(x)f(a-x)$가 1, $a-1$에서만 중근을 갖도록 하면 되고 $1=a-1$, $1=a-3$ $(3=a-1)$의 두 가지 경우가 있다. 이때 $a=2, 4$

한편 $f(x)=(x-1)^3(x-3)$인 경우 $f(x)=0$의 근은 1, 3 (1은 중근)이므로 $f(a-x)=0$의 근은 $a-3$, $a-1$($a-1$은 중근)이다.

1, $a-1$에서는 이미 중근을 가지고 있어서 $f(x)f(a-x)$가 3, $a-3$에서만 중근을 갖도록 하면 되고 $3=a-3$, $3=a-1$ $(1=a-3)$의 두 가지 경우가 있다. 이때 $a=6, 4$

나머지는 위 풀이를 이용한다.

참고

$f(a)=0$이면 $f(x)$가 인수 $(x-a)$를 가지므로 $f(x)=(x-a)g(x)$로 생각할 수 있다. 이때 $f'(x)=g(x)+(x-a)\,g'(x)$인데

$f'(a)=g(a)=0$도 성립하면 $g(x)$가 다시 $(x-a)$를 인수로 가지므로

$g(x)=(x-a)h(x)$, $f(x)=(x-a)^2h(x)$로 생각할 수 있다.

11 답 38

$h(x)=\begin{cases} f(x) & (x\le 0) \\ g(x) & (x>0) \end{cases}$이고, 함수 $f(x)$는 $x=-1$에서 극댓값을 가지는 이차함수이므로 $f(x)=ax^2+2ax+c$ (단, $a<0$)이라 놓을 수 있다.

이때 함수 $h(x)$가 실수 전체에서 미분 가능하므로

$f(0)=g(0)=c$이고, $f'(0)=g'(0)=2a$이다.

즉 $g(x)=bx^3+2ax+c$ ……㉠ (단, $b>0$)

라 놓을 수 있고, 함수 $h(x)$의 그래프 개형은 다음과 같다.

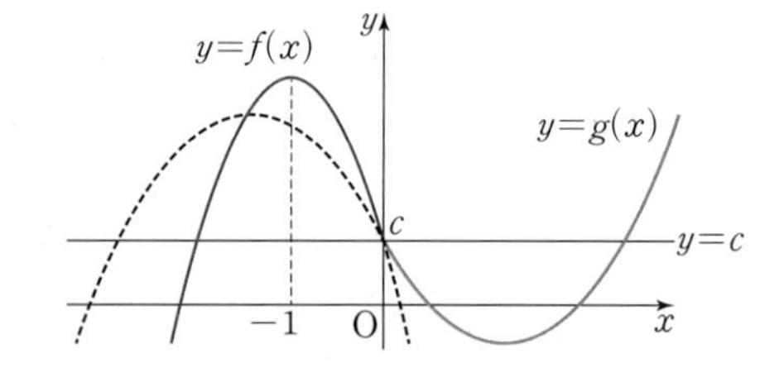

그런데 함수 $f(x)$는 $x=-1$에 대하여 대칭이므로

$f(x)=h(0)=c$의 두 근은 $x=0$ 또는 $x=-2$이다.

그런데 ㈎에서 방정식 $h(x)=h(0)$의 모든 실근의 합이 1이라 했으므로 $g(x)=h(0)=c$의 실근이 3이어야 한다.

즉 조건을 만족시키는 그래프는 다음과 같다.

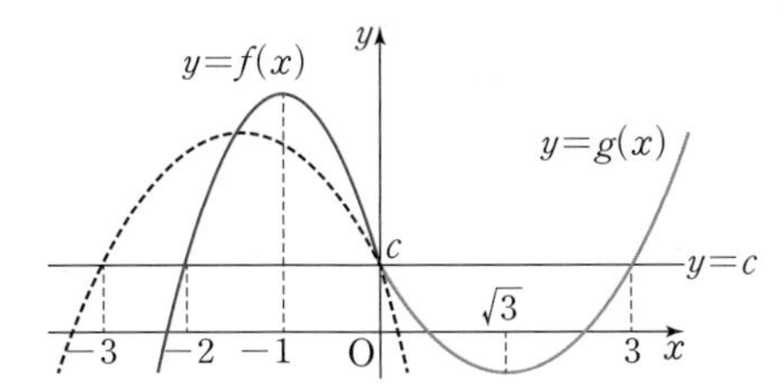

$x<0$에서 함수 $g(x)=bx^3+2ax+c$의 그래프를 생각하면 그림처럼 점 $(0, c)$에 대하여 대칭이다.

즉 $g(x)=c$의 해가 $-3, 0, 3$이므로

$g(x)-c=bx(x+3)(x-3)$에서

$g(x)=bx^3-9bx+c$ ······ ㉡

㉠, ㉡을 비교하면 $2a=-9b$ ······ ㉢

한편 구간 $[-2, 3]$에서 $h(x)$의 최댓값은 ❶ $f(-1)=c-a$이고

$h(x)$의 최솟값은 $g'(x)=3bx^2-9b=0$을 생각하면

❷ $g(\sqrt{3})=c-6\sqrt{3}b$이므로 ㈏에 따라

$f(-1)-g(\sqrt{3})=-a+6\sqrt{3}b=3+4\sqrt{3}$ ······ ㉣

㉣에서 구한 $a=-3$, $b=\frac{2}{3}$가 ㉢을 만족시키므로

$$h(x)=\begin{cases}-3x^2-6x+c & (x\le 0)\\ \frac{2}{3}x^3-6x+c & (x>0)\end{cases},$$

$$h'(x)=\begin{cases}-6x-6 & (x<0)\\ 2x^2-6 & (x>0)\end{cases}$$

따라서 $h'(-3)+h'(4)=12+26=38$

참고

$y=bx^3+2ax$의 그래프는 원점에 대하여 대칭이다. 이 곡선을 y축 방향으로 c만큼 평행이동한 곡선은 점 $(0, c)$에 대하여 대칭이다.

즉 $g(x)=bx^3+2ax+c$의 그래프는 점 $(0, c)$에 대하여 대칭이고 곡선 $y=g(x)$와 직선 $y=c$는 $x>0$에서 $x=3$과 만나므로 $x<0$에서는 $x=-3$과 만난다.

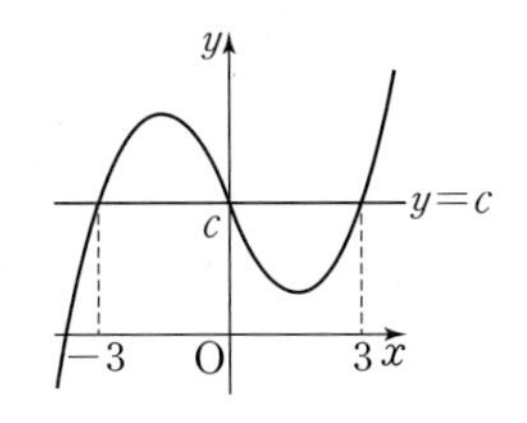

즉 $g(x)-c=bx(x+3)(x-3)$에서 $g(x)=bx(x+3)(x-3)+c$

12 답 64

$f(x)=|3x-9|$를 대입해 함수 $g(x)$를 구하면

$$g(x)=\begin{cases}\frac{9}{2}|x+k-3| & (x<0)\\ 3|x-3| & (x\ge 0)\end{cases}$$

(i) 함수 $g(x)$가 $x=0$에서 연속이면

$\lim_{x\to 0+}g(x)=9$, $\lim_{x\to 0-}g(x)=\frac{9}{2}|k-3|$이므로

$9=\frac{9}{2}|k-3|$에서 $k=1, 5$

① $k=1$일 때

$$g(x)=\begin{cases}\frac{9}{2}|x-2| & (x<0)\\ 3|x-3| & (x\ge 0)\end{cases}$$

이므로 함수 $g(x)$의 그래프는 그림과 같이 $x=0, 3$에서 미분 가능하지 않다.

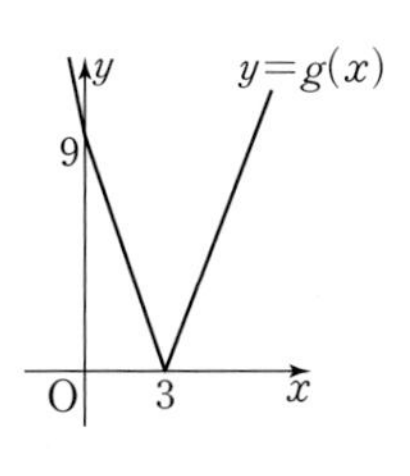

함수 $g(x)h(x)$가 실수 전체 집합에서 미분 가능하려면 $x=3$에서 미분 가능해야 하므로

$$\lim_{x\to 3-}\frac{g(x)h(x)-g(3)h(3)}{x-3}=\lim_{x\to 3-}\frac{(9-3x)h(x)}{x-3}=\lim_{x\to 3-}\{-3h(x)\}=-3h(3)$$

$$\lim_{x\to 3+}\frac{g(x)h(x)-g(3)h(3)}{x-3}=\lim_{x\to 3+}\frac{(3x-9)h(x)}{x-3}=\lim_{x\to 3+}3h(x)=3h(3)$$

즉 $3h(3)=-3h(3)$에서 $h(3)=0$

즉 삼차함수 $h(x)$는 $(x-3)$을 인수로 가진다.

또 함수 $g(x)h(x)$가 $x=0$에서 미분 가능해야 하므로

$$\lim_{x\to 0-}\frac{g(x)h(x)-g(0)h(0)}{x-0}$$

$$=\lim_{x\to 0-}\frac{\frac{9}{2}(2-x)h(x)-9h(0)}{x}$$

$$=\lim_{x\to 0-}\frac{9\{h(x)-h(0)\}-\frac{9}{2}xh(x)}{x}$$

$$=9h'(0)-\frac{9}{2}h(0)$$

$$\lim_{x\to 0+}\frac{g(x)h(x)-g(0)h(0)}{x-0}$$

$$=\lim_{x\to 0+}\frac{(9-3x)h(x)-9h(0)}{x}$$

$$=\lim_{x\to 0+}\frac{(9-3x)\{h(x)-h(0)\}-3xh(0)}{x}$$

$$=9h'(0)-3h(0)$$

즉 $9h'(0)-3h(0)=9h'(0)-\frac{9}{2}h(0)$에서 $h(0)=0$

이므로 $h(x)=x(x-3)(x+\alpha)$ (단, α는 상수)

라 하면 ㈏에서

$h'(3)=27+6(\alpha-3)-3\alpha=15$이므로 $\alpha=2$

$\therefore h(x)=x(x-3)(x+2)=$ ❶ x^3-x^2-6x

$\therefore h(k)=h(1)=-6$

② $k=5$일 때

$g(x)=\begin{cases} \frac{9}{2}|x+2| & (x<0) \\ 3|x-3| & (x\geq 0) \end{cases}$

므로 함수 $g(x)$의 그래프는 그림과 같다.

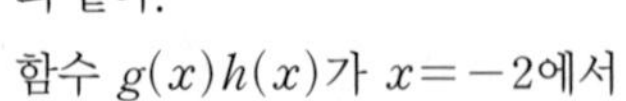

함수 $g(x)h(x)$가 $x=-2$에서 미분 가능해야 하므로 위와 같은 방법으로 생각하면 $h(-2)=0$이어야 한다.

삼차함수 즉 $h(3)=h(0)=h(-2)=0$이고 최고차항의 계수가 1인 삼차함수이므로

$h(x)=x(x+2)(x-3)=$ ❶ $\underline{x^3-x^2-6x}$

이때 $h'(x)=3x^2-2x-6$, $h'(3)=27-6-6=15$이므로 (나)를 만족시킨다. $\therefore h(k)=h(5)=70$

(ii) $g(x)$가 $x=0$에서 불연속인 경우 ($k\neq 1$, $k\neq 5$)

함수 $g(x)h(x)$가 $x=0$에서 연속이므로

$\lim_{x\to 0-} g(x)h(x)=\lim_{x\to 0+} g(x)h(x)=g(0)h(0)$

즉 $\frac{9}{2}|k-3|\times h(0)=9h(0)$에서

$k\neq 1$, $k\neq 5$이므로 $h(0)=0$

또 함수 $g(x)h(x)$가 $x=0$에서 미분 가능하므로

$\lim_{x\to 0-}\frac{g(x)h(x)-g(0)h(0)}{x-0}=\frac{9}{2}|k-3|\times h'(0)$

$\lim_{x\to 0+}\frac{g(x)h(x)-g(0)h(0)}{x-0}=9h'(0)$

즉 $\frac{9}{2}|k-3|\times h'(0)=9h'(0)$에서 $h'(0)=0$

(i)과 마찬가지로 생각하면 $x=3$에서 $g(x)h(x)$가 미분 가능해야 하므로 $h(3)=0$이어야 한다. 즉 $h(x)$는 x^2과 $(x-3)$을 인수로 가지고 최고차항의 계수가 1인 삼차함수이므로

$h(x)=x^2(x-3)=$ ❷ $\underline{x^3-3x^2}$

이때 $h'(x)=3x^2-6x$에서 $h'(3)=27-18=9$

즉 (나)에 어긋나므로 $g(x)$가 $x=0$에서 불연속인 경우에는 $h(x)$가 존재하지 않는다.

(i), (ii)에서 모든 $h(k)$ 값의 합은

$h(1)+h(5)=(-6)+70=64$

참고

(i)의 ①일 때 $g(x)$가 미분 가능하지 않은 $x=0$, 3에서 $h(0)=0$, $h(3)=0$을 구한 방법을 (i)의 ②와 (ii)의 풀이에서 이용한다.

13 답 ③

곡선 $y=x^3-3x+1$ 위의 점 (t, t^3-3t+1)에서의 접선은

$y=(3t^2-3)(x-t)+(t^3-3t+1)$

$=(3t^2-3)x-2t^3+1$

이 접선이 점 $\mathrm{A}(2, a)$를 지나므로 $a=2(3t^2-3)-2t^3+1$

$\therefore a=-2t^3+6t^2-5$ ······ ㉠

$f(t)=-2t^3+6t^2-5$라 하면 $f'(t)=-6t(t-2)$

$t=0$, 2일 때 극값을 가지므로 $f(0)=-5$, $f(2)=3$이고

그림과 같이 $y=f(t)$의 그래프에서 생각하면 ㉠이 서로 다른 세 실근을 가지는 a값의 범위는 ❶ $\underline{-5<a<3}$

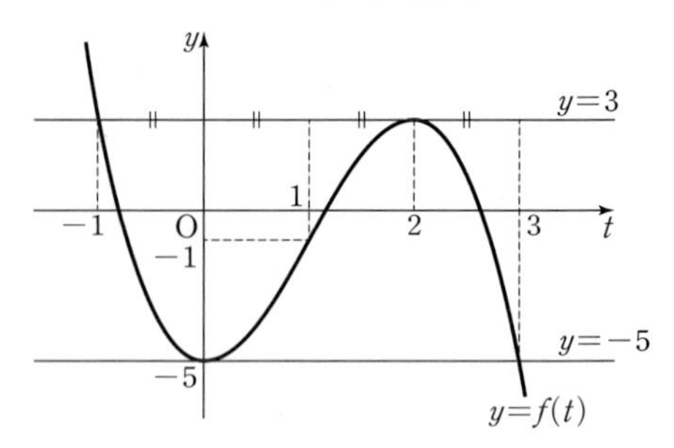

한편 $x=t$에서 접선의 기울기는 $3(t^2-1)$ ······ ㉡이므로

$|t|>1$일 때, 접선의 기울기가 양수이고

$|t|=1$일 때, 접선의 기울기는 0,

$|t|<1$일 때, 접선의 기울기가 음수이다.

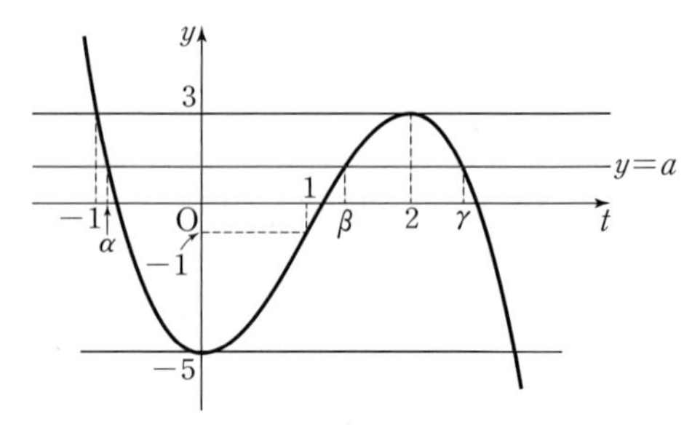

방정식 ㉠의 해를 그림처럼 $\alpha<\beta<\gamma$라 하면

$-1<\alpha<0$, $0<\beta<2$, $\gamma>2$이다.

이때 직선 $y=a$의 위치를 아래 위로 움직여 보면

β값의 범위를 다음과 같이 나눌 수 있다.

(i) $0<\beta<1$인 경우 (⇨ $-5<a<-1$)

㉡에 따라 각 접선의 기울기의 부호는 $-$, $-$, $+$이다.

이때 세 접선의 기울기의 곱은 양수이다.

(ii) 그림처럼 $1<\beta<2$인 경우 (⇨ $-1<a<3$)

㉡에 따라 각 접선의 기울기의 부호는 $-$, $+$, $+$이다.

이때 세 접선의 기울기의 곱은 음수이다.

(iii) $\beta=1$인 경우 (⇨ $a=-1$)

방정식 ㉠의 해 중 하나가 $t=1$이어서 ㉡에 따라 접선의 기울기는 0이므로 세 접선의 기울기의 곱도 0이다.

(i) ~ (iii)에서 조건에 맞는 실수 a의 범위는

❷ $\underline{-5<a<-1}$이고,

이 범위에 속한 정수는 -4, -3, -2로 모두 3개다.

킬러 격파 Tip

❶ 각 극점에서 x축에 평행한 직선을 각각 그어 그래프와 만나는 점의 x좌표를 생각하면 삼차함수 그래프의 성질에 따라 -1, 3을 구할 수 있고, $x=1$일 때 곡선의 대칭점(변곡점)은 극댓점과 극솟점의 중심이 된다.

❷ $a=-1$일 때 $\beta=1$이므로 기울기가 0이다.

❸ $a=3$일 때 $\alpha=-1$이므로 기울기가 0이다.

14 답 ④

ㄱ. $g(x)=\begin{cases}(x-2)\left(x^2+\dfrac{3}{n}\right) & (x\ge2)\\(x-2)^2\left(x^2+\dfrac{3}{n}\right) & (x<2)\end{cases}$

이므로 모든 x에 대하여 $g(x)\ge0$이다.

$x>2$일 때 $g'(x)=\left(x^2+\dfrac{3}{n}\right)+(x-2)(2x)$

$=3x^2-4x+\dfrac{3}{n}$

이므로 $\lim\limits_{x\to2+}g'(x)=$ ❶ $4+\dfrac{3}{n}>0$

$x<2$일 때 $g'(x)=2(x-2)\left(x^2+\dfrac{3}{n}\right)+(x-2)^2(2x)$

이므로 $\lim\limits_{x\to2-}g'(x)=$ ❷ 0

즉 $\lim\limits_{x\to2+}g'(x)\ne\lim\limits_{x\to2-}g'(x)$이므로

$g(x)$는 $x=2$에서 미분 불가능하다. (○)

ㄴ. $g(2)=0$이고 모든 x에 대하여 $g(x)\ge0$이므로 함수 $g(x)$는 $x=2$에서 극솟값을 갖는다. 또 함수 $g(x)$가 한 점에서만 극대 또는 극소가 되려면 $x\ne2$인 모든 점에서 극점이 존재하면 안 되므로 그래프 개형은 그림과 같다.

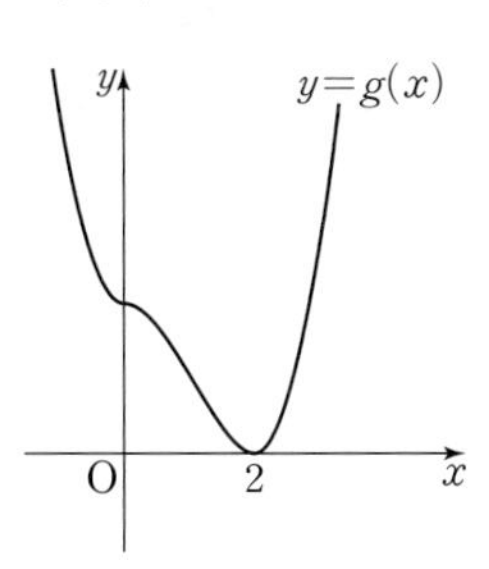

또 $x>2$에서 $g'(x)>0$이므로 $g(x)$는 증가하는 함수이고 $x>2$에서 극값을 가지지 않는다.

$x<2$에서 $g'(x)=2(x-2)\left(2x^2-2x+\dfrac{3}{n}\right)$이므로

$x<2$인 모든 x에 대하여 $2x^2-2x+\dfrac{3}{n}\ge0$이면

$g'(x)<0$이므로 $x=2$ 이외에 더 이상의 극점은 없다.

$2x^2-2x+\dfrac{3}{n}=2\left(x-\dfrac{1}{2}\right)^2+\dfrac{3}{n}-\dfrac{1}{2}\ge0$

이 되도록 하는 자연수 n은 1부터 6까지이므로

그 합은 $\dfrac{6\times7}{2}=$ ❸ 21 (×)

ㄷ. 함수 $g(x)$가 $x=2$에서 미분 불가능하므로 함수 $|g(x)-k|$도 $x=2$에서 미분 불가능하다.

또 함수 $|g(x)-k|$에서 미분 불가능한 점이 두 개뿐이려면 $x=2$를 제외한 나머지 범위에서 미분 불가능한 점이 한 개뿐이어야 하므로

$y=g(x)-k$는 $x<2$에서 $(x-\alpha)^3$ 꼴을 포함해야 한다.

즉 $g'(x)=2(x-2)\left(2x^2-2x+\dfrac{3}{n}\right)$이 중근을 가져야 한다.

이때 $x=2$는 중근이 될 수 없으므로

$2x^2-2x+\dfrac{3}{n}=0$이 중근을 가지려면

$\dfrac{D}{4}=1-\dfrac{6}{n}=0$에서 $n=6$

$\therefore g'(x)=4(x-2)\left(x-\dfrac{1}{2}\right)^2$

$y=g(x)$는 다음과 같다.

$g(x)=\begin{cases}(x-2)\left(x^2+\dfrac{1}{2}\right) & (x\ge2)\\(x-2)^2\left(x^2+\dfrac{1}{2}\right) & (x<2)\end{cases}$

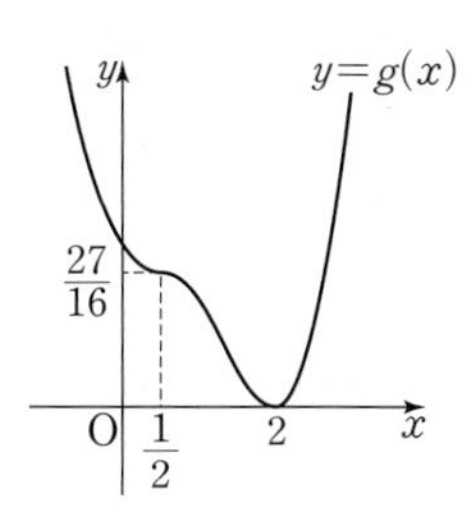

이때 함수 $|g(x)-k|$가

미분 불가능한 점이 두 개뿐이려면

$k=g\left(\dfrac{1}{2}\right)=\left(\dfrac{1}{2}-2\right)^2\left(\dfrac{1}{4}+\dfrac{1}{2}\right)=\dfrac{27}{16}$

이고, 함수 $y=\left|g(x)-\dfrac{27}{16}\right|$은 그림과 같다. (○)

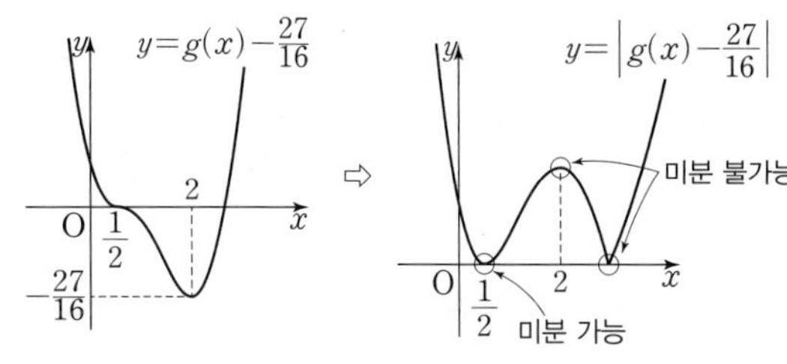

따라서 옳은 것은 ㄱ, ㄷ

참고

❶ ㄴ의 $x<2$에서 $g'(x)=2(x-2)\left(2x^2-2x+\dfrac{3}{n}\right)$이고,

$n=6$일 때 $g'(x)=4(x-2)\left(x-\dfrac{1}{2}\right)^2$이 되어 $g'\left(\dfrac{1}{2}\right)=0$이지만

$x=\dfrac{1}{2}$에서 $g'(x)$의 부호 변화가 없으므로 극값을 가지지 않는다.

❷ $y=g(x)$의 그래프에 x축에 평행한 직선 $y=k$ $(k>0)$를 그려 아래 위로 움직여 보면 직선이 $y=g(x)$가 삼중근이 되는 점을 지날 때 문제의 조건을 만족시킨다.

❸ 함수 $|g(x)-k|$에서

$k\ne\dfrac{27}{16}$이면 그림과 같이

$x=2$ 말고도 미분 불가능한 점이 2개 더 있으므로 조건을 만족시키지 않는다.

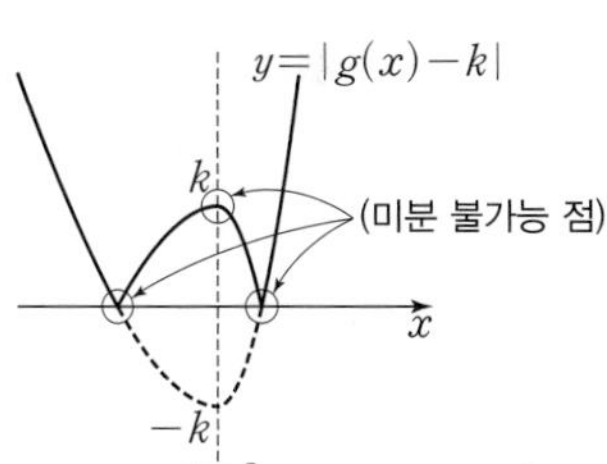

❹ $y=(x-2)^2\left(x^2+\dfrac{1}{2}\right)-\dfrac{27}{16}$

$=x^4-4x^3+\dfrac{9}{2}x^2-2x+\dfrac{5}{16}$

$=\left(x-\dfrac{1}{2}\right)^3\left(x-\dfrac{5}{2}\right)$

이므로 $x=\dfrac{1}{2}$일 때 삼중근을 가진다.

p. 59~72

집중공략 유형07 그래프의 분석과 활용

01 5	02-1 ⑤	02-2 92	03-1 ③
03-2 196	04 ④	05 ③	06 ③
07 ④	08 ④	09 80	10 ②
11 14	12 ③	13 69	14 215
15 128	16 7	17 36	

01 답 5

(가)에서 이차함수 $g(x)$ 위의 점 $(2,\ 0)$에서의 접선이 x축이고, $g(x)$는 최고차항의 계수가 -1이므로 $g(x)=-(x-2)^2$

최고차항의 계수가 1인 삼차함수 $f(x)$가 원점에서 x축과 접하므로 $f(x)=x^2(x+p)$ (단, p는 상수)로 놓을 수 있다.

$y=f(x)$ 위의 점 $(t,\ t^3+pt^2)$에서의 접선의 방정식은

$y=(3t^2+2pt)(x-t)+t^3+pt^2$

$\therefore\ y=(3t^2+2pt)x-2t^3-pt^2$ ······ ㉠

㉠이 점$(2,\ 0)$을 지나므로 $0=2(3t^2+2pt)-2t^3-pt^2$

정리하면 $t\{2t^2-(6-p)t-4p\}=0$ ······ ㉡

(나)에서 점 $(2,\ 0)$에서 $y=f(x)$에 그은 접선이 2개이므로 t에 대한 방정식 ㉡의 근도 2개다. 즉 다음 두 경우로 생각할 수 있다.

(i) 이차방정식 $2t^2-(6-p)t-4p=0$이 중근을 갖는 경우

$D=(6-p)^2+32p=0$에서 $p=-2$ 또는 $p=-18$

① $p=-2$일 때

$f(x)=x^2(x-2)$, $g(x)=-(x-2)^2$이고, [그림 1]처럼 두 함수는 서로 다른 세 점에서 만나므로 (다)에 어긋난다.

② $p=-18$일 때

$f(x)=x^2(x-18)$, $g(x)=-(x-2)^2$이고, [그림 2]처럼 두 함수는 서로 다른 세 점에서 만나므로 (다)에 어긋난다.

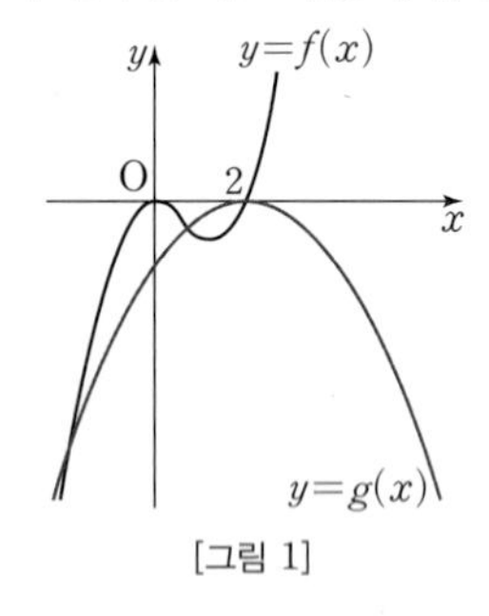

[그림 1]

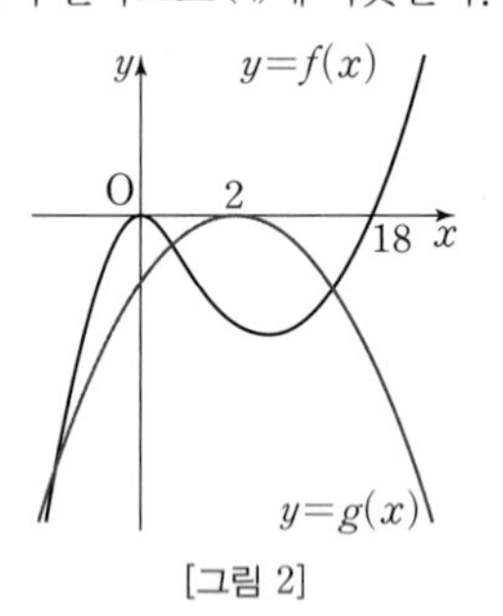

[그림 2]

(ii) 이차방정식 $2t^2-(6-p)t-4p=0$의 한 근이 0인 경우 $t=0$을 대입하면 $p=0$이므로 $f(x)=x^3$, $g(x)=-(x-2)^2$이고 [그림 3]처럼 두 함수는 한 점에서만 만나므로 (다)를 만족시킨다.

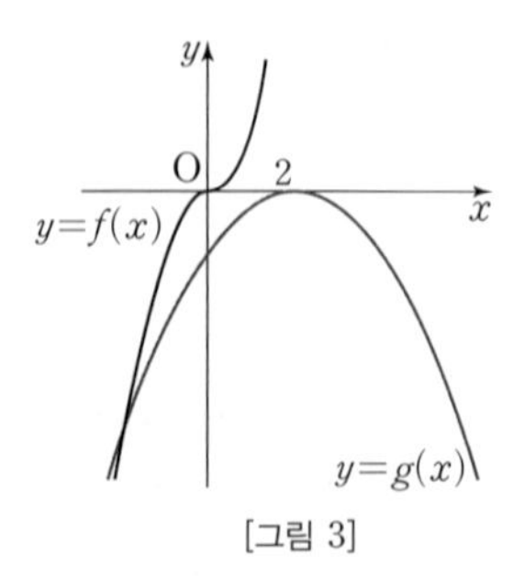

[그림 3]

(i), (ii)에서 $f(x)=x^3$이다.

한편 $g(x)\le kx-2\le f(x)$에서 직선 $y=kx-2$는 점 $(0,\ -2)$를 지나고 기울기가 k인 직선이다.

[그림 4]처럼 생각하면 $x>0$인 모든 실수 x에 대하여 $g(x)\le kx-2\le f(x)$를 만족시키는 k의 최댓값은 $(0,\ -2)$를 지나는 직선이 $y=f(x)$의 그래프와 접할 때이고 k의 최솟값은 $(0,\ -2)$를 지나는 직선이 $y=g(x)$의 그래프와 접할 때이다.

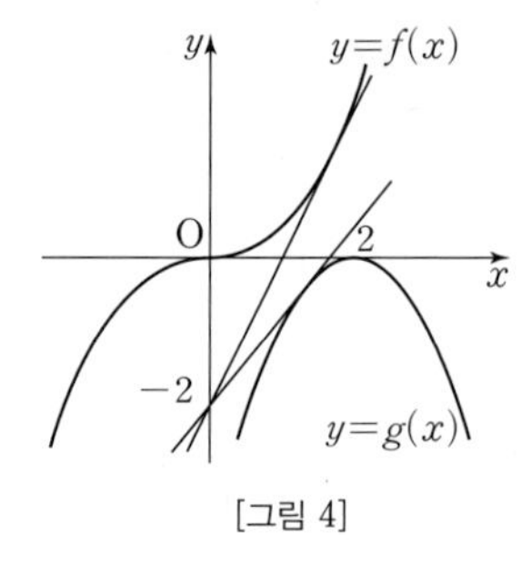

[그림 4]

직선이 $y=f(x)$와 접하는 접점의 좌표를 $(t,\ t^3)$이라 하면 접선의 방정식은 $y=3t^2x-2t^3$이고, 접선이 점 $(0,\ -2)$를 지나므로 $-2=-2t^3$에서 $t=1$이고, 접선의 기울기 $k=3$ ······ ㉢

또 직선이 $y=g(x)$와 접하는 접점의 좌표를 $(t,\ -(t-2)^2)$이라 하면 접선의 방정식은 $y=-2(t-2)x+t^2-4$

접선이 점 $(0,\ -2)$를 지나므로 $t^2=2$에서 $t=\sqrt{2}$ ($\because\ t>0$)이고, 이때 접선의 기울기 $k=4-2\sqrt{2}$ ······ ㉣

㉢, ㉣에서 $4-2\sqrt{2}\le k\le 3$이므로 $\alpha=3$, $\beta=4-2\sqrt{2}$

이때 $\alpha-\beta=-1+2\sqrt{2}=a+b\sqrt{2}$에서

$a=-1$, $b=2$이므로 $a^2+b^2=5$

02-1 답 ⑤

$f(x)=x^3+ax^2+bx+c$로 놓으면 $f'(x)=3x^2+2ax+b$

$f(0)=f'(0)$이므로 $c=b$

즉 $f(x)=x^3+ax^2+bx+b$, $g(x)=f(x)-f'(x)$라 하면

$g(x)=(x^3+ax^2+bx+b)-(3x^2+2ax+b)$

$\quad\ \ =x^3+(a-3)x^2+(b-2a)x$

이때 $g(0)=0$이고,

(다)에서 $x\ge -1$인 모든 실수 x에 대하여 $g(x)\ge 0$이므로

그림과 같이 $g(x)$는 $x=0$에서 극솟값을 가진다. 즉 $g'(0)=0$

y, $y=g(x)$, $3-a$, -1, O, x

$g'(x)=3x^2+2(a-3)x+b-2a$에서

$g'(0)=b-2a=0\qquad \therefore\ b=2a$

$\therefore\ g(x)=x^3+(a-3)x^2=x^2(x+a-3)$

즉 방정식 $g(x)=0$의 해는 $x=0,\ 3-a$이고

$x\ge -1$에서 $g(x)\ge 0$이므로 $3-a\le -1$이어야 한다.

$\therefore$ ❷ $a\ge 4$

※ $g(-1)\ge 0$을 이용해 $a\ge 4$를 구해도 된다.

$f(x)=$ ❶ $x^3+ax^2+2ax+2a$ 에서

$f(2)=8+4a+4a+2a=10a+8\ge 10\times 4+8=48$ ($\because\ a\ge 4$)

따라서 $f(2)$의 최솟값은 48

02-2 답 92

$f(x)=x^3+ax^2+bx+c$로 놓으면

$f'(x)=3x^2+2ax+b$

$f(0)=2f'(0)$이므로 $c=2b$

즉 $f(x)=x^3+ax^2+bx+2b$

$g(x)=f(x)-2f'(x)$라 하면

$g(x)=(x^3+ax^2+bx+2b)-2(3x^2+2ax+b)$

$\quad =x^3+(a-6)x^2+(b-4a)x$

이때 $g(0)=0$이고, (다)에서 $x\geq-1$ 인 모든 실수 x에 대하여 $g(x)\geq0$ 이므로 그림과 같이 $g(x)$는 $x=0$ 에서 극솟값을 가진다.

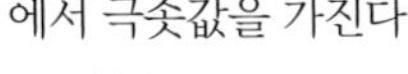

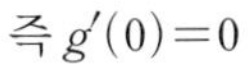

즉 $g'(0)=0$

$g'(x)=3x^2+2(a-6)x+b-4a$에서

$g'(0)=b-4a=0 \qquad \therefore b=4a$

$\therefore g(x)=x^3+(a-6)x^2=x^2(x+a-6)$

즉 방정식 $g(x)=0$의 해는 $x=0,\ 6-a$이고

$x\geq-1$에서 $g(x)\geq0$이므로 $6-a\leq-1$이어야 한다.

$\therefore$ ❶ $a\geq7$

$f(x)=$ ❷ $x^3+ax^2+4ax+8a$ 에서

$f(1)=13a+1\geq13\times7+1=92$ ($\because a\geq7$)

따라서 $f(1)$의 최솟값은 92

03-1 답 ③

(가), (나)를 만족시키는 함수 $y=f(x)$의 그래프와 $y=f'(x)$의 그래프는 그림과 같다.

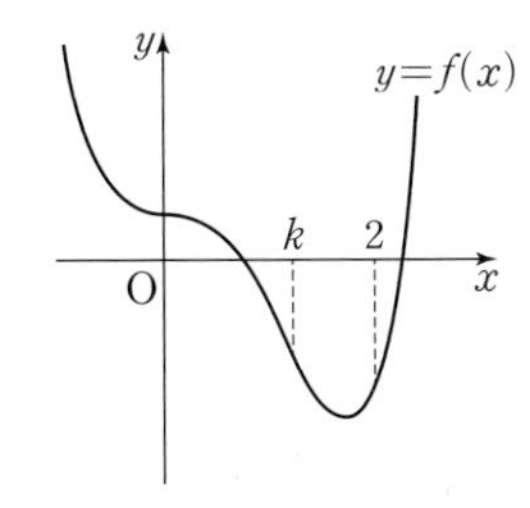

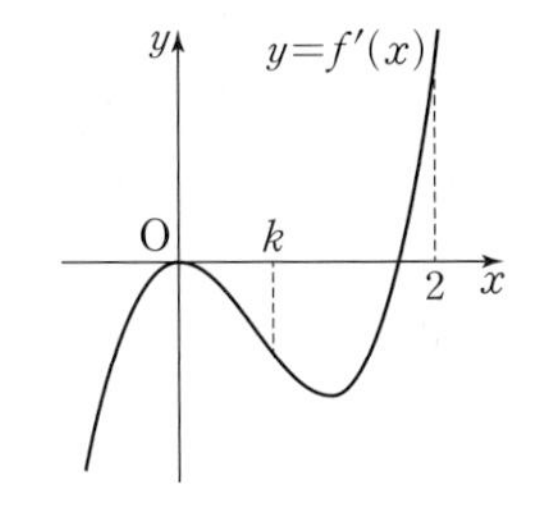

ㄱ. 함수 $y=f'(x)$의 그래프와 x축은 열린구간 $(k,\ 2)$에서 만난다. 즉 방정식 $f'(x)=0$은 열린구간 $(k,\ 2)$에서 실근이 한 개다. (○)

ㄴ. 함수 $y=f(x)$의 그래프에서 함수 $f(x)$는 극댓값이 없고, 극솟값을 갖는다. (×)

ㄷ. $f(0)=0$이면 양수 a에 대하여 $f(x)=x^3(x-a)$로 놓을 수 있다.

$f(x)=x^4-ax^3$에서 $f'(x)=4x^3-3ax^2$이고,

$f'(2)=32-12a=16 \qquad \therefore a=\frac{4}{3}$

이때 $f(x)=$ ❶ $x^4-\frac{4}{3}x^3$ 이고, $x=1$에서 극솟값 ❷ $-\frac{1}{3}$을 가지므로 $y=f(x)$의 그래프는 그림과 같다.

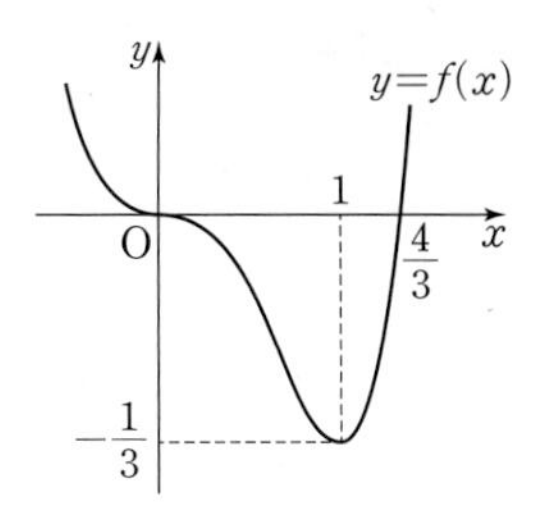

즉 모든 실수 x에 대하여 $f(x)\geq-\frac{1}{3}$이다. (○)

따라서 옳은 것은 ㄱ, ㄷ

03-2 답 196

(가)에서 $f(0)=0,\ f'(0)=0$이고 (나)를 만족시키면 사차함수 $f(x)$는 $x=0$ 일 때 x축에 접하고 $x=0$은 감소 구간에 속한다. 또 (다)에서 함수 $|f(x)|$는 $x=4$에서 미분 불가능하므로 $f(x)$의 그래프는 $x=4$에서 x축과 만난다.

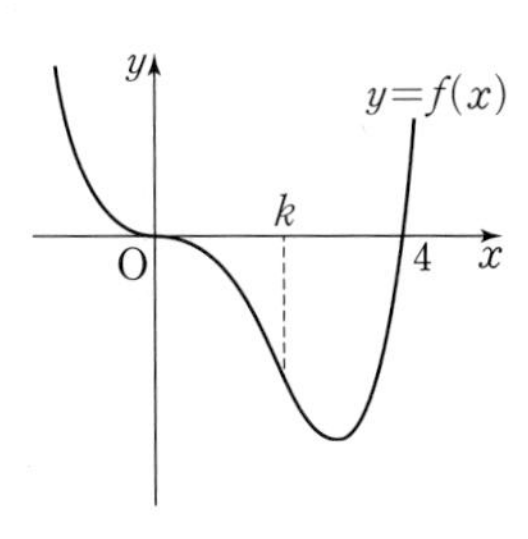

즉 조건 (가), (나), (다)를 만족시키는 함수 $y=f(x)$의 그래프는 그림과 같고, 양수 a에 대하여 $f(x)=ax^3(x-4)$로 놓을 수 있다.

즉 $f(x)=ax^4-4ax^3$에서 $f'(x)=4ax^3-12ax^2$이고,

(가)에서 $f'(1)=4a-12a=-8a=-16 \qquad \therefore a=2$

즉 $f(x)=$ ❶ $2x^3(x-4)$ 이고, $f'(x)=8x^2(x-3)$이므로

함수 $f(x)$는 $x=3$에서 극솟값 $f(3)=$ ❷ -54 를 갖는다.

또 $f(-1)=10,\ f(5)=250$이므로 $-1\leq x\leq5$에서

함수 $f(x)$의 최댓값은 $M=f(5)=250$

함수 $f(x)$의 최솟값은 $m=f(3)=-54$

따라서 $M+m=250+(-54)=196$

04 답 ④

문제의 조건에서 사차함수 $f(x)$ 는 $x=\alpha,\ x=\beta$에서 극솟값 -6을 가지고, $\beta=-\alpha$이므로

$f'(\alpha)=0,\ f'(-\alpha)=0$ 이고 $f(\alpha)=f(-\alpha)=-6$

즉 함수 $f(x)$의 그래프 개형은 다음과 같다.

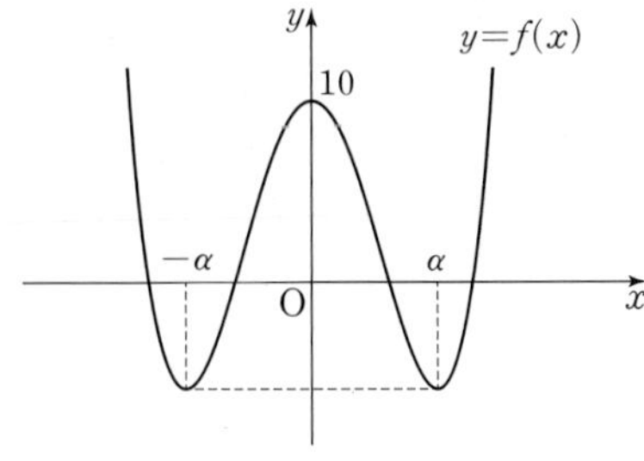

$\therefore f(x)=(x-\alpha)^2(x+\alpha)^2-6$

이때 $f(0)=10$이므로 $f(0)=\alpha^4-6=10$에서 $\alpha=2$

즉 $f(x)=(x-2)^2(x+2)^2-6=$ x^4-8x^2+10

$f(4)=(4-2)^2(4+2)^2-6=138$

다른 풀이

문제의 조건에서 함수 $f(x)$는 y축에 대칭인 함수임을 알 수 있다.

$\therefore a=0, c=0$

또 $f'(\alpha)=4\alpha^3+2b\alpha=2\alpha(2\alpha^2+b)=0$에서

$\alpha=\pm\sqrt{-\frac{b}{2}}$ $(b<0)$일 때, 극솟값 -6을 갖는다.

즉 $f(\alpha)=f\left(\sqrt{-\frac{b}{2}}\right)=\frac{b^2}{4}+b\left(-\frac{b}{2}\right)+10=-6$에서

$-\frac{b^2}{4}=-16$ $\quad\therefore b=-8$ $(b<0)$

따라서 $f(x)=x^4-8x^2+10$이므로 $f(4)=256-128+10=138$

05 답 ③

(나)에서 $|f(x)|\ge 0$이므로 방정식 $|f(x)|=f(0)$이 실근을 갖지 않으려면 ❶ $f(0)<0$이어야 한다.

ㄱ. $a=0$이면 (가)에서

$f'(x)=x^2(x-2)$이고

$f(0)<0$이므로 함수 $y=f(x)$의 그래프 개형은 그림과 같다.

즉 방정식 $f(x)=0$은 서로 다른 두 실근을 갖는다. (○)

ㄴ. (반례) $0<a<2$이고

$f(a)>0$일 때,

$f(2)>0$이면 그림과 같이 방정식 $f(x)=0$은 서로 다른 두 실근을 갖는다. (×)

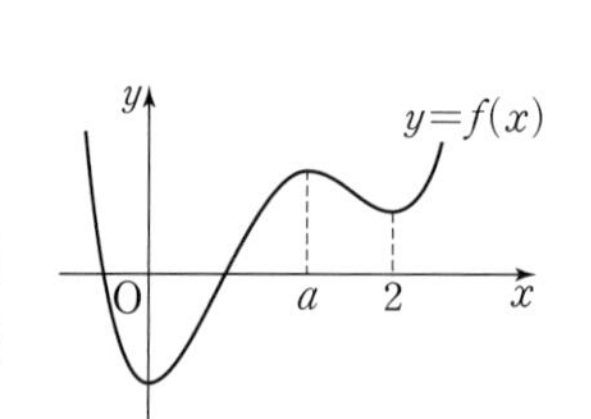

ㄷ. $f'(x)$에서 최고차항의 계수가 1이므로 사차함수 $f(x)$의 최고차항의 계수는 $\frac{1}{4}$이다.

또 함수 $|f(x)-f(2)|$가 $x=k$에서만 미분 가능하지 않으려면 $f(x)-f(2)=$ ❷ $\frac{1}{4}(x-k)(x-2)^3$ 이어야 한다.

이때 $f'(0)=0$이고,

$f(0)<0$임을 생각하면

함수 $y=|f(x)-f(2)|$의 그래프 개형은 그림과 같다.

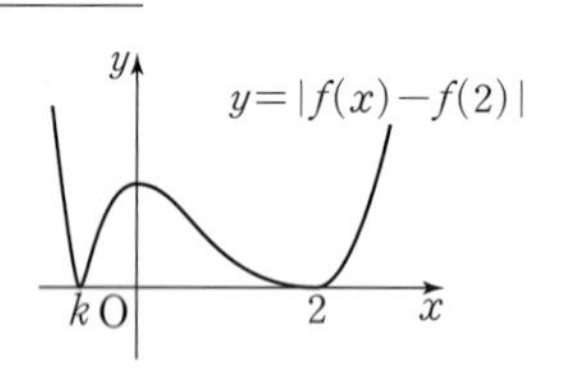

이때 $|f(x)-f(2)|$는 실수 k $(k<0)$에 대하여 $x=k$에서만 미분 가능하지 않다. (○)

따라서 옳은 것은 ㄱ, ㄷ

06 답 ③

ㄱ. 함수 $g(x)$가 $x=-1, 5$에서 미분 가능하므로

$g'(-1)=g'(5)=0$, 즉 $f'(-1)=f'(5)=0$이고

$f'(x)$는 최고차항의 계수가 3인 이차함수이므로

$f'(x)=3(x+1)(x-5)$

함수 $f(x)$의 증감표는 다음과 같으므로 $f(x)$는 $x=-1$일 때 극댓값을 갖는다. (○)

x	$\cdots$	-1	$\cdots$	5	$\cdots$
$f'(x)$	$+$	0	$-$	0	$+$
$f(x)$	↗	극대	↘	극소	↗

ㄴ. $f'(x)=3(x+1)(x-5)=3x^2-12x-15$이고

$f(9)=0$이므로 $f(x)=$ ❶ $x^3-6x^2-15x-108$

이때 $f(-1)=-100$, $f(5)=-208$

함수 $f(x)$는 $x=-1$과 $x=5$에서 연속이므로

$a=|f(-1)|=100$, $b=|f(5)|=208$ $\quad\therefore a<b$ (×)

ㄷ. $f'(x)=3x^2-12x-15$에서

$f(x)=x^3-6x^2-15x+C$ (단, C는 상수)

$a=f(-1)=8+C$, $b=-f(5)=100-C$

조건에서 $a=b$이므로 $C=46$

즉 $f(x)=$ ❷ $x^3-6x^2-15x+46$ 에서 $f(0)=46$ (○)

따라서 옳은 것은 ㄱ, ㄷ

참고

최고차항의 계수가 1이고 극값이 두 개 존재하는 삼차함수 $f(x)$의 그래프를 생각하면 (극댓값) > (극솟값)이다.

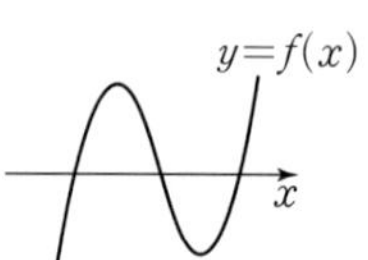

문제의 경우 극댓값은 $f(-1)$이고, 극솟값은 $f(5)$이다. 그림처럼 극댓값과 극솟값의 부호가 다른 경우도 있지만 부호가 같은 경우까지 생각해 함수 $g(x)$를 그려보면 다음과 같다.

(i) 극솟값 $f(5)$가 양수, 즉 $0<f(5)<f(-1)$인 경우

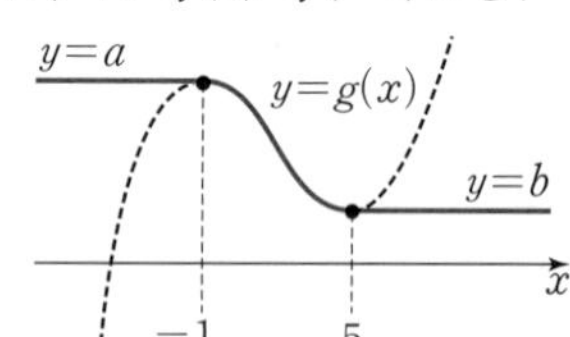

(ii) 극솟값 $f(5)$가 음수, 즉 $f(5)<0<f(-1)$인 경우

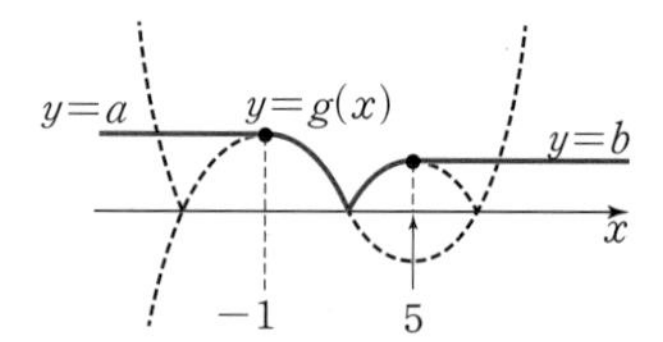

(iii) 극댓값 $f(-1)$이 음수, 즉 $f(5)<f(-1)<0$인 경우

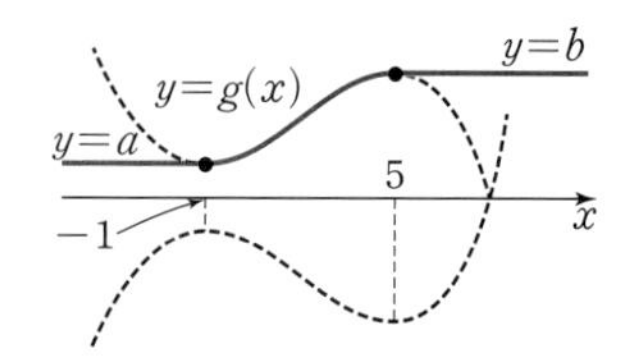

(i) ~ (iii)에서 $a=b$가 될 수 있는 경우는 (ii)뿐이다.

07 답 ④

(가)의 $f(a)=g(a)=f(a)-|f'(a)|=0$에서 $f(a)=f'(a)=0$

이므로 함수 $f(x)$는 $x=a$에서 x축에 접하고 극솟값은 0이다.
또 (나)에서 삼차함수 $f(x)$의 극댓값이 4이므로 $f(k)=4$가 되는 실수 k가 존재하고, $f'(k)=0$이다. 또 함수 $f(x)$의 최고차항의 계수가 1이므로 $y=f(x)$의 그래프를 그림처럼 생각하면

$f(x)=(x-a)^2(x-b)$

(b는 상수이고, $b<k<a$)

로 놓을 수 있다.

이때 $f'(x)=(x-a)(3x-a-2b)$

에서 $k=\dfrac{a+2b}{3}$

또 $f\left(\dfrac{a+2b}{3}\right)=4$에서 $a-b=3$

$\therefore f(x)=$ ❶ $(x-a)^2(x-a+3)$

한편 $g(1)=f(1)-|f'(1)|=0$을 정리하면

❷ $-(a-1)^2(a-4)=|3(a-1)(a-3)|$

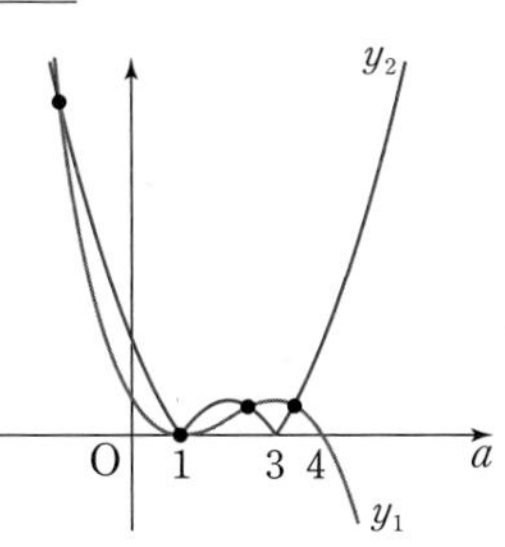

이때 $y_1=-(a-1)^2(a-4)$,
$y_2=|3(a-1)(a-3)|$이라 하면 y_1, y_2의 그래프를 그려 생기는 교점의 개수와 $g(1)=0$이 되는 a의 개수가 서로 같다.
그림에서 $y_1=y_2$, 즉 $g(1)=0$이 되는 a는 모두 4개다.

참고

❶ 삼차함수 그래프의 특성을 생각하면 $k=\dfrac{2b+a}{3}$임을 바로 구할 수 있다.

❷ y_1이 삼차함수이고 y_2가 이차함수이므로 $x<0$에서 두 그래프가 만난다는 점을 주의한다. $g(1)=0$이 되는 a를 직접 구해보면
$1-\sqrt{6}$, 1, $4-\sqrt{3}$, $1+\sqrt{6}$

08 답 ④

$f(x)=-\dfrac{1}{6}x^2(x-k)$와 $y=-x$의 교점을 생각해 보자.

$-\dfrac{1}{6}x^2(x-k)=-x$,

$x(x^2-kx-6)=0$에서

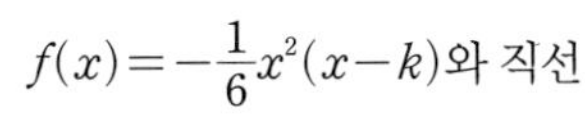

$D=k^2+24>0$이므로 곡선

$f(x)=-\dfrac{1}{6}x^2(x-k)$와 직선

$y=-x$는 그림처럼 서로 다른 세 점에서 만난다. 곡선 $y=f(x)$ 위의 점 $(t, f(t))$에서 x축까지의 거리와 y축까지의 거리 중 크지 않은 값 $g(t)$는 $y=f(x)$가 $y=x$와 원점에서만 만나거나 접하는 [그림 1]과 같은 경우일 때는 미분 불가능한 점이 ❶ 3 개이고, $y=f(x)$가 $y=x$와 원점 외에 다른 두 점에서 더 만나는 [그림 2]와 같은 경우일 때는 미분 불가능한 점이 ❷ 5 개다.

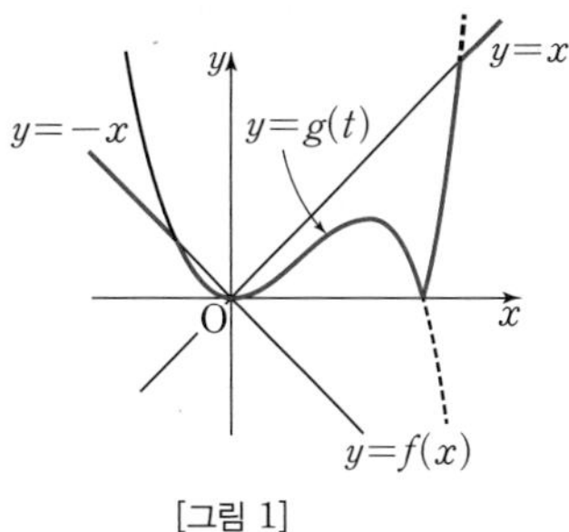

[그림 1]

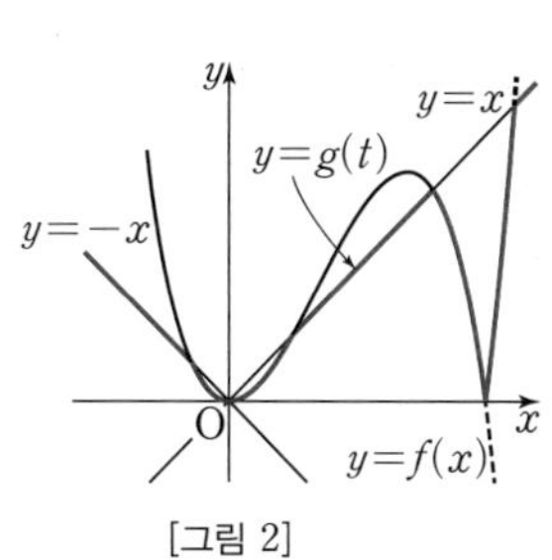

[그림 2]

즉 함수 $g(t)$가 세 점에서만 미분 가능하지 않으려면 [그림 1]과 같이 $y=f(x)$가 $y=x$와 원점에서만 만나거나 접해야 하므로

$-\dfrac{1}{6}x^2(x-k)=x$, $x(x^2-kx+6)=0$에서 $D=k^2-24\le 0$

이므로 $k^2\le 24$

따라서 자연수 k 의 최댓값은 4

다른 풀이

$y=f(x)$가 $y=x$와 접할 때는 접선의 방정식을 사용해도 된다.

곡선 $y=f(x)$ 위의 접점 P의 좌표를 $\mathrm{P}\left(t, -\dfrac{1}{6}(t^3-kt^2)\right)$이라 하면

접선의 방정식은 $y=-\dfrac{1}{6}(3t^2-2kt)(x-t)-\dfrac{1}{6}(t^3-kt^2)$이고,

이 접선이 원점을 지나므로 $0=-\dfrac{1}{6}(3t^2-2kt)(-t)-\dfrac{1}{6}(t^3-kt^2)$

정리하면 $0=(3t^2-2kt)(-t)+(t^3-kt^2)$에서 $t=0$ 또는 $t=\dfrac{k}{2}$

즉 원점을 제외한 접점 P의 좌표는 $\mathrm{P}\left(\dfrac{k}{2}, f\left(\dfrac{k}{2}\right)\right)$이고,

이 점에서의 접선의 기울기 $f'\left(\dfrac{k}{2}\right)\le 1$이므로 $k^2\le 24$

09 답 80

이차함수 $f(x)$는 $x=-1$에서 극대이므로 이차항의 계수는 음수이고 $x=-1$은 축이 된다.
즉 $f(x)=a(x+1)^2+k=ax^2+2ax+a+k$ $(a<0)$로 놓을 수 있고, 이때 $f(x)=ax^2+2ax+b$ $(a<0)$, $f'(x)=2ax+2a$라 할 수 있다.
또 $h(x)$가 $x=0$에서 미분 가능하려면 $x=0$에서 연속이고 좌우 미분계수가 같아야 한다.
$g(x)$의 삼차항의 계수가 0이므로
$g(x)=px^4+qx^2+rx+s$라 하면
$g'(x)=4px^3+2qx+r$이므로
$f(0)=g(0)$에서 $b=s$, $f'(0)=g'(0)$에서 $2a=r$이다.
$\therefore g(x)=px^4+qx^2+2ax+b$

(가)에서 방정식 $h(x)=h\left(-\dfrac{1}{2}\right)=f\left(-\dfrac{1}{2}\right)$의 서로 다른 실근이 3개

이며 이차함수 그래프의 대칭성과 세 실근의 합이 1이고,
$g(x)$가 $x=2$일 때 극솟값을 가진다는 것을 생각하면 $y=h(x)$의 그래프를 그림처럼 나타낼 수 있다.

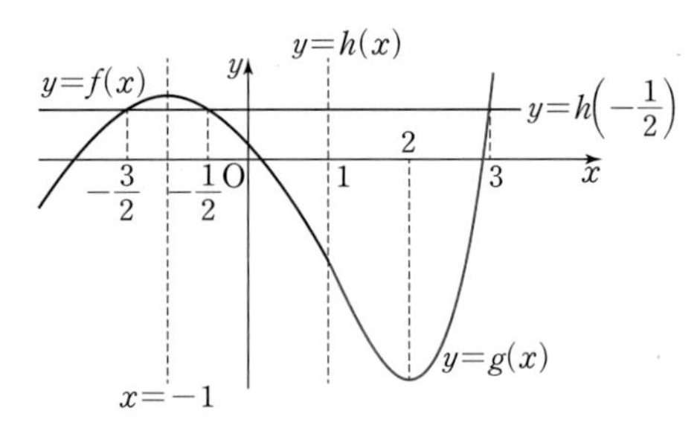

닫힌구간 $[-2, 3]$에서 $h(x)$의 최댓값과 최솟값은 각각 $x=-1$과 $x=2$에서 가지므로 ㈏에서 $f(-1)-g(2)=28$과 $g'(2)=0$이 성립해야 한다.

즉 $f(-1)-g(2)=-5a-16p-4q=28$에서

$16p+4q+5a=-28$ ······㉠

그리고 $g'(2)=32p+4q+2a=0$에서

$16p+2q+a=0$ ······㉡

또 그림처럼 생각하면 $f\left(-\frac{1}{2}\right)=g(3)$이므로

$f\left(-\frac{1}{2}\right)-g(3)=-\frac{27}{4}a-81p-9q=0$에서

$36p+4q+3a=0$ ······㉢

㉠, ㉡, ㉢을 연립해서 풀면 $p=1$, $q=-6$, $a=-4$

이때 $f(x)=-4x^2-8x+b$, $g(x)=x^4-6x^2-8x+b$이므로

$f'(x)=$ ❶ $-8x-8$, $g(x)=$ ❷ $4x^3-12x^2-8$

$\therefore h'(-3)+h'(3)=f'(-3)+g'(3)=16+64=80$

참고

$y=g(x)$에서 최고차항의 계수 p의 부호를 알 수 없으므로 $p>0$인 경우, $p<0$인 경우로 나누어 풀어도 상관없지만 조건 ㈏에서 주어진 $f(-1)-g(2)=28$은 p의 부호와 관계없이 성립한다는 것을 생각하면 굳이 경우를 나누어서 풀지 않고 위 풀이처럼 $p>0$라 생각하고 풀어도 답을 구할 수 있다. 실제로 조건을 이용하면 $p<0$인 경우일 때 $y=h(x)$에 대하여 오른쪽 그림과 같이 나타낼 수 있다.

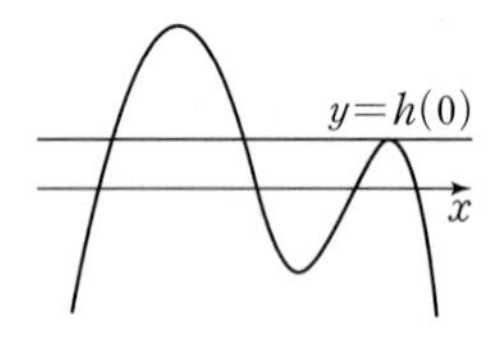

이때 $f(-1)-g(2)=28$, $g'(2)=0$, $f\left(-\frac{1}{2}\right)-g(3)=0$을 이용하면 $p=1$, $q=-6$, $a=-4$을 얻게 되는데, 이것은 당장 $p<0$에 어긋나므로 주어진 문제는 $p>0$인 경우만 생각해도 된다.

10 답 ②

㈎에서 $f(-1)+1=-1+a-2b+1\geq0$이므로

$a\geq2b$ ······㉠

㈏에서 $f(1)-f(-1)=1+a+2b-(-1+a-2b)>9$이므로

$b>\frac{7}{4}$ ······㉡

㉠, ㉡에서 $a\geq2b>$ ❶ $\frac{7}{2}$ ······㉢

ㄱ. $f'(x)=0$, 즉 $3x^2+2ax+2b=0$에서 $\frac{D}{4}=a^2-3(2b)>0$이면 서로 다른 두 실근을 가지고, 이때 삼차함수 $y=f(x)$에서 극대와 극소 모두 존재한다.

㉢에서 $a>3$이고 $a\geq2b$이므로 $D>0$이다.

즉 삼차함수 $y=f(x)$에서 극대와 극소가 모두 있으므로 방정식 $f(x)=p$가 서로 다른 세 실근을 가지도록 하는 실수 p가 존재한다. (○)

ㄴ. $f'(x)=3x^2+2ax+2b$에서

$f'(-1)=3-2a+2b=(3-a)+(2b-a)$이고,

㉢에서 $a>3$이고 $a\geq2b$이므로 $3-a<0$, $2b-a\leq0$이다.

즉 $f'(-1)<0$이고, $f'(0)=2b>0$

한편 이차함수 $f'(x)$는 닫힌구간 $[-1, 0]$에서 연속이므로 사잇값 정리에 따라 열린구간 $(-1, 0)$에서 방정식 $f'(x)=0$의 근이 적어도 하나 존재한다. 이때 실근을 α라 하면 $(-1, \alpha)$에서 $f'(x)<0$이고 $(\alpha, 0)$에서 $f'(x)>0$이므로 함수 $f(x)$는 $x=\alpha$에서 극솟값을 가진다. (○)

ㄷ. ㉢과 $ab=8$을 만족시키는 정수 a, b는 $a=4$, $b=2$이므로

$f(x)=x^3+4x^2+4x$이고,

$f'(x)=3x^2+8x+4=0$에서 $x=-\frac{2}{3}, -2$

즉 함수 $f(x)$는 $x=-2$에서 극댓값은 $f(-2)=0$이고,

$x=-\frac{2}{3}$에서 극솟값은 $f\left(-\frac{2}{3}\right)=-\frac{32}{27}$이다.

이때 방정식 $f(x)-f'(k)x=0$의 서로 다른 두 실근이 2개이려면 $f(x)=f'(k)x$에서 원점을 지나는 직선 $y=f'(k)x$가 곡선 $y=f(x)$의 접선이어야 한다.

$y=f(x)$의 그래프 개형을 그려 생각하면 그림에서 직선 $y=f'(k)x$가 될 수 있는 것은 원점을 지나는 l_1과 l_3이므로 기울기는 각각 ❷ 4, 0이다.

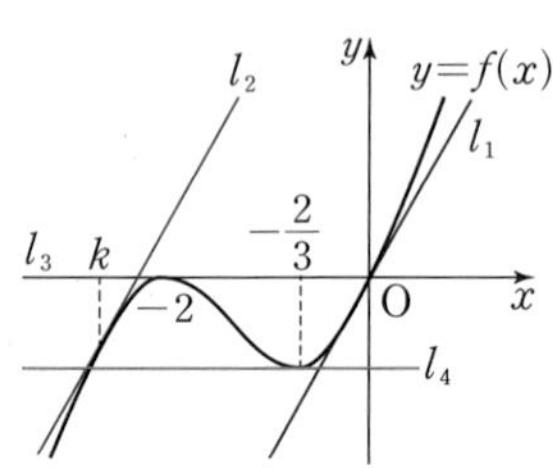

(i) l_1이 $y=f'(k)x$인 경우 원점에서 그은 접선은 l_1이고 같은 기울기의 접선은 l_2다. $f'(0)=4$이므로

$f'(k)=3k^2+8k+4=4$에서 $k=0$ 또는 $k=-\frac{8}{3}$

(ii) l_3이 $y=f'(k)x$인 경우

원점에서 그은 접선 l_3는 x축이므로 기울기는 0이다.

이때 가능한 $k=-2$ 또는 $k=-\frac{2}{3}$

(i), (ii)에서 가능한 정수 k는 $k=0$ 또는 $k=-2$ (×)

따라서 옳은 것은 ㄱ, ㄴ

참고

ㄷ의 (ii), 즉 l_3이 $y=f'(k)x$인 경우일 때 $y=f(x)$의 그래프를 정확히 그리지 않았다면 다음과 같이 구해도 된다.

$(0, 0)$에서 곡선 $y=f(x)$에 그은 접선의 접점을 (t, t^3+4t^2+4t)라 할 때,
접선의 방정식은 $y=(3t^2+8t+4)(x-t)+t^3+4t^2+4t$
즉 $y=(3t^2+8t+4)x-2t^3-4t^2$이고 접선이 $(0, 0)$을 지나므로
$0=-2t^3-4t^2$에서 $t=0, -2$
즉 $t=-2$일 때도 원점을 지나는 접선인 x축이 된다.

11 답 14

그림과 같이 $f(x)=0$은 서로 다른 세 실근을 가질 경우, 즉 (극댓값)>0, (극솟값)<0일 때 함수 $|f(x)|$의 극값이 5개이므로 (가) 조건을 만족시킬 수 있다.

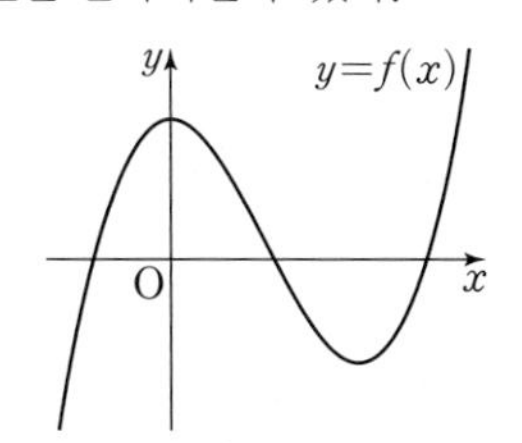

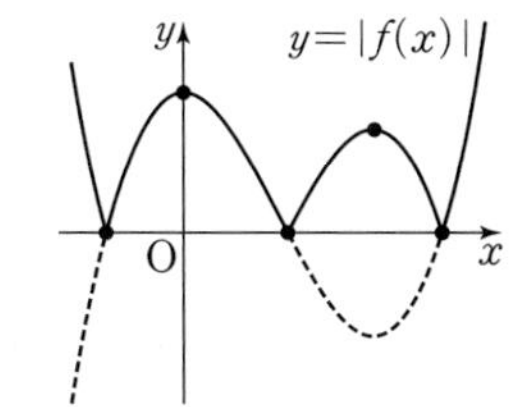

$f'(x)=3x^2-6px=3x(x-2p)$에서 함수 $f(x)$는 $x=0$일 때 극댓값을 가지고, $x=2p$일 때 극솟값을 가진다.

$f(0)=q>0, f(2p)=-4p^3+q<0$ $\quad\therefore$ ❶ $q<4p^3$ ……㉠

한편 삼차함수의 그래프 중에서 다음 두 경우를 생각해 보면 [그림 1]은 (가) 조건을 만족시키지 못하지만 [그림 2]는 (가) 조건을 만족시킨다는 것을 알 수 있다.

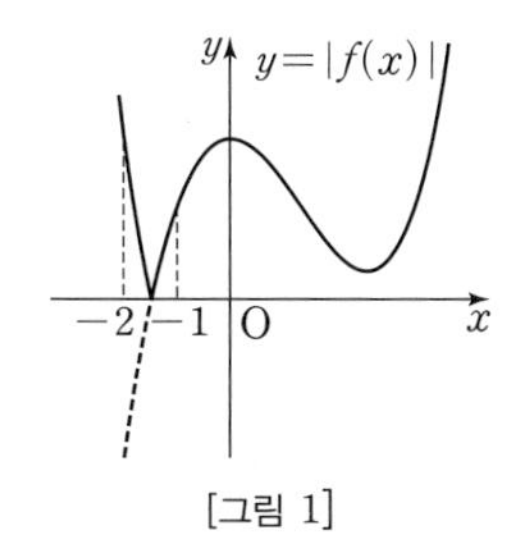

[그림 1]

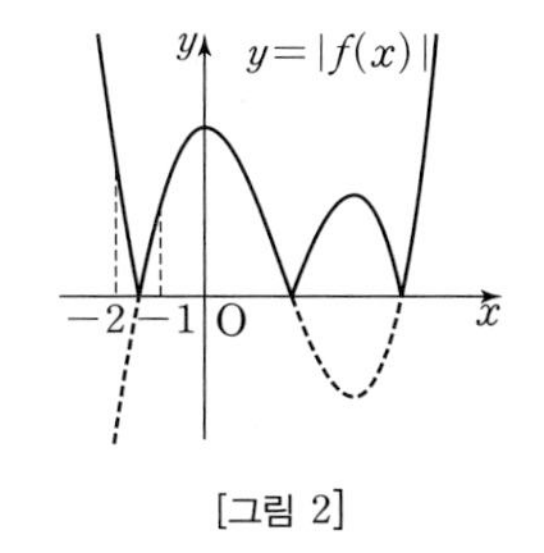

[그림 2]

즉 구간 $[-1, 1]$과 구간 $[-2, 2]$에서 함수 $|f(x)|$의 최댓값은 각각 $f(0)=q$이어야 한다.

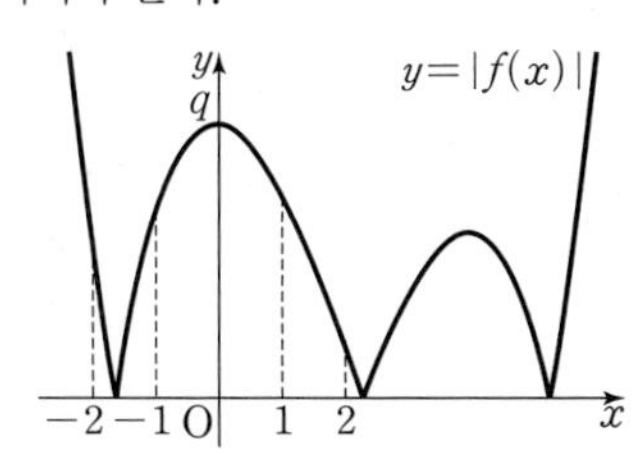

$f(-1)=-1-3p+q, f(1)=1-3p+q$
$f(-2)=-8-12p+q, f(2)=8-12p+q$이므로
$-q\le f(-1)\le q, -q\le f(1)\le q$
$-q\le f(-2)\le q, -q\le f(2)\le q$
에서 $|f(-2)|\le q$이면 충분하므로
$-8-12p+q\ge -q$, 즉 $q\ge$ ❷ $4+6p$ ……㉡
㉠, ㉡에서 $4+6p\le q<4p^3$인 25 이하의 자연수 개수는
$p=2$일 때 $16\le q\le 25$ ⇨ 10개, $p=3$일 때 $22\le q\le 25$ ⇨ 4개
$p=4$일 때 없다.
따라서 구하려는 순서쌍 (p, q)는 모두 14개

킬러 격파 Tip

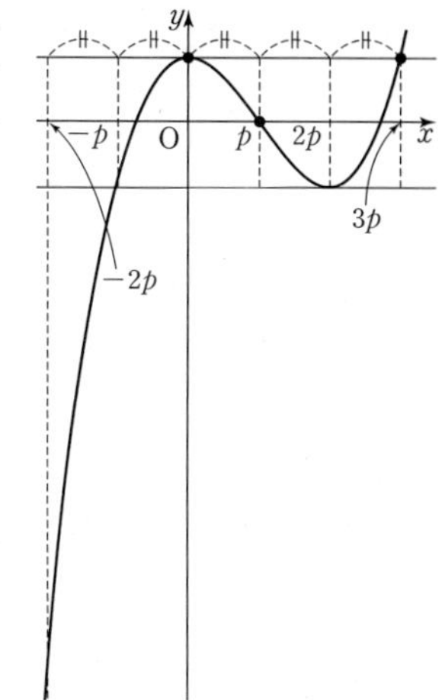

$f(x)$가 삼차함수일 때, $y=f(x)$ 그래프의 극대점과 극소점에서 x축과 평행한 직선을 그어 보자. 문제의 경우는 $x=0$일 때 극댓값을 가지고 $x=2p$일 때 극솟값을 가지므로 그림처럼 생각할 수 있다. 이때 x축 방향으로 점 5개 사이의 간격은 각각 같으므로 각 점의 x좌표는 왼쪽부터 차례로 $-2p, -p, 0, p, 2p, 3p$가 된다.
삼차함수 그래프가 구간 $[-p, p]$에서 극댓값을 기준으로 왼쪽 구간에서 함숫값의 변화 정도가 오른쪽 구간에서 함숫값의 변화 정도보다 더 심하다.
예를 들어 위 그림에서 생각할 때
$p=1$이면 $f(-2)<-q$가 되므로 구간 $[-2, 2]$에서 $|f(x)|$의 최댓값은 $|f(-2)|$이고, 이 값이 $|f(0)|$보다 크므로 조건 (나)에서 주어진 두 구간에서의 최댓값은 서로 같지 않다. 즉 p값이 1이면 안 되고, 2 이상임을 알 수 있다.
따라서 가장 큰 값인 $|f(-2)|$를 생각하면 된다.
※ $|f(-1)|\le q$, $|f(1)|\le q$, $|f(-2)|\le q$, $|f(2)|\le q$에서 공통 범위를 구해 보면 $f(-2)\ge -q$임을 알 수 있다.
즉 $-8-12p+q\ge -q$에서 $q\ge 4+6p$

12 답 ③

$-1\le x\le 3$에서 $g(x)=x^2(x-3)$, $g'(x)=3x(x-2)$이므로
함수 $g(x)$는 $x=0$에서 극댓값 0,
$x=2$에서 극솟값 -4이며,
$g(-1)=-4$, $g(3)=0$이다.
또 $y=|g'(x)|=|3x(x-2)|$이므로
$|g'(-1)|=|g'(3)|=9$
$|g'(1)|=3$, $g'(2)=0$ 이다.
즉 $y=g(x)$와 $y=|g'(x)|$의 그래프 개형은 그림과 같다.

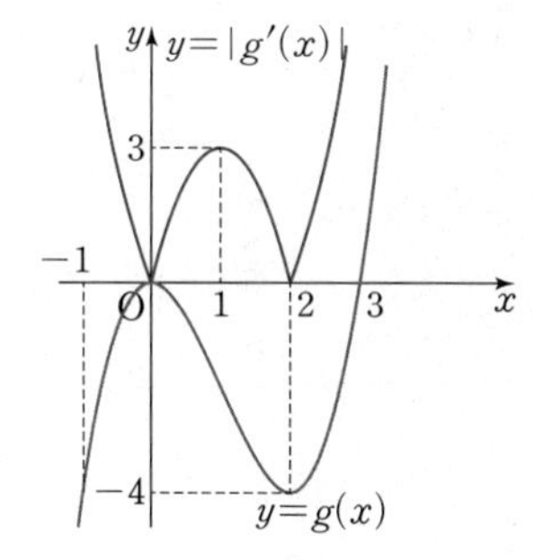

이때 최고차항의 계수가 1인 사차함수 $f(x)$가 $-1\le x\le 3$에서 $g(x)\le f(x)\le |g'(x)|$를 만족시키려면 $f(0)=f'(0)=0$이어야 하므로 함수 $f(x)$는 ❶ x^2을 인수로 가진다.
또 조건에서 $x=1, 2, 3$이 $f(x)=0$의 해가 될 수 있다. 즉 가능한 $f(x)$는 다음과 같다.
(i) $f(x)=x^2(x-1)(x-2)$
(ii) $f(x)=x^2(x-1)(x-3)$
(iii) $f(x)=x^2(x-2)^2$
(iv) $f(x)=x^2(x-2)(x-3)$
이때 (나)에서
$-4\le f(-1)\le 9$, $-2\le f(1)\le 3$, $-4\le f(2)\le 0$, $0\le f(3)\le 9$
이면서 $g(x)\le f(x)\le |g'(x)|$이어야 하므로

(i)～(iv) 중에서 (iii)만 가능하다.

$\therefore f(x)=$ ❷ $x^2(x-2)^2$

따라서 구하려는 $f(4)=16\times4=64$

참고

❶ $f(x)=x^2(x-1)^2$, $f(x)=x^2(x-3)^2$이면 둘 다 $f(2)=4$가 되어 $|g'(2)|=0$보다 크므로 (나)에 어긋난다.

❷ (i)～(iv)에서 다음 경우를 생각한다.

(i) $f(x)=x^2(x-1)(x-2)$이면 $f(3)=18>9$이므로 $0\le f(3)\le9$에 어긋난다.

(ii) $f(x)=x^2(x-1)(x-3)$이면 $2<x<3$에서 $f\left(\frac{5}{2}\right)=-\frac{75}{16}$ $g\left(\frac{5}{2}\right)=-\frac{25}{8}$ 처럼 $f(x)<g(x)$인 경우가 생기므로 (나)에 어긋난다.

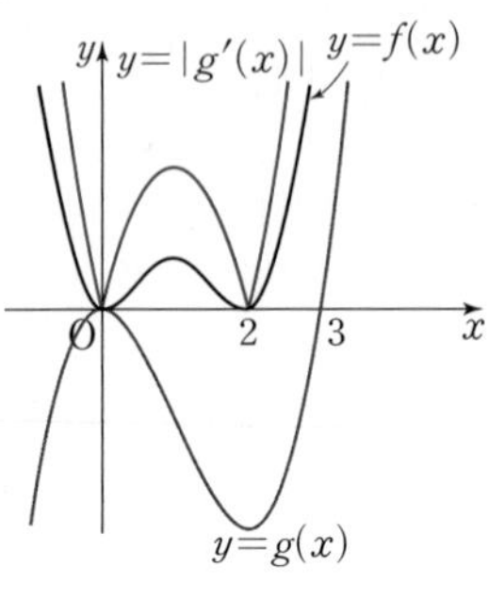

(iii) $f(x)=x^2(x-2)^2$은 조건을 만족시키며 그림과 같다.

(iv) $f(x)=x^2(x-2)(x-3)$이면 $f(-1)=12>9$이므로 $-4\le f(-1)\le9$에 어긋난다.

13 답 69

함수 $g(x)$에서 함수 $y=f(2-x)$의 그래프는 함수 $y=f(x)$의 그래프와 직선 $x=1$에 대하여 대칭이다. 이때 함수 $y=g(x)$가 실수 전체의 집합에서 미분 가능하려면 $f'(1)=0$이어야 한다.

또 방정식 $g(x)=5$가 서로 다른 세 실근을 가지므로 $f(1)=5$이고 극댓값이어야 하므로 $y=f(x)$와 $y=g(x)$의 그래프 개형은 그림과 같다.

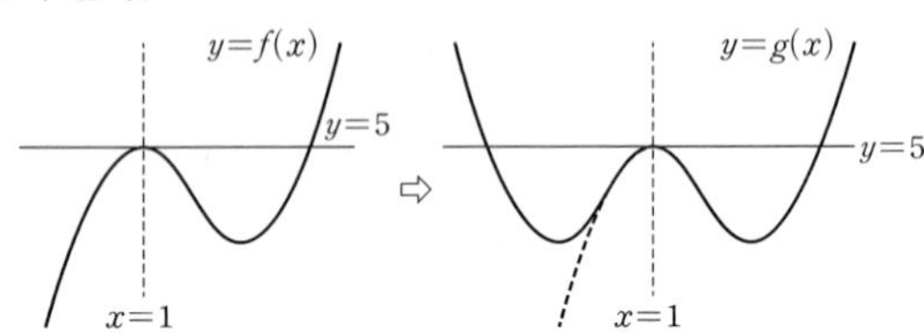

한편 $y=10-f(x)$의 그래프와 $y=f(x)$의 그래프는 $y=5$에 대하여 대칭이므로 함수 $h(x)$의 그래프는 함수 $y=|f(x)-5|+5$와 같이 $y=5$에 대하여 $y<5$ 부분을 위로 대칭이 되게 꺾어 올린 그래프이고 그림과 같다.

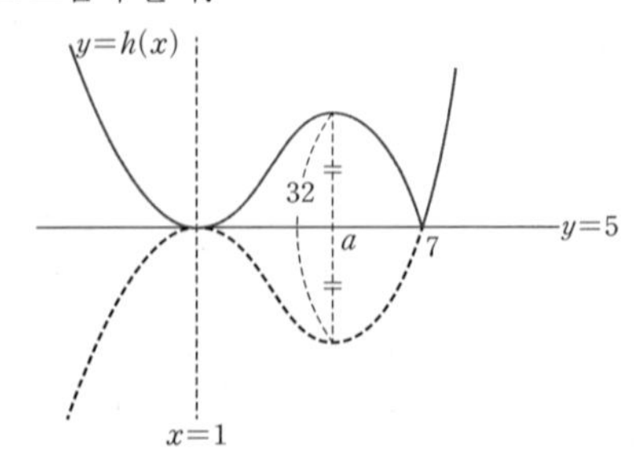

이때 (나)에서 함수 $h(x)$는 $x=7$에서만 미분 가능하지 않으므로 그림에서 $f(7)=5$이다. $\therefore f(1)=f(7)=$ ❶ 5

또 (다)에서 $x\ge1$일 때 함수 $h(x)-f(x)$는 $x=a$에서 최댓값 32를 가지므로 $f(x)$에서 극댓값과 극솟값의 차는 16이다.

즉 $f(1)-f(a)=16$에서 $f(a)=-11$

이상에서 최고차항의 계수가 양수인 삼차함수 $f(x)$의 그래프는 그림과 같으므로 삼차함수 $f(x)$의 최고차항의 계수를 k라 하면

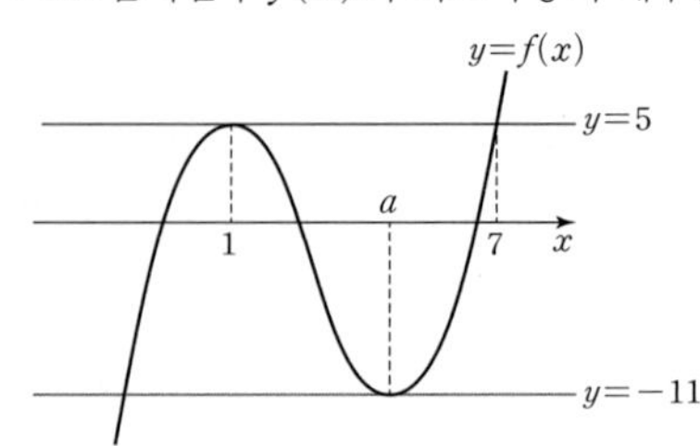

$f(x)=k(x-1)^2(x-7)+5$, $f'(x)=3k(x-1)(x-5)$

이므로 $f'(a)=0$에서 $a=$ ❷ 5 $\therefore f(a)=f(5)=-11$

이때 $f(5)=-32k+5=-11$에서 $k=\frac{1}{2}$

$\therefore f(x)=$ ❸ $\frac{1}{2}(x-1)^2(x-7)+5$

따라서 $f(a+4)=f(9)=\frac{1}{2}\times64\times2+5=69$

14 답 215

$y=|f(x)-t|$의 그래프에서 미분 가능하지 않은 점의 개수를 $g(t)$라 하면, $g(t)$는 $f'(\alpha)=0$일 때 $t=f(\alpha)$에서 불연속이다.

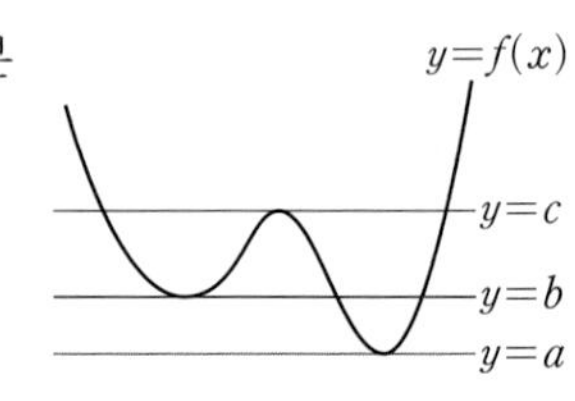

사차함수 $y=f(\alpha)$의 개형을 그림처럼 생각하면 $f'(a)=0$인 $f(\alpha)$가 3개 존재하므로 문제의 조건을 만족시키지 않는다. 즉 $f'(\alpha)=0$인 $f(\alpha)$가 2개가 되는 경우를 다음과 같이 생각할 수 있다.

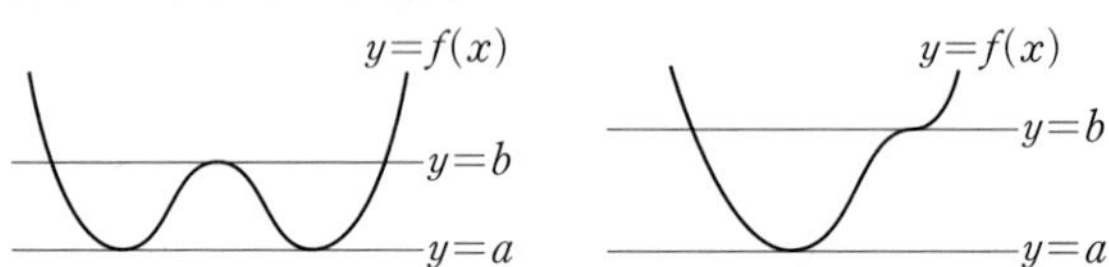

(i) $f(0)=1$, $f'(4)=0$일 때 두 극솟값이 서로 같은 경우, 즉 $f'(x)=0$이 서로 다른 세 실근을 가지면서 좌우 대칭이 되는 경우는 그림과 같다.

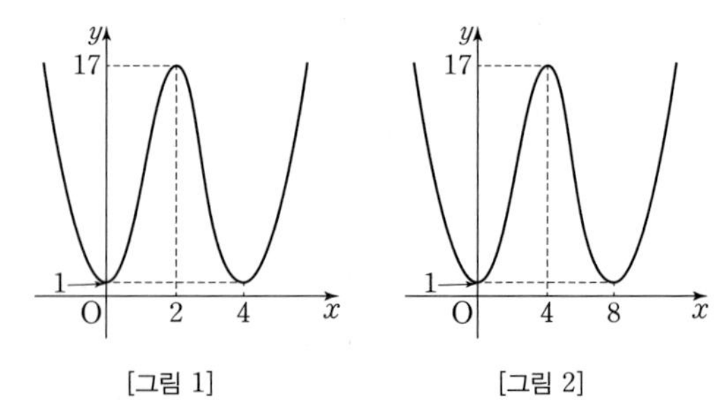

[그림 1] [그림 2]

① [그림 1]과 같은 사차함수 $f(x)$는 최고차항의 계수가 p이고, $x=$ ❶ $0, 4$ 에서 극솟값 1을 가지므로

$f(x)=px^2(x-4)^2+1$로 나타낼 수 있다.

또 극댓값 $f(2)=16p+1=17$ 이므로 $p=1$

즉 $f(x)=x^2(x-4)^2+1$이므로

$f(-2)=4\times36+1=145$

② [그림 2]와 같은 사차함수 $f(x)$의 최고차항의 계수를 q라 하자. 이때 $x=$❷ 0, 8 에서 극솟값 1을 가지므로

$f(x)=qx^2(x-8)^2+1$로 나타낼 수 있다.

또 극댓값 $f(4)=256q+1=17$이므로 $q=\frac{1}{16}$

즉 $f(x)=\frac{1}{16}x^2(x-8)^2+1$이므로

$f(-2)=\frac{1}{16}\times4\times100+1=26$

(ii) 그림과 같이 $f'(x)=0$의 세 실근 중 중근이 있는 사차함수 $f(x)$의 최고차항의 계수를 r라 하자. 이때 $f(0)=1$, $f'(4)=0$에서 극소가 되는 점은 (0, 1)이고, $x=4$일 때 $f'(x)=0$은 중근을 가진다.

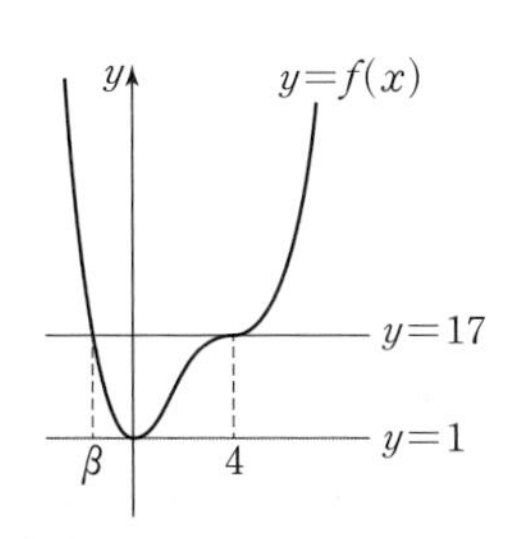

$f(x)=(rx+s)(x-4)^3+17$이라 하면

$f(0)=s(-64)+17=1$에서 $s=\frac{1}{4}$

$f'(x)=r(x-4)^3+3(x-4)^2\left(rx+\frac{1}{4}\right)$

$f'(0)=-64r+12=0$에서 $r=\frac{3}{16}$

즉 $f(x)=\left(\frac{3}{16}x+\frac{1}{4}\right)(x-4)^3+17$

$=$❸ $\frac{1}{16}(3x+4)(x-4)^3+17$

이므로

$f(-2)=\frac{1}{16}(-2)(-6)^3+17=44$

(i), (ii)에서 가능한 $f(-2)$의 값은 145, 26, 44이고,

구하려는 값은 $145+26+44=215$

참고

$y=|f(x)-t|$의 그래프는 그림처럼 $y=f(x)$의 그래프에서 직선 $y=t$의 아랫부분을 $y=t$에 대하여 대칭이동한 것과 같다. 그림과 같은 경우 $y=|f(x)-t|$는 $x=\alpha, \beta$에서 미분 불가능하다. 한편 함수 $y=|f(x)-t|$에서 미분 가능하지 않은 점의 개수를 $g(t)$라 하고, $y=f(x)$의 그래프가 다음과 같은 경우일 때 함수 $|f(x)-t|$에서 $g(t)$를 생각해 보자.

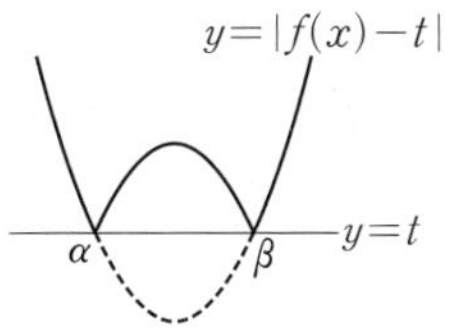

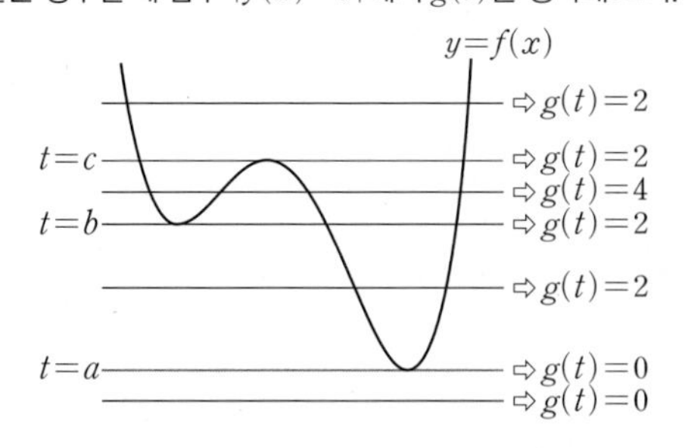

이때 함수 $y=g(t)$는 다음 그래프에서 확인할 수있는 것처럼 $t=a, b, c$일 때 불연속이다.

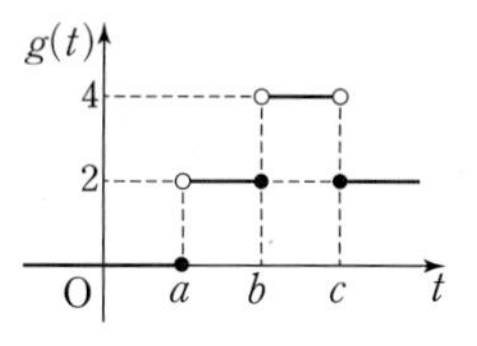

15 답 128

최고차항의 계수가 1인 사차함수 $f(x)$에 대하여 $g(x)$, $h(x)$가 다음과 같다.

$$g(x)=\begin{cases}-1 & (f(x)<0)\\ 0 & (f(x)=0)\\ 1 & (f(x)>0)\end{cases},\quad h(x)=\begin{cases}-1 & (f'(x)<0)\\ 0 & (f'(x)=0)\\ 1 & (f'(x)>0)\end{cases}$$

이때 함수 $g(x)h(x)$의 그래프 개형은 그림과 같다.

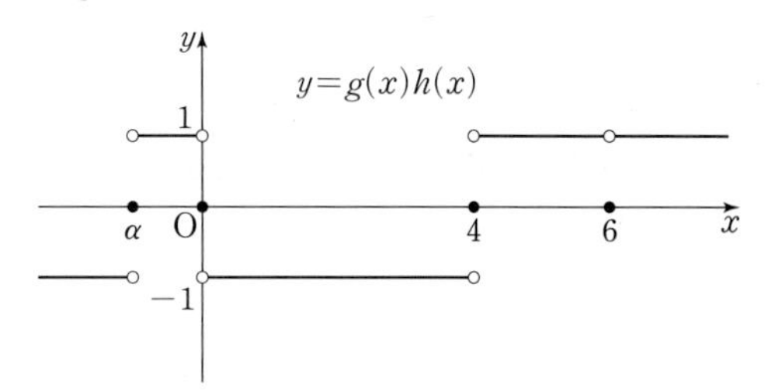

함수 $g(x)h(x)$의 부호는 사차함수 $y=f(x)$의 그래프 개형에 따라 결정된다.

(i) $g(x)h(x)=0$ ⇨ $f(x)=0$ 또는 $f'(x)=0$

(ii) $g(x)h(x)>0$

⇨ $f(x)>0$이고 증가하거나 $f(x)<0$이고 감소한다.

(iii) $g(x)h(x)<0$

⇨ $f(x)>0$이고 감소하거나 $f(x)<0$이고 증가한다.

최고차항의 계수가 1인 사차함수 $y=f(x)$의 그래프는 왼쪽 끝에서 감소하는 그래프이므로 다음과 같이 생각할 수 있다.

㉠ $x=\alpha$에서 $f(x)>0$이고 감소 상태에서 증가 상태로 바뀌는 극소일 수도 있고, $f(\alpha)=0$일 수 있다.

㉡ $x=0$에서 $f(x)>0$이고 증가 상태에서 감소 상태로 바뀌는 극대일 수도 있고, $x=0$에서 $f(x)<0$이고 감소 상태에서 증가 상태로 바뀌는 극소일 수도 있다.

㉢ $x=6$에서 그래프 모양이 그대로 유지 되면서 $g(x)h(x)=0$이므로 $f'(6)=0$이고 극점은 아니어야 한다.

㉠～㉢에서 $y=f(x)$의 그래프를 다음과 같이 생각할 수 있고, 이 중에서 사차함수가 되는 것은 그래프 개형이 [그림 3]과 같을 때이다. 즉 $f(\alpha)=0$이고, $f'(6)=$❶ 0 이면서 극점은 아니어야 한다.

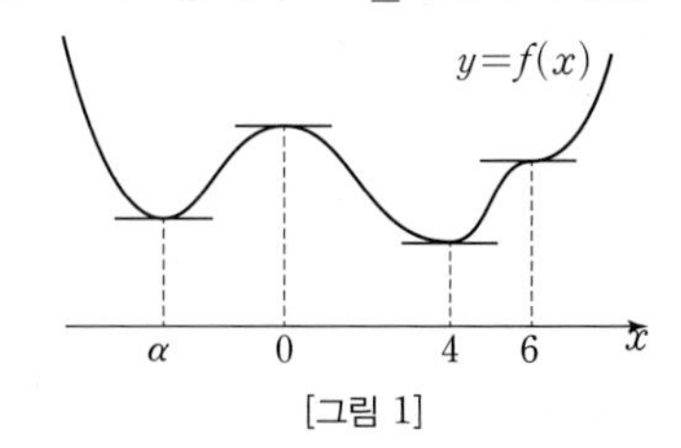

[그림 1]

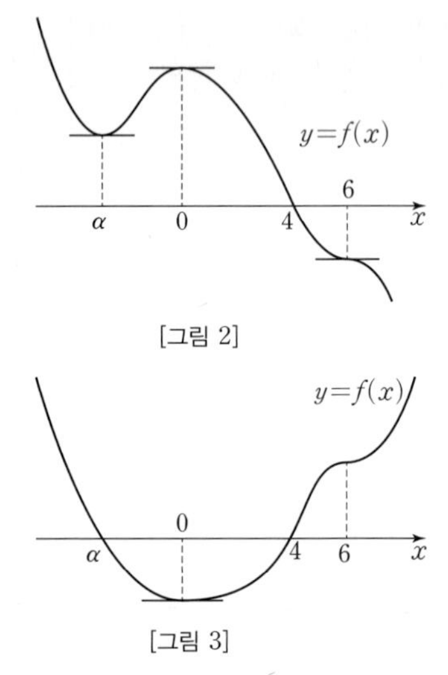

[그림 2]

[그림 3]

이때 $f(6)=k$라 하고 직선 $y=k$를 그어 그림처럼 생각하면 함수 $f(x)=(x+\beta)(x-6)^3+k$이다.

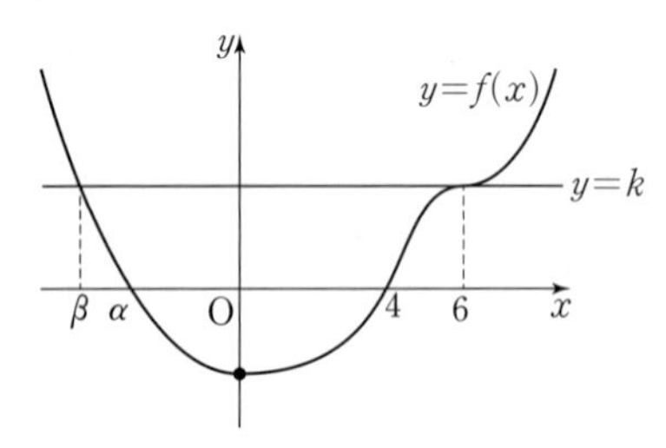

$f'(0)=0$이므로 $f'(0)=-216+108\beta=0$에서 $\beta=2$

$\therefore f(x)=(x+2)(x-6)^3+k$

$f(4)=0$ 이므로 $0=6\times(-8)+k$에서 $k=48$

$\therefore f(x)=$ ❷ $\underline{(x+2)(x-6)^3+48}$

따라서 구하려는 $f(8)=10\times8+48=128$

16 답 7

(나)의 $g(1+x)=g(-1+x)$에서 $x-1=p$라 하면

$g(p+2)=g(p)$이므로 함수 $g(x)$는 주기가 2인 주기함수이다. 이때 $f(x)=x^4+ax^3+bx^2+cx+d$라 하면

$f'(0)=0$이므로 $c=0$이고, 사차함수 $f(x)$에 대하여

$-1\le x<1$ 일 때, $g(x)=f(x)$이고, 주기가 2인 함수 $g(x)$가 실수 전체에서 미분 가능하려면

$f(1)=$ ❶ $\underline{f(-1)}$, $f'(1)=f'(-1)$이어야 한다.

이때 $f(1)=f(-1)$에서 $1+a+b+d=1-a+b+d$

즉 $a=0$이고 $f(x)=x^4+bx^2+d$, $f'(x)=4x^3+2bx$

또 $f'(1)=f'(-1)$에서 $4+2b=-4-2b$

즉 $b=-2$이므로 $f(x)=x^4-2x^2+d$

한편 함수 $y=|f(x)-t|$의 그래프는 $f(x)$의 그래프를 y축 방향으로 t 만큼 내린 후 꺾어 올린 것인데 미분 불가능한 점이 2개일 t의 최솟값이 8이라면, $f(0)=8=d$이다.

$\therefore f(x)=$ ❷ $\underline{x^4-2x^2+8}$

함수 $g(x)$는 주기가 2인 주기함수이므로

$g(999)=g(997)=\cdots=g(1)=f(1)=7$

참고

주기함수가 미분 가능하려면 다음 조건을 만족시켜야 한다.

- 한 주기 내에서 함수가 연속이어야 하고, 한 주기의 양 끝점이 연속이어야 한다.
- 한 주기 내에서 함수가 미분 가능해야 하고, 한 주기의 양 끝점의 미분값이 같아야 한다.

실제로 $y=g(x)$를 그려보면 그림과 같다.

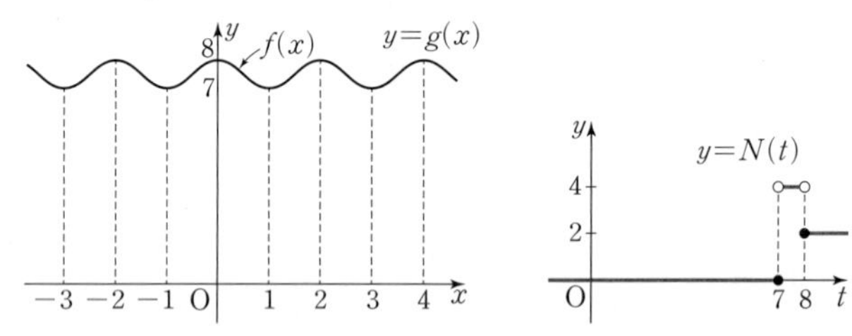

또 $y=|f(x)-t|$의 미분 불가능한 점의 개수를 $N(t)$라 하면 위 오른쪽 그림과 같다.

17 답 36

삼차함수 $f(x)$의 최고차항의 계수가 1이므로 그래프의 개형은 $f'(x)=0$의 실근의 개수에 따라 다음과 같이 나눌 수 있다.

먼저 방정식 $f'(x)=0$의 해가 중근을 가지거나 서로 다른 두 허근인 그림과 같은 두 경우는 부등식 $f(x)\le f(t)$를 만족시키는 실수 x의 최댓값 $g(t)=t$이고, 이것은 실수 전체의 집합에서 연속이므로 (가)를 만족시키지 않는다.

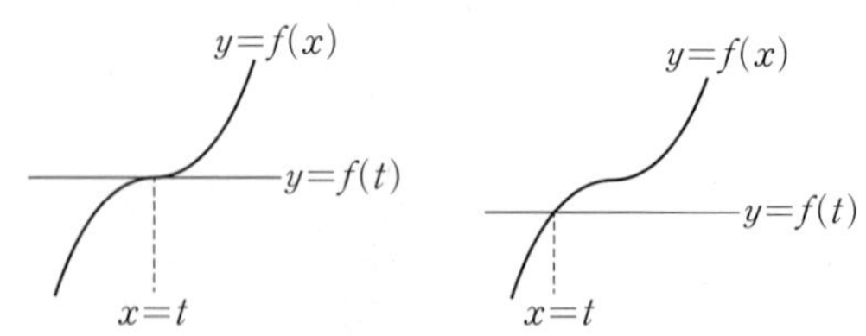

방정식 $f'(x)=0$이 서로 다른 두 실근 α, $\beta(\alpha<\beta)$를 갖는 그림

과 같은 경우는 부등식 $f(x)\le f(t)$를 만족시키는 실수 x 의 최댓값 $g(t)$는 $t=\gamma$에서만 불연속이 된다.

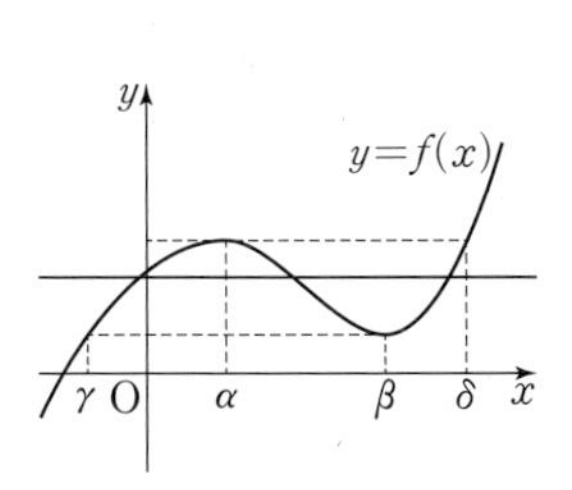

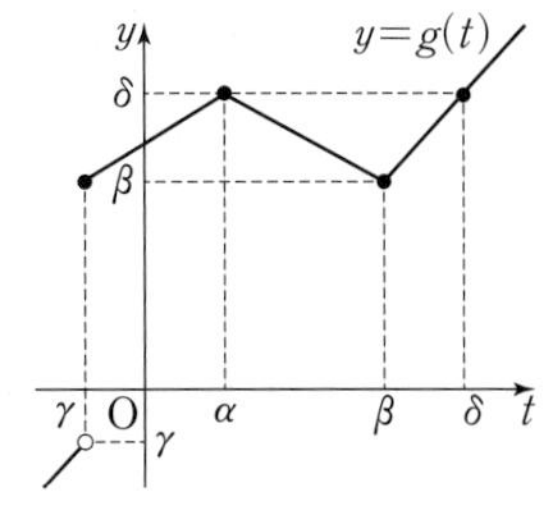

이때 $y=g(t)$의 개형은 위 오른쪽 그림과 같은 꼴이므로

(가)에서 $\gamma=0$

또 (나)에서 $\delta=4$이고, 최고차항의 계수가 1이면서 원점을 지나는 삼차함수 $f(x)$의 그래프는 다음과 같다.

즉 $f(x)=x(x-\beta)^2$이고,

$f(4)=4$이므로

$4(4-\beta)^2=4$에서 $\beta=3$

$\therefore f(x)=$ ❶ $x(x-3)^2$

그러므로 $0\le x\le 3$인 모든 실수 x에 대하여

$f(x)-f(k)\le f'(k)(x-k)$

즉 $f(x)\le f'(k)(x-k)+f(k)$에서

부등식의 우변 $y=f'(k)(x-k)+f(k)$는 곡선 $y=f(x)$ 위의 점 $(k, f(k))$에서의 접선이다.

따라서 $0\le x\le 3$인 모든 실수 x에 대하여 곡선이 접선 아래쪽(접하는 경우 포함)에 있어야 하므로 그림처럼 $(p, f(p))$에서의 접선이 $(3, 0)$을 지나는 경우를 생각하면 $k\le p$인 모든 실수 k에서 접선이 곡선보다 같거나 위에 있다.

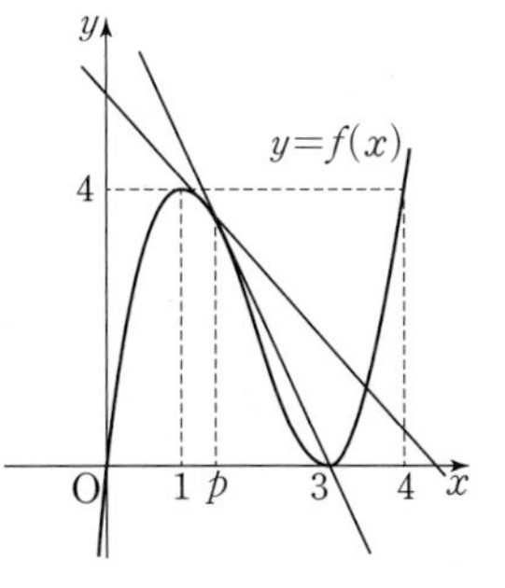

$(p, f(p))$에서의 접선의 방정식은

$y=f'(p)(x-p)+f(p)$

즉 $y=3(p-1)(p-3)(x-p)+p(p-3)^2$

에 $(3, 0)$을 대입하여 정리하면

$0=3(p-1)(p-3)(3-p)+p(p-3)^2$

$(p-3)^2(-2p+3)=0$

따라서 $p=$ ❷ $\dfrac{3}{2}$ 이므로 구하려는 $24p=36$

킬러 격파 Tip

조건을 만족시키는 삼차함수 그래프에서 사등분하는 특성을 생각하면 $f(4)=4$를 이용하지 않아도 $\alpha=1$, $\beta=3$임을 바로 구할 수 있다.

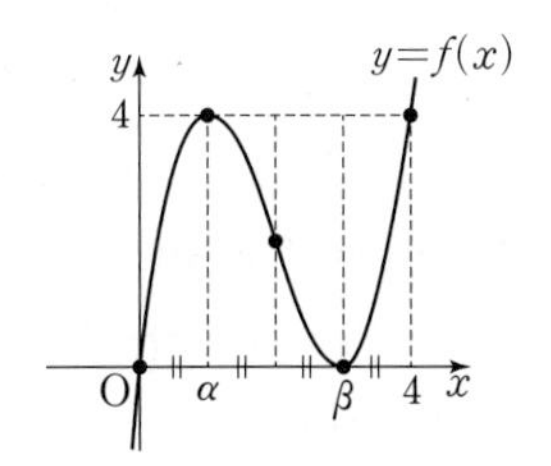

p. 73~82

집중공략 유형08 정적분으로 정의된 함수

01 ⑤	02-1 7	02-2 ④	03-1 ⑤
03-2 ⑤	04 4	05 5	06 4
07 36	08 ⑤	09 24	10 200
11 ④	12 ①		

01 답 ⑤

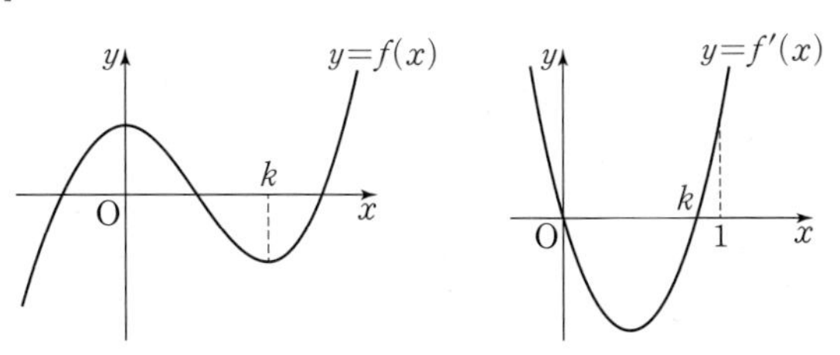

ㄱ. 삼차항의 계수를 a $(a>0)$라 하고 (가)를 이용하면

$f'(x)=3ax(x-k)$

이고, 이때 구간 $[0, k]$에서 $f'(x)\le 0$이므로

$\int_0^k f'(x)dx<0$ (○)

ㄴ. (나)의 등식 $\int_0^t |f'(x)|dx=f(t)+f(0)$

의 양변을 t에 대하여 미분하면 $|f'(t)|=f'(t)$ ······ ㉠

이때 ㉠은 $t>1$인 모든 실수 t에 대하여 성립하므로

$t>1$일 때 $f'(t)\ge 0$이고

구간 $[0, k]$에서 $f'(x)\le 0$이므로 $0<k\le 1$ (○)

ㄷ. $f'(x)=3ax(x-k)=3ax^2-3akx$에서

$\int_0^t |f'(x)|dx$

$=-\int_0^k (3ax^2-3akx)dx+\int_k^t (3ax^2-3akx)dx$

$=-\left[ax^3-\dfrac{3ak}{2}x^2\right]_0^k+\left[ax^3-\dfrac{3ak}{2}x^2\right]_k^t$

$=at^3-\dfrac{3akt^2}{2}+ak^3$ ······ ㉡

또한

$f(x)=\int(3ax^2-3akx)dx$

$=ax^3-\dfrac{3ak}{2}x^2+C$ (C는 적분상수)

라 하면

$f(t)+f(0)=at^3-\dfrac{3ak}{2}t^2+2C$ ······ ㉢

㉡, ㉢이 같으므로 $C=\dfrac{ak^3}{2}$

즉 $f(x)=ax^3-\dfrac{3ak}{2}x^2+\dfrac{ak^3}{2}$이므로

극솟값 $f(k)=ak^3-\dfrac{3ak^3}{2}+\dfrac{ak^3}{2}=0$ (○)

따라서 옳은 것은 ㄱ, ㄴ, ㄷ

02-1 답 7

(가)에서 주어진 등식의 양변을 x에 대하여 미분하면

$f(x)=\frac{1}{2}f(x)+\frac{x-1}{2}f'(x)+\frac{1}{2}f(1)$

$\therefore f(x)=f(1)+(x-1)f'(x)$ ……㉠

㉠의 좌변에서 $f(x)$의 최고차항을 ax^n (a는 0이 아닌 상수, n은 자연수)이라 하면

㉠의 우변에서 최고차항은 $x\times anx^{n-1}=anx^n$

즉 $ax^n=anx^n$에서 $n=$ ❶ $\underline{1}$

또 $f(0)=1$이므로 $f(x)=ax+1$로 놓을 수 있다.

이때 $\int_0^2 f(x)dx=\int_0^2 (ax+1)dx=\left[\frac{a}{2}x^2+x\right]_0^2=2a+2$

$\int_{-1}^1 xf(x)dx=\int_{-1}^1 (ax^2+x)dx=2\int_0^1 ax^2dx=\frac{2a}{3}$

이므로 (나)에서 $2a+2=5\times\frac{2a}{3}$ $\therefore a=\frac{3}{2}$

따라서 $f(x)=$ ❷ $\underline{\frac{3}{2}x+1}$ 이므로 $f(4)=\frac{3}{2}\times 4+1=7$

참고

$\int_1^x f(t)dt=\frac{x-1}{2}\{f(x)+f(1)\}$에서

우변의 $\frac{x-1}{2}\{f(x)+f(1)\}$은 네 꼭짓점의 좌표가

$(1, 0)$, $(1, f(1))$, $(x, 0)$, $(x, f(x))$인 사다리꼴의 넓이라 할 수 있고, 모든 x에 대하여 위 등식이 성립하려면 함수 $f(x)$는 직선이 되어야 함을 알 수 있다.

02-2 답 ④

(가) 등식에 $x=2$를 대입하면

$0=\frac{2-k}{2}\{f(2)+f(2)\}=(2-k)f(2)$

에서 $f(2)>0$이므로 $k=2$

또 (가) 등식의 양변을 x에 대하여 미분하면

$f(x)=\frac{1}{2}f(x)+\frac{1}{2}f(2)+\frac{x-2}{2}f'(x)$

$\therefore f(x)=f(2)+(x-2)f'(x)$ ……㉠

㉠의 좌변에서 $f(x)$의 최고차항을 ax^n (a는 0이 아닌 상수, n은 자연수)이라 하면 ㉠의 우변의 최고차항은 $x\times anx^{n-1}=anx^n$

즉 $ax^n=anx^n$에서 $n=1$

또 $f(0)=2$이므로 $f(x)=ax+2$

이것을 (나)에 대입하고 정리하면

$\int_0^4 f(x)dx=\int_0^4 (ax+2)dx=\left[\frac{a}{2}x^2+2x\right]_0^4=8a+8$

$\int_{-2}^2 x(x-1)f(x)dx$

$=\int_{-2}^2 (x^2-x)(ax+2)dx$

$=\int_{-2}^2 \{ax^3-(a-2)x^2-2x\}dx$

$=-2(a-2)\left[\frac{1}{3}x^3\right]_0^2=-\frac{16(a-2)}{3}$

이므로 (나)에서 $8a+8-3\times\frac{16(a-2)}{3}=0$

을 정리하면 $-8a+40=0$ $\therefore a=5$

따라서 $f(x)=\underline{5x+2}$ 이고, 이때

$f\left(\frac{3}{2}k\right)=f(3)=5\times 3+2=17$

03-1 답 ⑤

ㄱ. $h(x)=(x-1)f(x)$에서 $h'(x)=f(x)+(x-1)f'(x)$

$g(x)=f(x)+(x-1)f'(x)$이므로 $h'(x)=g(x)$ (○)

ㄴ. $f(x)=x^3+x^2+ax+b$가 $x=-1$에서 극값 0을 가지면

$f(-1)=0$에서 $-a+b=0$, $f'(-1)=0$에서 $a+1=0$

즉 $a=-1$, $b=-1$이므로 $f(x)=x^3+x^2-x-1$이고

$g(x)=f(x)+(x-1)f'(x)$

$=x^3+x^2-x-1+(x-1)(3x^2+2x-1)$

$=$ ❶ $\underline{4x^3-4x}$

$\int_0^1 g(x)dx=\int_0^1 (4x^3-4x)dx=\left[x^4-2x^2\right]_0^1=-1$ (○)

ㄷ. $[(x-1)f(x)]'=f(x)+(x-1)f'(x)=g(x)$이므로

$\int_0^1 g(x)dx=\left[(x-1)f(x)\right]_0^1=f(0)$

이때 $f(0)=0$, 즉 $\int_0^1 g(x)dx=$ ❷ $\underline{0}$ 이면 다항함수 $g(x)$가 실수 전체에서 연속함수이고 $g(x)$를 0부터 1까지 적분한 값이 0이므로 $g(x)=0$이 되는 점이 열린구간 $(0, 1)$에서 적어도 하나 존재한다. (○)

따라서 옳은 것은 ㄱ, ㄴ, ㄷ

03-2 답 ⑤

$\int_0^x \{g(t)-f(t)\}dt=(x-2)f(x)-\int_0^x f(s)ds$에서

$\int_0^x f(t)dt=\int_0^x f(s)ds$이므로

$\int_0^x g(t)dt=$ ❶ $\underline{(x-2)f(x)}$ ……㉠

ㄱ. ㉠의 양변에 $x=0$을 대입하면

$0=-2f(0)$에서 $f(0)=0$이다. (○)

ㄴ. ㉠의 양변을 x에 대하여 미분하면

$g(x)=f(x)+(x-2)f'(x)$ ……㉡

또 $h'(x)=f(x)+(x-2)f'(x)$이므로

㉡에서 $g(x)=h'(x)$ ……㉢

즉 $g(3)=h'(3)$

㉢의 양변을 구간 $[0, 2]$에서 정적분하면

$\int_0^2 g(x)dx=\int_0^2 h'(x)dx=h(2)-h(0)$

또 ㉠의 양변에 $x=2$를 대입하면

$\int_0^2 g(t)dt=\int_0^2 g(x)dx=$ ❷ $\underline{0}$ ……㉣

이므로 $h(2)-h(0)=0$, 즉 $h(0)=h(2)$ (○)

ㄷ. ㉣에서 $\int_0^2 g(t)dt=0$이고 함수 $g(x)$가 연속이므로 $g(x)=0$이 되는 c가 열린구간 $(0, 2)$에서 적어도 하나 존재한다. 즉 $g(x)=f(x)+(x-2)f'(x)=0$에서 $f'(x)=\frac{f(x)}{2-x}$를 만족시키는 실수 x가 적어도 하나 존재한다. (○)

따라서 옳은 것은 ㄱ, ㄴ, ㄷ

다른 풀이

ㄴ. $[(x-2)f(x)]'=f(x)+(x-2)f'(x)$이므로
$h'(x)=f(x)+(x-2)f'(x)$에서
$h(x)=(x-2)f(x)+C$ (단, C는 적분상수)
이때 $h(0)=-2f(0)+C$, $h(2)=C$이고
ㄱ에서 $f(0)=0$이므로 $h(0)=C=h(2)$

04 답 4

네 점 $A(1, f(1))$, $B(1, 0)$, $C(x, 0)$, $D(x, f(x))$를 생각하면 ㈎에서 부등식의 우변인 $\frac{x-1}{2}\{f(x)+f(1)\}$은 사다리꼴 ABCD의 넓이를 나타낸다.

또 $x>1$인 실수 x에 대하여

$\int_1^x f(t)dt>\frac{x-1}{2}\{f(x)+f(1)\}$

이고 $x=5$일 때, 등호가 성립하려면 삼차함수 $f(x)$ 위의 두 점 A, D가 점 $P(c, f(c))$에 대하여 대칭이어야 한다.

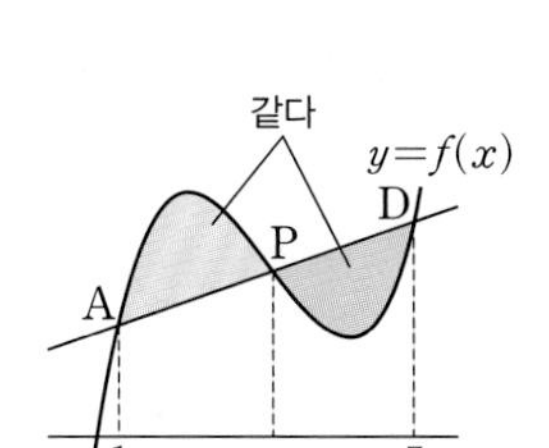

즉 $c=\frac{1+5}{2}=3$이고, $\int_1^5 f(t)dt=12$이므로

$\frac{5-1}{2}\{f(5)+f(1)\}=2\times 2f(3)=12$에서 $f(3)=\underline{3}$

또 ㈏에서 $f(5)=5$이고, 세 점 $A(1, f(1))$, $P(3, 3)$, $D(5, 5)$가 한 직선 위의 점이어야 한다.

이때 직선 PD의 기울기가 1이므로 $f(1)=1$

따라서 $f(1)+f(3)=1+3=4$

참고

❶ 곡선 $y=f(x)$ 위의 점 $P(a, f(a))$를 경계로 곡선의 모양이 위로 볼록에서 아래로 볼록으로 바뀌거나, 아래로 볼록에서 위로 볼록으로 바뀔 때, 점 P를 곡선 $y=f(x)$의 변곡점이라 한다.

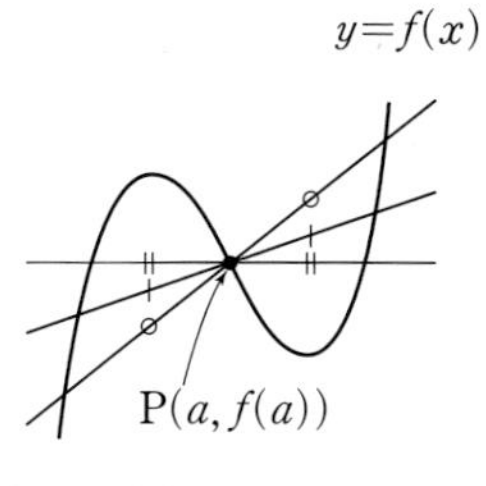

모든 삼차함수 곡선은 항상 한 점에 대칭인데 그 점은 바로 삼차함수의 변곡점이다. 삼차함수의 변곡점은 $f(x)$를 두 번 미분해서 0이 되는 x값을 이용해 구한다. 즉 점 P가 삼차함수 $y=f(x)$ 그래프의 변곡점이면 $f''(a)=0$이고, 삼차함수 $f(x)$의 그래프는 점$(a, f(a))$에 대하여 대칭이다.

❷ $x=5$를 대입한 $\int_1^5 f(t)dt=\frac{5-1}{2}\{f(5)+f(1)\}=12$에서 $f(1)=1$을 구할 수도 있다.

05 답 5

일차함수 $f(x)$를 $f(x)=ax+b$라 할 때,

$\int_0^1 6xf(x)dx=\int_0^1 6x(ax+b)dx=2a+3b$이고

$\int_0^1 6xf(x)dx=1$이므로 $2a+3b=1$에서

b를 a로 나타내면 $b=$ ❶ $\underline{\frac{1-2a}{3}}$

$g(x)=\int_0^x (a^2t^2+2abt+b^2)dt=\frac{a^2}{3}x^3+abx^2+b^2x$

이므로 $x=1$을 대입하면

$g(1)=\frac{a^2}{3}+ab+b^2$

$=\frac{a^2}{3}+\frac{a(1-2a)}{3}+\frac{(1-2a)^2}{9}=$ ❷ $\underline{\frac{a^2-a+1}{9}}$

에서 $g(1)=\frac{a^2-a+1}{9}=\frac{1}{9}\left\{\left(a-\frac{1}{2}\right)^2+\frac{3}{4}\right\}$이므로

$g(1)$은 $a=\frac{1}{2}$일 때 최솟값이 $\frac{1}{12}$이다.

즉 $m=\frac{1}{12}$이므로 $60m=5$

06 답 4

$f(x)=ax^3+bx^2+x+\int_{-1}^x (x-t)g(t)dt$이고

양변을 미분하면 $f'(x)=3ax^2+2bx+1+\int_{-1}^x g(t)dt$

㈎에 따라 $f(x)$가 $(x+1)^2$으로 나누어 떨어지므로

$f(-1)=-a+b-1=0$, $f'(-1)=3a-2b+1=0$

$a=$ ❶ $\underline{1}$, $b=$ ❷ $\underline{2}$

또 ㈏에서 $\int_0^c g(t)dt=k$라 할 때

$\int_0^x g(t)dt=x^2\int_0^c g(t)dt=kx^2$의 양변을 미분하면

$g(x)=2kx$, 즉 $\int_0^c 2kt\,dt=k$에서 $kc^2=k$

$g(x)$가 다항함수이므로 $k\neq0$

이때 $c^2=1$에서 $c=$ ❸ $\underline{1}$ ($\because$ c는 양수)

$\therefore a+b+c=1+2+1=4$

07 답 36

$\int_1^x (x+t)f'(t)dt=2xf(x)+2x^3+ax^2+bx$ ……㉠

에서 $\int_1^x (x+t)f'(t)dt=x\int_1^x f'(t)dt+\int_1^x tf'(t)dt$이므로

$x\int_1^x f'(t)dt+\int_1^x tf'(t)dt=2xf(x)+2x^3+ax^2+bx$

의 양변을 미분하면

$\int_1^x f'(t)dt+2xf'(x)=2f(x)+2xf'(x)+6x^2+2ax+b$

를 정리한

$\int_1^x f'(t)dt=2f(x)+6x^2+2ax+b$ ……㉡

㉡을 다시 미분하면

$f'(x)=2f'(x)+12x+2a$에서 $f'(x)=$ ❶ $\underline{-12x-2a}$

$\therefore f(x)=-6x^2-2ax+C$

한편 ㉠의 양변에 $x=1$을 대입하면

$0=2f(1)+2+a+b=10+a+b$ ……㉢ ($\because f(1)=4$)

또 ㉡에 $x=1$을 대입하면

$0=2f(1)+6+2a+b=14+2a+b$ ……㉣

㉢, ㉣에서 $a+b+10=14+2a+b$이므로 $a=-4$

즉 $f(x)=-6x^2+8x+C$에서 $f(1)=4$이므로

$f(1)=-6+8+C=4$에서 $C=2$

$\therefore f(x)=$ ❷ $\underline{-6x^2+8x+2}$

따라서 $f(2)=-6=k$이므로 $k^2=36$

08 답 ⑤

$\int_1^x f(t)dt=xf(x)+x^n-x^{n+1}$에

$x=1$을 대입하면 $0=f(1)$이고, 양변을 미분하면

$f(x)=f(x)+xf'(x)+nx^{n-1}-(n+1)x^n$이고

$f'(x)=(n+1)x^{n-1}-nx^{n-2}$에서

$f(x)=\int f'(x)dx=\frac{n+1}{n}x^n-\frac{n}{n-1}x^{n-1}+C$

$f(1)=0$이므로 $C=\frac{n}{n-1}-\frac{n+1}{n}=\frac{1}{n(n-1)}$

$\therefore f(x)=$ ❶ $\underline{\frac{n+1}{n}x^n-\frac{n}{n-1}x^{n-1}+\frac{1}{n(n-1)}}$

이때 $g(n)=f(0)=$ ❷ $\underline{\frac{1}{n(n-1)}}$

한편 $f'(x)=(n+1)x^{n-1}-nx^{n-2}$

$=(n+1)x^{n-2}\left(x-\frac{n}{n+1}\right)$

이므로 n값에 따라 함수 $f(x)$의 그래프를 다음과 같이 생각할 수 있다.

(i) $n=2$일 때

$f(x)=\frac{3}{2}x^2-2x+\frac{1}{2}$

$=\frac{3}{2}\left(x-\frac{2}{3}\right)^2-\frac{1}{6}$

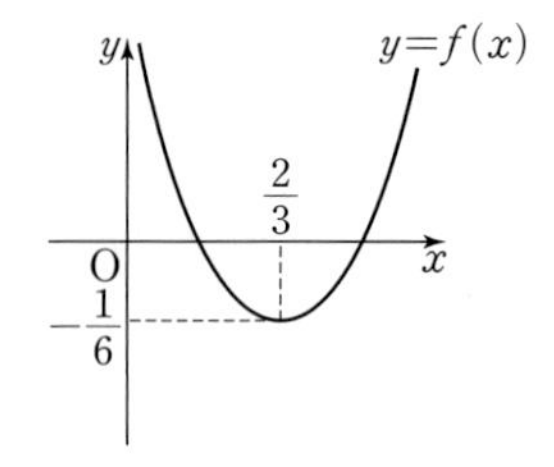

이때 $y=f(x)$의 그래프는 그림과 같으므로 극점이 1개 있고, $h(2)=2$

(ii) $n=3$일 때

$f(x)=\frac{4}{3}x^3-\frac{3}{2}x^2+\frac{1}{6}$, $f'(x)=4x\left(x-\frac{3}{4}\right)$

이고, $f(0)>0$, $f\left(\frac{3}{4}\right)<0$이므로 $y=f(x)$의 그래프 개형은 그림과 같다. 즉 극점이 2개 있고 $h(3)=3$

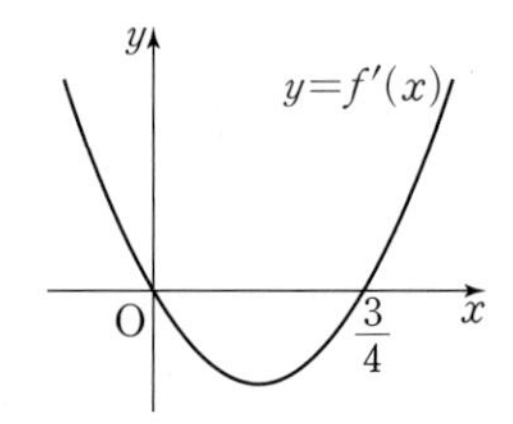

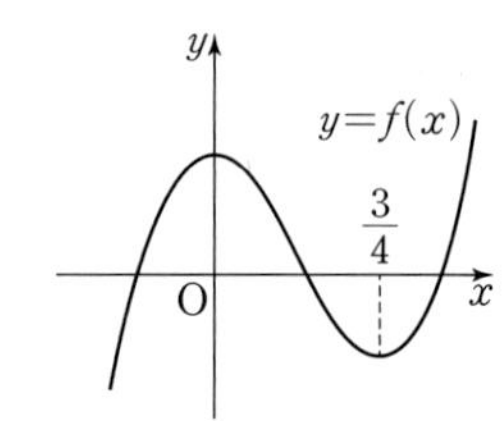

(iii) $n=4$일 때

$f(x)=\frac{5}{4}x^4-\frac{4}{3}x^3+\frac{1}{12}$, $f'(x)=5x^2\left(x-\frac{4}{5}\right)$

이므로 $x=0$일 때 극값을 갖지 않는다.

$y=f(x)$의 그래프는 그림과 같은 모양이므로 극점이 1개 있고 $h(4)=2$

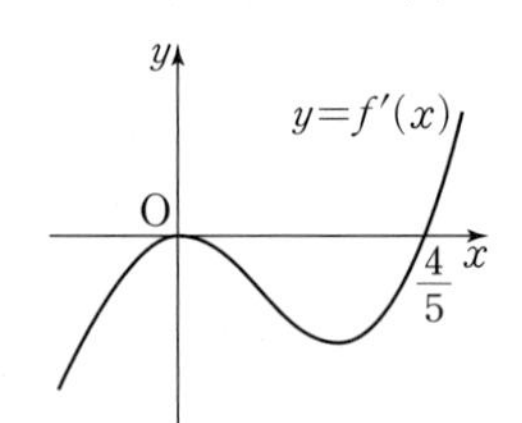

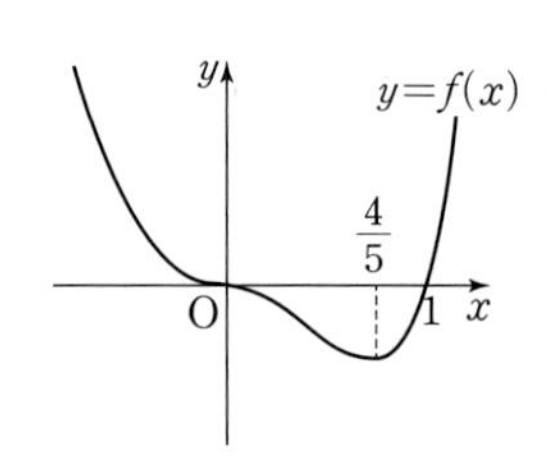

ㄱ. (i)~(iii)에서 $f(x)$의 극점의 개수를 모두 더하면 $1+2+1=4$ (○)

ㄴ. (i)~(iii)에서 $h(2)+h(3)+h(4)=2+3+2=7$ (○)

ㄷ. $\sum_{n=2}^{999}g(n)=\sum_{n=2}^{999}\frac{1}{n(n-1)}=\sum_{n=2}^{999}\left(\frac{1}{n-1}-\frac{1}{n}\right)$

$=\left(1-\frac{1}{2}\right)+\left(\frac{1}{2}-\frac{1}{3}\right)+\cdots+\left(\frac{1}{998}-\frac{1}{999}\right)$

$=\frac{998}{999}$ (○)

09 답 24

㈎에 따라 구간 $0<x<2$에서 함수 $p(x)$가 일차함수가 되려면 구간 $(-x, 3x)$ 즉 구간 $-2<x<6$에서 함수 $h(x)$는 상수함수라야 하므로 $\int_{-x}^{3x} kdt=4kx$로 놓을 수 있다.

한편 $h(x)=\begin{cases} g(x) & (f(x)\ge g(x)) \\ f(x) & (f(x)<g(x)) \end{cases}$이므로

$h(x)$는 두 함수 $f(x)$, $g(x)$ 중에서 크지 않은 값을 취하는 함수다. 즉 함수 $h(x)$가 구간 $-2<x<6$에서 상수함수 꼴이 되려면 이 구간에서 $f(x)\ge g(x)$이고, $g(x)$는 상수함수이면 된다.

한편 $f(1)=g(1)$이어서 두 함수 $f(x)$, $g(x)$의 그래프는 $x=1$일 때 만나고, $-2<x<6$에서 $f(x)\ge g(x)$이므로 그림처럼 $x=1$에서 두 함수의 그래프가 접한다.

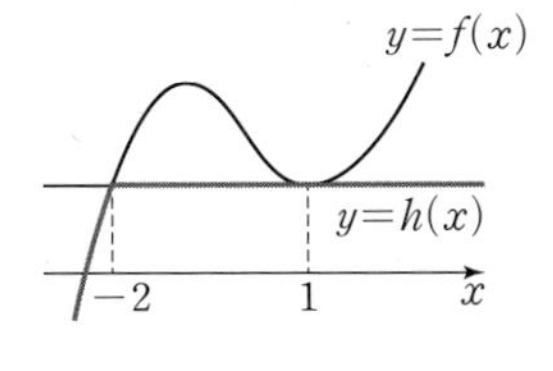

또 $x<-2$에서 $f(x)<g(x)$, $x\ge 1$에서 $f(x)\ge g(x)$임을 알 수 있다.

또 ㈏에 따라 구간 $0<x<3$에서 $p(x)$가 증가하려면 $h(x)$가 $+$, 즉 $g(x)>0$이고 $g(x)=k$ $(k>0)$라 했으므로 삼차함수 $f(x)$는 $f(x)=(x+2)(x-1)^2+k$이다.

한편 $p(x)=\int_{-x}^{3x} h(t)dt$의 양변을 미분하면

$p'(x)=3h(3x)+h(-x)$이고, 구간 $0<x<3$에서 $p(x)$는 증가하고 구간 $x>3$에서 $p(x)$가 감소하므로 $p'(3)=0$이다.

즉 $p'(3)=3h(9)+h(-3)=3g(9)+f(-3)$에서

$g(9)=k$, $f(-3)=-16+k$이므로

$3k+(-16+k)=4k-16=0 \qquad \therefore k=4$

따라서 $f(x)=\underline{(x+2)(x-1)^2+4}$ 이므로

$f(3)=5\times 2^2+4=24$

10 답 200

$0\le x\le 2$에서 $x=a$, $x=b$, $x=2$를 기준으로 다음과 같은 그래프를 그려 생각해 보자.

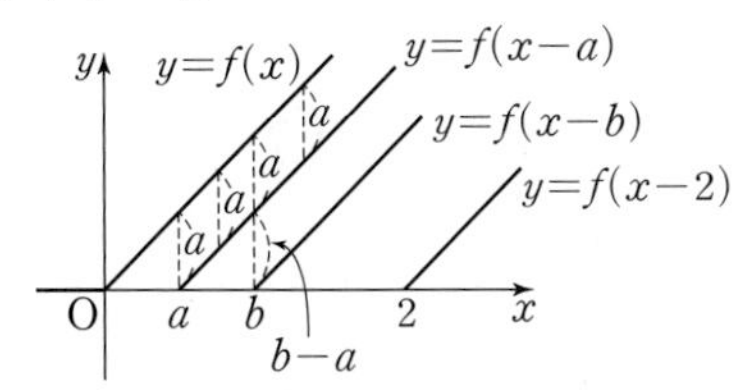

이때 $h_1(x)=f(x)-f(x-a)-f(x-b)+f(x-2)$라 하면 그 그래프는 그림처럼 나타낼 수 있다. 즉 $a+b-2$의 값에 따라 그래프 모양이 변한다.

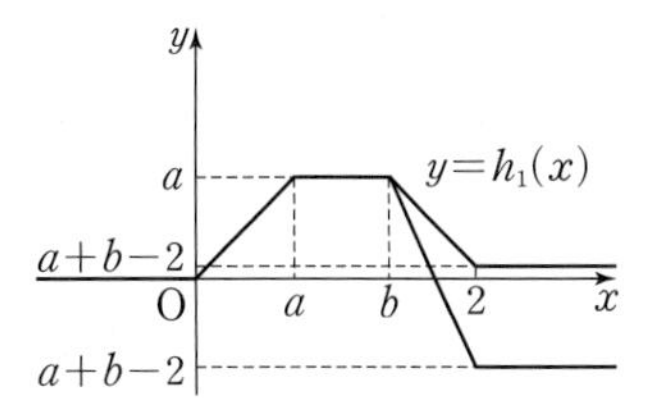

이때 $y=h_1(x)$의 그래프를 실수배한 $y=h(x)$의 그래프를 이와 같이 생각하면 $\int_0^2 \{g(x)-h(x)\}dx$의 값이 최소인 경우는 다음과 같다.

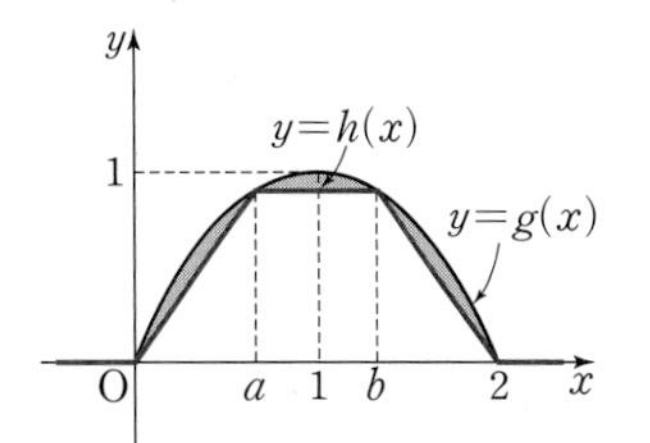

이때 $\int_0^2 g(x)dx$의 값이 일정하므로 $\int_0^2 h(x)dx$가 최대이면 $\int_0^2 \{g(x)-h(x)\}dx$의 값이 최소임을 알 수 있다.

즉 실수 x에 대하여 $0\le h(x)\le g(x)$이므로 위 그림과 같이 $h(x)$는 사다리꼴이고, 두 꼭짓점이 곡선 $g(x)$와 접할 때 $\int_0^2 h(x)dx$의 값은 최대가 된다.

$\therefore h(a)=g(a)$, $h(2)=g(2)=0$

즉 $ka=a(2-a)$, $k(a+b-2)=0$에서

$k=2-a$, $\underline{a+b=2}$ $(\because k\ne 0)$

또 $a+b=2$에서 a, b는 $x=1$에 대하여 대칭이므로 $a=1-t$, $b=1+t$라 놓으면 사다리꼴의 높이는

$g(1-t)=(1-t)\{2-(1-t)\}=(1-t)(1+t)$이고

$$\int_0^2 h(x)dx=(\text{사다리꼴의 넓이})$$
$$=\frac{1}{2}(2t+2)(1+t)(1-t)$$
$$=(1+t)^2(1-t)\ (0<t\le 1)$$

$p(t)=(1+t)^2(1-t)$라 하면 $(0<t\le 1)$

$p'(t)=2(1+t)(1-t)-(1+t)^2=(1+t)(1-3t)$

즉 $p(t)$는 $t=\frac{1}{3}$일 때 극대이면서 최대이므로

$a=1-\frac{1}{3}=\frac{2}{3}$, $b=1+\frac{1}{3}=\frac{4}{3}$, $k=2-\frac{2}{3}=\frac{4}{3}$

따라서 $60(a+b+k)=60\times\frac{10}{3}=200$

참고

$a\le x\le b$인 x에 대하여 $f(x)-f(x-a)=x-(x-a)=0$

$b\le x\le 2$인 x에 대하여

$$f(x)-f(x-a)-f(x-b)=x-(x-a)-(x-b)$$
$$=a+b-x$$

11 답 ④

$g(x)=x^2\int_0^x f(t)dt-\int_0^x t^2 f(t)dt$에 대하여

$g'(x)=2x\int_0^x f(t)dt-x^2f(x)-x^2f(x)=2x\int_0^x f(t)dt$이고,

$f(x)=(x+1)(x-1)(x-a)\ (a>1)$이므로

$g'(x)=0$을 만족시키는 x의 값은

$x=0$ 또는 방정식 $\int_0^x f(t)dt=0$의 실근이다.

(i) 그림처럼 $\int_0^\alpha f(t)dt=0$을 만족시키는 실수 $\alpha(\alpha<-1)$가 반드시 존재한다.

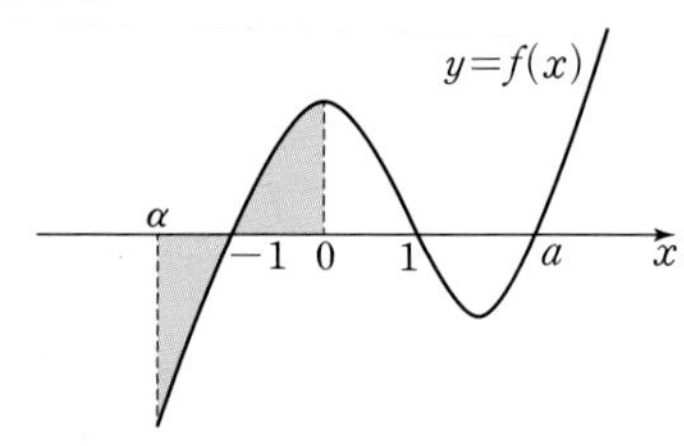

이때 $x=\alpha$의 좌우에서 $g'(x)$의 부호는 음에서 양으로 바뀌므로 함수 $g(x)$는 $x=\alpha$에서 극값을 가진다.

(ii) $\int_0^0 f(t)dt=0$이고,

$-1<x<0$인 임의의 실수 x에 대하여 $\int_0^x f(t)dt<0$

$0<x<1$인 임의의 실수 x에 대하여 $\int_0^x f(t)dt>0$이므로

$x=0$의 좌우에서 $\int_0^x f(t)dt$의 부호는 $-$에서 $+$로 바뀐다.

즉 $x=0$의 좌우에서 $g'(x)=2x\int_0^x f(t)dt\geq 0$이므로

함수 $g(x)$는 $x=0$에서 극값을 갖지 않으므로 a가 최대가 되는 조건을 만족시키는 경우는 그림처럼 색칠한 두 부분의 넓이가 같을 때이다.

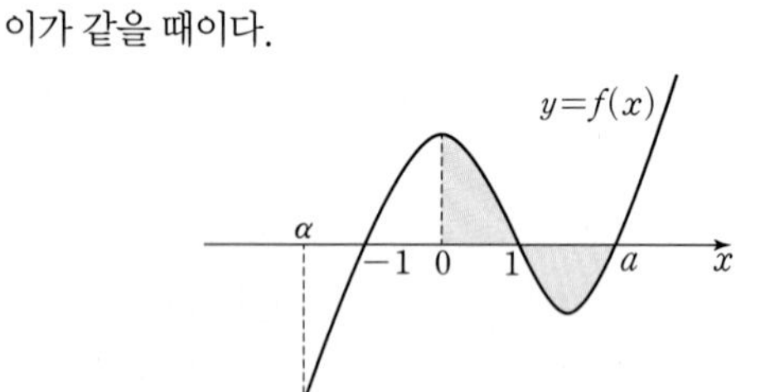

즉 $\int_0^a f(x)dx=0$ 이어야 하므로

$\int_0^a (x+1)(x-1)(x-a)dx$

$=\left[\frac{1}{4}x^4-\frac{a}{3}x^3-\frac{1}{2}x^2+ax\right]_0^a$

$=-\frac{1}{12}a^4+\frac{1}{2}a^2=0$에서 $a^2=6$

따라서 a의 최댓값은 $\sqrt{6}$

12 답 ①

주어진 조건에서 함수 $f(x)$는 $x=1$에 대하여 대칭이면서 원점에 대하여 대칭이므로 그래프 개형은 그림과 같다.

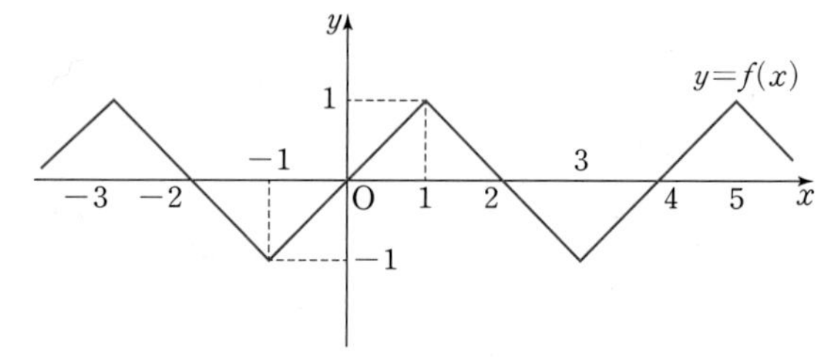

이때 다음과 같이 각 구간별로 함수 $g(x)$를 생각해 보자.

(i) $0\leq x<1$일 때 그림처럼 생각하면 $\int_{2-x}^{2+x} f(t)dt=0$이므로

$g(x)=\int_x^{x+2} f(t)dt$

$=\int_x^{2-x} f(t)dt$

$=2\int_x^1 f(t)dt$

$=2\left[\frac{1}{2}t^2\right]_x^1$

$=$ ❶ $1-x^2$

(ii) $1\leq x<2$일 때 $\int_x^{4-x} f(t)dt=0$임을 이용하면

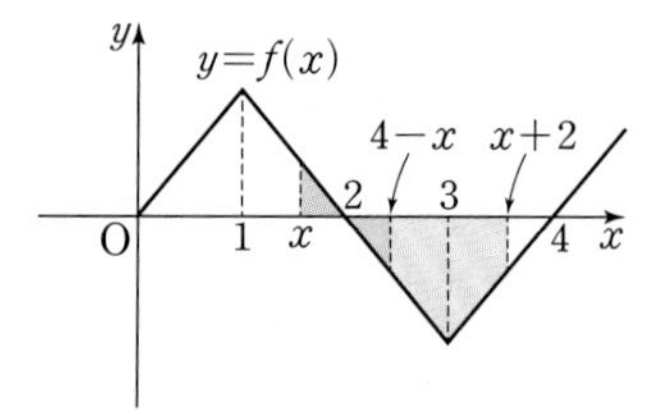

$g(x)=\int_x^{x+2} f(t)dt=\int_{4-x}^{x+2} f(t)dt=2\int_3^{x+2} f(t)dt$

$=2\left[\frac{1}{2}t^2-4t\right]_3^{x+2}=$ ❷ $(x-2)^2-1$

(iii) $2\leq x<3$일 때 $\int_{6-x}^{x+2} f(t)dt=0$임을 이용하면

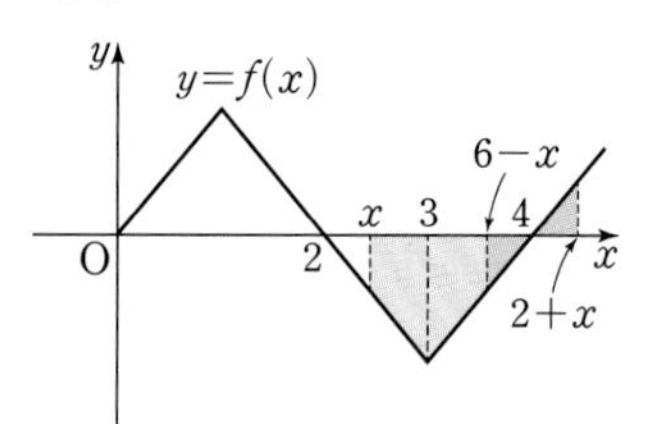

$g(x)=\int_x^{x+2} f(t)dt=\int_x^{6-x} f(t)dt=2\int_x^3 f(t)dt$

$=2\left[-\frac{1}{2}t^2+2t\right]_x^3=$ ❸ $(x-2)^2-1$

(iv) $3\leq x<4$일 때

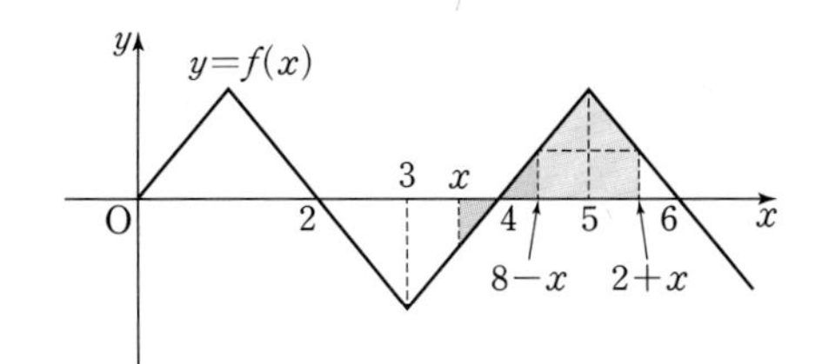

$\int_{x}^{8-x} f(t)dt=0$임을 이용하면

$$g(x)=\int_{x}^{x+2} f(t)dt=\int_{8-x}^{x+2} f(t)dt=2\int_{5}^{x+2} f(t)dt$$

$$=2\left[-\frac{1}{2}t^2+6t\right]_5^{x+2}= \text{❹ } \underline{-(x-4)^2+1}$$

한편 $x\geq0$일 때, 함수 $f(x)$는 주기가 4인 주기함수이므로 함수 $g(x)$도 $x\geq0$에서 주기가 4인 주기함수이다.

즉 함수 $g(x)$의 그래프는 그림과 같다.

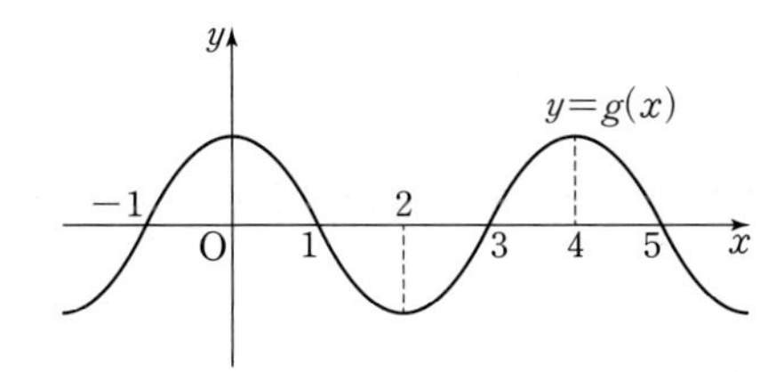

ㄱ. $g(x)=\int_{x}^{x+2} f(t)dt$의 양변을 미분하면

$g'(x)=f(x+2)-f(x)$이므로

$g'(1)=f(3)-f(1)=(-1)-1=-2$ (○)

ㄴ. $0\leq x\leq10$에서 함수 $g(x)$의 극댓값은

$g(4)=g(8)=1$이다. (○)

ㄷ. 그래프에서 함수 $g(x)$의 주기는 4다. (×)

ㄹ. 함수 $g(x)$는 y축에 대하여 대칭인 함수다.

즉 $g(-x)=g(x)$ (×)

따라서 옳은 것은 ㄱ, ㄴ

참고

$0\leq x<1$일 때 $f(x)=x$, $1\leq x<3$일 때 $f(x)=2-x$라 생각해서

$g(x)=\int_{x}^{x+2} f(t)dt=\int_{x}^{1} tdt+\int_{1}^{x+2} (2-t)dt$ 처럼 구할 수도 있는데, 이렇게 하는 것보다 조건에서 대칭성을 최대한 생각할 수 있으므로 풀이처럼 $g(x)$를 구하는 것이 더 간단하다.

집중공략 유형 09 정적분의 활용

p. 83~92

01 ④	02-1 ④	02-2 ③	03-1 ①
03-2 ②	04 336	05 64	06 26
07 2	08 77	09 4	10 36
11 9	12 261	13 ⑤	

01 답 ④

(나)에서 $\int_0^6 f(x)dx=\int_0^3 f(x)dx+\int_3^6 f(x)dx$

$$=\int_0^3 f(x)dx+\int_3^6 \{f(x-3)+4\}dx$$

$$=\int_0^3 f(x)dx+\int_0^3 \{f(x)+4\}dx$$

$$=\int_0^3 f(x)dx+\int_0^3 f(x)dx+\int_0^3 4dx$$

$$=2\int_0^3 f(x)dx+12$$

$\int_0^6 f(x)dx=0$이므로 $2\int_0^3 f(x)dx+12=0$

즉 $\int_0^3 f(x)dx=-6$이고, 이때 $\int_3^6 f(x)dx=6$

함수 $f(x)$의 그래프와 x축 및 두 직선 $x=6$, $x=9$로 둘러싸인 부분의 넓이는 $\int_6^9 f(x)dx$이므로

$$\int_6^9 f(x)dx=\int_6^9 \{f(x-3)+4\}dx$$

$$=\int_3^6 \{f(x)+4\}dx$$

$$=\int_3^6 f(x)dx+12$$

$$=6+12=18$$

02-1 답 ④

두 곡선 $y=x^3+4x^2-6x+5$, $y=x^3+5x^2-9x+6$이 만나는 점의 x좌표는 $x^3+4x^2-6x+5=x^3+5x^2-9x+6$을 정리한 방정식 $x^2-3x+1=0$ ……㉠의 두 근 α, β $(\alpha<\beta)$와 같다.

판별식 $D=9-4=5>0$

근과 계수의 관계에서 $\alpha+\beta=3$, $\alpha\beta=1$ ……㉡

즉 두 근 α, β는 서로 다른 양수이다.

이때 구간 (α, β)에서 곡선 $y=6x^5+4x^3+1$은 x축보다 위쪽에 있으므로 곡선 $y=6x^5+4x^3+1$과 두 직선 $x=\alpha$, $x=\beta$와 x축으로 둘러싸인 부분의 넓이 S는

$$S=\int_\alpha^\beta (6x^5+4x^3+1)dx=\left[x^6+x^4+x\right]_\alpha^\beta$$

$$=(\beta^6-\alpha^6)+(\beta^4-\alpha^4)+(\beta-\alpha) \quad \cdots\cdots ㉢$$

㉡에서 $(\beta-\alpha)^2=(\beta+\alpha)^2-4\alpha\beta=9-4=5$

$\therefore\ \beta-\alpha=\sqrt{5}$

$\beta^2-\alpha^2=(\beta+\alpha)(\beta-\alpha)=$ ❶ $\underline{3\sqrt{5}}$

$\beta^2+\alpha^2=(\beta+\alpha)^2-2\alpha\beta=9-2=7$

$\therefore\ \beta^4-\alpha^4=(\beta^2+\alpha^2)(\beta^2-\alpha^2)=7\times3\sqrt{5}=$ ❷ $\underline{21\sqrt{5}}$

$\beta^3+\alpha^3=(\beta+\alpha)^3-3\alpha\beta(\beta+\alpha)=27-3\times3=18$

$\beta^3-\alpha^3=(\beta-\alpha)^3+3\alpha\beta(\beta-\alpha)=5\sqrt{5}+3\sqrt{5}=8\sqrt{5}$

$\therefore\ \beta^6-\alpha^6=(\beta^3+\alpha^3)(\beta^3-\alpha^3)=18\times8\sqrt{5}=$ ❸ $\underline{144\sqrt{5}}$

그러므로 ㉢에서

$S=(\beta^6-\alpha^6)+(\beta^4-\alpha^4)+(\beta-\alpha)$

$\quad=144\sqrt{5}+21\sqrt{5}+\sqrt{5}=166\sqrt{5}$

$\therefore\ a=166$

다른 풀이

차수 줄이기를 이용할 수 있다. 즉 ㉠에서 $x^2=3x-1$, 이때

$x^4=(3x-1)^2=9x^2-6x+1$

$\quad=9(3x-1)-6x+1=21x-8$

$x^6=x^2\times x^4=(3x-1)(21x-8)=63x^2-45x+8$

$\quad=63(3x-1)-45x+8=144x-55$

이므로 $\alpha^2=3\alpha-1$, $\alpha^4=21\alpha-8$, $\alpha^6=144\alpha-55$이다.

β의 경우도 마찬가지이다.

02-2 답 ③

두 곡선 $y=x^3+3x^2$, $y=x^3+5x^2+6x+2$가 만나는 점의 x좌표는 $x^3+3x^2=x^3+5x^2+6x+2$를 정리한 방정식

$x^2+3x+1=0$ ……㉠의 두 근 α, β $(\alpha<\beta)$와 같다.

판별식 $D=9-4=5>0$

근과 계수의 관계에서 $\alpha+\beta=-3$, $\alpha\beta=1$ ……㉡

즉 두 근 α, β는 서로 다른 음수이다.

이때 구간 (α, β)에서 곡선 $y=5x^4+6x^2+1$은 x축보다 위쪽에 있으므로 곡선 $y=5x^4+6x^2+1$과 두 직선 $x=\alpha$, $x=\beta$와 x축으로 둘러싸인 부분의 넓이 S는

$S=\int_{\alpha}^{\beta}(5x^4+6x^2+1)dx=\Big[x^5+2x^3+x\Big]_{\alpha}^{\beta}$

$\quad=(\beta^5-\alpha^5)+2(\beta^3-\alpha^3)+(\beta-\alpha)$ ……㉢

㉡에서 $(\beta-\alpha)^2=(\beta+\alpha)^2-4\alpha\beta=9-4=5$

$\therefore\ \beta-\alpha=\sqrt{5}$

또 $\beta^2+\alpha^2=(\beta+\alpha)^2-2\alpha\beta=7$

$\beta^3-\alpha^3=(\beta-\alpha)^3+3\alpha\beta(\beta-\alpha)=5\sqrt{5}+3\sqrt{5}=$ ❶ $\underline{8\sqrt{5}}$

$\therefore\ \beta^5-\alpha^5=(\beta^3-\alpha^3)(\beta^2+\alpha^2)-\alpha^2\beta^2(\beta-\alpha)$

$\quad\quad=8\sqrt{5}\times7-\sqrt{5}=$ ❷ $\underline{55\sqrt{5}}$

그러므로 ㉢에서

$S=(\beta^5-\alpha^5)+2(\beta^3-\alpha^3)+(\beta-\alpha)$

$\quad=55\sqrt{5}+16\sqrt{5}+\sqrt{5}=72\sqrt{5}$

$\therefore\ a=72$

03-1 답 ①

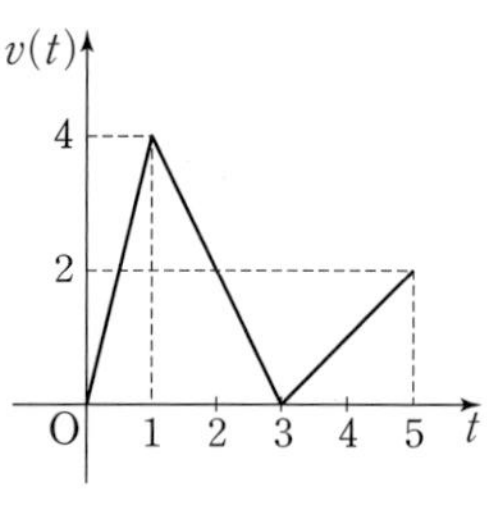

조건에서 주어진 시각 t $(0\le t\le5)$에서의 속도 $v(t)$를 그래프를 나타내면 그림과 같다.

또 시각 $t=0$에서 $t=x$까지 움직인 거리를 l_1, 시각 $t=x$에서 $t=x+2$까지 움직인 거리를 l_2, 시각 $t=x+2$에서 $t=5$까지 움직인 거리 l_3이라 하자.

ㄱ. $x=1$이면 $l_1=2$, $l_2=4$, $l_3=2$이므로 $f(1)=$ ❶ $\underline{2}$ (○)

ㄴ. $x=2$이면 $l_1=5$, $l_2=\frac{3}{2}$, $l_3=\frac{3}{2}$이므로 $f(2)=\frac{3}{2}$

이때 $f(2)-f(1)=\frac{3}{2}-2=-\frac{1}{2}$이고

$\int_1^2 v(t)dt=\int_1^2(-2t+6)dt=$ ❷ $\underline{3}$

$\therefore\ f(2)-f(1)\ne\int_1^2 v(t)dt$ (×)

ㄷ. h가 충분히 작은 양수일 때 그림과 같이 생각할 수 있다.

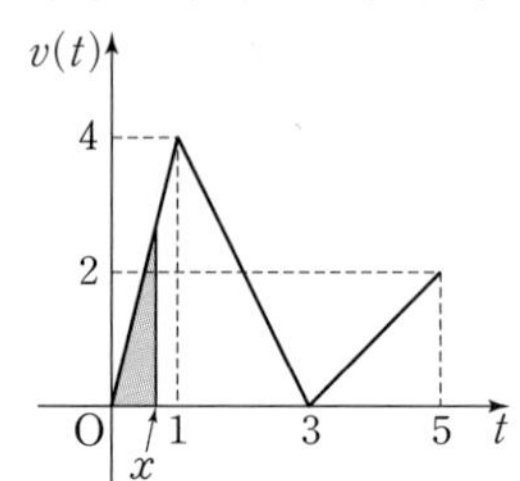

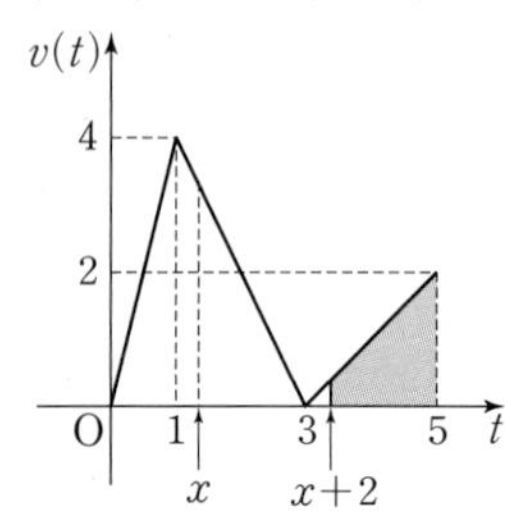

$x=1$이면 $l_1=2$, $l_2=4$, $l_3=2$이므로

$1-h<x<1$일 때 $f(x)=l_1$, 즉

$f(x)=\frac{1}{2}\times x\times4x=2x^2$에서 $f'(x)=$ ❸ $\underline{4x}$

이때 $\lim_{x\to1-}f'(x)=4$

마찬가지로 생각하면 $1<x<1+h$일 때

l_3이 최소이므로 $f(x)=l_3$, 즉

$f(x)=2-\frac{1}{2}\{(x+2)-3\}^2$에서 $f'(x)=$ ❹ $\underline{-x+1}$

이때 $\lim_{x\to1+}f'(x)=0$

$x=1$에서 $f'(x)$의 좌우 미분계수가 다르므로 $x=1$에서 미분 불가능하다. (×)

03-2 답 ②

시각 $t=0$에서 $t=x$까지 움직인 거리를 l_1

시각 $t=x$에서 $t=x+2$까지 움직인 거리를 l_2

시각 $t=x+2$에서 $t=5$까지 움직인 거리 l_3이라 하고, 조건에서 주어진 시각 $t(0\le t\le5)$에서의 속도 $v(t)$를 그래프를 나타내면 다음과 같다.

(i) $0 \le x < 1$일 때

그림처럼 생각하면

l_1, l_2, l_3 중 l_1이 최소이다. 이때

$l_1 = \int_0^x 2t\,dt = x^2$이므로

$f(x) = l_1 = $ ❶ x^2

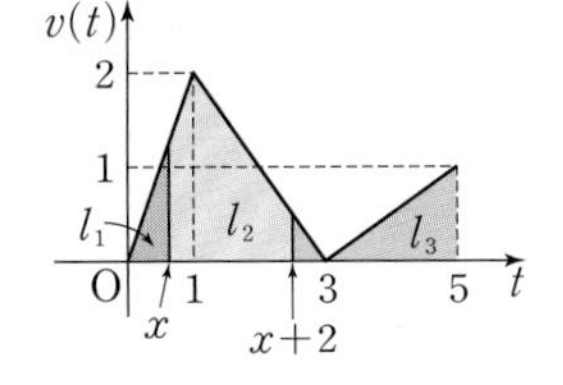

(ii) $1 < x < 3$일 때

그림처럼 생각하면

l_1, l_2, l_3 중 l_3이 최소이다. 이때

$l_3 = \int_{x+2}^5 \left(\frac{t}{2} - \frac{3}{2}\right)dt$

$= \left[\frac{1}{4}t^2 - \frac{3}{2}t\right]_{x+2}^5$

$= -\frac{1}{4}x^2 + \frac{1}{2}x + \frac{3}{4}$

$\therefore f(x) = l_3 = $ ❷ $-\frac{1}{4}x^2 + \frac{1}{2}x + \frac{3}{4}$

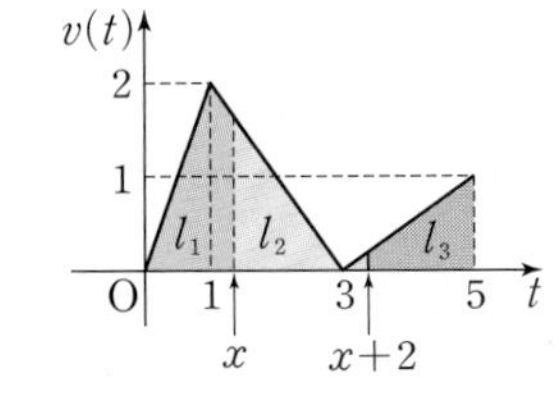

(i), (ii)에서

$$\int_0^3 f(x)dx = \int_0^1 f(x)dx + \int_1^3 f(x)dx$$

$$= \int_0^1 x^2dx + \int_1^3 \left(-\frac{1}{4}x^2 + \frac{1}{2}x + \frac{3}{4}\right)dx$$

$$= \left[\frac{1}{3}x^3\right]_0^1 + \left[-\frac{1}{12}x^3 + \frac{1}{4}x^2 + \frac{3}{4}x\right]_1^3$$

$$= \frac{1}{3} - \frac{1}{12}(27-1) + \frac{1}{4}(9-1) + \frac{3}{4}(3-1)$$

$$= \frac{5}{3}$$

참고

$1 < x < 3$일 때 $l_3 = 1 - \frac{1}{2}\{(x+2)-3\}\left\{\frac{1}{2}(x+2) - \frac{3}{2}\right\}$

$= 1 - \frac{1}{4}(x-1)^2$

04 답 336

정사각형 OABC의 넓이가 t^2이므로

곡선 $y = mx^2$, y축, $\overline{BC}$로 둘러싸인

부분의 넓이가 $\frac{1}{2}t^2$이다.

즉 $\int_0^a (t - mx^2)dx = \frac{1}{2}t^2$이고

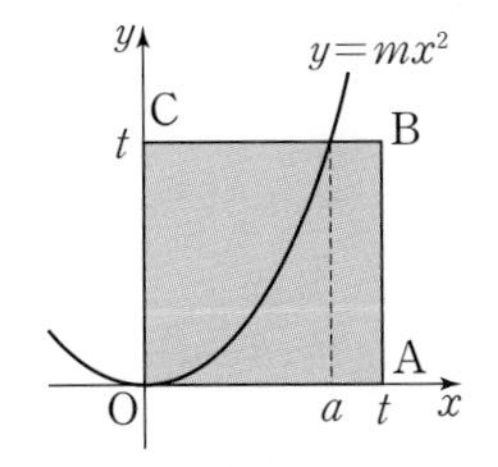

곡선 $y = mx^2$과 $\overline{BC}$가 만나는 점의 좌표를 (a, t)라 할 때,

$ma^2 = t$, 즉 $m = \frac{t}{a^2}$이고

$$\int_0^a (t - mx^2)dx = \left[tx - \frac{m}{3}x^3\right]_0^a = at - \frac{\frac{t}{a^2}}{3}a^3$$

$$= \frac{2}{3}at = \frac{1}{2}t^2$$

에서 $a = $ ❶ $\frac{3}{4}t$, 이때 $\frac{1}{m} = \frac{a^2}{t} = \frac{\frac{9}{16}t^2}{t} = \frac{9}{16}t$

$\therefore f(t) = $ ❷ $\frac{9}{16}t$

따라서 $f(t)$가 정수가 되려면 t는 16의 배수이고, 이중에서 두 자리 자연수는 16, 32, 48, 64, 80, 96이므로 모두 더하면

$16(1+2+\cdots+6) = 16 \times 21 = 336$

05 답 64

함수 $f(t)$를 $f(t) = x_1 - x_2 = t^3 + (1-a)t^2 - bt$라 하면

$f(0) = 0$이고, $t > 0$에서 $f(t) = 0$인 점이 있음을 알 수 있다.

또 $f(t)$의 극댓값은 $x = \alpha$일 때 44, $f(t)$의 극솟값은 $x = \beta$일 때 -64라 하면 $f(t)$의 그래프 개형은 그림과 같다.

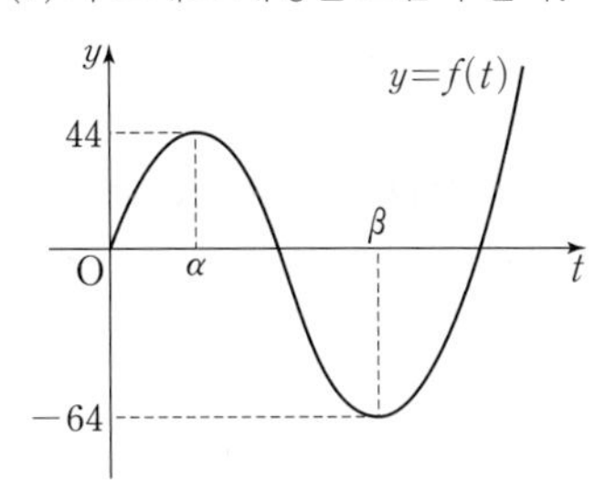

이때 $f'(t) = 3(t-\alpha)(t-\beta) = 3t^2 - 3(\alpha+\beta)t + 3\alpha\beta$이고

$f(t) = t^3 - \frac{3}{2}(\alpha+\beta)t^2 + 3\alpha\beta t$에서

($\because$ $y = f(x)$의 그래프가 원점을 지난다.)

$f(\alpha) = -\frac{1}{2}\alpha^3 + \frac{3}{2}\alpha^2\beta = 44$이고

$f(\beta) = -\frac{1}{2}\beta^3 + \frac{3}{2}\alpha\beta^2 = -64$이므로

$f(\alpha) - f(\beta) = \frac{1}{2}(\beta^3 - \alpha^3 - 3\alpha\beta^2 + 3\alpha^2\beta) = \frac{1}{2}(\beta-\alpha)^3 = 108$

에서 $\beta - \alpha = 6$

이때 얻은 $\beta = \alpha + 6$을 $f(\alpha)$에 대입하면

$\alpha^3 + 9\alpha^2 - 44 = (\alpha-2)(\alpha^2 + 11\alpha + 22) = 0$

즉 $\alpha = 2$, $\beta = 8$이므로 $f(t) = $ ❶ $t^3 - 15t^2 + 48t$ $= x_1 - x_2$

$\therefore x_2 = x_1 - (t^3 - 15t^2 + 48t)$

$= (t^3 + t^2) - t^3 + 15t^2 - 48t$

$= $ ❷ $16t^2 - 48t$

따라서 $t = 4$일 때, 점 Q의 위치는

$4^4 - 3 \times 4^3 = 4^3 = 64$

06 답 26

두 함수

$$f(x) = \begin{cases} 3x - x^3 & (x \ge 0) \\ -x^2 - 3x & (x < 0) \end{cases}, \quad g(x) = tx$$

의 그래프가 만나는 점의 x좌표는

$x>0$일 때, $3x-x^3=tx$에서 $x=$❶ $\underline{\sqrt{3-t}}$ $(t<3)$,

$x<0$일 때, $-x^2-3x=tx$에서 $x=$❷ $\underline{-t-3}$ $(t>-3)$

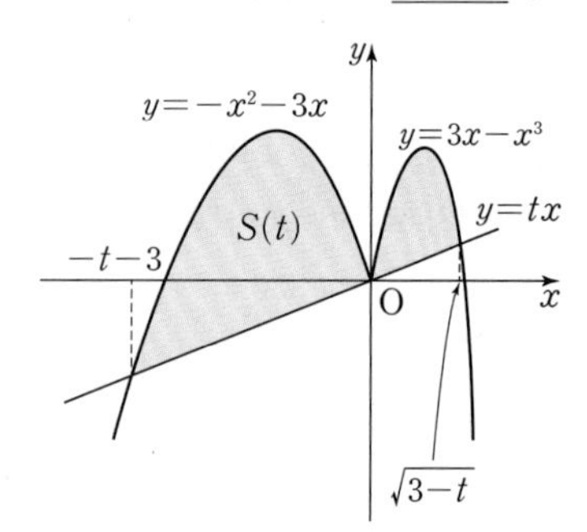

$$\therefore S(t)=\frac{1}{6}(t+3)^3+\int_0^{\sqrt{3-t}}(-x^3+3x-tx)dx$$

$$=\frac{1}{6}(t+3)^3+\left[-\frac{1}{4}x^4+\frac{3-t}{2}x^2\right]_0^{\sqrt{3-t}}$$

$$=\frac{1}{6}(t+3)^3-\frac{1}{4}(3-t)^2+\frac{(3-t)^2}{2}$$

$$=\frac{1}{6}(t+3)^3+\frac{1}{4}(3-t)^2$$

$$=\text{❸ }\underline{\frac{1}{6}t^3+\frac{7}{4}t^2+3t+\frac{27}{4}}$$

즉 $S'(t)=\frac{1}{2}t^2+\frac{7}{2}t+3=\frac{1}{2}(t+6)(t+1)$이므로

$S(t)$는 $t=-1$일 때 극소이면서 최솟값을 가진다.

즉 $S(t)$의 최솟값은 $S(-1)=-\frac{1}{6}+\frac{7}{4}-3+\frac{27}{4}=\frac{16}{3}$

따라서 $m=-1$, $n=\frac{16}{3}$이므로 $6(m+n)=26$

참고

$\sqrt{3-t}$에서 $t<3$이고, $-t-3<0$이므로 $t>-3$이다.
즉 $-3<t<3$에서 $S(t)$를 생각한다.

07 답 2

$(xf(x))'=f(x)+xf'(x)$이므로 $h'(x)=f(x)+xf'(x)$에서

$h(x)=xf(x)+C$ (단, C는 적분상수)

이때 $f(x)$가 삼차함수이므로 $h(x)$는 사차함수이고, 사차항의 계수는 $f(x)$의 삼차항의 계수와 같은 1이다.

(가), (나)에서 $y=h(x)-g(x)$의 그래프 개형은 그림과 같은 꼴이므로

$h(x)-g(x)=$❶ $\underline{(x-1)^2(x-\alpha)^2}$

이 되고 (다)에서 두 함수 $g(x)$, $h(x)$로 둘러싸인 영역의 넓이는

곡선 $y=h(x)-g(x)$와 x축 사이의 넓이와 같으므로 이 넓이를 S라 하면 $S=\frac{1}{30}(\alpha-1)^5=\frac{16}{15}$

이때 $(\alpha-1)^5=32$에서 $\alpha=$❷ $\underline{3}$ 이므로

$h(x)=(x-1)^2(x-3)^2+g(x)=x^4-8x^3+22x^2-22x+8$

이고, $h(x)=xf(x)+C$에서

$C=8$, $f(x)=$❸ $\underline{x^3-8x^2+22x-22}$

따라서 $f(4)=64-128+88-22=2$

킬러 격파 Tip

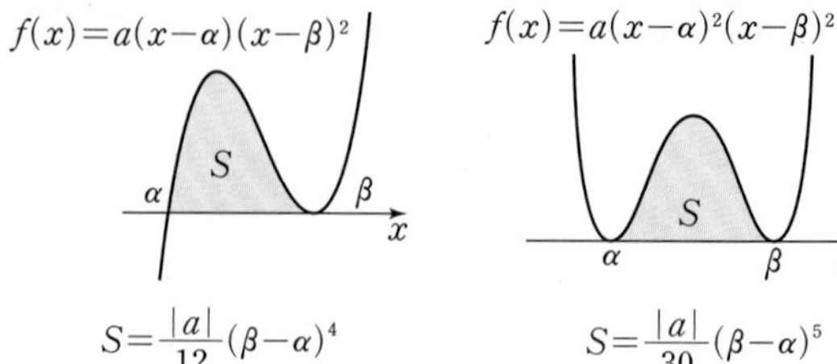

$S=\frac{|a|}{12}(\beta-\alpha)^4$

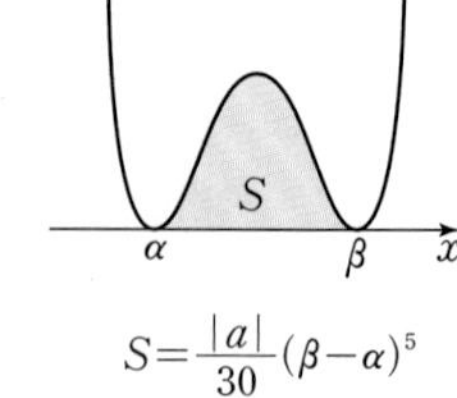

$S=\frac{|a|}{30}(\beta-\alpha)^5$

08 답 77

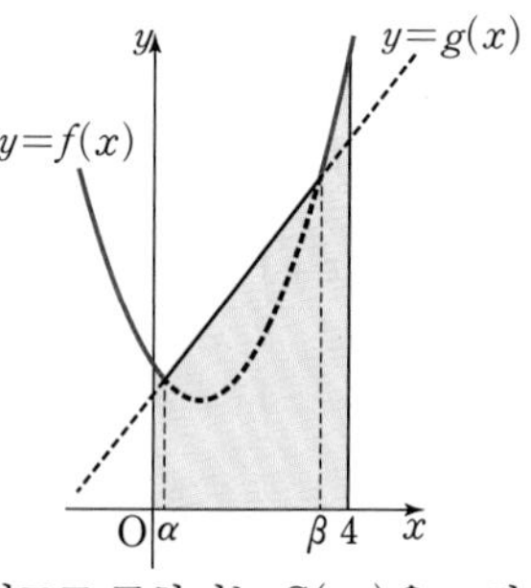

두 함수 $f(x)$, $g(x)$의 그래프가 만나는 점의 x좌표를 각각 α, β $(\alpha<\beta)$라 할 때,

$x^2-2x+4=m(x-2)+5$에서

$x^2-(m+2)x+(2m-1)=0$

이때 $\alpha+\beta=$❶ $\underline{m+2}$,

$\alpha\beta=$❷ $\underline{2m-1}$ 이고, 실선으로 나타낸 부분이 $y=h(x)$의 그래프이므로 구하려는 $S(m)$은 그림에서 색칠한 부분의 넓이와 같다. 즉

$$S(m)=\int_0^{\alpha}f(x)dx+\int_{\alpha}^{\beta}g(x)dx+\int_{\beta}^{4}f(x)dx$$

$$=\int_0^{\alpha}(x^2-2x+4)dx+\int_{\alpha}^{\beta}(mx-2m+5)dx$$

$$+\int_{\beta}^{4}(x^2-2x+4)dx$$

$$=\left[\frac{1}{3}x^3-x^2+4x\right]_0^{\alpha}+\left[\frac{m}{2}x^2+(-2m+5)x\right]_{\alpha}^{\beta}$$

$$+\left[\frac{1}{3}x^3-x^2+4x\right]_{\beta}^{4}$$

$$=\left(\frac{1}{3}\alpha^3-\alpha^2+4\alpha\right)+\frac{m}{2}(\beta^2-\alpha^2)+(5-2m)(\beta-\alpha)$$

$$+\left(\frac{64}{3}-16+16-\frac{1}{3}\beta^3+\beta^2-4\beta\right)$$

$$=(\beta-\alpha)\left\{-\frac{1}{3}(\alpha^2+\alpha\beta+\beta^2)+\frac{m^2}{2}+3\right\}+\frac{64}{3}$$

$$=\text{❸ }\underline{\frac{1}{6}\{(m-2)^2+4\}^{\frac{3}{2}}+\frac{64}{3}}\geq\frac{68}{3}$$

따라서 $a=2$, $b=\frac{68}{3}$, $a+b=\frac{74}{3}$이므로 $p+q=77$

참고

❶ $S(m)=\frac{1}{3}(\beta^3-\alpha^3)+\left(\frac{m}{2}+1\right)(\beta^2-\alpha^2)+(1-2m)(\beta-\alpha)+\frac{64}{3}$
에서 $\alpha+\beta=m+2$, $\alpha\beta=2m-1$을 이용해서 정리하면

$S(m)=\frac{1}{6}\{(m-2)^2+4\}^{\frac{3}{2}}+\frac{64}{3}$를 얻는다.

❷ $\frac{1}{2}\le m\le\frac{5}{2}$와 $\alpha\beta=2m-1$에서 $0\le\alpha\beta\le 4$

즉 α가 음수인 경우는 없으므로 $S(m)$을 풀이와 같이 구할 수 있다.

09 답 4

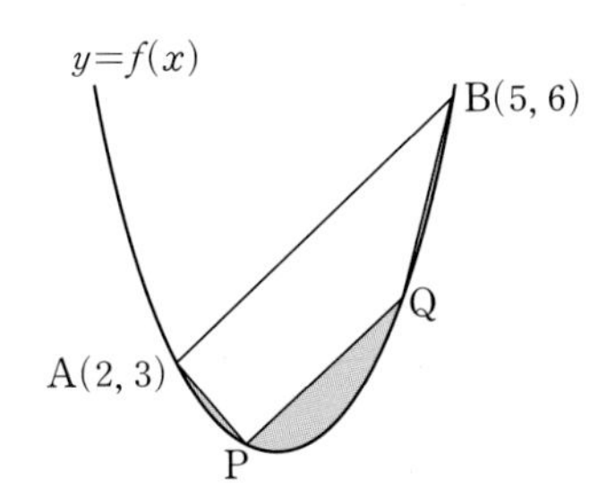

곡선 위의 네 점이 A(2, 3), B(5, 6), P(a, $f(a)$), Q(b, $f(b)$)이고, 곡선 $f(x)$와 네 변 $\overline{AB}$, $\overline{AP}$, $\overline{PQ}$, $\overline{QB}$로 둘러싸인 부분의 넓이를 차례로 S_1, S_2, S_3, S_4라 하면, 공식을 이용해 다음과 같이 구할 수 있다.

$S_1=\frac{1}{6}(5-2)^3=$ ❶ $\frac{9}{2}$, $S_2=\frac{1}{6}(a-2)^3$

$S_3=\frac{1}{6}(b-a)^3$, $S_4=\frac{1}{6}(5-b)^3$

즉 $S_2+S_3+S_4=$ ❷ $\frac{1}{6}(a-2)^3+\frac{1}{6}(b-a)^3+\frac{1}{6}(5-b)^3$

이때 $a-2=x$, $b-a=y$, $5-b=z$라 하면

(단, $x>0$, $y>0$, $z>0$, $x+y+z=3$)

$S_1=\frac{9}{2}$, $S_2=\frac{1}{6}x^3$, $S_3=\frac{1}{6}y^3$, $S_4=\frac{1}{6}z^3$이고

$S_2+S_3+S_4$

$=\frac{1}{6}(x^3+y^3+z^3)$

$=\frac{1}{6}\{(x+y+z)(x^2+y^2+z^2-xy-yz-zx)+3xyz\}$

$=\frac{1}{12}(x+y+z)\{(x-y)^2+(y-z)^2+(z-x)^2\}+\frac{1}{2}xyz$

에서 $\{(x-y)^2+(y-z)^2+(z-x)^2\}$은

$x=y=z=1$일 때 최솟값이 0이 되므로

$S_2+S_3+S_4\ge\frac{1}{2}xyz=$ ❸ $\frac{1}{2}$

따라서 사각형 APQB 넓이의 최댓값은 $\frac{9}{2}-\frac{1}{2}=4$

참고

인수분해 공식에서

$x^3+y^3+z^3-3xyz$

$=(x+y+z)(x^2+y^2+z^2-xy-yz-zx)$이므로

$x^3+y^3+z^3=(x+y+z)(x^2+y^2+z^2-xy-yz-zx)+3xyz$

10 답 36

(가)~(다)를 만족시키는 함수 $f(x)$의 그래프는 그림과 같다.

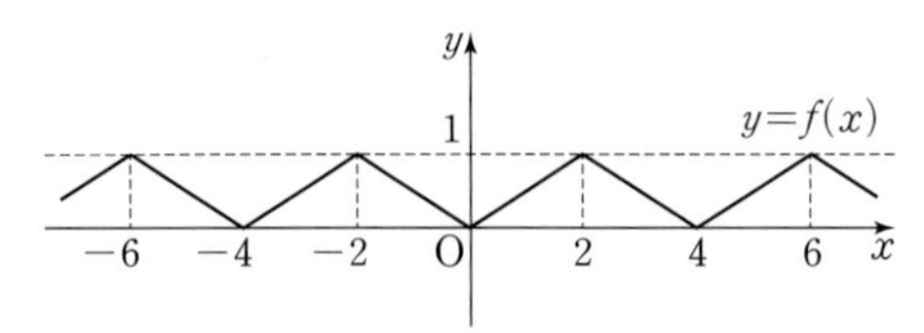

이때 $g(x)=\int_0^x f(t)dt$이므로

$0\le x<2$일 때 $g(x)=\int_0^x \frac{1}{2}tdt=$ ❶ $\frac{1}{4}x^2$ 이고,

$2\le x<4$일 때 $g(x)=\int_0^2 \frac{1}{2}tdt+\int_2^x\left(-\frac{1}{2}t+2\right)dt$

$=$ ❷ $-\frac{1}{4}(x-4)^2+2$

마찬가지로 구해 보면 $4\le x\le 6$일 때 $g(x)=\frac{1}{4}(x-4)^2+2$

$f(x)$가 주기함수여서 같은 모양이 반복되므로 $g(x)$의 그래프도 그림처럼 같은 모양이 평행이동된 꼴이 되고, 구하려는 값은 색칠한 부분의 넓이와 같다.

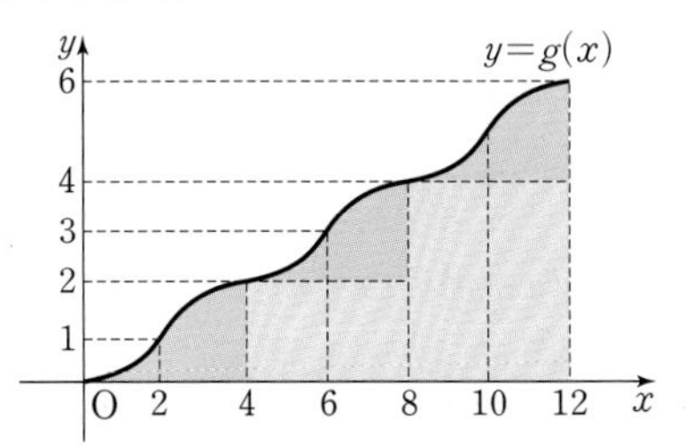

$\int_0^{12} g(x)dx$

$=3\left\{\int_0^2 g(x)dx+\int_2^4 g(x)dx\right\}+$ ❸ 24

$=3\left\{\int_0^2 \frac{1}{4}x^2dx+\int_2^4\left(-\frac{x^2}{4}+2x-2\right)dx\right\}+24$

$=3\left\{\frac{8}{12}-\frac{1}{12}(64-8)+4^2-2^2-2(4-2)\right\}+24$

$=3\times 4+24=36$

킬러 격파 Tip

$f(x+4)=f(x)$에서 $f(x)$는 주기가 4인 주기함수이고, $g'(x)=f(x)$이므로 $g'(x+4)=f(x+4)=f(x)=g'(x)$에서 $g'(x+4)-g'(x)=0$이고, 이때 $g(x+4)-g(x)=C$ (단, C는 적분상수)

$\therefore g(x+4)=g(x)+C$

즉 $g(x)$는 구간의 길이가 4인 부분을 오른쪽으로 4, 위로 C만큼 평행이동시키면서 같은 모양이 반복되는 그래프임을 알 수 있다.

(풀이에서 $C=2$를 구할 수 있다.)

11 답 9

$$\lim_{n\to\infty}(2a_n-n^2)=2\lim_{n\to\infty}\left(a_n-\frac{n^2}{2}\right)$$
$$=2\lim_{n\to\infty}\int_0^n\{h(x)-x\}dx$$

이고, $h(x)-x=\begin{cases} g(x)-x & (0\le x<5 \text{ 또는 } x\ge k) \\ x-g(x) & (5\le x<k)\end{cases}$에서

$$2\lim_{n\to\infty}\int_0^n\{h(x)-x\}dx$$
$$=2\lim_{n\to\infty}\left[\int_0^5\{g(x)-x\}dx+\int_5^k\{x-g(x)\}dx+\int_k^n\{g(x)-x\}dx\right]$$
$$=2\lim_{n\to\infty}\left[\int_0^5\{g(x)-x\}dx-\int_5^k\{g(x)-x\}dx+\int_k^n\{g(x)-x\}dx\right]$$
$$=2\lim_{n\to\infty}\left[\int_0^n\{g(x)-x\}dx-2\int_5^k\{g(x)-x\}dx\right]$$

한편 $f(x)-x=\dfrac{x-x^2}{2}$에서

$\displaystyle\int_0^1\{f(x)-x\}dx=\frac{\frac{1}{2}}{6}(1-0)^3=$ ❶ $\dfrac{1}{12}$ 이고

$g(x)-x=\dfrac{1}{2^n}\{f(x-n)-(x-n)\}$은 $\{f(x)-x\}$를 x축 방향으로 n만큼 평행이동하면서 $\dfrac{1}{2}$을 n번 곱한 것이므로

$n\le x<n+1$에서 $g(x)-x$와 x축 사이의 넓이는

$0\le x<1$에서 $f(x)-x$와 x축 사이 넓이의 $\dfrac{1}{2^n}$ 배이다.

$\therefore \displaystyle\int_n^{n+1}\{g(x)-x\}dx=$ ❷ $\dfrac{1}{12\times2^n}$

따라서 다음과 같은 계산이 가능하다.

$$2\lim_{n\to\infty}\left[\int_0^n\{g(x)-x\}dx-2\int_5^k\{g(x)-x\}dx\right]$$
$$=2\lim_{n\to\infty}\left\{\left(\frac{1}{12}+\frac{1}{12\times2}+\frac{1}{12\times2^2}+\cdots+\frac{1}{12\times2^{n-1}}\right)-2\left(\frac{1}{12\times2^5}+\frac{1}{12\times2^6}+\cdots+\frac{1}{12\times2^{k-1}}\right)\right\}$$
$$=2\lim_{n\to\infty}\left\{\frac{\frac{1}{12}\left(1-\frac{1}{2^n}\right)}{1-\frac{1}{2}}-2\times\frac{\frac{1}{12\times2^5}\left(1-\frac{1}{2^{k-5}}\right)}{1-\frac{1}{2}}\right\}$$
$$=2\left\{\frac{1}{6}-\frac{1}{3\times2^5}\left(1-\frac{1}{2^{k-5}}\right)\right\}$$
$$=\frac{1}{3}-\frac{1}{3\times2^4}\left(1-\frac{1}{2^{k-5}}\right)=\frac{241}{768}$$

즉 $\dfrac{1}{3\times2^4}\left(1-\dfrac{1}{2^{k-5}}\right)=\dfrac{1}{3}-\dfrac{241}{768}=\dfrac{15}{768}=\dfrac{15}{3\times2^8}$

$1-\dfrac{1}{2^{k-5}}=\dfrac{15}{2^4}=\dfrac{15}{16}$이므로 $\dfrac{1}{2^{k-5}}=\dfrac{1}{16}$에서 $k=9$

참고

$$\lim_{x\to\infty}\frac{\frac{1}{12}\left(1-\frac{1}{2^n}\right)}{1-\frac{1}{2}}=\frac{\frac{1}{12}}{1-\frac{1}{2}}=\frac{1}{6}$$

12 답 261

$f(x)=x^4-6x^2-10x-1$에서 $f'(x)=4x^3-12x-10$이고,

$f'(x)=0$이 되는 x값을 찾기가 까다로우므로

$p(x)=4x^3-12x-10$이라 하면

$p'(x)=12x^2-12=12(x+1)(x-1)$이고

$p(-1)=-2$, $p(1)=-18$이므로 $y=p(x)$, 즉 $y=f'(x)$의 그래프 개형은 [그림 1]과 같고, ㈎ 조건을 생각하면 $y=f(x)$의 그래프 개형을 극솟값만 1개 있는 [그림 2]처럼 생각할 수 있다.

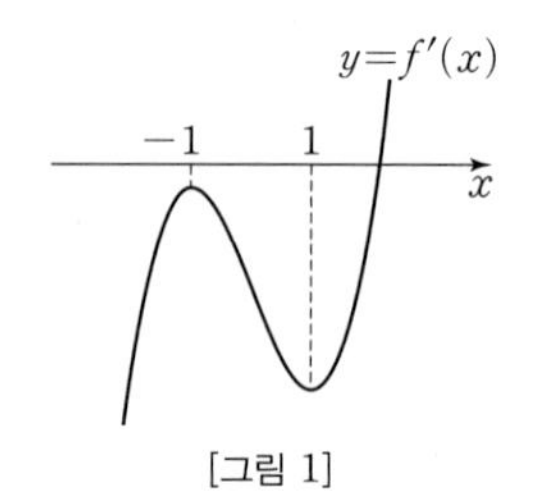

[그림 1]

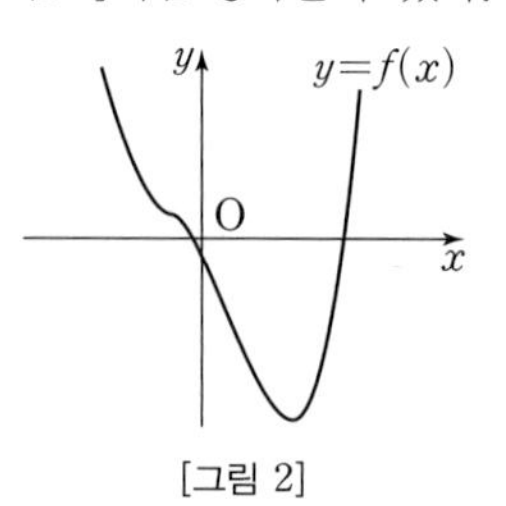

[그림 2]

이때 ㈎를 만족시키는 직선 $g(x)$는 오른쪽 그림에서 l 또는 m 중 하나이다.

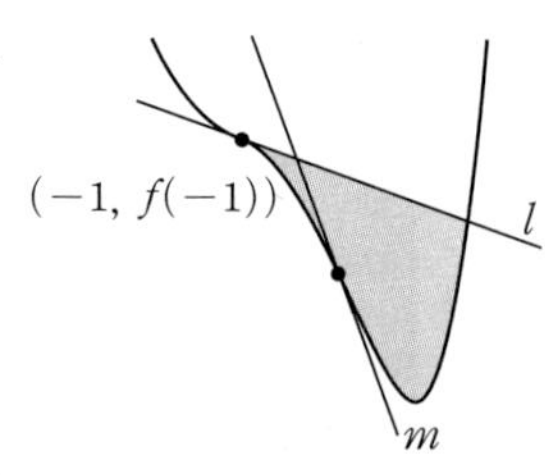

또 $f'(-1)=-2$, $f'(1)=-18$이므로 ㈏를 만족시키는 것은 $x=-1$일 때, 즉 l이다.

이때 $g(x)=f'(-1)(x+1)+f(-1)=$ ❶ $-2x+2$

이고, 두 곡선 $f(x)$, $g(x)$의 그래프가 만나는 점의 x좌표는

$x^4-6x^2-10x-1=-2x+2$에서

$(x+1)^3(x-3)=0 \qquad \therefore x=-1, 3$

이때 두 곡선 $f(x)$, $g(x)$로 둘러싸인 부분의 넓이는

$$\int_{-1}^3\{g(x)-f(x)\}dx$$
$$=\int_{-1}^3(-x^4+6x^2+8x+3)dx$$
$$=\left[-\frac{1}{5}x^5+2x^3+4x^2+3x\right]_{-1}^3=\text{❷ }\frac{256}{5}$$

따라서 $p=5$, $q=256$이므로 $p+q=261$

참고

$g(x)=ax+b$로 두고 $f(x)=g(x)$를 풀 때, 접점 $x=t$에서 $f(t)=g(t)$, $f'(t)=g'(t)$가 성립해야 하므로 적어도 중근을 가진다는 것을 알 수 있다. 또 접점이 아닌 교점에서는 미분이 불가능하므로 중근을 가지면 안 되고 또 다른 교점도 있으면 안 되므로 사차방정식 $f(x)-g(x)=0$은 접점에서 삼중근과 접점이 아닌 교점에서 다른 근 하나를 가진다.

즉 접점의 x좌표를 α, 다른 교점의 x좌표를 β라 하면

$$\begin{aligned}f(x)-g(x)&=(x-\alpha)^3(x-\beta)\\&=x^4-(3\alpha+\beta)x^3+(3\alpha^2+3\alpha\beta)x^2-(3\alpha^2\beta+\alpha^3)x+\alpha^3\beta\\&=x^4-6x^2-(10+a)x-1-b\end{aligned}$$

가 된다.

한편 $f(x)-g(x)$에는 삼차항이 없으므로

근과 계수의 관계에서 네 근의 합은 $3\alpha+\beta=0$이고,

이차항끼리 비교한 결과에서

$3\alpha^2+3\alpha\beta=3\alpha^2+3\alpha(-3\alpha)=-6\alpha^2=-6$이므로 $\alpha=-1, 1$

이고 이것이 접점의 x좌표다.

13 답 ⑤

그림과 같이 삼차함수 $f'(x)$와 x축으로 둘러싸인 부분의 넓이를 각각 S_1, S_2라 하면

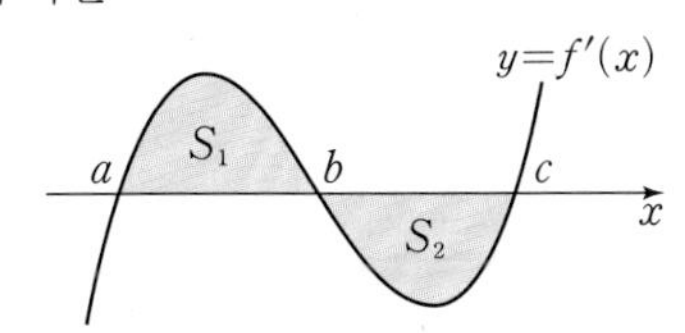

$$\int_a^b f'(x)dx=\Big[f(x)\Big]_a^b=f(b)-f(a)=S_1$$

$$\int_b^c f'(x)dx=\Big[f(x)\Big]_b^c=f(c)-f(b)=-S_2$$

이고, (다)에서 $S_1+S_2=9k+6$

(i) $f(a)>f(c)$일 때 (라)를 생각하면

$$\begin{aligned}f(a)-f(c)&=\{f(b)-f(c)\}-\{f(b)-f(a)\}\\&=S_2-S_1\\&=-2k^2+5k+18\end{aligned}$$

이므로 $S_1+S_2=9k+6$과 연립하여 풀면

$S_1=k^2+2k-6$, $S_2=-k^2+7k+12$

(ii) $f(a)<f(c)$일 때 (라)를 생각하면

$$\begin{aligned}f(c)-f(a)&=\{f(b)-f(a)\}-\{f(b)-f(c)\}\\&=S_1-S_2\\&=2k^2-5k-18\end{aligned}$$

이 성립하므로 $S_1+S_2=9k+6$과 연립하여 풀면

$S_1=k^2+2k-6$, $S_2=-k^2+7k+12$

(iii) $f(a)=f(c)$일 때 (라)를 생각하면

$$\begin{aligned}f(a)-f(c)&=-2k^2+5k+18\\&=(-2k+9)(k+2)=0\end{aligned}$$

에서 k는 정수이므로 $k=-2$이고, 이때 $y=f'(x)$와 x축 사이의 넓이의 합이 $9k+6=-12$가 되어 모순이므로

$f(a)=f(c)$인 경우는 없다.

즉 (i), (ii)에서 $S_1=$ ❶ k^2+2k-6, $S_2=$ ❷ $-k^2+7k+12$

ㄱ. $f'(a)=f'(b)=f'(c)=0$에서 사차함수 $f(x)$의 극점이 3개임을 알 수 있고 $\dfrac{f(a+h^2)-f(a)}{h^2}$는 $(a, f(a))$와 그보다 오른쪽에 있는 점 $(a+h^2, f(a+h^2))$을 지나는 직선의 기울기를 의미하므로 $y=f(x)$ 그래프의 개형을 그림처럼 생각할 수 있다.

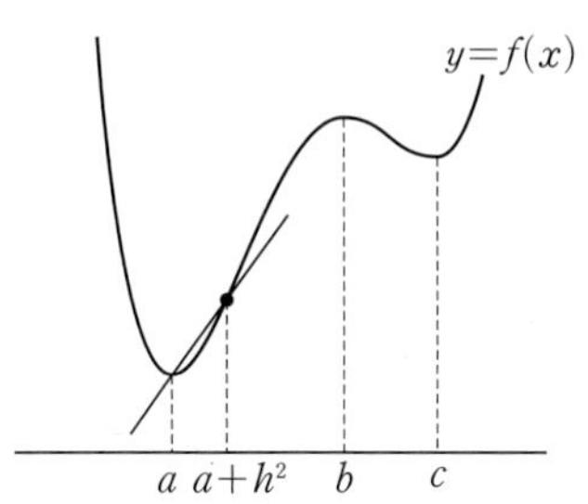

즉 $\dfrac{f(a+h^2)-f(a)}{h^2}>0$이면 위 그림처럼 사차항의 계수가 양수인 경우로 생각할 수 있으며, $x=a$에서 극솟값을 가지고, $x=b$에서 극댓값을 가진다.

$\therefore f(a)<f(b)$ (○)

ㄴ. $y=|f(x)|$의 극댓값이 3개인 경우를 생각하면 다음과 같다.

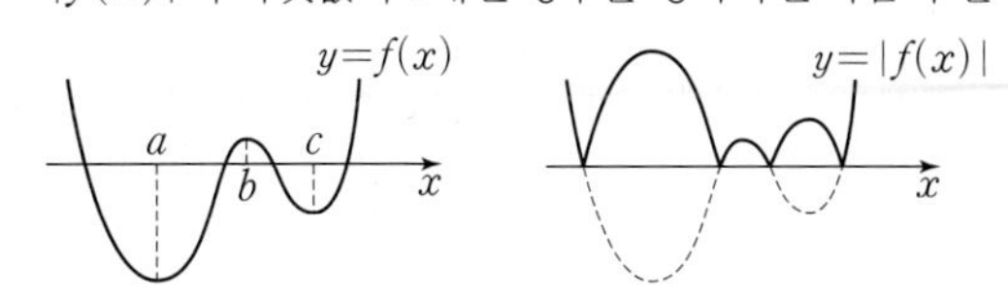

$$\begin{aligned}\therefore g(k)&=|f(b)|+|f(c)|=f(b)-f(c)=S_2\\&=-k^2+7k+12=-\left(k-\frac{7}{2}\right)^2+\frac{97}{4}\end{aligned}$$

즉 $k=3, 4$일 때, 최댓값 24를 가진다. (○)

($\because$ k는 정수)

ㄷ. $f(b)-f(a)=S_1=k^2+2k-6=18$에서

$(k+6)(k-4)=0$ $\therefore k=-6, 4$

$k=-6$이면 $f(b)-f(c)=S_2=-k^2+7k+12<0$

이므로 모순이다. 즉 $k=4$이고, 이때

$f(b)-f(c)=S_2=-k^2+7k+12=24$ (○)

따라서 옳은 것은 ㄱ, ㄴ, ㄷ

집중공략 유형 10 경우 나누기

p. 93~104

01 ①	02-1 30	02-2 312	03-1 195
03-2 265	04 902	05 8	06 ①
07 ③	08 ⑤	09 ③	10 ③
11 132	12 49	13 810	14 ②
15 384	16 24		

01 답 ①

조건 (가)에 따라 합이 홀수가 되려면 홀수가 홀수 개라야 하므로 a, b, c, d 중 홀수는 1개 또는 3개다.

즉 주머니에서 꺼낸 공 4개에 적힌 수는 {홀수, 짝수, 짝수, 짝수}이거나 {홀수, 홀수, 홀수, 짝수}이다.

(i) 공에 적힌 자연수가 {홀수, 짝수, 짝수, 짝수}인 경우

조건 (나)에 따라 홀수 하나는 5이고, 나머지 수 3개 중 적어도 하나는 짝수인 3의 배수여야 하므로 6이다.

이때 남은 2, 4, 8 중 2개를 택하는 경우의 수는 ${}_3C_2=3$

(ii) 공에 적힌 자연수가 {홀수, 홀수, 홀수, 짝수}인 경우

조건 (나)에 따라 홀수 하나는 5이고, 나머지 수 3개 중 적어도 하나는 3의 배수여야 한다.

즉 5를 제외한 나머지 수에서 {홀수, 홀수, 짝수}를 선택해야 하고 이중에서 적어도 하나는 3의 배수여야 하므로 세 개가 모두 3의 배수가 아닌 경우를 제외하면 된다.

1, 3, 7, 9 중 2개를 선택하고 2, 4, 6, 8 중 1개를 뽑는 경우의 수는 ${}_4C_2\times{}_4C_1=6\times4=24$이고, 이중에서 3의 배수를 하나도 뽑지 않는 경우는 1, 7에서 2개를 선택하고 2, 4, 8 중 1개를 뽑으면 되므로 이때 경우의 수는 ${}_2C_2\times{}_3C_1=1\times3=3$

즉 조건에 맞게 공을 뽑는 경우의 수는 $24-3=21$

따라서 (가), (나)를 모두 만족시키는 순서쌍 (a, b, c, d)의 개수는 $(3+21)\times4!=24\times4!$이고,

전체 순서쌍 개수는 ${}_9P_4={}_9C_4\times4!=126\times4!$

이므로 구하려는 확률은 $\dfrac{24\times4!}{126\times4!}=\dfrac{4}{21}$

킬러 격파 Tip

문제에서 주머니에서 임의로 공 4개를 뽑는 경우의 수는 ${}_9C_4$이지만 꺼낸 공에 적혀 있는 수를 a, b, c, d라 하면 가능한 순서쌍 (a, b, c, d)의 개수는 ${}_9P_4$이다. 이때 분자에서도 a, b, c, d를 구분하여 4!을 곱해야 한다.

그런데 확률을 구할 때 분모를 ${}_9P_4$, 즉 뽑은 공 4개를 배열하는 경우는 생각하지 않고 뽑는 것만 생각하고 분자에서도 순서를 따지지 않으면 같은 결과가 나온다.

즉 구하려는 확률은 $\dfrac{3+21}{{}_9C_4}=\dfrac{24}{126}=\dfrac{4}{21}$

※ 분모에서 순서를 따졌으면 분자에서도 순서를 생각한다. 또 분모에서 순를 생각하지 않았다면 분자에서도 순서를 무시한다.

02-1 답 30

$m>n$이려면 $a_1>a_4$ 또는 $a_1=a_4$, $a_2>a_5$ 또는 $a_1=a_4$, $a_2=a_5$, $a_3>a_6$이어야 하므로 다음과 같이 경우를 나누어 생각한다.

(i) $a_1>a_4$인 경우

1, 2, 3 중에서 2개를 뽑아 큰 수를 a_1, 작은 수를 a_4라 하고, 나머지 수를 배열하여 (a_2, a_3, a_5, a_6)을 결정한다. 즉

① $a_1=3$, $a_4=2$인 경우:

나머지 2, 1, 1, 1을 배열하는 경우의 수는 $\dfrac{4!}{3!}$

② $a_1=3$, $a_4=1$인 경우:

나머지 2, 2, 1, 1을 배열하는 경우의 수는 $\dfrac{4!}{2!2!}$

③ $a_1=2$, $a_4=1$인 경우:

나머지 3, 2, 1, 1을 배열하는 경우의 수는 $\dfrac{4!}{2!}$

이때 순서쌍 $(a_1, a_2, a_3, a_4, a_5, a_6)$의 개수는

$\dfrac{4!}{3!}+\dfrac{4!}{2!2!}+\dfrac{4!}{2!}=4+6+12=$ ❶ 22

(ii) $a_1=a_4$, $a_2>a_5$인 경우

$a_1=a_4$, $a_2>a_5$를 만족시키는 수를 1, 1, 1, 2, 2, 3에서 선택한 후 나머지 수를 배열하여 (a_3, a_6)을 정한다. 즉

① $a_1=a_4=1$, $a_2=3$, $a_5=2$인 경우

나머지 2, 1에서 (a_3, a_6)을 정하는 경우의 수는 2!

② $a_1=a_4=1$, $a_2=3$, $a_5=1$인 경우

나머지 2, 2에서 (a_3, a_6)을 정하는 경우의 수는 1

③ $a_1=a_4=1$, $a_2=2$, $a_5=1$인 경우

나머지 3, 2에서 (a_3, a_6)을 정하는 경우의 수는 2!

④ $a_1=a_4=2$, $a_2=3$, $a_5=1$인 경우

나머지 1, 1에서 (a_3, a_6)을 정하는 경우의 수는 1

이때 순서쌍 $(a_1, a_2, a_3, a_4, a_5, a_6)$의 개수는

$2+1+2+1=$ ❷ 6

(iii) $a_1=a_4$, $a_2=a_5$, $a_3>a_6$인 경우

① $a_1=a_4=1$, $a_2=a_5=2$, $a_3=3$, $a_6=1$

② $a_1=a_4=2$, $a_2=a_5=1$, $a_3=3$, $a_6=1$

인 경우만 있으므로

순서쌍 $(a_1, a_2, a_3, a_4, a_5, a_6)$의 개수는 ❸ 2

(i), (ii), (iii)에서 구하려는 순서쌍의 개수는 $22+6+2=30$

다른 풀이

1, 1, 1, 2, 2, 3을 배열하여 구할 수 있는 순서쌍

$(a_1, a_2, a_3, a_4, a_5, a_6)$의 총 개수는 $\dfrac{6!}{3!2!1!}=60$

두 자연수 m, n에 대하여 모든 조건이 같으므로

$m>n$인 경우의 수는 $m<n$인 경우의 수와 같다.

$m=n$이려면 $a_1=a_4$, $a_2=a_5$, $a_3=a_6$이어야 하는데, 1은 하나 남고 3은 하나 모자라므로 주어진 수로는 불가능하다.

따라서 구하는 $m>n$인 경우의 수는 $\dfrac{60}{2}=30$

02-2 답 312

$m>n$이려면 $a_1>a_5$ 또는 $a_1=a_5$, $a_2>a_6$ 또는 $a_1=a_5$, $a_2=a_6$, $a_3>a_7$이어야 하므로 다음과 같이 경우를 나누어 생각한다.

(i) $a_1>a_5$인 경우

1, 2, 3, 4 중에서 서로 다른 2개를 뽑아 큰 수를 a_1, 작은 수를 a_5라 하고, 나머지 수를 배열하면 된다.

1, 2, 3, 4 중 서로 다른 2개를 뽑는 경우의 수는 ${}_4C_2=6$

이때 1, 1, 2, 2, 3, 3, 4, 4 중 a_1, a_5로 택하지 않은 수를 배열하는 경우의 수가 $\frac{6!}{2!2!}$이므로 순서쌍 $(a_1, a_2, \cdots, a_8)$의 개수는 ${}_4C_2\times\frac{6!}{2!2!}=6\times180=$ ❶ $\underline{1080}$

(ii) $a_1=a_5$, $a_2>a_6$인 경우

$a_1=a_5=k$를 정하는 것은 1, 2, 3, 4 중 하나를 선택하는 경우이므로 4가지, a_2, a_6을 정하는 것은 1, 2, 3, 4 중 앞에서 선택한 k를 제외한 세 개의 수 중에서 서로 다른 두 개를 선택하면 되므로 ${}_3C_2=3$가지가 있고 나머지 (a_3, a_4, a_7, a_8)을 정하는 것은 1, 1, 2, 2, 3, 3, 4, 4 중에서 앞에서 정한 $a_1=a_5$, $a_2>a_6$을 제외한 수를 배열하는 경우이므로 $\frac{4!}{2!}=12$(가지)

이때 구하려는 순서쌍 $(a_1, a_2, \cdots, a_8)$의 개수는

$4\times{}_3C_2\times\frac{4!}{2!}=4\times3\times12=$ ❷ $\underline{144}$

(iii) $a_1=a_5$, $a_2=a_6$, $a_3>a_7$인 경우

$a_1=a_5$를 정하는 것은 1, 2, 3, 4 중 하나를 선택하는 경우이므로 4가지, $a_2=a_6$을 정하는 것은 앞에서 선택한 수를 제외한 3가지가 있고 $a_3>a_7$을 정하는 것은 나머지 두 개의 수 중 큰 값은 a_3이 되고 작은 수는 a_7이 되므로 1가지다. 또 남은 두 개의 수로 a_4, a_8을 정하는 경우는 2가지다.

예를 들면 1, 2, 3, 4 중 $a_1=a_5=1$로 정하면 나머지 2, 3, 4 중 하나를 뽑아 $a_2=a_6$을 정하고 만약 $a_2=a_6=2$로 정하면 3, 4가 남으므로 $a_3=4$, $a_7=3$은 자동으로 결정되고 남은 3, 4로 a_4, a_8을 결정하는 경우는 2가지다.

즉 이때 구하려는 순서쌍 $(a_1, a_2, \cdots, a_8)$의 개수는

$4\times3\times2=$ ❸ $\underline{24}$

(i), (ii), (iii)에서 순서쌍 $(a_1, a_2, \cdots, a_8)$의 개수 p는

$p=1080+144+24=1248$ $\therefore \frac{p}{4}=312$

※ $a_1=a_5$, $a_2=a_6$, $a_3=a_7$, $a_4>a_8$인 경우도 생각할 수 있으나 주어진 조건에서 $a_1=a_5$, $a_2=a_6$, $a_3=a_7$이면 $a_4=a_8$인 경우만 남는다.

다른 풀이

1, 1, 2, 2, 3, 3, 4, 4를 배열하여 구할 수 있는 순서쌍 $(a_1, a_2, \cdots, a_8)$의 총 개수는 $\frac{8!}{2!2!2!2!}=2520$

두 자연수 m, n에 대하여 모든 조건이 같으므로 $m>n$인 경우의 수는 $m<n$인 경우의 수와 같다.

또 $m=n$이려면 $a_1=a_5$, $a_2=a_6$, $a_3=a_7$, $a_4=a_8$이므로 1, 2, 3, 4를 배열하는 경우의 수 $4!=24$와 같다.

$\therefore$ ($m>n$인 경우의 수)

$=\frac{(\text{전체 경우의 수})-(m=n\text{인 경우의 수})}{2}$

$=\frac{2520-24}{2}=1248$

03-1 답 195

음이 아닌 정수 a, b, c, d가 $2a+2b+c+d=2n$이려면 $c+d$가 2의 배수, 즉 짝수이면 된다.

다음과 같이 음이 아닌 정수 k_1, k_2에 대하여 $c+d$가 (짝수)+(짝수), (홀수)+(홀수) 꼴이 되는 경우로 나눌 수 있다.

(i) $c=2k_1$, $d=2k_2$인 경우

$c=2k_1$, $d=2k_2$를 $2a+2b+c+d=2n$에 대입하면 $2a+2b+2k_1+2k_2=2n$에서 $a+b+k_1+k_2=n$을 만족시키는 음이 아닌 정수 (a, b, k_1, k_2)의 순서쌍 개수는

${}_4H_n={}_{n+3}C_n=$ ❶ $\underline{{}_{n+3}C_3}$

(ii) $c=2k_1+1$, $d=2k_2+1$인 경우

$c=2k_1+1$, $d=2k_2+1$을 $2a+2b+c+d=2n$에 대입하면 $2a+2b+2k_1+2k_2=2n-2$에서 $a+b+k_1+k_2=n-1$을 만족시키는 음이 아닌 정수 (a, b, k_1, k_2)의 순서쌍 개수는

${}_4H_{n-1}={}_{n+2}C_{n-1}=$ ❷ $\underline{{}_{n+2}C_3}$

(i), (ii)에서 $2a+2b+c+d=2n$을 만족시키는 음이 아닌 정수 a, b, c, d의 모든 순서쌍의 개수 a_n은

$a_n={}_4H_n+{}_4H_{n-1}={}_{n+3}C_3+{}_{n+2}C_3$

$\therefore \sum_{n=1}^{5} a_n=\sum_{n=1}^{5}({}_{n+3}C_3+{}_{n+2}C_3)$

$=\sum_{n=1}^{5}{}_{n+3}C_3+\sum_{n=1}^{5}{}_{n+2}C_3$

$=({}_9C_4-1)+{}_8C_4$

$=(126-1)+70=195$

참고

$\sum_{n=1}^{5}{}_{n+3}C_3={}_4C_3+{}_5C_3+{}_6C_3+{}_7C_3+{}_8C_3$

$=({}_3C_3+{}_4C_3+{}_5C_3+{}_6C_3+{}_7C_3+{}_8C_3)-{}_3C_3$

$={}_9C_4-{}_3C_3$

03-2 답 265

음이 아닌 정수 a, b, c, d가 $3a+3b+c+d=3n$이려면 $c+d$가 3의 배수이면 되므로 음이 아닌 정수 k_1, k_2에 대하여 다음과 같이 세 가지 경우로 나눌 수 있다.

(i) $c=3k_1$, $d=3k_2$인 경우

$c=3k_1$, $d=3k_2$를 $3a+3b+c+d=3n$에 대입하면

$3a+3b+3k_1+3k_2=3n$에서 $a+b+k_1+k_2=n$
을 만족시키는 음이 아닌 정수 (a, b, k_1, k_2)의 순서쌍 개수는
${}_4H_n={}_{n+3}C_n=$ ❶ $\underline{{}_{n+3}C_3}$

(ii) $c=3k_1+1$, $d=3k_2+2$인 경우
$c=3k_1+1$, $d=3k_2+2$를 $3a+3b+c+d=3n$에 대입하면
$3a+3b+3k_1+3k_2=3n-3$에서 $a+b+k_1+k_2=n-1$
을 만족시키는 음이 아닌 정수 (a, b, k_1, k_2)의 순서쌍 개수는
${}_4H_{n-1}={}_{n+2}C_{n-1}=$ ❷ $\underline{{}_{n+2}C_3}$

(iii) $c=3k_1+2$, $d=3k_2+1$인 경우는 (ii)와 같으므로
구하려는 순서쌍 개수는 ${}_4H_{n-1}={}_{n+2}C_{n-1}=$ ❷ $\underline{{}_{n+2}C_3}$

(i), (ii), (iii)에서 $3a+3b+c+d=3n$을 만족시키는
음이 아닌 정수 a, b, c, d의 모든 순서쌍의 개수 a_n은
$a_n={}_4H_n+2\,{}_4H_{n-1}={}_{n+3}C_3+2\,{}_{n+2}C_3$

$$\therefore \sum_{n=1}^{5} a_n=\sum_{n=1}^{5}({}_{n+3}C_3+2\,{}_{n+2}C_3)$$
$$=\sum_{n=1}^{5}{}_{n+3}C_3+2\sum_{n=1}^{5}{}_{n+2}C_3$$
$$=({}_9C_4-1)+2\,{}_8C_4$$
$$=(126-1)+2\times 70=265$$

04 답 902

$a=a'+2$, $b=b'+2$, $c=c'+2$, $d=d'+2$라 하고
a', b', c', d'을 음이 아닌 정수라 하면
$a+b+c+d=24$를 만족시키는 2 이상의 자연수
a, b, c, d의 모든 순서쌍의 개수는
$(a'+b'+c'+d')+8=24$에서 ${}_4H_{16}={}_{19}C_{16}=$ ❶ $\underline{969}$
(나)의 여사건은 a, b, c가 모두 d의 배수인 경우이므로
위에서 구한 전체 경우의 수에서 a, b, c가 모두 d의 배수인 경우를 빼면 된다.
a, b, c가 모두 d의 배수이므로
$a=k_1d$, $b=k_2d$, $c=k_3d$ (k_1, k_2, k_3은 자연수)라 하면
$a+b+c+d=k_1d+k_2d+k_3d+d=(k_1+k_2+k_3+1)d=24$
이때 $k_1\geq 1$, $k_2\geq 1$, $k_3\geq 1$이므로 $k_1+k_2+k_3+1\geq 4$이고 $d\leq 6$
자연수 d는 $2\leq d\leq 6$인 24의 약수이므로
$d=$ ❷ $\underline{2, 3, 4, 6}$ 네 가지 경우로 나누어 생각할 수 있다.

(i) $d=2$인 경우
$k_1+k_2+k_3+1=12$, 즉 $k_1+k_2+k_3=11$을 만족시키는 자연수의 순서쌍 (k_1, k_2, k_3)의 개수는 ${}_3H_{11-3}={}_{10}C_8=$ ❸ $\underline{45}$

(ii) $d=3$인 경우
$k_1+k_2+k_3+1=8$, 즉 $k_1+k_2+k_3=7$을 만족시키는 자연수의 순서쌍 (k_1, k_2, k_3)의 개수는 ${}_3H_{7-3}={}_6C_4=15$

(iii) $d=4$인 경우
$k_1+k_2+k_3+1=6$, 즉 $k_1+k_2+k_3=5$를 만족시키는 자연수의 순서쌍 (k_1, k_2, k_3)의 개수는 ${}_3H_{5-3}={}_4C_2=6$

(iv) $d=6$인 경우
$k_1+k_2+k_3+1=4$, 즉 $k_1+k_2+k_3=3$을 만족시키는 자연수의 순서쌍 (k_1, k_2, k_3)의 개수는 ${}_3H_{3-3}={}_2C_0=1$

(i)~(iv)에서 a, b, c가 모두 d의 배수인 순서쌍 (a, b, c, d)의 개수는 $45+15+6+1=67$
따라서 구하려는 순서쌍 (a, b, c, d)는 $969-67=902$(개)

05 답 8

$A=\{1, 3, 5\}$이므로 $P(A)=\frac{1}{2}$

(i) $m=1$일 때, $B=\{1\}$이므로 $A\cap B=\{1\}$
이때 $P(B)=\frac{1}{6}$, $P(A\cap B)=$ ❶ $\underline{\frac{1}{6}}$
즉 $P(A\cap B)\neq P(A)P(B)$이므로
두 사건 A, B는 서로 독립이 아니다.

(ii) $m=2$일 때, $B=\{1, 2\}$이므로 $A\cap B=\{1\}$
이때 $P(B)=\frac{1}{3}$, $P(A\cap B)=$ ❷ $\underline{\frac{1}{6}}$
즉 $P(A\cap B)=P(A)P(B)$이므로
두 사건 A, B는 서로 독립이다.

(iii) $m=3$일 때, $B=\{1, 3\}$이므로 $A\cap B=\{1, 3\}$
이때 $P(B)=\frac{1}{3}$, $P(A\cap B)=\frac{1}{3}$
즉 $P(A\cap B)\neq P(A)P(B)$이므로
두 사건 A, B는 서로 독립이 아니다.

(iv) $m=4$일 때, $B=\{1, 2, 4\}$이므로 $A\cap B=\{1\}$
이때 $P(B)=\frac{1}{2}$, $P(A\cap B)=\frac{1}{6}$
즉 $P(A\cap B)\neq P(A)P(B)$이므로
두 사건 A, B는 서로 독립이 아니다.

(v) $m=5$일 때, $B=\{1, 5\}$이므로 $A\cap B=\{1, 5\}$
이때 $P(B)=\frac{1}{3}$, $P(A\cap B)=\frac{1}{3}$
즉 $P(A\cap B)\neq P(A)P(B)$이므로
두 사건 A, B는 서로 독립이 아니다.

(vi) $m=6$일 때, $B=\{1, 2, 3, 6\}$이므로 $A\cap B=\{1, 3\}$
이때 $P(B)=\frac{2}{3}$, $P(A\cap B)=\frac{1}{3}$
즉 $P(A\cap B)=P(A)P(B)$이므로
두 사건 A, B는 서로 독립이다.

(i)~(vi)에서 모든 m값의 합은 $2+6=8$

06 답 ①

$i^{3m}\cdot(-i)^{n+1}$을 정리하면
$N=i^{3m}\cdot(-i)^{n+1}=(-1)^{n+1}\cdot i^{3m+n+1}$이므로

N이 i가 되는 경우는 $1 \le m \le 4$, $1 \le n \le 4$
n이 짝수이고 $3m+n+1=4k+3$ $(k=1, 2, 3)$인 경우와
n이 홀수이고 $3m+n+1=4k+1$ $(k=1, 2, 3, 4)$인 경우
로 나눌 수 있다.

(i) n이 짝수이고 $3m+n+1=4k+$ ❶ $\underline{3}$ $(k=1, 2, 3)$인 경우
$3m+n+1=7, 11, 15$, 즉 $3m+n=6, 10, 14$를 만족시키는
(m, n)의 순서쌍은 $(2, 4)$, $(4, 2)$이므로 ❷ $\underline{2}$개

(ii) n이 홀수이고 $3m+n+1=4k+$ ❸ $\underline{1}$ $(k=1, 2, 3, 4)$인 경우
$3m+n+1=5, 9, 13, 17$, 즉 $3m+n=4, 8, 12, 16$을 만족
시키는 (m, n)의 순서쌍은 $(1, 1)$, $(3, 3)$이므로 ❹ $\underline{2}$개

(i), (ii)에서 $i^{3m} \cdot (-i)^{n+1}=i$가 되는 경우는 4가지이므로
구하려는 확률은 $\frac{4}{16}=\frac{1}{4}$
$\therefore p+q=4+1=5$

참고
m, n이 될 수 있는 수는 4 이하의 자연수이므로
(i)에서 $3m+n+1=4k+3$일 때 $k=4$이면 $3m+n=18$을 만족시키는 m, n은 존재하지 않는다.

07 답 ③

철수가 첫 번째 시행에서 6이 적힌 구슬을 꺼낼 때와 6이 아닌 구슬을 꺼낼 때로 경우를 나누어 보자.

(i) 철수가 첫 번째 시행에서 6이 적힌 구슬을 꺼내는 경우
이때 영희는 어떤 구슬을 꺼내더라도 항상 다른 수가 된다. 또 두 번째 시행에서 철수는 영희가 처음에 꺼낸 것과 다른 수가 적힌 구슬을 꺼내고 영희는 그 수가 적힌 구슬을 꺼내야 한다.
즉 구하려는 확률은 $\left(\frac{1}{6}\times 1\right)\times\left(\frac{4}{5}\times\frac{1}{4}\right)=$ ❶ $\underline{\frac{1}{30}}$

(ii) 철수가 첫 번째 시행에서 6이 아닌 구슬을 꺼내는 경우
영희는 첫 번째에 그 구슬을 제외한 나머지 수가 적힌 구슬을 선택해야 한다. 또 철수는 두 번째 시행에서는 6을 제외한 수 중 영희가 첫 번째 시행에서 선택한 숫자가 아닌 수가 적힌 구슬을 꺼내고 영희는 그 수가 적힌 구슬을 선택하면 된다.
즉 구하려는 확률은 $\left(\frac{5}{6}\times\frac{4}{5}\right)\times\left(\frac{3}{5}\times\frac{1}{4}\right)=$ ❷ $\underline{\frac{1}{10}}$

(i), (ii)에서 구하려는 확률은 $\frac{1}{30}+\frac{1}{10}=\frac{2}{15}$

08 답 ⑤

6번의 시행 중 3의 배수가 나온 횟수를 x, 이동한 칸 수를 $f(x)$라 하면 3의 배수가 아닌 횟수는 $(6-x)$이고,
(나)에 따라 게임이 끝난 후 주사위는 시계방향으로
$f(x)=2x-(6-x)=$ ❶ $\underline{(3x-6)}$칸 이동하였다.
가능한 x의 범위가 $0 \le x \le 6$이므로
이동가능한 칸 $f(x)$는 시계방향으로 $-6 \le f(x) \le 12$이다.
6번 시행 후 B가 주사위를 가지려면
$f(x)$가 $-3, 3, 9$ 중 하나이면 되므로
이때 x는 차례로 ❷ $\underline{1, 3, 5}$이다.

(i) $x=1$인 경우
6번의 시행에서 3의 배수가 한 번 나온 경우이므로 확률은
${}_6C_1\left(\frac{1}{3}\right)^1\left(\frac{2}{3}\right)^5=\frac{6\times 32}{3^6}=\frac{192}{3^6}$

(ii) $x=3$인 경우
6번의 시행에서 3의 배수가 세 번 나온 경우이므로 확률은
${}_6C_3\left(\frac{1}{3}\right)^3\left(\frac{2}{3}\right)^3=\frac{20\times 8}{3^6}=\frac{160}{3^6}$

(iii) $x=5$인 경우
6번의 시행에서 3의 배수가 다섯 번 나온 경우이므로 확률은
${}_6C_5\left(\frac{1}{3}\right)^5\left(\frac{2}{3}\right)^1=\frac{6\times 2}{3^6}=\frac{12}{3^6}$

(i)~(iii)에서 구하려는 확률은 $p=\frac{192+160+12}{3^6}=\frac{364}{3^6}$
따라서 $3^6\times p=364$

09 답 ③

주어진 조건을 만족시키는 순서쌍 (a, b, c, d)의 개수는
$(a<2$인 경우$)+(b<2$인 경우$)-(a<2$이고, $b<2$인 경우$)$
와 같다.

(i) $a<2$인 경우는 $a=0$ 또는 $a=1$이다.
$a=0$일 때, $b+c+d=9$이므로
음이 아닌 정수 a, b, c, d의 순서쌍 (a, b, c, d)의 개수는
${}_3H_9={}_{11}C_9={}_{11}C_2=55$
$a=1$일 때, $b+c+d=8$이므로 (a, b, c, d)의 개수는
${}_3H_8={}_{10}C_8={}_{10}C_2=45$
이므로 $55+45=$ ❶ $\underline{100}$

(ii) $b<2$인 경우는 $b=0$ 또는 $b=1$이므로 (i)과 같은 방법으로 구하면 (a, b, c, d)는 ❷ $\underline{100}$개다.

(iii) $a<2$이면서 $b<2$인 순서쌍 (a, b, c, d)는
$(0, 0, c, d)$, $(0, 1, c, d)$, $(1, 0, c, d)$, $(1, 1, c, d)$
이므로 이 네 가지 경우에서
조건에 맞는 (c, d)를 차례로 각각 구하면
${}_2H_9={}_{10}C_9=10$, ${}_2H_8={}_9C_8=9$
${}_2H_8={}_9C_8=9$, ${}_2H_7={}_8C_7=8$
즉 순서쌍 개수는 $10+9+9+8=$ ❸ $\underline{36}$

(i), (ii), (iii)에서 구하려는 순서쌍 (a, b, c, d)의 개수는
$100+100-36=164$

10 답 ③

합성함수 $(g\circ f)(x)$가 실수 전체의 집합에서 연속이려면 $(g\circ f)(x)$는 상수함수라야 한다.

즉 실수 전체에서 $f(x)>0$ 또는 $f(x)\le 0$이면 된다.

그런데 모든 실수에서 $x^2+2bx+c>0$은 가능하지만 모든 실수에서 $x^2+2bx+c\le 0$은 가능하지 않다.

한편 a값도 $f(x)$의 부호에 영향을 끼치므로 $a=3$, $a<3$, $a>3$인 경우로 나누자.

(i) $a=3$일 때 $f(x)=0$이므로 모든 x에 대하여

$(g\circ f)(x)=0 \quad \therefore\ p=$ ❶ $\underline{\frac{1}{6}}$

(ii) $a<3$일 때

모든 실수 x에 대하여 $x^2+2bx+c\ge 0$이 가능하므로 $f(x)=(a-3)(x^2+2bx+c)\le 0$을 생각할 수 있다.

이때 (판별식)$=b^2-c\le 0$이다. 즉

$b=1$이면 $c=1, 2, 3, 4, 5, 6$

$b=2$이면 $c=4, 5, 6$

$\therefore\ p=\frac{2}{6}\times\frac{9}{36}=\frac{1}{3}\times\frac{1}{4}=$ ❷ $\underline{\frac{1}{12}}$

(iii) $a>3$일 때

모든 실수 x에 대하여 $x^2+2bx+c>0$이 가능하므로 $f(x)=(a-3)(x^2+2bx+c)>0$을 생각할 수 있다.

이때 (판별식)$=b^2-c<0$이다. 즉

$b=1$이면 $c=2, 3, 4, 5, 6$

$b=2$이면 $c=5, 6$

$\therefore\ p=\frac{3}{6}\times\frac{7}{36}=\frac{1}{2}\times\frac{7}{36}=$ ❷ $\underline{\frac{7}{72}}$

(i), (ii), (iii)에서 구하려는 확률은 $\frac{1}{6}+\frac{1}{12}+\frac{7}{72}=\frac{25}{72}$

11 답 132

서로 다른 종류의 사탕 3개를 각 주머니에 넣는 방법은 주머니 3개에 하나씩 넣는 경우, 사탕을 2개, 1개로 나누어 주머니에 넣는 경우, 주머니 하나에 사탕 3개를 모두 넣는 경우로 나눌 수 있다. 이렇게 사탕 3개를 나누어 넣은 다음 각 경우에 빈 주머니가 없도록 구슬을 넣으면 된다.

(i) 사탕 3개를 주머니 3개에 하나씩 넣는 경우

서로 다른 종류의 사탕을 각 주머니에 넣으면 주머니끼리 구분이 된다. 즉 서로 다른 주머니 3개에 같은 구슬 7개를 넣는 중복조합으로 생각할 수 있다.

이때 각 주머니에 들어가는 구슬 개수를 a, b, c라 하면 $a+b+c=7(a\ge 0,\ b\ge 0,\ c\ge 0)$을 만족시킨다.

즉 구하려는 경우의 수는 ${}_3H_7={}_9C_7={}_9C_2=$ ❶ $\underline{36}$

(ii) 사탕을 2개, 1개로 나누어 주머니에 넣는 경우

서로 다른 사탕 3개를 2개, 1개로 나누어 주머니에 넣는 경우의 수는 ${}_3C_2$, 사탕을 주머니에 나누어 넣으면 사탕 2개가 든 주머니와 사탕 1개가 든 주머니, 빈 주머니로 주머니끼리 구분이 된다. 즉 서로 다른 주머니에 3개에 같은 구슬 7개를 넣는 중복조합으로 생각할 수 있다.

이때 사탕이 들어 있지 않은 주머니에 구슬 1개를 넣은 다음, 서로 다른 주머니 3개에 들어가는 구슬 개수를 a, b, c라 하면 $a+b+c=6(a\ge 0,\ b\ge 0,\ c\ge 0)$을 만족시키므로 구슬을 넣는 경우의 수는 ${}_3H_6={}_8C_6={}_8C_2$

즉 구하려는 경우의 수는 ${}_3C_2\times{}_8C_2=3\times 28=$ ❷ $\underline{84}$

(iii) 주머니 하나에 사탕 3개를 모두 넣는 경우

같은 종류의 주머니 3개는 사탕이 들어 있는 주머니와 사탕이 없는 같은 종류의 빈 주머니 2개로 나누어진다.

즉 빈 주머니끼리는 구분되지 않는다.

먼저 같은 종류의 구슬 7개 중 a개 $(a=0, 1, \cdots, 5)$를 사탕 3개가 들어 있는 주머니에 넣고, 나머지 구슬 중 같은 종류의 빈 주머니 2개에 들어가는 구슬 개수를 각각 b, c라 하고, b와 c는 순서를 따지지 않는다.

예를 들어 $a=2$일 때 남은 구슬 5개를 두 주머니에 넣을 때, $b=2, c=3$인 경우와 $b=3, c=2$인 경우는 같다.

$a=0$일 때 $b+c=7$이므로 조건을 만족시키는 순서쌍 (a, b, c)는 다음 세 가지가 가능하다.

$(0, 1, 6), (0, 2, 5), (0, 3, 4)$

마찬가지로 $a=1$, $a=2$, $\cdots$, $a=5$일 때 조건을 만족시키는 순서쌍 (a, b, c)를 구하면 다음과 같다.

$(1, 1, 5), (1, 2, 4), (1, 3, 3), (2, 1, 4), (2, 2, 3),$

$(3, 1, 3), (3, 2, 2), (4, 1, 2), (5, 1, 1)$

이므로 모두 ❸ $\underline{12}$가지다.

(i), (ii), (iii)에서 구하려는 경우의 수는 $36+84+12=132$

참고

❶ 주머니 3개가 서로 구분되지 않고 같으므로 서로 다른 사탕 3개를 주머니 2개에 나누어 넣은 경우는 3가지다. 이렇게 사탕을 넣고 나면 주머니 3개로 구분된다.

❷ 주머니 하나에 사탕 3개를 모두 넣으면 남은 주머니 2개는 서로 구분되지 않으므로 (iii)처럼 생각해야 한다.

12 답 49

조건을 따르는 경우는 다음 네 가지로 나눌 수 있는데, 남은 연필은 남학생에게 나눠주고, 남은 볼펜은 여학생에게 나눠준다고 생각하면 된다.

(i) 여학생이 연필 한 자루씩 가지고 남학생은 볼펜 한 자루씩 가지는 경우

남은 연필 4자루를 남학생에게 나눠주는 경우의 수는 ${}_2H_4=5$ 이고, 남은 볼펜 2자루를 여학생에게 나눠주는 경우의 수는 ${}_3H_2=6$이므로 ${}_2H_4\times{}_3H_2={}_5C_4\times{}_4C_2=5\times6=$ ❶ 30

(ii) 여학생이 연필 한 자루씩 가지고 남학생은 볼펜 두 자루씩 가지는 경우, 남은 연필 4자루만 남학생에게 나눠줘는 경우의 수는 ${}_2H_4={}_5C_4=$ ❷ 5

(iii) 여학생이 연필 두 자루씩 가지고 남학생이 볼펜 한 자루씩 가지는 경우, 나머지 연필 한 자루를 남학생에게 나눠주는 경우의 수는 ${}_2H_1=2$, 나머지 볼펜 두 자루를 여학생에게 나눠주는 경우의 수는 ${}_3H_2=6$이므로

${}_2H_1\times{}_3H_2={}_2C_1\times{}_4C_2=2\times6=$ ❸ 12

(iv) 여학생이 연필 두 자루씩 가지고 남학생은 볼펜 두 자루씩 가지는 경우, 나머지 연필 한 자루를 남학생에게 나눠주는 경우의 수는 ${}_2H_1={}_2C_1=$ ❹ 2

(i)~(iv)에서 조건에 맞는 경우의 수는 $30+5+12+2=49$

참고

연필 7자루와 볼펜 4자루를 여학생 3명과 남학생 2명에게 남김없이 나누어 주는 경우의 수는 다음과 같다.
연필 7자루를 학생 5명에게 나누어 주는 경우의 수는 ${}_5H_7$,
볼펜 4자루를 학생 5명에게 나누어 주는 경우의 수는 ${}_5H_4$
$\therefore {}_5H_7\times{}_5H_4={}_{11}C_4\times{}_8C_4=330\times70=23100$
이때 문제에서 주어진 조건을 만족시킬 확률은 $\frac{49}{23100}=\frac{7}{3300}$

13 답 810

흰공 2개를 두 명에게 각각 한 개씩 나누어 주는 경우와 한 명에게 두 개를 주는 경우로 나누어 생각해볼 수 있다.

(i) 두 명이 흰공을 1개씩 가지는 경우

흰 공을 받은 두 명에게 빨간공과 검은공을 1개씩 준 다음 남은 빨간공 2개와 검은공 2개를 학생 4명에게 나누어 준다고 생각해 보자.

ⓐ 흰공을 받는 사람을 선택하는 경우의 수 ${}_4C_2=6$

ⓑ 남은 빨간공 2개와 검은공 2개를 4명에게 나누어 주는 모든 경우의 수 ${}_4H_2\times{}_4H_2=({}_5C_2)^2=100$
이때 공을 하나도 받지 못하는 학생이 2명일 수도 있고, 1명일 수도 있다.

ⓒ 흰공을 받은 2명에게만 남은 빨간공 2개와 검은공 2개를 나누어 주는 경우의 수 ${}_2H_2\times{}_2H_2=({}_3C_2)^2=9$

ⓓ 흰공을 받은 2명과 흰공을 받지 않은 학생 중 1명에게 남은 빨간공 2개와 검은공 2개를 나눠 주는 경우의 수
$2\times({}_3H_2\times{}_3H_2-{}_2H_2\times{}_2H_2)=54$

즉 두 명에게 흰공을 한 개씩 준 다음 조건에 맞게 공을 나눠주는 경우의 수는 $6(100-9-54)=$ ❶ 222

(ii) 한 명이 흰공을 2개 가지는 경우

흰공을 받은 한 명에게 빨간공과 검은공을 한 개씩 준 다음, 남은 빨간공 3개와 검은 공 3개를 4명에게 나누어 준다고 생각해 보자.

ⓐ 흰공을 받는 사람을 선택하는 경우의 수 ${}_4C_1=4$

ⓑ 남은 빨간공 3개와 검은공 3개를 4명에게 나누어 주는 모든 경우의 수 ${}_4H_3\times{}_4H_3=({}_6C_3)^2=400$
이때 공을 하나도 받지 못하는 학생이 3명일 수도 있고, 2명일 수도 있고, 1명일 수도 있다.

ⓒ 흰공을 받은 학생에게만 남은 빨간공 3개와 검은공 3개를 나누어 주는 경우의 수 1

ⓓ 흰공을 받은 1명과 흰공을 받지 않은 학생 1명에게 남은 빨간공 3개와 검은공 3개를 나누어 주는 경우의 수
${}_3C_1\times({}_2H_3\times{}_2H_3-1)=3\times15=45$

ⓔ 흰공을 받은 1명과 흰공을 받지 않은 학생 2명에게 남은 빨간공 3개와 검은공 3개를 나누어 주는 경우의 수
${}_3C_2\times\{{}_3H_3\times{}_3H_3-1-2\times({}_2H_3\times{}_2H_3-1)\}$
$=3\times69=207$

즉 한 명에게 흰공을 2개 준 다음 조건에 맞게 공을 나눠주는 경우의 수는 $4(400-1-45-207)=$ ❷ 588

(i), (ii)에서 구하려는 경우의 수는 $222+588=810$

14 답 ②

A, B, C 각 상자에 넣은 흰색 탁구공의 개수를 기준으로 경우를 나누고, 각각의 경우에 대하여 A, B, C 각 상자에 넣는 주황색 공의 개수를 각각 a, b, c라 하자.

(i) A 상자에 흰색 탁구공 3개를 넣는 경우

(나) 조건에 따라 $a+b+c=4$ $(a\geq1,\ b\geq0,\ c\geq0)$인 경우의 수는 ${}_3H_3={}_5C_3=$ ❶ 10

(ii) A 상자에 흰색 탁구공 2개를 넣고 B 상자 또는 C 상자에 흰색 탁구공 1개를 넣은 경우

먼저 B 상자에 흰색 탁구공 1개를 넣은 경우를 생각하면
(나) 조건에 따라 $a+b+c=4$ $(a\geq1,\ b\geq1,\ c\geq0)$인 경우의 수는 ${}_3H_2={}_4C_2=6$
C 상자에 흰색 탁구공 1개를 넣은 경우도 같으므로
이때 경우의 수는 $6+6=12$

(iii) A 상자에 흰색 탁구공 1개를 넣고 B 상자 또는 C 상자에 흰색 탁구공 2개를 넣은 경우

먼저 B 상자에 흰색 탁구공 2개를 넣은 경우를 생각하면
(나) 조건에 따라 $a+b+c=4$ $(a\geq1,\ b\geq1,\ c\geq0)$
인 경우의 수는 ${}_3H_2={}_4C_2=6$
C 상자에 흰색 탁구공 2개를 넣은 경우도 같으므로
이때 경우의 수는 $6+6=12$

(iv) A, B, C 각 상자에 흰색 탁구공 1개를 넣은 경우

㈏ 조건에 따라 $a+b+c=4$ $(a\geq 1, b\geq 1, c\geq 1)$

인 경우의 수는 ${}_3H_1={}_3C_1=$ ❷ <u>3</u>

(i) ~ (iv)에서 구하려는 경우의 수는 $10+12+12+3=37$

15 답 384

$(f\circ f)(1)=1$을 만족시키는 경우는 다음과 같이 $f(1)=1$이거나 $f(1)=a$, $f(a)=1(a\neq 1)$인 경우뿐이다.

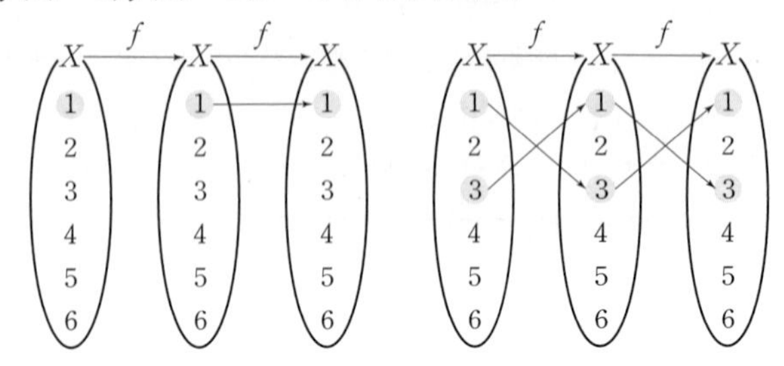

마찬가지로 $(f\circ f)(2)=2$인 경우도 $f(2)=2$이거나 $f(2)=b$, $f(b)=2(b\neq 2)$인 경우뿐이다. 즉

(i) $f(1)=1$, $f(2)=2$인 경우 (ii) $f(1)\neq 1$, $f(2)=2$인 경우

(iii) $f(1)=1$, $f(2)\neq 2$인 경우 (iv) $f(1)\neq 1$, $f(2)\neq 2$인 경우

로 나눌 수 있다. 이때 ㈐ 조건에서

$f(3)=f(1)$, $f(4)=f(1)$, $f(5)=f(2)$, $f(6)=f(2)$ …… ㉠

중 적어도 하나를 만족시켜야 한다.

(i) $f(1)=1$, $f(2)=2$인 경우

㈎에 따라 치역의 원소가 5개이려면 1, 2를 제외한 공역의 나머지 원소 3, 4, 5, 6 중 치역의 원소로 3개를 택하여야 한다. 또 정의역의 원소 3, 4, 5, 6 중 적어도 하나는 ㉠을 만족시켜야 하므로 정의역의 원소 3, 4, 5, 6 중 3개, 치역의 원소 3, 4, 5, 6 중 3개를 선택하여 일대일 대응시킨 다음, 남은 정의역의 원소가 ㉠을 만족시키도록 하면 된다.

이때 구하려는 함수의 개수는

${}_4C_3\times{}_4C_3\times 3!\times 1=4\times 4\times 6=$ ❶ <u>96</u>

(ii) $f(1)\neq 1$, $f(2)=2$인 경우

먼저 $f(1)=a$, $f(a)=1(a\neq 1)$인 a를 3, 4, 5, 6 중에서 선택하면 된다. 만약 $a=3$이라 하면 $f(1)=3$, $f(2)=2$, $f(3)=1$이고, 치역의 원소가 5개이므로 공역의 원소 중 1, 2, 3을 제외한 나머지 4, 5, 6에서 2개를 뽑고 정의역의 원소 4, 5, 6 중 2개를 뽑아서 일대일 대응시킨 후, 나머지 남은 정의역의 원소가 ㉠을 만족시키도록 하면 된다.

이때 구하려는 함수의 개수는

${}_4C_1\times({}_3C_2\times{}_3C_2\times 2!)\times 1=4\times(3\times 3\times 2)=$ ❷ <u>72</u>

(iii) $f(1)=1$, $f(2)\neq 2$인 경우는 (ii)와 같으므로 ❸ <u>72</u>

(iv) $f(1)\neq 1$, $f(2)\neq 2$인 경우

① $f(1)=2$, $f(2)=1$인 경우 (즉 $a=2$, $b=1$인 경우)

(i)에서 한 것처럼 정의역의 원소 3, 4, 5, 6 중 3개, 치역의 원소 3, 4, 5, 6 중 3개를 택하여 일대일 대응시킨 후, 남은 정의역의 원소가 ㉠을 만족시키도록 하면 된다.

$\therefore {}_4C_3\times{}_4C_3\times 3!\times 1=4\times 4\times 6=96$

② $f(1)\neq 2$, $f(2)\neq 1$인 경우 (즉 $a\neq 2$, $b\neq 1$인 경우)

3, 4, 5, 6 중 $f(1)=a$와 $f(2)=b$를 결정하는 경우의 수는 ${}_4P_2=4\times 3$이다. 예를 들어 $a=3$, $b=4$이면 ㈏ 조건에서 $f(1)=3$, $f(2)=4$, $f(3)=1$, $f(4)=2$라야 하고, 남은 정의역의 원소 5, 6 중 하나를 택하고 남은 공역의 원소 5, 6 중 하나를 택하여 대응시킨 다음, 남은 정의역의 원소가 ㉠을 만족시키도록 하면 된다.

$\therefore {}_4P_2\times{}_2C_1\times{}_2C_1=4\times 3\times 2\times 2=48$

즉 $f(1)\neq 1$, $f(2)\neq 2$인 경우의 수는 $96+48=$ ❹ <u>144</u>

(i)~(iv)에서 구하려는 함수는 모두

$96+72+72+144=384$(개)

16 답 24

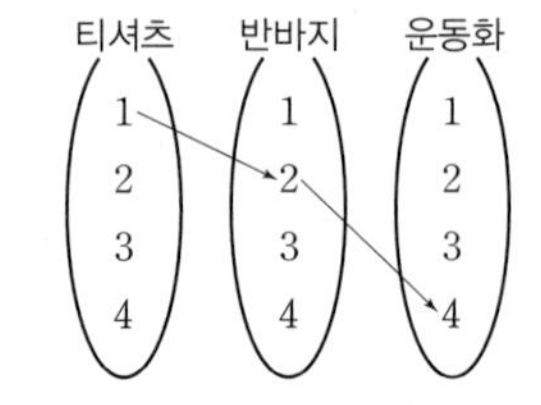

빨강, 파랑, 노랑, 초록 네 종류의 색을 각각 1, 2, 3, 4라 하고, 티셔츠와 반바지, 운동화의 색을 나타내는 수를 a, b, c라 해서 순서쌍 (a, b, c) (단, $a\neq b\neq c$)로 나타내자.

예를 들어 빨간색 티셔츠, 파란색 반바지, 초록색의 운동화를 신는 것은 그림과 같은 대응으로 연결되고 이 경우를 순서쌍으로 나타내면 (1, 2, 4)다.

이와 같이 조건을 만족시키는 경우는 티셔츠와 반바지, 운동화의 색 번호를 모두 다르게 택할 때다.

먼저 티셔츠와 반바지 색을 다르게 정하는 경우를 맞바꾸는 것과 맞바꾸지 않는 것을 생각해 다음과 같이 나눌 수 있다.

(i) 티셔츠 색 번호와 반바지 색 번호를 짝지어 서로 다르게 정하는 경우(맞바꾸기)

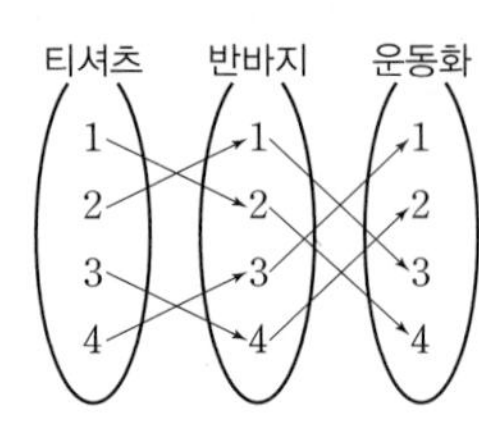

마네킹에 입히는 티셔츠의 색 번호와 반바지 색 번호를 두 개씩 짝을 짓는 방법은 1, 2, 3, 4를 두 개씩 조로 나누는 방법이므로

${}_4C_2\times\dfrac{1}{2!}=3$

예를 들어 그림처럼 1, 2와 3, 4를 짝지었다고 하면 $(1, 2, c_1)$, $(2, 1, c_2)$, $(3, 4, c_3)$, $(4, 3, c_4)$에서 c_1, c_2, c_3, c_4의 번호를 정하면 된다.

먼저 $(1, 2, c_1)$에서 $c_1\neq 1$, $c_1\neq 2$이므로 $c_1=3$ 또는 $c_1=4$의 두 가지 경우가 있다. 이때 그림처럼 $c_1=4$라 하면 $(2, 1, c_2)$에서는 $c_2=3$으로 결정된다.

같은 방법으로 $(3, 4, c_3)$에서 $c_3=1$ 또는 $c_3=2$의 두 가지 경우가 있고 c_3이 결정되면 $(4, 3, c_4)$는 하나로 결정된다.

따라서 구하려는 경우의 수는 $3\times(2\times2)=$ ❶ 12

(ii) 티셔츠 색 번호와 반바지 색 번호를 짝짓지 않고 서로 다르게 정하는 경우(맞바꾸지 않기)

티셔츠 색 번호가 1인 마네킹의 반바지 색을 정하는 경우의 수는 ${}_3C_1$이다. 예를 들어 그림처럼 티셔츠 색 번호가 1이고 반바지 색 번호를 2로 정했다면 티셔츠 색 번호와 반바지 색 번호가 짝이 없이 서로 다른 경우이므로 티셔츠 색이 2인 마네킹의 반바지 색은 3 또는 4 중에서 골라야 한다.

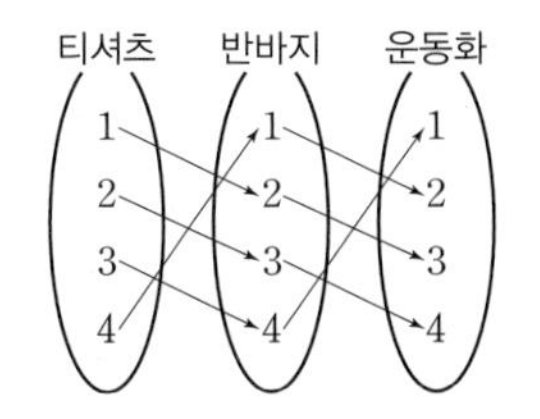

티셔츠 색이 2인 마네킹의 반바지 색을 3으로 정했다면 티셔츠 색은 3, 4가 남고 반바지 색은 1, 4가 남는데 다른 색을 택해야 하므로 티셔츠 3은 반바지 4로 연결되어야 한다.

즉 마네킹의 티셔츠와 반바지 색을 정하는 경우의 수는

${}_3C_1\times2\times1=6$

위 그림처럼 마네킹의 티셔츠와 반바지 색이 정해졌다면 $(1, 2, c_1)$, $(4, 1, c_2)$, $(3, 4, c_3)$, $(2, 3, c_4)$에서 c_1, c_2, c_3, c_4의 번호를 결정하면 된다.

먼저 $(1, 2, c_1)$에서 $c_1\neq1$, 2이므로 $c_1=3$ 또는 $c_1=4$의 두 가지 경우가 있다.

그림처럼 $c_1=3$으로 정하면 문제의 조건에서 $(4, 1, c_2)$에서 $c_2=2$로 결정된다. 또 조건을 생각하면 $(3, 4, c_3)$에서 $c_3=1$로 결정되고 $(2, 3, c_4)$에서 $c_3=4$로 결정된다. 즉 마네킹의 티셔츠와 반바지 색이 정해진 경우 운동화의 색을 정하는 경우는 2가지뿐이다.

따라서 구하려는 경우의 수는 $6\times2=$ ❷ 12

(i), (ii)에서 구하려는 경우의 수는 $12+12=24$

킬러 격파 Tip

티셔츠 색과 반바지 색만 다르게 하는 경우의 수는 수형도를 그려보면 9가지인데 이 문제에서는 9가지의 경우를 두 개씩 짝을 지어 다른 3가지 [그림 1]와 짝을 짓지 않고 서로 다른 6가지 [그림 2]로 나누어야 한다. 연결 구조가 다르기 때문에 마지막에 연결하는 운동화의 경우가 완전히 달라짐을 알 수 있다. 가끔 경우의 수나 확률에서 이렇게 앞의 구조에 따라 뒤에 경우가 달라지는 문제들이 있는데 좀 더 주의해서 문제를 해결할 필요가 있다.

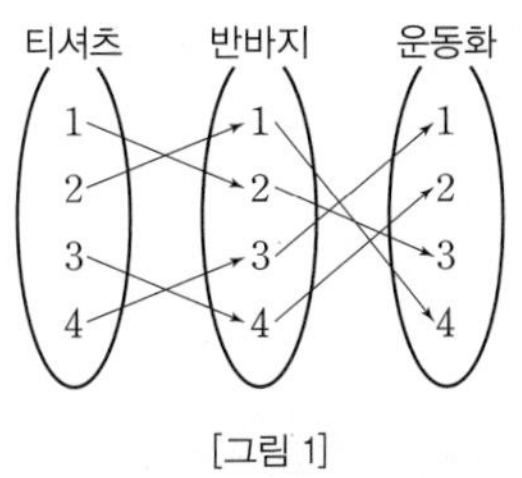

[그림 1]
운동화를 선택하는 2×2(가지)

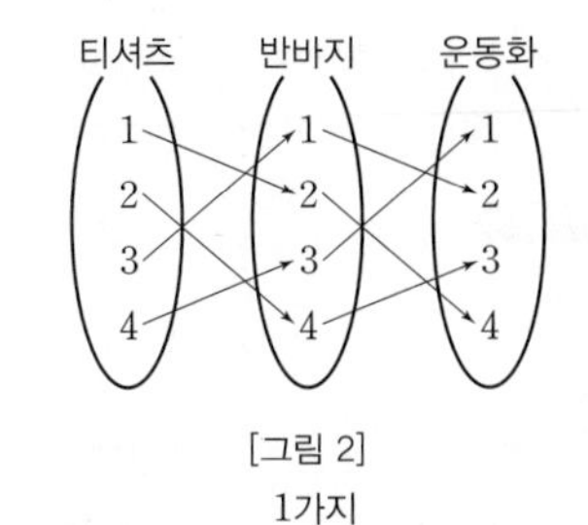

[그림 2]
1가지

p. 105~114

집중공략 유형 11 빈칸 채우기

01 ②	02 ④	03 ④	04 ③
05 ⑤	06 ⑤	07 ②	08 ①
09 ①	10 ④	11 ①	12 ⑤
13 ②			

01 답 ②

점 (x, y)에서 세 점 $(x+1, y)$, $(x, y+1)$, $(x+1, y+1)$로 이동하는 것을 차례로 a, b, c라 하고, 점 $(0, 0)$에서 점 $(4, 3)$까지 이동하는 모든 경우의 수를 N이라 하자. 이때 그림처럼 a, c, c, c를 일렬로 나열할 때 이동 횟수가 가장 적다.

이 경우 점프 횟수는 4이므로 $k=$ (ㄱ) 4 이고, $X=4$가 되는 되는 경우의 수는 $\frac{4!}{3!}$

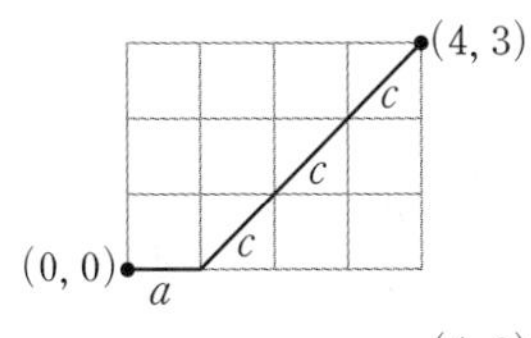

위와 같이 생각하면 이동 횟수가 $k+1$, 즉 5번 이동하는 경우는 그림처럼 a, a, b, c, c를 일렬로 나열하는 경우의 수와 같으므로

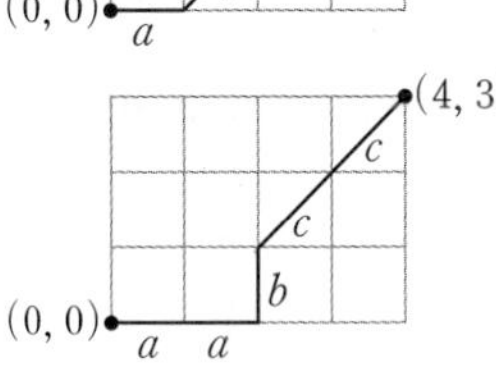

$\frac{5!}{2!2!}=30$

$\therefore \mathrm{P}(X=k+1)=\mathrm{P}(X=5)=\frac{1}{N}\times\frac{5!}{2!2!}=\frac{30}{N}$

마찬가지 방법으로 생각하면 이동 횟수가 $k+2$인 경우는 a, a, a, b, b, c를 일렬로 나열할 때와 같으므로

$\mathrm{P}(X=k+2)=\mathrm{P}(X=6)=\frac{1}{N}\times\frac{6!}{3!2!}=\frac{\boxed{(ㄴ)\ 60}}{N}$

이동 횟수가 $k+3$인 경우는 a, a, a, a, b, b, b를 일렬로 나열할 때와 같다.

$\therefore \mathrm{P}(X=k+3)=\mathrm{P}(X=7)=\frac{1}{N}\times\frac{7!}{3!4!}=\frac{35}{N}$

또 $\sum_{i=k}^{k+3}\mathrm{P}(X=i)=1$에서 $\frac{4+30+60+35}{N}=1$

이므로 $N=$ (ㄷ) 129

$\therefore \mathrm{E}(X)=\sum_{i=k}^{k+3}i\mathrm{P}(X=i)$

$=\frac{4\times4+5\times30+6\times60+7\times35}{129}=\frac{771}{129}=\frac{257}{43}$

$\therefore$ (ㄱ) 4 (ㄴ) 60 (ㄷ) 129

따라서 $p+q+r=4+60+129=193$

02 답 ④

6의 약수는 1, 2, 3, 6이므로 주사위 하나를 던져 6의 약수가 나올 확률은 $\frac{4}{6}=\frac{2}{3}$이고, 첫 번째 시행과 두 번째 시행에서 6의 약수가

나온 주사위 개수를 각각 a, b라 하면, 두 번의 시행에서 B가 주사위 10개를 가졌으므로

$a+b=$ (ㄱ) 10 이다.

$a=k$, $b=10-k$ $(0\le k\le 10)$일 때의 확률은

$${}_{10}C_k\left(\frac{2}{3}\right)^k\left(\frac{1}{3}\right)^{10-k}\times{}_{10-k}C_{10-k}\left(\frac{2}{3}\right)^{10-k}\left(\frac{1}{3}\right)^0$$

$$={}_{10}C_k\left(\frac{2}{3}\right)^k\left(\frac{1}{3}\right)^{10-k}\left(\frac{2}{3}\right)^{10-k}$$

$$={}_{10}C_k\left[(ㄴ)\ \frac{1}{3}\right]^{10-k}\left[(ㄷ)\ \frac{2}{3}\right]^{10}$$

따라서 구하는 확률은

$$\sum_{k=0}^{10}{}_{10}C_k\left(\frac{1}{3}\right)^{10-k}\left(\frac{2}{3}\right)^{10}=\left(\frac{2}{3}\right)^{10}\sum_{k=0}^{10}{}_{10}C_k\left(\frac{1}{3}\right)^{10-k}\times 1^k$$

$$=\left(\frac{2}{3}\right)^{10}\left(1+\frac{1}{3}\right)^{10}=\left[(ㄹ)\ \frac{8}{9}\right]^{10}$$

$\therefore$ (ㄱ) 10 (ㄴ) $\frac{1}{3}$ (ㄷ) $\frac{2}{3}$ (ㄹ) $\frac{8}{9}$

따라서 $\frac{ps}{qr}=\frac{10\times\frac{8}{9}}{\frac{1}{3}\times\frac{2}{3}}=40$

03 답 ④

주어진 조건에 의해 $P(X=k)$를 구해보면 전체 경우의 수는 ${}_{30}C_5$이고, 최댓값이 k인 경우의 수는 1부터 $(k-1)$까지에서 4개를 선택하고 k를 선택하면 되므로 ${}_{k-1}C_4\times 1$

$$\therefore P(X=k)=\frac{(ㄱ)\ {}_{k-1}C_4}{{}_{30}C_5}$$

$\frac{k}{5}\times{}_{k-1}C_4={}_kC_5$이므로 $k\times{}_{k-1}C_4=5\times$ (ㄴ) ${}_kC_5$

$$\therefore E(X)=\sum_{k=5}^{30}kP(X=k)=\frac{1}{{}_{30}C_5}\sum_{k=5}^{30}k\times{}_{k-1}C_4=\frac{5}{{}_{30}C_5}\sum_{k=5}^{30}{}_kC_5$$

$\sum_{k=5}^{30}{}_kC_5={}_{31}C_6$이므로 $E(X)=\frac{5}{{}_{30}C_5}\times{}_{31}C_6=\frac{(ㄷ)\ 155}{6}$

$\therefore$ (ㄱ) ${}_{k-1}C_4$ (ㄴ) ${}_kC_5$ (ㄷ) 155

따라서 $a=155$, $f(8)=35$, $g(7)=21$이므로

$$\frac{a\times g(7)}{f(8)}=\frac{155\times 21}{35}=93$$

킬러 격파 Tip

1부터 n까지의 자연수가 하나씩 적혀 있는 카드 n장 중에서 임의로 서로 다른 p장의 카드를 선택할 때, 선택한 카드 p장에 적힌 수 중 가장 큰 수를 확률변수 X라 하면 X의 평균 $E(X)$는 다음과 같다.

$$E(X)=\sum_{k=p}^{n}kP(X=k)=\frac{1}{{}_nC_p}\sum_{k=p}^{n}(k\times{}_{k-1}C_{p-1})=\frac{p}{{}_nC_p}\sum_{k=p}^{n}{}_kC_p$$

이때 $\sum_{k=p}^{n}{}_kC_p={}_{n+1}C_{p+1}$이므로 $E(X)=\frac{p}{{}_nC_p}\times{}_{n+1}C_{p+1}=\frac{p(n+1)}{p+1}$

04 답 ③

$$f(k)=\sum_{n=k}^{20}({}_{20}C_n\times{}_nC_k)$$

$$=\sum_{n=k}^{20}\left\{\frac{[(ㄱ)\ 20]!}{n!(20-n)!}\times\frac{n!}{k!(n-k)!}\right\}$$

$$=\sum_{n=k}^{20}\frac{20!}{(20-n)!k!(n-k)!}$$

$$=\sum_{n=k}^{20}\left\{\frac{[(ㄱ)\ 20]!}{k!(20-k)!}\times\frac{(20-k)!}{(n-k)!(20-n)!}\right\}$$

$$=\sum_{n=k}^{20}({}_{20}C_k\times{}_{20-k}C_{n-k})$$

$$={}_{20}C_k\sum_{n=k}^{20}{}_{20-k}C_{n-k}$$

$$={}_{20}C_k({}_{20-k}C_0+{}_{20-k}C_1+\cdots+{}_{20-k}C_{20-k})={}_{20}C_k\left[(ㄴ)\ 2\right]^{20-k}$$

에서 $\sum_{k=0}^{20}f(k)=\sum_{k=0}^{20}{}_{20}C_k2^{20-k}=(1+2)^{20}=\left[(ㄷ)\ 3\right]^{20}$

$\therefore$ (ㄱ) 20 (ㄴ) 2 (ㄷ) 3

따라서 $a+b-c=20+2-3=19$

05 답 ⑤

$(1+x)^{2n-1}$에서 x^{n-1}의 계수는 (ㄱ) ${}_{2n-1}C_{n-1}$ 이고

$(1+x)^{n-1}(1+x)^n$을 이용하여 x^{n-1}의 계수를 구하면

$\sum_{k=1}^{n}({}_{n-1}C_{k-1}\times{}_nC_{n-k})$이다.

즉 ${}_{2n-1}C_{n-1}=\sum_{k=1}^{n}({}_{n-1}C_{k-1}\times{}_nC_{n-k})$이다.

한편 $1\le k\le n$일 때, $k\times{}_nC_k=$ (ㄴ) n $\times{}_{n-1}C_{k-1}$이므로

$$\sum_{k=1}^{n}k({}_nC_k)^2=\sum_{k=1}^{n}(n\times{}_{n-1}C_{k-1}\times{}_nC_{n-k})$$

$$=n\times\sum_{k=1}^{n}({}_{n-1}C_{k-1}\times{}_nC_{n-k})$$

$$=n\times{}_{2n-1}C_{n-1}=\left[(ㄷ)\ \frac{n}{2}\right]\times{}_{2n}C_n$$

$\therefore f(n)={}_{2n-1}C_{n-1}$, $g(n)=n$, $h(n)=\frac{n}{2}$

따라서 $f(5)={}_9C_4=\frac{9\times 8\times 7\times 6}{4\times 3\times 2\times 1}=126$

$g(7)=7$, $h(20)=10$이므로

$$\frac{f(5)}{g(7)}+h(20)=\frac{126}{7}+10=28$$

참고

$${}_{2n}C_n=\frac{2n!}{n!\times n!}=\frac{(2n-1)!}{(n-1)!n!}\times\frac{2n}{n}={}_{2n-1}C_{n-1}\times 2$$

$$\therefore {}_{2n-1}C_{n-1}=\frac{1}{2}\times{}_{2n}C_n$$

또는 ${}_nC_k=\frac{n}{k}\times{}_{n-1}C_{k-1}$을 생각하면

$${}_{2n}C_n=\frac{2n}{n}\times{}_{2n-1}C_{n-1}\qquad\therefore {}_{2n-1}C_{n-1}=\frac{1}{2}\times{}_{2n}C_n$$

한편 ${}_{2n-1}C_{n-1}=\frac{1}{2}\times{}_{2n}C_n$은 다음과 같이 설명할 수 있다.

집합 $\{1, 2, 3, \cdots, 2n\}$에서 n개를 뽑는 경우의 수 ${}_{2n}C_n$을 다음과 같이 구할 수 있다.

- 1을 반드시 포함하는 경우의 수는 1을 미리 뽑았다고 생각하면 $(2n-1)$개의 원소에서 $(n-1)$개를 뽑는 경우로 생각할 수 있다.
  즉 ${}_{2n-1}C_{n-1}$
- 마찬가지로 2를 반드시 포함하는 경우의 수도 ${}_{2n-1}C_{n-1}$
  $\cdots$
- $2n$을 반드시 포함하는 경우의 수도 마찬가지로 ${}_{2n-1}C_{n-1}$

이때 이렇게 뽑은 것 중 하나인 $\{1, 2, 3, \cdots, n\}$을 생각하면 1을 반드시 포함하는 경우도 있고, 2를 반드시 포함하는 경우도 있고, $\cdots$, n을 반드시 포함하는 경우도 있다. 즉 n가지 경우가 중복해서 계산되었으므로 집합 $\{1, 2, 3, \cdots, 2n\}$에서 n개를 뽑는 경우의 수는 ${}_{2n-1}C_{n-1}\times 2n\times\frac{1}{n}$

이것이 ${}_{2n}C_n$과 같아야 하므로 ${}_{2n-1}C_{n-1}\times 2={}_{2n}C_n$

$\therefore {}_{2n-1}C_{n-1}=\frac{1}{2}\times{}_{2n}C_n$

06 답 ⑤

갑이 가진 두 장의 카드에 적힌 수의 합과 을이 가진 두 장의 카드에 적힌 수의 합이 같은 경우는 갑과 을이 같은 종류의 카드를 가졌을 때와 갑과 을이 다른 종류의 카드를 가졌을 때로 나눌 수 있다. 또한 갑과 을이 각각 주머니에서 하나씩의 카드를 차례대로 꺼내지만 결국 2장의 카드를 뽑는 경우와 같다.

이때 두 수의 합이 3, 4, 8, 9인 카드를 뽑을 확률은 각각 $\frac{1}{{}_5C_2}=\frac{1}{10}$이고, 두 수의 합이 5, 6, 7인 카드를 뽑을 확률은 각각 $\frac{2}{{}_5C_2}=\frac{1}{5}$이다.

(i) 갑과 을이 같은 종류의 카드를 가졌을 때의 확률, 예를 들어 갑과 을이 가진 카드가 모두 1, 2일 때를 생각하면
$\frac{1}{10}\times\frac{1}{10}$이고, 카드 두 장을 뽑는 경우가 모두 10가지이므로
이때의 확률은 $10\times\frac{1}{10}\times\frac{1}{10}=$ $\boxed{(ㄱ)\ \frac{1}{10}}$

(ii) 합이 같지만 종류가 다른 카드는 $(1, 4)$, $(2, 3)$과 $(1, 5)$, $(2, 4)$ 그리고 $(2, 5)$, $(3, 4)$로 세 가지 경우가 있다. 예를 들어 두 사람이 가진 카드가 각각 $(1, 4)$, $(2, 3)$인 경우라면 갑이 1과 4가 적힌 카드를 꺼내고 을은 2와 3이 적힌 카드를 꺼내거나 반대로 갑이 2와 3이 적힌 카드를 꺼내고 을이 1과 4를 꺼내는 경우를 생각할 수 있다.
이때의 확률은 $2\times\frac{1}{10}\times\frac{1}{10}=\frac{1}{50}$
나머지 두 경우에서도 마찬가지로 생각하면 갑과 을이 가진 카드 두 장에 적힌 수의 합이 같지만 다른 종류의 카드를 가진 경우의 확률은
$3\times\frac{1}{50}=$ $\boxed{(ㄴ)\ \frac{3}{50}}$

(i), (ii)에서 갑과 을이 가진 카드 두 장에 적힌 수의 합이 같을 확률은 $\frac{1}{10}+\frac{3}{50}=\frac{8}{50}=\frac{4}{25}$

따라서 갑과 을이 가진 카드 두 장에 적힌 수의 합이 같을 때 두 사람이 같은 종류의 카드를 가졌을 확률은

$\frac{\frac{1}{10}}{\frac{4}{25}}=\frac{25}{40}=$ $\boxed{(ㄷ)\ \frac{5}{8}}$

$\therefore$ (ㄱ) $\frac{1}{10}$ (ㄴ) $\frac{3}{50}$ (ㄷ) $\frac{5}{8}$

따라서 $400(p+q+r)=400\left(\frac{1}{10}+\frac{3}{50}+\frac{5}{8}\right)=314$

07 답 ②

$n=2$일 때, 주어진 규칙에 따라 $a_2=1$

$n=3$일 때 (공, 상자)로 나타내면

(①, $\boxed{2}$), (②, $\boxed{3}$), (③, $\boxed{1}$) 또는 (①, $\boxed{3}$), (②, $\boxed{1}$), (③, $\boxed{2}$)의 두 가지 경우만 가능하다.

$\therefore a_3=$ $\boxed{(ㄱ)\ 2}$

$n=k(k\geq 4)$일 때, ⓟ$(1\leq p\leq k)$를 $\boxed{p}$를 제외한 상자에 넣는 경우가 $(k-1)$가지이다.

ⓟ를 $\boxed{q}$에 넣는다고 하면 규칙에 따라 $p\neq q$이다.

그러면 ⓠ는 $\boxed{p}$에 넣는 경우와 $\boxed{p}$에 넣지 않는 경우로 나눌 수 있다.

(i) ⓠ를 $\boxed{p}$에 넣는 경우:
나머지 공 $(k-2)$개를 상자 $(k-2)$개에 규칙에 따라 넣는 것과 같으므로 이때 경우의 수는 a_{k-2}

(ii) ⓠ를 $\boxed{p}$에 넣지 않는 경우:
나머지 공 $(k-1)$개를 상자 $(k-1)$개에 규칙에 따라 넣는 것과 같으므로 이때 경우의 수는 $\boxed{(ㄴ)\ a_{k-1}}$

(i), (ii)에서 $a_k=(k-1)(a_{k-1}+a_{k-2})(k\geq 4)$이므로

$a_4=3(a_2+a_3)=3(1+2)=9$

$a_5=4(a_3+a_4)=4(2+9)=44$

$a_6=5(a_4+a_5)=5(9+44)=$ $\boxed{(ㄷ)\ 265}$

$\therefore$ (ㄱ) 2 (ㄴ) a_{k-1} (ㄷ) 265

이때 (ㄴ)에서 $f(k)=k-1$이므로

$a+f(6)+c=2+5+265=272$

킬러 격파 Tip

주어진 문제를 간단한 수로 바꾸어 생각해 보자. 예를 들면 $n=6$, $p=1$, $q=2$라 하자. 즉 1, 2, 3, 4, 5, 6이 적힌 상자와 공이 각각 하나씩 있을 때, ①을 $\boxed{1}$이 아닌 상자에 넣을 수 있고, 이때 경우의 수는 5

만약 ①을 $\boxed{2}$에 넣는다면 ②를 $\boxed{1}$에 넣는 경우와 $\boxed{1}$에 넣지 않는 경우로 나눌 수 있다.

②를 $\boxed{1}$에 넣는 경우는 결국 1, 2가 적힌 공을 상자를 맞바꿔 넣는 것이고 남은 공 4개를 남은 상자 4개에 규칙대로 넣는 것으로 생각할 수 있으므로 이때 경우의 수는 a_4이다.

②를 $\boxed{1}$에 넣지 않는 경우를 생각해 보자.

이 경우는 "②를 $\boxed{1}$에 넣지 않는다."라는 규칙처럼 생각하면 나머지 공 4개와 함께 "②를 $\boxed{2}$에 넣지 않는다"는 규칙으로 바꿔 생각할 수 있다. 이것은 결국 2, 3, 4, 5, 6이 적힌 공 5개를 주어진 규칙에 따라 아래 그림처럼 1, 3, 4, 5, 6이 적힌 상자에 넣는 경우와 같다. 이때 경우의 수는 a_5다.

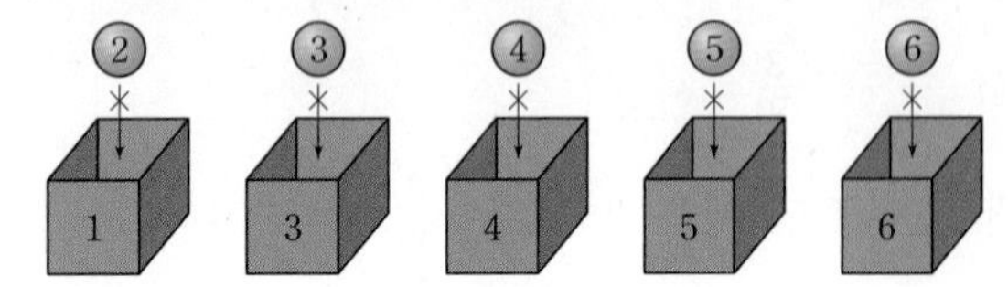

따라서 a_6은 처음 ①이 상자를 선택하는 5가지 경우와 나머지 공과 상자를 넣은 경우의 수를 곱하면 된다.

$\therefore a_6=5(a_4+a_5)$

※ 자기 자신의 것과 짝을 이루지 않도록 모든 원소를 배열하는 경우이므로 완전순열 공식을 직접 이용할 수 있다.
즉 완전순열의 개수 공식인 $a_{n+2}=(n+1)(a_{n+1}+a_n)$
또는 $a_n=n!\left(\frac{1}{0!}-\frac{1}{1!}+\frac{1}{2!}-\frac{1}{3!}+\cdots+\frac{(-1)^n}{n!}\right)$
을 이용하면 $a_2=1,\ a_3=2,\ a_4=9,\ a_5=44,\ a_6=265$

08 답 ①

주사위를 던져 2 이하가 나올 확률은 $\frac{1}{3}$이고, 3 이상이 나올 확률은 $\frac{2}{3}$다.

(i) $X=3$이면 주머니에 무게 2인 추 3개가 들어 있는 경우이므로

$$\mathrm{P}(X=3)=\left(\frac{2}{3}\right)^3=\boxed{(ㄱ)\ \frac{8}{27}}$$

(ii) $X=4$이면 세 번째 시행까지 넣은 추의 총 무게가 4이고, 네 번째 시행에서 무게가 2인 추를 넣는 경우와 세 번째 시행까지 넣은 추의 총 무게가 5인 경우로 나눌 수 있다.

$$\mathrm{P}(X=4)={}_3\mathrm{C}_2\left(\frac{1}{3}\right)^2\left(\frac{2}{3}\right)\times\frac{2}{3}+{}_3\mathrm{C}_1\left(\frac{1}{3}\right)^1\left(\frac{2}{3}\right)^2$$
$$=\boxed{(ㄴ)\ \frac{4}{27}}+\frac{4}{9}=\frac{16}{27}$$

(iii) $X=5$이면 네 번째 시행까지 넣은 추의 총 무게가 4이고 다섯 번째 시행에서 무게가 2인 추를 넣는 경우와 네 번째 시행까지 넣은 추의 총 무게가 5인 경우로 나눌 수 있다.

$$\therefore \mathrm{P}(X=5)={}_4\mathrm{C}_4\left(\frac{1}{3}\right)^4\left(\frac{2}{3}\right)^0\times\frac{2}{3}+{}_4\mathrm{C}_3\left(\frac{1}{3}\right)^3\left(\frac{2}{3}\right)^1$$
$$=\frac{2}{243}+\boxed{(ㄷ)\ \frac{8}{81}}=\frac{26}{243}$$

(iv) $X=6$이면 다섯 번째 시행까지 넣은 추의 총 무게가 5인 경우이므로 $\mathrm{P}(X=6)=\left(\frac{1}{3}\right)^5=\frac{1}{243}$

$\therefore$ (ㄱ) $\frac{8}{27}$ (ㄴ) $\frac{4}{27}$ (ㄷ) $\frac{8}{81}$

따라서 $\frac{ab}{c}=\frac{8}{27}\times\frac{4}{27}\times\frac{81}{8}=\frac{4}{9}$

09 답 ①

꺼낸 빨간 공 개수가 x, 파란 공 개수가 y, 노란 공 개수가 z일 때, A, B, C가 얻은 점수의 합을 각각 $f(\mathrm{A})$, $f(\mathrm{B})$, $f(\mathrm{C})$라 하면

$f(\mathrm{A})=3x+2y+2z$

$f(\mathrm{B})=x+6y+2z$

$f(\mathrm{C})=x+2y+6z$

(단, $0\le x\le 6,\ 0\le y\le 3,\ 0\le z\le 3$)

문제의 조건에서 $f(\mathrm{A})<24$, $f(\mathrm{B})\ge 24$, $f(\mathrm{C})<24$가 되는 x, y, z를 생각해 보자.

일단 $f(\mathrm{B})$가 다른 값보다 크려면 y값이 커야 하고 $f(\mathrm{B})\ge 24$가 되는 y값은 3뿐이다. $\therefore a=3$

$y=3$을 대입하여 정리하면 다음과 같다.

$f(\mathrm{A})=3x+2z+6<24$이므로 $3x+2z<18$

$f(\mathrm{B})=x+2z+18\ge 24$이므로 $x+2z\ge 6$

$f(\mathrm{C})=x+6z+6<24$이므로 $x+6z<18$

에서 $z=0$이면 $x<6$, $x\ge 6$, $x<18$이므로 x가 존재하지 않는다.

$z=1$이면 $x<\frac{16}{3}$, $x\ge 4$, $x<12$이므로 $x=4$ 또는 $x=5$이다. 즉 $(x, y, z)=(4, 3, 1), (5, 3, 1)$

또 $z=2$이면 $x<\frac{14}{3}$, $x\ge 2$, $x<6$이므로 $x=2, 3, 4$

즉 $(x, y, z)=(2, 3, 2), (3, 3, 2), (4, 3, 2)$이다. ($\because a=3$)

이때 (라) 조건에서 $x+z<6$이므로

가능한 순서쌍 (x, y, z)는 $(4, 3, 1), (2, 3, 2), (3, 3, 2)$

(i) $(x, y, z)=(4, 3, 1)$일 확률은

$$\frac{{}_6\mathrm{C}_4\times{}_3\mathrm{C}_3\times{}_3\mathrm{C}_1}{{}_{12}\mathrm{C}_8}=\frac{1}{11}$$

(ii) $(x, y, z)=(2, 3, 2)$일 확률은

$$\frac{{}_6\mathrm{C}_2\times{}_3\mathrm{C}_3\times{}_3\mathrm{C}_2}{{}_{12}\mathrm{C}_7}=\boxed{(ㄱ)\ \frac{5}{88}}$$

(iii) $(x, y, z)=(3, 3, 2)$인 경우는 8번째 시행에서 파란색 공 또는 노란색 공이 나와야 하므로 그 확률은

$$\frac{{}_6\mathrm{C}_3\times{}_3\mathrm{C}_2\times{}_3\mathrm{C}_2}{{}_{12}\mathrm{C}_7}\times\frac{1}{5}+\frac{{}_6\mathrm{C}_3\times{}_3\mathrm{C}_3\times{}_3\mathrm{C}_1}{{}_{12}\mathrm{C}_7}\times\frac{2}{5}$$
$$=\frac{1}{22}+\frac{1}{33}=\boxed{(ㄴ)\ \frac{5}{66}}$$

$\therefore a=3$ (ㄱ) $\frac{5}{88}$ (ㄴ) $\frac{5}{66}$

따라서 $a(p+q)=3\left(\frac{5}{88}+\frac{5}{66}\right)=\frac{35}{88}$

참고

8번째 시행에서 (3, 3, 2)이므로 7번째 시행한 결과는 (3, 2, 2), (3, 3, 1), (2, 3, 2) 중 하나다. (3, 2, 2)일 때는 8번째 시행에서 파란공이 나오면 된다. 또 (3, 3, 1)일 때는 8번째 시행에서 빨간공이 나오면 (i)에서 구한 (4, 3, 1)이 되므로 노란공이 나와야 한다.

그런데 (2, 3, 2)이면 이 결과로 $f(\mathrm{B})=24$이므로 시행을 멈춰야 한다.

즉 (2, 3, 2)에서 (3, 3, 2)가 될 수 없다.

※ $(x, y, z)=(4, 3, 1)$이 되는 경우는 7번째 시행의 결과가 (3, 3, 1), (4, 2, 1), (4, 3, 0)이 되어 세 가지 경우 모두 $f(\mathrm{B})<24$이고, $x+z<6$이다.

즉 7번째 시행으로 시행을 멈추는 경우가 없다.

(ii)도 마찬가지이다.

다만 (iii)은 8번 시행을 한 경우인데, 7번째 시행의 결과로 시행을 멈추는 경우가 있기 때문에 그 경우를 생각해야 한다.

10 답 ④

A는 카드 n장 중에서 k 이하의 수를 뽑을 사건이므로

$\mathrm{P}(A)=\frac{k}{n}$ …… ㉠

또 B는 카드 n장 중에서 짝수를 뽑을 사건이고, 다음과 같이 n이 짝수일 때와 홀수일 때로 나누어 생각한다.

(i) $n=2a$ (a는 자연수)이면

$\mathrm{P}(B)=\frac{a}{n}=\frac{a}{2a}=\frac{1}{2}$ …… ㉡

㉠, ㉡에서 $\mathrm{P}(A)\mathrm{P}(B)=\frac{k}{n}\times\frac{1}{2}=\frac{k}{2n}$

이때 두 사건 A, B가 서로 독립이려면

$\mathrm{P}(A\cap B)=\mathrm{P}(A)\mathrm{P}(B)$를 만족시켜야 한다.

즉 $\mathrm{P}(A\cap B)=\frac{k}{2n}=\frac{\left(\frac{k}{2}\right)}{n}$이므로

$A\cap B$가 되는 경우의 수가 $\boxed{(\text{ㄱ})\ \frac{k}{2}}$이어야 하므로

두 사건 A, B가 서로 독립이면 k는 짝수다.

(ii) $n=2a-1$ (a는 자연수)이면

$\mathrm{P}(B)=\frac{a-1}{n}=\frac{a-1}{2a-1}$ …… ㉢

㉠, ㉢에서 $\mathrm{P}(A)\mathrm{P}(B)=\frac{k}{n}\times\frac{a-1}{2a-1}$

한편 k가 짝수일 때 $\mathrm{P}(A\cap B)=\frac{k}{2n}$이고

두 사건 A, B가 서로 독립이려면

$\mathrm{P}(A\cap B)=\mathrm{P}(A)\mathrm{P}(B)$을 만족시켜야 하는데

$\frac{k}{2n}=\frac{k}{n}\times\frac{a-1}{2a-1}$이 되는 자연수 a는 없다.

또 k가 홀수일 때 $\mathrm{P}(A\cap B)=\frac{\boxed{(\text{ㄴ})\ k-1}}{2n}$이고

$\mathrm{P}(A\cap B)=\mathrm{P}(A)\mathrm{P}(B)$에서 $\frac{k-1}{2n}=\frac{k}{n}\times\frac{a-1}{2a-1}$

즉 $(k-1)(2a-1)=2k(a-1)$에서

$2ak-k-2a+1=2ak-2k$, 이때 $k=2a-1=n$

이므로 $1\le k<n$인 조건에 맞지 않다.

(i), (ii)에 따라 가능한 n과 k는 모두 짝수일 때이다.

이때 $1\le k<n$이므로 가능한 모든 k값의 합은

$$2+4+6+\cdots+(n-2)=\frac{\frac{n-2}{2}\{2+(n-2)\}}{2}$$

$$=\boxed{(\text{ㄷ})\ \frac{n(n-2)}{4}}$$

이므로 모든 k값의 합이 110이려면

$\frac{n(n-2)}{4}=110$, 즉 $n^2-2n-440=0$에서

$(n-22)(n+20)=0$ $\quad\therefore n=\boxed{22}$

$\therefore$ (ㄱ) $\frac{k}{2}$ (ㄴ) $k-1$ (ㄷ) $\frac{n(n-2)}{4}$, $a=22$

즉 $f(k)=\frac{k}{2}$, $g(k)=k-1$, $h(n)=\frac{n(n-2)}{4}$이므로

$f(16)=8$, $g(13)=12$, $h(12)=30$

따라서 $a\times\frac{f(16)}{g(13)}\times h(12)=22\times\frac{8}{12}\times30=440$

11 답 ①

공이 n개 들어 있는 주머니에서 공 3개를 동시에 꺼내는 경우의 수는 ${}_{n}\mathrm{C}_{3}$이고, 최댓값과 최솟값의 합이 $(n+1)$이 되는 경우는 다음과 같다.

(i) n이 짝수인 경우

최댓값과 최솟값의 순서쌍이

$(n, 1), (n-1, 2), \cdots, \left(\frac{n}{2}+2, \frac{n}{2}-1\right)$

이고 각각에 대한 경우의 수가 $n-2, n-4, \cdots, 4, 2$

이므로 n이 짝수일 때, 최댓값과 최솟값의 합이 $(n+1)$인 경우의 수는 $2+4+6+\cdots+(n-2)=\boxed{(\text{ㄱ})\ \frac{n(n-2)}{4}}$

이때 확률이 $\frac{4}{21}$이므로

$$\frac{\frac{n(n-2)}{4}}{\frac{n(n-1)(n-2)}{6}}=\frac{3}{2(n-1)}=\frac{4}{21}$$

에서 짝수인 자연수 n은 존재하지 않는다.

(ii) n이 홀수인 경우

최댓값과 최솟값의 순서쌍이

$(n, 1), (n-1, 2), \cdots, \left(\frac{n+3}{2}, \frac{n-1}{2}\right)$

이고 각각에 대한 경우의 수가 $n-2, n-4, \cdots, 3, 1$

이므로 n이 홀수일 때, 최댓값과 최솟값의 합이 $(n+1)$인 경

우의 수는 $1+3+5+\cdots+(n-2)=$ (ㄴ) $\dfrac{(n-1)^2}{4}$

이때 확률이 $\dfrac{4}{21}$ 이므로

$$\frac{\frac{(n-1)^2}{4}}{\frac{n(n-1)(n-2)}{6}}=\frac{3(n-1)}{2n(n-2)}=\frac{4}{21}$$ 를 정리하면

$(8n-7)(n-9)=0$

n은 홀수이므로 $n=$ (ㄷ) 9

$\therefore$ (ㄱ) $\dfrac{n(n-2)}{4}$ (ㄴ) $\dfrac{(n-1)^2}{4}$ (ㄷ) 9

즉 $f(18)=\dfrac{18\times16}{4}=72$, $g(19)=\dfrac{18^2}{4}=81$, $a=9$

이므로 $\dfrac{a\times f(18)}{g(19)}=8$

참고

❶ $n=10$, 11과 같은 간단한 수를 이용해 최댓값과 최솟값의 합이 $(n+1)$인 경우의 수를 구한다. 예를 들어 $n=10$일 때 최댓값과 최솟값의 순서쌍이 (10, 1)이 되는 것은 (10, □, 1) 꼴이고 □에 올 수 있는 수는 2부터 9까지 $10-2=8$(개)다. 또 최댓값과 최솟값의 순서쌍이 (9, 2)가 되는 것은 (9, □, 2) 꼴이고 □에 올 수 있는 수는 3부터 8까지 6개다.
이렇게 생각하면 짝수인 자연수 n에 대한 경우의 수를 구할 수 있다.
n이 홀수일 때도 마찬가지로 생각한다.

❷ n이 짝수일 때 가운데에 있는 수를 다음과 같이 생각할 수 있다.

$1\quad 2\quad 3\quad \cdots\quad \frac{n}{2}-1\quad \frac{n}{2}\quad \frac{n}{2}+1\quad \frac{n}{2}+2\quad \cdots\quad n-1\quad n$

이때 공 3개를 뽑으므로 최댓값과 최솟값이 순서쌍이 $\left(\frac{n}{2}+1,\ \frac{n}{2}\right)$이 될 수 없다.

❸ n이 홀수일 때 가운데에 있는 수를 다음과 같이 생각할 수 있다.

$1\quad 2\quad 3\quad \cdots\quad \frac{n-3}{2}\quad \frac{n-1}{2}\quad \frac{n+1}{2}\quad \frac{n+3}{2}\quad \cdots\quad n-1\quad n$

12 답 ⑤

카드 n장 중에서 서로 다른 카드 p장을 뽑는 경우의 수는 ${}_n\mathrm{C}_p$이다.
1부터 $(k-1)$까지에서 $(p-1)$개를 택하고 k를 택하면 최댓값이 k이므로 이때 경우의 수는 (ㄱ) ${}_{k-1}\mathrm{C}_{p-1}$ $\times1$

$\therefore \mathrm{P}(X=k)=\dfrac{{}_{k-1}\mathrm{C}_{p-1}}{{}_n\mathrm{C}_p}$

또 $(l+1)$부터 n까지 $(n-l)$개에서 $(p-1)$개를 택하고 l을 택하면 최솟값이 l이므로 이때 경우의 수는 ${}_{n-l}\mathrm{C}_{p-1}$

$\therefore \mathrm{P}(Y=l)=\dfrac{{}_{n-l}\mathrm{C}_{p-1}}{{}_n\mathrm{C}_p}$

즉 $\mathrm{P}(X=k)=\dfrac{{}_{k-1}\mathrm{C}_{p-1}}{{}_n\mathrm{C}_p}$ 이므로

$$\begin{aligned}\mathrm{E}(X)&=\sum_{k=p}^{n}k\mathrm{P}(X=k)\\&=\frac{1}{{}_n\mathrm{C}_p}\sum_{k=p}^{n}(k\times{}_{k-1}\mathrm{C}_{p-1})\\&=\frac{1}{{}_n\mathrm{C}_p}\{p\,{}_{p-1}\mathrm{C}_{p-1}+(p+1)\,{}_p\mathrm{C}_{p-1}+(p+2)\,{}_{p+1}\mathrm{C}_{p-1}+\cdots\\&\qquad\cdots+(n-1)\,{}_{n-2}\mathrm{C}_{p-1}+n\,{}_{n-1}\mathrm{C}_{p-1}\}\end{aligned}$$

또 $\mathrm{P}(Y=l)=\dfrac{{}_{n-l}\mathrm{C}_{p-1}}{{}_n\mathrm{C}_p}$에서 $\mathrm{P}(Y=k)=\dfrac{{}_{n-k}\mathrm{C}_{p-1}}{{}_n\mathrm{C}_p}$이므로

$$\begin{aligned}\mathrm{E}(Y)&=\sum_{k=1}^{n-p+1}k\mathrm{P}(Y=k)\\&=\frac{1}{{}_n\mathrm{C}_p}\sum_{k=1}^{n-p+1}(k\times{}_{n-k}\mathrm{C}_{p-1})\\&=\frac{1}{{}_n\mathrm{C}_p}\{{}_{n-1}\mathrm{C}_{p-1}+2\,{}_{n-2}\mathrm{C}_{p-1}+3\,{}_{n-3}\mathrm{C}_{p-1}+\cdots\\&\qquad\cdots+(n-p)\,{}_p\mathrm{C}_{p-1}+(n-p+1)\,{}_{p-1}\mathrm{C}_{p-1}\}\end{aligned}$$

$\therefore \mathrm{E}(X)+\mathrm{E}(Y)$

$$\begin{aligned}&=\frac{1}{{}_n\mathrm{C}_p}[\{p\,{}_{p-1}\mathrm{C}_{p-1}+(n-p+1)\,{}_{p-1}\mathrm{C}_{p-1}\}\\&\quad+\{(p+1)\,{}_p\mathrm{C}_{p-1}+(n-p)\,{}_p\mathrm{C}_{p-1}\}+\cdots\\&\quad\cdots+\{n\,{}_{n-1}\mathrm{C}_{p-1}+{}_{n-1}\mathrm{C}_{p-1}\}]\\&=\frac{\boxed{(\text{ㄴ})\ (n+1)}\,({}_{p-1}\mathrm{C}_{p-1}+{}_p\mathrm{C}_{p-1}+{}_{p+1}\mathrm{C}_{p-1}+\cdots+{}_{n-1}\mathrm{C}_{p-1})}{{}_n\mathrm{C}_p}\end{aligned}$$

이고, 이항계수의 성질에서

${}_{p-1}\mathrm{C}_{p-1}+{}_p\mathrm{C}_{p-1}+{}_{p+1}\mathrm{C}_{p-1}+\cdots+{}_{n-1}\mathrm{C}_{p-1}={}_n\mathrm{C}_p$

이므로 $\mathrm{E}(X)+\mathrm{E}(Y)=\dfrac{(n+1)\,{}_n\mathrm{C}_p}{{}_n\mathrm{C}_p}=n+1$

$$\begin{aligned}\sum_{n=9}^{18}\frac{1}{f(n)f(n+1)}&=\sum_{n=9}^{18}\frac{1}{(n+1)(n+2)}\\&=\sum_{n=9}^{18}\left(\frac{1}{n+1}-\frac{1}{n+2}\right)\\&=\frac{1}{10}-\frac{1}{20}=\boxed{(\text{ㄷ})\ \frac{1}{20}}\end{aligned}$$

$\therefore$ (ㄱ) ${}_{k-1}\mathrm{C}_{p-1}$ (ㄴ) $n+1$ (ㄷ) $\dfrac{1}{20}$

즉 $g(k,p)={}_{k-1}\mathrm{C}_{p-1}$, $h(n)=n+1$, $a=\dfrac{1}{20}$ 이므로

$g(7,5)=15$, $h(11)=12$

$\therefore a\times g(7,5)\times h(11)=\dfrac{1}{20}\times15\times12=9$

13 답 ②

(나)에서 합성함수 $f\circ f$의 치역의 원소 중 짝수가 1개이므로 $f\circ f$의 치역의 원소 중 짝수가 2뿐이라고 하자. 이때 짝수 2, 4의 조건이 특별하므로 f의 치역에 2와 4를 모두 포함하는 경우와 2만 포함하는 경우로 나눈다.

(ⅰ) f의 치역이 {1, 2, 3, 4}, {1, 2, 4, 5}, {2, 3, 4, 5} 중 하나인 경우

세 가지 경우에서 함수의 개수는 같으므로 다음과 같은 f의 치역이 {1, 2, 3, 4}일 때의 한 예를 생각해 보자.

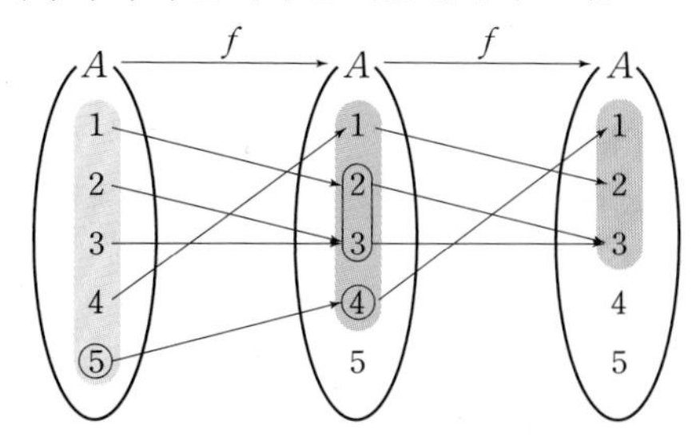

함수 f의 치역의 원소인 4가 $f\circ f$의 치역이 되지 않으려면 위 그림처럼 치역의 원소 4에 대응하는 정의역의 원소는 5뿐이어야 한다. 즉 $f(5)=$ (ㄱ) 4 이고, 나머지 정의역의 원소 1, 2, 3, 4를 세 개의 조로 나누어 공역의 원소 1, 2, 3에 하나씩 대응시키면 된다.

정의역의 원소 1, 2, 3, 4 중 2개를 뽑아 하나의 조로 만들고, 남은 원소 2개를 각각 하나의 조로 만드는 경우는 $_4C_2$(가지)이고, 세 개의 조를 치역의 원소 1, 2, 3에 하나씩 대응시키는 경우는 $3!$(가지)다.

즉 함수 f의 치역이 {1, 2, 3, 4}일 때, ㈏를 만족시키는 함수 f의 개수는 $_4C_2\times3!=36$

치역이 {1, 2, 4, 5}, {2, 3, 4, 5}일 때도 마찬가지이므로 구하려는 함수 f의 개수는 $3\times$ (ㄴ) 36

(ⅱ) f의 치역이 {1, 2, 3, 5}인 경우 다음과 같은 예를 생각해 보자.

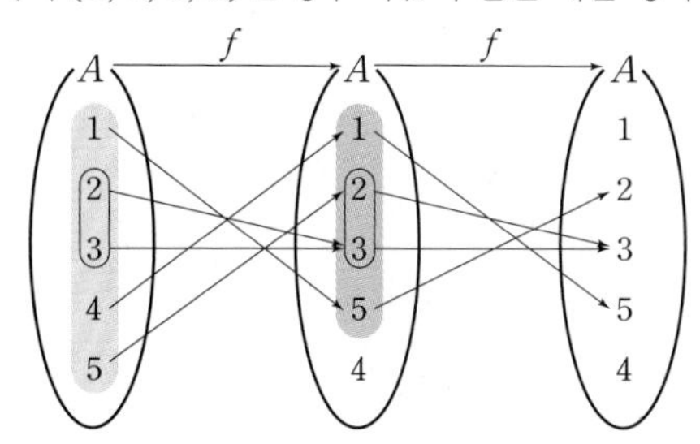

4는 함수 f의 치역에 속하지 않으므로 $f\circ f$의 치역에도 속하지 않는다. 함수 f의 치역이 {1, 2, 3, 5}인 경우는 정의역의 원소 1, 2, 3, 4, 5를 네 개의 조로 나누어 치역의 원소 1, 2, 3, 5에 대응시키면 된다.

정의역의 원소 1, 2, 3, 4, 5 중 2개를 뽑아 하나의 조로 만들고, 남은 원소 3개를 각각 하나의 조로 만드는 경우는 $_5C_2$(가지)이고, 네 개의 조를 치역의 원소 1, 2, 3, 5에 하나씩 대응시키는 $4!$(가지)를 생각하면 f의 치역이 {1, 2, 3, 5}일 때, ㈏를 만족시키는 함수 f의 개수는 $_5C_2\times4!=240$

그런데 이 경우에는 다음과 같이 2가 함수 f의 치역의 원소는 되지만 합성함수 $f\circ f$의 치역의 원소가 되지 않는 경우가 있으므로 이를 제외해야 한다.

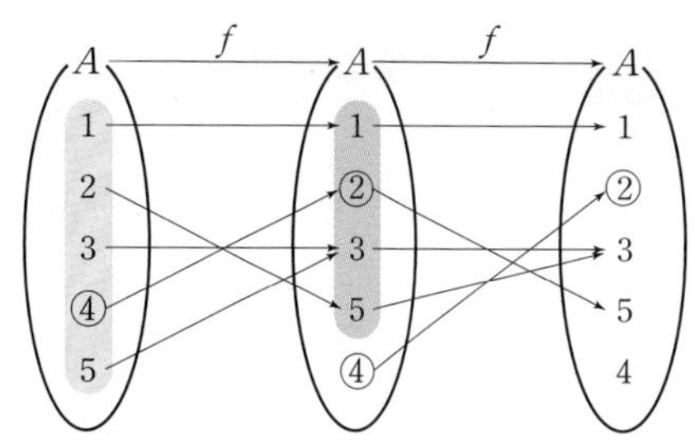

위 그림처럼 치역의 원소 2에 대응하는 정의역의 원소가 4뿐이면 2는 함수 f의 치역의 원소는 되지만 $f\circ f$의 치역의 원소가 되지 않는다. 즉 $f(4)=2$이고, 나머지 정의역의 원소 1, 2, 3, 5를 세 개의 조로 나누어 공역의 원소 1, 3, 5에 하나씩 대응하는 경우를 제외하면 된다. 이때 경우의 수는 $_4C_2\times3!=36$이므로 f의 치역이 {1, 2, 3, 5}이면서 ㈏를 만족시키는 함수 f의 개수는

$_5C_2\times4!-{}_4C_2\times3!=240-36=$ (ㄷ) 204

(ⅰ), (ⅱ)에서 $f\circ f$의 치역의 원소 중 짝수가 2뿐인 경우는 함수 f의 개수가 $3\times36+204=312$

$f\circ f$의 치역의 원소 중 짝수가 4뿐인 경우도 마찬가지이므로 구하려는 함수 f의 개수는 $2\times312=$ (ㄹ) 624 이다.

따라서 $p=4$, $q=36$, $r=204$, $s=624$이므로

$p+q+r+s=4+36+204+624=868$

참고

❶ (ⅰ)은 함수 f의 치역에 짝수가 2개 포함된 경우이고, (ⅱ)는 짝수가 1개 포함된 경우다. 또 (ⅰ)에서 예로 든 경우는 {1, 2, 3, 4}에서 {1, 2, 3}으로의 함수의 개수를 구하는 것과 같고 (ⅱ)에서 예로 든 경우는 {1, 2, 3, 4, 5}에서 {1, 2, 3, 5}로의 함수의 개수를 구하는 것과 같다. 다만 풀이와 같이 $f\circ f$의 치역에서 홀수만 생기는 경우를 생각해야 한다.

❷ $f\circ f$의 치역의 원소 중 짝수가 4뿐인 경우는 위 풀이와 같은 방법으로 (ⅰ)을 생각할 수 있다. 이때 (ⅱ)는 f의 치역이 {1, 3, 4, 5}인 경우에서 생각한다.

유형 12 조건부확률

p. 115~124

01 ③	02-1 ⑤	02-2 60	03-1 48
03-2 102	04 ⑤	05 ①	06 ③
07 110	08 ②	09 ③	10 101
11 7	12 ⑤	13 ②	14 ⑤
15 ⑤			

01 답 ③

주어진 시행은 동전을 던져 나온 결과에 따라 x축 또는 y축의 양의 방향으로 항상 1만큼 이동해야 한다.

따라서 y좌표가 처음으로 3이 되는 경우는 y좌표가 2인 점에 있다가 그 다음 시행에서 동전 뒷면이 나올 때이므로 다음과 같이 세 가지의 경우로 나눌 수 있다.

(i) 점 A가 $(0, 2)$에 있는 경우 ⇨ $\mathrm{A}(0, 3)$

(ii) 점 A가 $(1, 2)$에 있는 경우 ⇨ $\mathrm{A}(1, 3)$

(iii) 점 A가 $(2, 2)$에 있는 경우 ⇨ $\mathrm{A}(2, 3)$

이 세 가지 경우 각각의 확률을 구하면 다음과 같다.

(i) 점 A가 $(0, 2)$에 있고, 동전 뒷면이 나오는 경우

점 A가 $(0, 2)$에 있을 확률은 ${}_2\mathrm{C}_2\left(\frac{1}{2}\right)^2$이고, 다시 뒷면이 나올 확률은 $\frac{1}{2}$이므로 이때 확률은 ${}_2\mathrm{C}_2\left(\frac{1}{2}\right)^2\times\frac{1}{2}=\frac{1}{8}$

(ii) 점 A가 $(1, 2)$에 있고, 동전 뒷면이 나오는 경우

점 A가 $(1, 2)$에 있을 확률은 ${}_3\mathrm{C}_2\left(\frac{1}{2}\right)^2\left(\frac{1}{2}\right)$이고, 다시 뒷면이 나올 확률은 $\frac{1}{2}$이므로 이때 확률은 ${}_3\mathrm{C}_2\left(\frac{1}{2}\right)^3\times\frac{1}{2}=\frac{3}{16}$

(iii) 점 A가 $(2, 2)$에 있고, 동전 뒷면이 나오는 경우

점 A가 $(2, 2)$에 있을 확률은 ${}_4\mathrm{C}_2\left(\frac{1}{2}\right)^2\left(\frac{1}{2}\right)^2$이고, 다시 뒷면이 나올 확률은 $\frac{1}{2}$이므로 이때 확률은

${}_4\mathrm{C}_2\left(\frac{1}{2}\right)^4\times\frac{1}{2}=\frac{6}{32}=\frac{3}{16}$

위 세 가지 경우 중 점 A의 x좌표가 1인 것은 (ii)뿐이므로

구하려는 확률은 $\dfrac{\frac{3}{16}}{\frac{1}{8}+\frac{3}{16}+\frac{3}{16}}=\dfrac{\frac{3}{16}}{\frac{1}{2}}=\frac{3}{8}$

02-1 답 ⑤

8개의 공이 들어 있는 주머니에서 임의로 3개의 공을 동시에 꺼내는 경우의 수는 ${}_8\mathrm{C}_3=56$이고, $a+b+c$가 짝수인 사건을 A, a가 홀수인 사건을 B라 하면 사건 A는 a, b, c 모두 짝수이거나 하나만 짝수인 사건이다.

세 수 a, b, c가 모두 짝수인 경우의 수는 ${}_4\mathrm{C}_3=4$,

a, b, c 중 하나만 짝수인 경우의 수는 ${}_4\mathrm{C}_1\times{}_4\mathrm{C}_2=24$

$P(A)=\frac{4+24}{56}=$ ❶ $\frac{1}{2}$

사건 $A\cap B$는 $a+b+c$가 짝수이면서 a가 1, 3, 5 중 하나인 사건이다.

(i) $a=1$인 경우

$b+c$가 홀수가 되어야 하므로 b, c는 1보다 큰 홀수 하나와 짝수 하나여야 한다. $\therefore {}_3\mathrm{C}_1\times{}_4\mathrm{C}_1=$ ❷ 12

(ii) $a=3$인 경우

$b+c$가 홀수가 되어야 하므로 b, c는 3보다 큰 홀수 하나와 짝수 하나여야 한다. $\therefore {}_2\mathrm{C}_1\times{}_3\mathrm{C}_1=$ ❸ 6

(iii) $a=5$인 경우

$b+c$가 홀수가 되어야 하므로 b, c는 5보다 큰 홀수 하나와 짝수 하나여야 한다. $\therefore {}_1\mathrm{C}_1\times{}_2\mathrm{C}_1=$ ❹ 2

(i), (ii), (iii)에서 구하려는 순서쌍 개수는 $12+6+2=20$

$\mathrm{P}(A\cap B)=\frac{20}{56}=\frac{5}{14}$

따라서 $\mathrm{P}(B|A)=\dfrac{\mathrm{P}(A\cap B)}{\mathrm{P}(A)}=\dfrac{\frac{5}{14}}{\frac{1}{2}}=\frac{5}{7}$

02-2 답 60

7개의 공이 들어 있는 주머니에서 임의로 3개의 공을 동시에 꺼내는 경우의 수는 ${}_7\mathrm{C}_3=35$이고, $a+b+c$가 홀수인 사건을 A, a가 홀수인 사건을 B라 하면 사건 A는 a, b, c 모두 홀수이거나 하나만 홀수인 사건이다.

세 수 a, b, c가 모두 홀수인 경우의 수는 ${}_4\mathrm{C}_3=4$,

a, b, c 중 하나만 홀수인 경우의 수는 ${}_4\mathrm{C}_1\times{}_3\mathrm{C}_2=12$

$\mathrm{P}(A)=\frac{4+12}{35}=$ ❶ $\frac{16}{35}$

사건 $A\cap B$는 $a+b+c$가 홀수이면서 a가 1, 3, 5 중 하나인 사건이다.

(i) $a=1$인 경우

$b+c$가 짝수가 되어야 하므로 b, c는 모두 1보다 큰 짝수이거나 1보다 큰 홀수이어야 한다. $\therefore {}_3\mathrm{C}_2+{}_3\mathrm{C}_2=$ ❷ 6

(ii) $a=3$인 경우

$b+c$가 짝수가 되어야 하므로 b, c 모두 3보다 큰 짝수이거나 3보다 큰 홀수이어야 한다. $\therefore {}_2\mathrm{C}_2+{}_2\mathrm{C}_2=$ ❸ 2

(iii) $a=5$인 경우

$b+c$가 짝수가 되어야 하는데, 남은 수가 6, 7뿐이므로 $a+b+c$가 홀수가 될 수 없다.

(i), (ii), (iii)에서 $\mathrm{P}(A\cap B)=\frac{6+2}{35}=\frac{8}{35}$이므로

$$\mathrm{P}(B|A)=\frac{\mathrm{P}(A\cap B)}{\mathrm{P}(A)}=\frac{\frac{8}{35}}{\frac{16}{35}}=\frac{1}{2}$$

따라서 $120p=120\times\frac{1}{2}=60$

03-1 답 48

$n=3k$ 또는 $n=3k+1$ 또는 $3k+2$ (k는 자연수)인 경우로 나누어 생각한다.

(i) $n=3k$ (k는 자연수)일 때,

b가 3의 배수인 경우는 $3, 6, 9, 12, \cdots, 3k$이다.

집합 A의 조건에 따라 $1\le a\le b$이므로

$b=3m$일 때, $1\le a\le 3m$이고

이때 가능한 순서쌍 (a, b)의 개수는 $3m$개이므로

가능한 전체 순서쌍 (a, b)의 개수는

$3+6+9+\cdots+3k=\sum_{m=1}^{k}3m=$ ❶ $\frac{3k(k+1)}{2}$

이고 b가 3의 배수이면서 $a=b$인 순서쌍 (a, b)는

$(3, 3), (6, 6), (9, 9), \cdots, (3k, 3k)$이므로 ❷ k 개다.

즉 b가 3의 배수일 때, $a=b$일 확률은

$\frac{k}{\frac{3k(k+1)}{2}}=\frac{2}{3(k+1)}=\frac{1}{9}$에서 $k=5$

$\therefore n=3k=15$

(ii) $n=3k+1$ (k는 자연수)일 때와

(iii) $n=3k+2$ (k는 자연수)일 때도

$n=3k$일 때와 똑같이 적용된다.

즉 $k=5$이므로 자연수 n의 값은 각각 16, 17

(i)~(iii)에서 b가 3의 배수일 때,

$a=b$일 확률이 $\frac{1}{9}$이 되는 자연수 n의 값은 15, 16, 17이므로

구하려는 값은 $15+16+17=48$

03-2 답 102

$n=4k$ 또는 $n=4k+1$ 또는 $n=4k+2$ 또는 $n=4k+3$ (k는 자연수) 인 경우로 나누어 생각한다.

(i) $n=4k$ (k는 자연수)일 때,

b가 4의 배수인 경우는 $4, 8, 12, 16, \cdots, 4k$이다.

집합 A의 조건에 따라 $1<a\le b$이므로

$b=4m$일 때, $1<a\le 4m$이고

이때 가능한 순서쌍 (a, b)의 개수는 $(4m-1)$개이므로

가능한 전체 순서쌍 (a, b)의 개수는

$3+7+11+\cdots+(4k-1)=\sum_{m=1}^{k}(4m-1)=$ ❶ $2k^2+k$

이고, b가 4의 배수이면서 $a=b$인 순서쌍 (a, b)는

$(4, 4), (8, 8), (12, 12), \cdots, (4k, 4k)$이므로 ❷ k 개다.

즉 b가 4의 배수일 때, $a=b$일 확률은

$\frac{k}{k(2k+1)}=\frac{1}{2k+1}=\frac{1}{13}$에서 $k=6$

$\therefore n=4k=24$

(ii) $n=4k+1$ (k는 자연수)일 때와

(iii) $n=4k+2$ (k는 자연수)일 때와

(iv) $n=4k+3$ (k는 자연수)일 때도

$n=4k$일 때와 똑같이 적용된다.

즉 $k=6$이므로 자연수 n의 값은 각각 25, 26, 27

(i)~(iv)에서 b가 4의 배수일 때,

$a=b$일 확률이 $\frac{1}{13}$이 되는 자연수 n의 값은 24, 25, 26, 27이므로

구하려는 값은 $24+25+26+27=102$

04 답 ⑤

한 개의 주사위를 네 번 던질 때 나오는 눈의 수의 곱이 36인 사건을 A, 눈의 수의 합이 짝수인 사건을 B라 하자.

$a\times b\times c\times d=2^2\times 3^2$이므로 a, b, c, d가 될 수 있는 네 수는

6, 6, 1, 1 또는 4, 3, 3, 1 또는 6, 3, 2, 1 또는 3, 3, 2, 2다.

즉 사건 A의 경우의 수는

$\frac{4!}{2!2!}+\frac{4!}{2!}+4!+\frac{4!}{2!2!}=6+12+24+6=48$

$\therefore \mathrm{P}(A)=$ ❶ $\frac{48}{6^4}$

또 이중에서 a, b, c, d의 합이 짝수가 되는 경우는

6, 6, 1, 1 또는 6, 3, 2, 1 또는 3, 3, 2, 2일 때다.

즉 사건 $A\cap B$의 경우의 수는

$\frac{4!}{2!2!}+4!+\frac{4!}{2!2!}=6+24+6=36$

$\therefore \mathrm{P}(A\cap B)=$ ❷ $\frac{36}{6^4}$

$$\therefore \mathrm{P}(B|A)=\frac{\mathrm{P}(A\cap B)}{\mathrm{P}(A)}=\frac{\frac{36}{6^4}}{\frac{48}{6^4}}=\frac{36}{48}=\frac{3}{4}$$

05 답 ①

목격자가 범인은 동양인이라고 진술하는 사건을 A,

실제 범인이 동양인일 사건을 B라 하면

사건 A가 일어나는 경우는 다음 세 가지로 나눌 수 있다.

(i) 범인이 백인인데 동양인으로 판단한 경우 ⇨ 0.8×0.1

(ii) 범인이 흑인인데 동양인으로 판단한 경우 ⇨ 0.1×0.1

(iii) 범인이 동양인이고 옳게 판단한 경우 ⇨ 0.1×0.9

$\therefore \mathrm{P}(A)=0.8\times0.1+0.1\times0.1+0.1\times0.9=$ ❶ 0.18

이때 실제 범인이 동양인일 확률은

$P(A \cap B)=0.1 \times 0.9=$ ❷ 0.09

$\therefore P(B|A)=\frac{P(A \cap B)}{P(A)}=\frac{0.09}{0.18}=\frac{1}{2}$

06 답 ③

상자 A를 택하는 사건을 A, 상자 B를 택하는 사건을 B라 하고, 흰공 1개, 검은공이 1개 나오는 사건을 M이라 하자.

사건 M은 상자 A를 택하고 공 2개를 꺼내 흰공 1개, 검은공 1개가 나오는 경우와 상자 B를 택하고 공 2개를 꺼내 흰공 1개, 검은공 1개가 나오는 경우로 나누어진다. 즉

$p_1=P(M)=P(A \cap M)+P(B \cap M)$

$=\frac{1}{2} \times \frac{{}_2C_1 \times {}_4C_1}{{}_6C_2}+\frac{1}{2} \times \frac{{}_3C_1 \times {}_2C_1}{{}_5C_2}=\frac{4}{15}+\frac{3}{10}=$ ❶ $\frac{17}{30}$

또 p_2는 조건부확률 $P(A|M)$이므로

$p_2=P(A|M)=\frac{P(A \cap M)}{P(M)}=\frac{\frac{4}{15}}{\frac{17}{30}}=$ ❷ $\frac{8}{17}$

$\therefore p_1+p_2=\frac{17}{30}+\frac{8}{17}=\frac{289+240}{510}=\frac{529}{510}$

따라서 $b-a=529-510=19$

07 답 110

(가)에서 남학생의 1학년, 2학년, 3학년의 학년별 이용자 수의 비가 3 : 6 : 8이므로 학년별 남학생 수를 각각 $3a$, $6a$, $8a$라 하자.

(다)에서 전체 1학년 학생은 $700 \times \frac{8}{35}=160$(명)이므로

1학년 여학생 수는 $(160-3a)$다.

또 (나)에서 2학년과 3학년 학생은 각각 $\frac{700-160}{2}=270$(명)

이므로 2학년 여학생은 $(270-6a)$명이고, 3학년 여학생은 $(270-8a)$명이다. 즉 학년 별 남녀 학생 수는 다음과 같다.

구분	1학년	2학년	3학년	계
남학생	$3a$	$6a$	$8a$	$17a$
여학생	$160-3a$	$270-6a$	$270-8a$	$700-17a$

임의로 선택한 한 명이 남학생일 때, 이 학생이 1학년일 확률 p_1은

$p_1=\frac{3a}{17a}=$ ❶ $\frac{3}{17}$

임의로 선택한 한 명이 여학생일 때, 이 학생이 2학년일 확률 p_2는

$p_2=$ ❷ $\frac{270-6a}{700-17a}$

이때 조건에서 p_1은 p_2의 $\frac{36}{85}$ 배라 했으므로

$\frac{3}{17}=\frac{36}{85} \times \frac{270-6a}{700-17a}$

이 등식을 정리한 $\frac{270-6a}{700-17a}=\frac{5}{12}$

에서 $12(270-6a)=5(700-17a)$ $\therefore a=20$

따라서 도서관 이용자 중 3학년 여학생 수는

$270-8a=270-160=110$

08 답 ②

A가 스위치 3개를 누른 다음 B가 스위치 3개를 누르게 되면 다음 4가지 경우가 나온다.

(i) A가 누른 것을 제외한 나머지 다른 스위치를 B가 누를 경우, 켜진 전구는 6개다.

(ii) B가 A가 누른 스위치 중 한 개만 누르고 나머지 다른 스위치 2개를 눌렀을 경우, 켜진 전구는 4개다.

(iii) B가 A가 누른 스위치 중 두 개를 누르고 나머지 다른 스위치 1개를 눌렀을 경우, 켜진 전구는 2개다.

(iv) A가 누른 스위치 3개를 B가 모두 다 눌렀을 경우, 켜진 전구는 0개다.

전구 4개가 켜지는 사건을 M, A가 처음으로 누른 스위치를 B도 맨 처음에 누르는 사건을 N이라 하자.

이때 $P(M)=\frac{{}_3C_1 \times {}_5C_2}{{}_8C_3}=\frac{3 \times 10}{56}=$ ❶ $\frac{15}{28}$

또 사건 $M \cap N$이 일어나려면 A가 처음으로 누른 스위치를 B도 처음으로 누르고, 두 번째와 세 번째 모두 A가 누르지 않은 스위치 5개 중에서 하나씩 택해 눌러야 하므로

$P(M \cap N)=\frac{1}{8} \times \frac{{}_5C_2}{{}_7C_2}=\frac{1}{8} \times \frac{10}{21}=$ ❷ $\frac{5}{84}$

따라서 구하려는 확률은

$P(N|M)=\frac{P(M \cap N)}{P(M)}=\frac{\frac{5}{84}}{\frac{15}{28}}=\frac{1}{9}$

참고

A가 어떤 스위치를 골라 3개를 골라 누르는 것은 구하는 확률에 영향을 미치지 않으므로

$P(M)=\frac{{}_8C_3 \times {}_3C_1 \times {}_5C_2}{{}_8C_3 \times {}_8C_3}=\frac{{}_3C_1 \times {}_5C_2}{{}_8C_3}=\frac{15}{28}$

또 8개의 스위치 중 특정 스위치 3개를 골라 누르는 경우, 누르는 순서는 중요하지 않으므로 주머니에서 공을 뽑을 확률과 같다.

예를 들어 1, 2, 3, 4, 5로 표시한 스위치 5개가 있고 이중 1, 2로 표시된 스위치를 뽑아 누른다고 할 때 다음 두 가지 방법으로 확률을 계산할 수 있다.

(i) 처음에 1을 누르고 난 다음에 2를 누르는 경우와 처음에 2를 누른 다음 1을 누를 확률은 $\frac{1}{5} \times \frac{1}{4}+\frac{1}{5} \times \frac{1}{4}=\frac{1}{10}$

(ii) 1, 2, 3, 4, 5로 표시한 스위치 5개 중에서 1, 2로 표시된 스위치를 뽑아 누를 확률은 $\frac{1}{{}_5C_2}=\frac{1}{10}$

09 답 ③

네 상자 중 공이 1개 들어 있는 상자가 있는 경우를 다음 세 가지 경우로 나누어 생각할 수 있다.

(i) 서로 다른 상자 네 개에 넣은 공 개수가 3, 1, 0, 0인 경우

서로 다른 공 4개를 3개, 1개로 나누는 경우의 수는

${}_4C_3\times{}_1C_1=4$

3, 1, 0, 0을 일렬로 나열하는 경우의 수는 $\frac{4!}{2!}=12$

즉 서로 다른 공 4개를 서로 다른 상자 4개에 넣은 공 개수가 3, 1, 0, 0인 경우의 수는 $4\times12=$ ❶ 48

(ii) 서로 다른 상자 네 개에 넣은 공 개수가 2, 1, 1, 0인 경우

서로 다른 공 4개를 2개, 1개, 1개로 나누는 경우의 수는

${}_4C_2\times{}_2C_1\times{}_1C_1=12$

2, 1, 1, 0을 일렬로 나열하는 경우의 수는 $\frac{4!}{2!}=12$

즉 서로 다른 공 4개를 서로 다른 상자 4개에 넣은 공 개수가 2, 1, 1, 0인 경우의 수는 $12\times12=$ ❷ 144

(iii) 서로 다른 상자 네 개에 넣은 공 개수가 1, 1, 1, 1인 경우

서로 다른 공 4개를 서로 다른 상자 4개에 넣은 공 개수가 1, 1, 1, 1인 경우의 수는 $4!=$ ❸ 24

(i), (ii), (iii)에서 공이 1개 들어 있는 상자가 있는 경우의 수는

$48+144+24=216$

이때 공이 2개 들어 있는 상자가 있는 경우의 수는

(ii)에서 144이므로 구하려는 확률은 $\frac{144}{216}=\frac{2}{3}$

10 답 101

A가 적힌 카드 3장, B가 적힌 카드 2장, C가 적힌 카드 2장, 이렇게 세 종류의 카드 7장을 적어도 한 종류의 카드 2장 이상이 이웃하도록 배열하는 사건을 M, A가 적힌 카드 3장이 이웃하는 사건을 N이라 하자. 세 종류의 카드 7장을 배열하는 전체 경우의 수는

$\frac{7!}{3!2!2!}=210$

이때 M^C은 같은 종류의 카드가 이웃하지 않도록 배열하는 것이므로 B, B, C, C를 먼저 배열한 다음, 배열된 카드 사이 또는 양 끝에 같은 종류의 카드가 이웃하지 않도록 A, A, A를 배열하면 된다.

B, B, C, C를 배열하는 경우를 다음과 같이 나눌 수 있다.

(i) B, B, C, C 또는 C, C, B, B인 경우

B, B 사이와 C, C 사이에 A를 1장씩 넣은 다음, 남은 1장의 A를 양 끝 또는 B와 C 사이에 넣으면 되므로 이때 경우의 수는 $2\times{}_3C_1=6$

(ii) B, C, C, B 또는 C, B, B, C인 경우

C, C 사이와 B, B 사이에 A를 1장 넣은 다음, 남은 2장의 A를 양 끝 또는 B와 C 사이, 즉 모두 네 곳 중 두 곳에 넣으면 되므로 이때 경우의 수는 $2\times{}_4C_2=12$

(iii) B, C, B, C 또는 C, B, C, B인 경우

3장의 A를 양 끝 또는 B와 C 사이, 즉 모두 다섯 곳 중 세 곳에 넣으면 되므로 이때 경우의 수는 $2\times{}_5C_3=20$

따라서 사건 M이 일어날 확률은

$\mathrm{P}(M)=1-\frac{6+12+20}{210}=$ ❶ $\frac{172}{210}$

또 A, B, C 세 종류의 카드 7장을 배열할 때 A가 적힌 카드 3장이 이웃하는 사건은 적어도 한 종류의 카드는 2장 이상 이웃하는 것도 만족하므로 사건 $M\cap N$은 사건 N과 같다.

사건 N이 일어나는 경우의 수는 A, A, A 카드를 한 묶음으로 보고 배열하는 것으로 생각할 수 있으므로 $\frac{5!}{2!2!}=30$

즉 $\mathrm{P}(M\cap N)=$ ❷ $\frac{30}{210}$

$\therefore \mathrm{P}(N|M)=\frac{\mathrm{P}(M\cap N)}{\mathrm{P}(M)}=\frac{\frac{30}{210}}{\frac{172}{210}}=\frac{30}{172}=\frac{15}{86}$

따라서 $p+q=86+15=101$

11 답 7

주사위 한 개를 던져서 나오는 눈의 수가 6의 약수일 사건, 즉 가장 작은 수가 적힌 카드 1장을 뒤집을 사건을 A라 하면

$A=\{1, 2, 3, 6\}$이므로 $\mathrm{P}(A)=\frac{4}{6}=\frac{2}{3}$

또 주사위 한 개를 던져서 나오는 눈의 수가 6의 약수가 아닐 사건, 즉 가장 작은 수가 적힌 카드부터 차례로 2장을 뒤집는 사건을 B라 하면 $B=\{4, 5\}$이므로 $\mathrm{P}(B)=\frac{2}{6}=\frac{1}{3}$

3번째 시행에서 4가 적힌 카드가 뒤집어질 사건을 M이라 하고, 2번째 시행에서 3이 적힌 카드가 뒤집어질 사건을 N이라 하자.

이때 사건 M이 일어나는 경우는 다음과 같다.

(i) AAB 또는 ABA 또는 BAA인 경우

이때 확률은 $3\left(\frac{2}{3}\times\frac{2}{3}\times\frac{1}{3}\right)=\frac{4}{9}$

(ii) ABB 또는 BAB인 경우

이때 확률은 $2\left(\frac{2}{3}\times\frac{1}{3}\times\frac{1}{3}\right)=\frac{4}{27}$

(i), (ii)에서 $\mathrm{P}(M)=\frac{4}{9}+\frac{4}{27}=\frac{12}{27}+\frac{4}{27}=$ ❶ $\frac{16}{27}$

이중에서 사건 $M\cap N$이 일어나는 경우는 사건 M 중 AAB를 제외한 나머지 모두이므로

$P(M\cap N)=\frac{16}{27}-\frac{2}{3}\times\frac{2}{3}\times\frac{1}{3}=$ ❷ $\underline{\frac{12}{27}}$

$$\therefore P(N|M)=\frac{P(M\cap N)}{P(M)}=\frac{\frac{12}{27}}{\frac{16}{27}}=\frac{12}{16}=\frac{3}{4}$$

따라서 $p=4$, $q=3$이므로 $p+q=7$

12 답 ⑤

주어진 $f(n)$의 식에 n 대신 1, 2, ⋯, 6을 대입해 보면

$f(1)=f(3)=f(5)=1$이고, $f(2)=f(4)=f(6)=2$이므로

$f(n)=1$ 또는 $f(n)=2$이고 각각의 값을 가질 확률은 $\frac{1}{2}$이다.

이때 홀수인 눈이 나온 횟수를 x라 하면 5번 던졌으므로 짝수인 눈이 나오는 횟수는 $(5-x)$다.

즉 $k=f(n_1)+f(n_2)+f(n_3)+f(n_4)+f(n_5)$에서

$k=x+2(5-x)=10-x$ ⋯⋯ ㉠

$0\le x\le 5$이므로 $5\le k\le 10$이고, k가 짝수가 되는 경우는

$k=6$ 또는 $k=8$ 또는 $k=10$

㉠에서 이때 x값은 차례로 4, 2, 0

k가 짝수인 사건을 A, k가 8인 사건을 B라 하면

$$P(A)=P(x=0)+P(x=2)+P(x=4)$$
$$={}_5C_0\left(\frac{1}{2}\right)^0\left(\frac{1}{2}\right)^5+{}_5C_2\left(\frac{1}{2}\right)^2\left(\frac{1}{2}\right)^3+{}_5C_4\left(\frac{1}{2}\right)^4\left(\frac{1}{2}\right)^1$$
$$=({}_5C_0+{}_5C_2+{}_5C_4)\left(\frac{1}{2}\right)^5=\text{❶ }\underline{\frac{1}{2}}$$

$$P(A\cap B)=P(B)=P(x=2)$$
$$={}_5C_2\left(\frac{1}{2}\right)^2\left(\frac{1}{2}\right)^3={}_5C_2\left(\frac{1}{2}\right)^5=\text{❷ }\underline{\frac{5}{16}}$$

$$\therefore P(B|A)=\frac{P(A\cap B)}{P(A)}=\frac{5}{8}$$

따라서 $p+q=13$

참고

$f(n)=3n+2(-1)^n-6\left[\frac{n}{2}\right]=3\left(n-2\left[\frac{n}{2}\right]\right)+2(-1)^n$

에서 $n-2\left[\frac{n}{2}\right]$은 n을 2로 나눈 나머지이므로 n이 홀수일 때는 1이고, 짝수일 때는 0이다.

또 $(-1)^n$도 n이 홀수일 때 -1이고, 짝수일 때 1이다.

따라서 $f(n)$은 n이 홀수일 때는 1이고, 짝수일 때는 2이다.

13 답 ②

$\overline{AB}=6$이므로 삼각형 ABC의 높이를 h라 하면

삼각형 ABC의 넓이 S는 $S=3h<12$에서 $h<4$

$\overline{AB}$가 y축 위에 있으므로 $h=\left|m\cos\frac{n\pi}{3}\right|$

$\left|m\cos\frac{n\pi}{3}\right|<4$인 m, n의 순서쌍 (m, n)은 다음과 같다.

① $m=1$일 때: $n=1, 2, \cdots, 6$

② $m=2$일 때: $n=1, 2, \cdots, 6$

③ $m=3$일 때: $n=1, 2, \cdots, 6$

④ $m=4$일 때: $n=1, 2, 4, 5$

⑤ $m=5$일 때: $n=1, 2, 4, 5$

⑥ $m=6$일 때: $n=1, 2, 4, 5$

즉 삼각형 ABC의 넓이가 12보다 작을 조건을 만족시키는 m, n의 순서쌍 (m, n)의 개수는 $6+6+6+4+4+4=30$

또 $n=2$일 때 점 C가 제2사분면에 있으므로 이 경우 m, n의 순서쌍 (m, n)의 개수는 6

그러므로 삼각형 ABC의 넓이가 12보다 작을 사건을 M, 점 C가 제2사분면에 있는 사건을 N이라 하면

$P(M)=\frac{30}{36}=$ ❶ $\underline{\frac{5}{6}}$, $P(M\cap N)=\frac{6}{36}=$ ❷ $\underline{\frac{1}{6}}$

$$\therefore P(N|M)=\frac{P(M\cap N)}{P(M)}=\frac{\frac{1}{6}}{\frac{5}{6}}=\frac{1}{5}$$

참고

원점에서 거리가 r이고 x축과 양의 방향으로 이루는 각이 θ인 점의 좌표는 $(r\cos\theta, r\sin\theta)$이므로 순서쌍 (m, n)에 따라

점 $C\left(m\cos\frac{n\pi}{3}, m\sin\frac{n\pi}{3}\right)$의 위치는 다음과 같다.

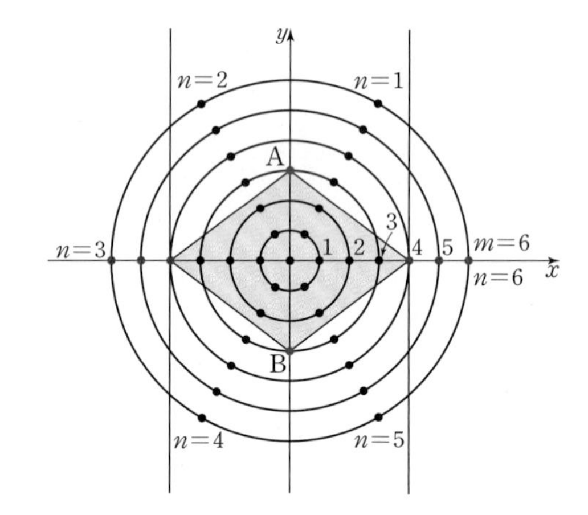

14 답 ⑤

ㄱ. 카드 11장 중에서 임의로 두 장을 동시에 택해 m, n $(m<n)$의 순서쌍 (m, n)을 만드는 총 경우의 수는 ${}_{11}C_2=55$이고, 순서쌍 (m, n)과 △ABC는 일대일 대응이 된다. 즉 만들어지는 △ABC의 개수와 순서쌍 (m, n)의 개수와 같다. (○)

ㄴ. 두 꼭짓점 B, C가 중심이 원점이고, 반지름 길이가 2인 원 위에 있으므로 △ABC의 외접원을 생각하면 △ABC가 직각삼각형이 되려면 △ABC의 어느 한 변이 외접원의 지름이어야 한다. 이때 다음 두 가지 경우로 나눌 수 있다.

(i) 변 AB 또는 변 AC가 외접원의 지름, 즉 점 B 또는 C의 좌표가 $(-2, 0)$인 경우

그림과 같이 원주 위의 점 12개 중 $(2, 0)$, $(-2, 0)$을 제외한 10개의 점 중 하나를 택하면 되므로 이때 가능한 직각삼각형은 모두 10개다.

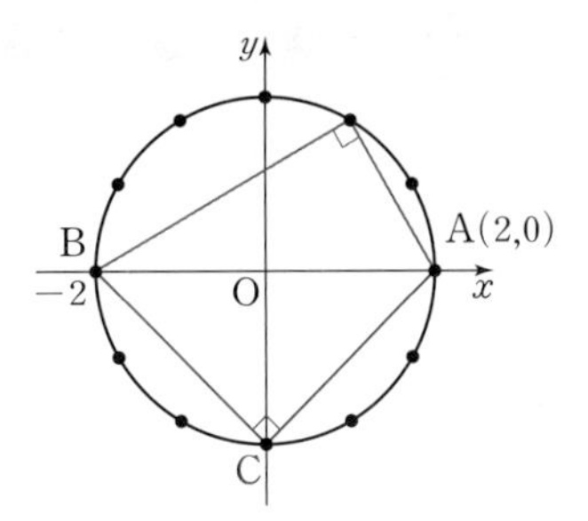

(ii) 선분 BC가 원점을 지나는 경우

그림과 같이 변 BC는 원점을 지나는 6개의 지름 중 두 점 $(2, 0)$, $(-2, 0)$을 지나는 지름을 제외한 5개의 지름 중 하나가 되면 되므로 5개의 직각삼각형이 가능하다.

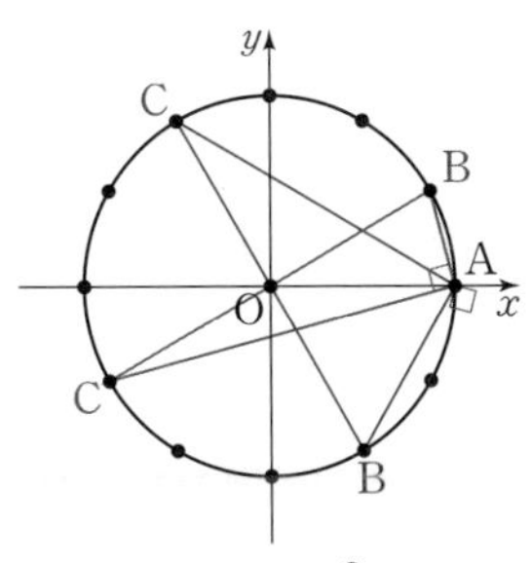

(i), (ii)에서 만들어질 수 있는 직각삼각형은 모두 ❶ 15 개이므로 △ABC가 직각삼각형일 확률은

$\frac{15}{{}_{11}C_2}=\frac{3}{11}$이다. (○)

ㄷ. △ABC가 이등변삼각형이 되는 경우는 다음 세 가지 경우가 있다.

(i) $\overline{AB}=\overline{AC}$인 경우

그림과 같이 생각해 △ABC가 이등변삼각형이 되는 꼭짓점을 순서쌍으로 나타내면

(A, D, N), (A, E, M)
(A, F, L), (A, G, K)
(A, H, J)

이므로 이등변삼각형은 5개다.

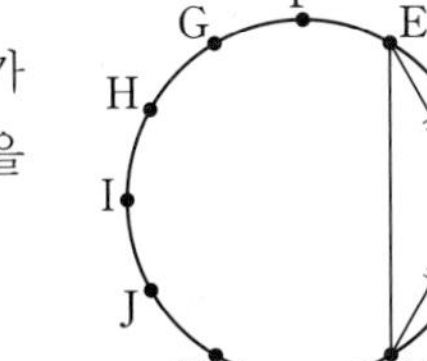

(ii) $\overline{AB}=\overline{BC}$인 경우

그림과 같이 생각해 △ABC가 이등변삼각형이 되는 꼭짓점을 순서쌍으로 나타내면

(A, D, E), (A, E, G)
(A, F, I), (A, H, M)

이므로 이등변삼각형은 4개다.

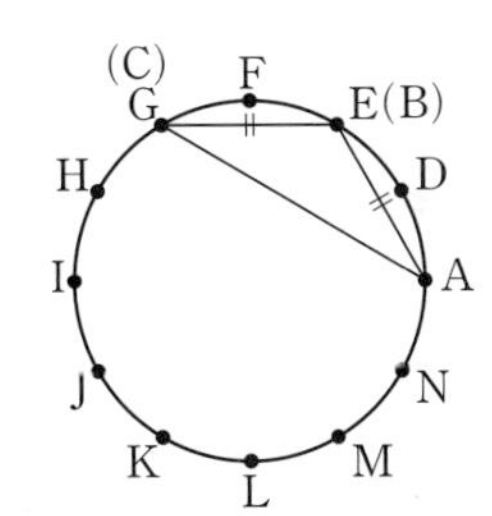

(iii) $\overline{CA}=\overline{BC}$인 경우

그림과 같이 생각해 △ABC가 이등변삼각형이 되는 꼭짓점을 순서쌍으로 나타내면

(A, E, J), (A, M, N)
(A, K, M), (A, I, L)

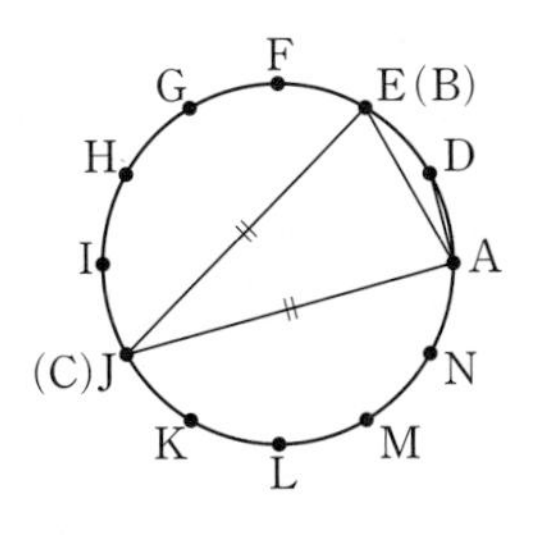

이므로 이등변삼각형은 4개다.

(i)~(iii)에서 이등변삼각형은 모두 ❷ 13 개다. 이중에서 둔각삼각형이 되려면 원의 중심인 원점을 포함하지 않아야 한다.

△ABC가 둔각삼각형이 되는 꼭짓점을 순서쌍으로 나타내면

(A, D, N), (A, E, M), (A, D, E),
(A, E, G), (A, M, N), (A, K, M)

이므로 ❸ 6 개다.

즉 △ABC가 이등변삼각형일 때, △ABC가 둔각삼각형일 확률은 $\frac{6}{13}$이다. (○)

따라서 옳은 것은 ㄱ, ㄴ, ㄷ

참고

(ii), (iii)에서 정삼각형이 되는 세 점 (A, G, K)를 생각할 수 있지만 (i)에서 이미 헤아렸음을 주의한다.

15 답 ⑤

8번째 시행 후 처음으로 상자 B에 든 공 개수가 10이 되는 사건을 M이라 하고, 상자 A와 상자 B에 들어 있는 공 개수가 처음과 같이 각각 6이 되는 사건을 N이라 하자.

문제에서 주어진 시행을 x번 했을 때, 상자 B에 든 공 개수를 y라 고 하면 그림과 같이 나타낼 수 있다. 즉 $(0, 6)$에서 $(8, 10)$으로 이동하는 경로를 생각한다.

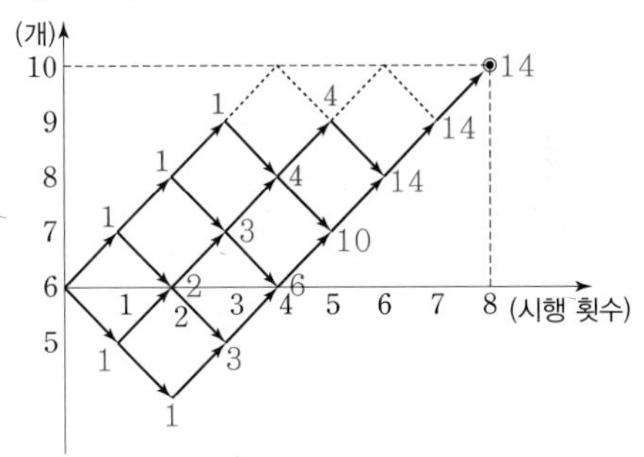

또 동전을 던져 앞면과 뒷면이 나오는 확률은 $\frac{1}{2}$로 같으므로

한 칸을 이동하는 확률은 $\frac{1}{2}$이고, $(0, 6)$에서 $(8, 10)$으로

이동하는 경로는 모두 8칸을 이동하므로 각 경로당 확률은 $\frac{1}{2^8}$이다.

먼저 $P(M)$을 생각하면 위 그림과 같이 상자 B에 들어 있는 공 개수가 8번째 시행 후 처음으로 10이 되어야 하므로 7번째 시행 후에는 9, 6번째 시행 후에는 8이어야 한다.

상자 B에 든 공 개수가 6번째 시행 후에 8이 되기 위해서는 앞면과 뒷면이 각각 4번, 2번 나와야 하고, 첫 번째 시행부터 네 번째 시행까지 모두 앞면이 나오는 경우는 이미 4번째 시행에서 상자 B에 들어 있는 공 개수가 10이 되므로 제외하여야 한다.

이때 경우의 수는 $\frac{6!}{4!2!}-1=14$

즉 14는 위 그림처럼 (0, 6)에서 (8, 10)으로 이동하는 경로의 수이고 구하려는 확률은

$P(M)=14\times\frac{1}{2^8}=\frac{14}{2^8}=$ ❶ $\frac{7}{2^7}$

이다.

또 상자 A와 상자 B에 든 공 개수가 처음과 같이 각각 6이 되는 경우는 위의 그림처럼 2번째 시행 후 또는 4번째 시행 후에 가능하다. 즉 (0, 6)에서 (2, 6)을 지나 (8, 10)으로 이동하거나 (0, 6)에서 (4, 6)을 지나 (8, 10)으로 이동하는 경우이다.

(i) $(0, 6) \longrightarrow (2, 6) \longrightarrow (8, 10)$인 경우, 위 그림에서
 (0, 6)에서 (2, 6)으로 가는 경우의 수는 2,
 (2, 6)에서 (6, 8)로 가는 경우의 수는 $\frac{4!}{3!}=4$,
 (6, 8)에서 (8, 10)으로 가는 경우의 수는 1이므로
 $2\times4\times1=8$

(ii) $(0, 6) \longrightarrow (4, 6) \longrightarrow (8, 10)$인 경우, 위 그림에서
 (0, 6)에서 (4, 6)으로 가는 경우의 수는 $\frac{4!}{2!2!}=6$,
 (4, 6)을 지나 (8, 10)으로 이동하는 경우의 수는 1이므로
 $6\times1=6$

(iii) $(0, 6) \longrightarrow (2, 6) \longrightarrow (4, 6) \longrightarrow (8, 10)$의 경우, 위 그림에서
 (0, 6)에서 (2, 6)으로 가는 경우의 수는 2,
 (2, 6)에서 (4, 6)으로 가는 경우의 수도 2,
 (4, 6)을 지나 (8, 10)으로 이동하는 경우의 수는 1이므로
 $2\times2\times1=4$

(i)~(iii)에서 상자 A와 상자 B에 든 공 개수가 처음과 같이 각각 6이고, 8번째 시행 후 상자 B에 들어 있는 공 개수가 처음으로 10이 되는 즉 사건 $M\cap N$의 경우의 수는 $8+6-4=10$

이때 $P(M\cap N)=10\times\frac{1}{2^8}=$ ❷ $\frac{5}{2^7}$

따라서 $P(N|M)=\frac{P(M\cap N)}{P(M)}=\frac{\frac{5}{2^7}}{\frac{7}{2^7}}=\frac{5}{7}$

킬러 격파 Tip

시행에 따른 상자 B에 들어 있는 공 개수의 변화를 길찾기 모델을 이용하였다. 이와 같이 시행 횟수와 그에 따른 결과 값이 변동하는 경우는 길찾기 모델을 이용하면 한 눈에 보이므로 정리하기 편하다.

p. 125~133

집중공략 유형 13 정규분포와 추정

01 783	02-1 ②	02-2 445	03-1 ①
03-2 ⑤	04 ②	05 ③	06 19
07 ②	08 ③	09 9	10 ③
11 ③	12 ④	13 22	14 ②

01 답 783

조건에서 표본의 크기 n은 36이고, 36명이 하루 동안 도보로 이동한 거리의 총합은 216 km이다.

이때 표본평균 $\overline{X}=\frac{216}{36}=6$이므로

모평균 m에 대한 신뢰구간은

$6-k\frac{\sigma}{\sqrt{36}}\le m\le 6+k\frac{\sigma}{\sqrt{36}}$ ……㉠

이고, 신뢰구간의 길이는 $2k\frac{\sigma}{\sqrt{36}}$ ……㉡

한편 주어진 표준정규분포표에서 상수 k값은

95 % 신뢰도에서는 $k=1.96$이고,

90 % 신뢰도에서는 $k=1.64$다.

신뢰도 95 %일 때 신뢰구간이 $a\le m\le a+0.98$이므로

㉡에서 $2\times1.96\times\frac{\sigma}{\sqrt{36}}=(a+0.98)-a=0.98$

즉 $1.96\times\frac{\sigma}{\sqrt{36}}=0.49$ ……㉢

에서 $\sigma=\frac{0.49}{1.96}\times6=\frac{6}{4}=1.5$

㉢을 ㉠에 대입한 $6-0.49\le m\le 6+0.49$와

$a\le m\le a+0.98$을 비교하면 $a=6-0.49=5.51$

또 ㉡에 $k=1.64$를 대입해 90 % 신뢰구간의 길이를 구하면

$l=2\times1.64\times\frac{1.5}{6}=0.82$

따라서 $100(a+\sigma+l)=100(5.51+1.5+0.82)=783$

02-1 답 ②

어느 고등학교 학생들의 1개월 자율학습실 이용 시간을 확률변수 X라 하면 X는 정규분포 $N(m, 5^2)$을 따른다.

표본의 크기가 $n=25$일 때, 표본평균이 $\overline{x_1}$이므로 모평균 m에 대한 신뢰도 95 %의 신뢰구간은

$\overline{x_1}-1.96\times\frac{5}{\sqrt{25}}\le m\le\overline{x_1}+1.96\times\frac{5}{\sqrt{25}}$

즉 $\overline{x_1}-1.96\le m\le\overline{x_1}+1.96$ ……㉠

그런데 문제에서 모평균 m에 대한 신뢰도 95 %의 신뢰구간이

$80-a\le m\le 80+a$ ……㉡

라 했으므로 ㉠, ㉡을 비교하면

$\overline{x_1}=80$, $a=$ ❶ 1.96 ……㉢

또한 표본의 크기가 n일 때는 표본평균이 $\overline{x_2}$이므로 모평균 m에 대한 신뢰도 95 %의 신뢰구간은

$\overline{x_2}-1.96\times\frac{5}{\sqrt{n}}\le m\le\overline{x_2}+1.96\times\frac{5}{\sqrt{n}}$ ⋯⋯ ㉣

그런데 문제에서 모평균 m에 대한 신뢰도 95 %의 신뢰구간이

$\frac{15}{16}\overline{x_1}-\frac{5}{7}a\le m\le\frac{15}{16}\overline{x_1}+\frac{5}{7}a$ ⋯⋯ ㉤

라 했으므로 ㉣, ㉤을 비교하면,

$\overline{x_2}=\frac{15}{16}\overline{x_1},\ 1.96\times\frac{5}{\sqrt{n}}=\frac{5}{7}a$ ⋯⋯ ㉥

㉢, ㉥에서 $\overline{x_2}=\frac{15}{16}\times 80=75,\ 1.96\times\frac{5}{\sqrt{n}}=\frac{5}{7}\times 1.96$

이므로 $\overline{x_2}=75$, $n=$ ❷ 49

따라서 $n+\overline{x_2}=49+75=124$

02-2 답 445

어느 고등학교 학생들의 1개월 자율학습실 이용 시간을 확률변수 X라 하면 X는 정규분포 $\mathrm{N}(m, \sigma^2)$을 따른다.

표본의 크기가 $n=16$일 때, 표본평균이 $\overline{x_1}$이고

주어진 표준정규분포표에서 $\mathrm{P}(-2\le Z\le 2)=0.954$이므로

모평균 m에 대한 신뢰도 95.4 %의 신뢰구간은

$\overline{x_1}-2\times\frac{\sigma}{\sqrt{16}}\le m\le\overline{x_1}+2\times\frac{\sigma}{\sqrt{16}}$ ⋯⋯ ㉠

그런데 문제에서 모평균 m에 대한 신뢰도 95.4 %의 신뢰구간이

$90-a\le m\le 90+a$ ⋯⋯ ㉡

라 했으므로 ㉠, ㉡을 비교하면

$\overline{x_1}=$ ❶ 90, $a=2\times\frac{\sigma}{\sqrt{16}}=\frac{\sigma}{2}$ ⋯⋯ ㉢

또한 표본의 크기가 n일 때는 표본평균이 $\overline{x_2}$이고

주어진 표준정규분포표에서 $\mathrm{P}(-1.5\le Z\le 1.5)=0.866$

이므로 모평균 m에 대한 신뢰도 86.6 %의 신뢰구간은

$\overline{x_2}-1.5\times\frac{\sigma}{\sqrt{n}}\le m\le\overline{x_2}+1.5\times\frac{\sigma}{\sqrt{n}}$ ⋯⋯ ㉣

그런데 문제에서 모평균 m에 대한 신뢰도 86.6 %의 신뢰구간이

$\frac{14}{15}\overline{x_1}-\frac{3}{19}a\le m\le\frac{14}{15}\overline{x_1}+\frac{3}{19}a$ ⋯⋯ ㉤

라 했으므로 ㉣, ㉤을 비교하면

$\overline{x_2}=\frac{14}{15}\overline{x_1},\ 1.5\times\frac{\sigma}{\sqrt{n}}=\frac{3}{19}a$ ⋯⋯ ㉥

㉢, ㉥에서 $\overline{x_2}=\frac{14}{15}\overline{x_1}=\frac{14}{15}\times 90=84,\ 1.5\times\frac{\sigma}{\sqrt{n}}=\frac{3}{19}\times\frac{\sigma}{2}$

이므로 $\overline{x_2}=84$, $n=19^2=$ ❷ 361

따라서 $n+\overline{x_2}=361+84=445$

03-1 답 ①

확률변수 X와 Y는 표준편차가 같다. 즉 확률변수 X와 Y의 확률밀도함수 $f(x)$와 $g(x)$는 평행이동하면 서로 포개지는 함수이므로 그림처럼 생각할 수 있다.

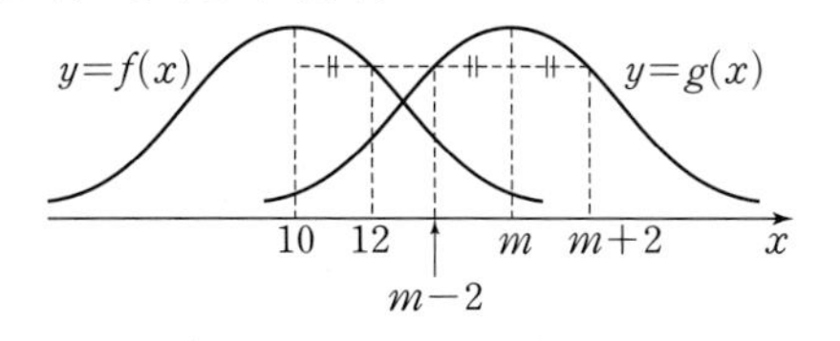

$f(12)\le g(20)$이므로 $m-2\le 20\le m+2$에서 ❶ $18\le m\le 22$

또 $\mathrm{P}(21\le Y\le 24)$가 최댓값을 가지려면

확률변수 Y의 평균 m이 $\frac{21+24}{2}=22.5$에 가장 가까워야 하므로 $m=$ ❷ 22 일 때 확률 $\mathrm{P}(21\le Y\le 24)$은 최댓값을 가진다.

따라서 구하려는 확률의 최댓값은

$\mathrm{P}(21\le Y\le 24)=\mathrm{P}(-0.5\le Z\le 1)$
$=\mathrm{P}(0\le Z\le 0.5)+\mathrm{P}(0\le Z\le 1)$
$=0.1915+0.3413=0.5328$

03-2 답 ⑤

ㄱ. 확률변수 X와 Y는 표준편차가 같다. 즉 확률변수 X와 Y의 확률밀도함수 $f(x)$와 $g(x)$는 평행이동하면 서로 포개지는 함수이므로 모든 실수 x에 대하여 $f(x)=g(x+\alpha)$를 만족시키는 상수 α가 존재한다. (○)

ㄴ. 다음 그림처럼 생각할 수 있다.

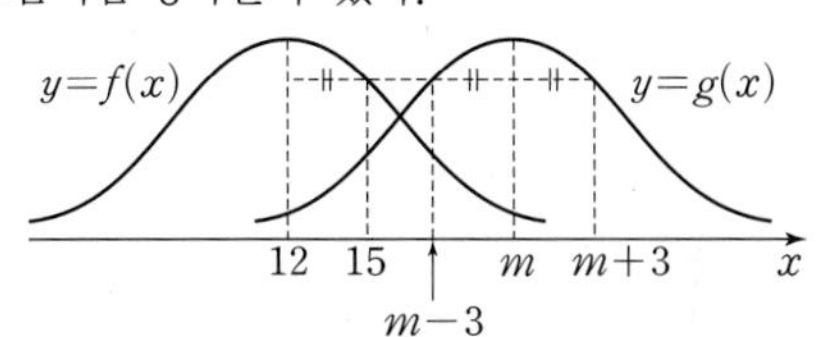

이때 $f(15)\le g(20)$이므로 $m-3\le 20\le m+3$에서

❶ $17\le m\le 23$ (○)

ㄷ. $\mathrm{P}(19\le Y\le 25)$가 최댓값을 가지려면 확률변수 Y의 평균 m이 $\frac{19+25}{2}=22$에 가장 가까워야 한다.

ㄴ에서 $17\le m\le 23$이므로

$m=$ ❷ 22 일 때 확률 $\mathrm{P}(19\le Y\le 25)$는 최댓값을 갖는다.

이때 구하려는 확률의 최댓값은

$\mathrm{P}(19\le Y\le 25)=\mathrm{P}(-1\le Z\le 1)=0.6826$ (○)

따라서 옳은 것은 ㄱ, ㄴ, ㄷ

04 답 ②

$f(x)=\frac{1}{\sqrt{2\pi}\sigma}e^{-\frac{(x-m)^2}{2\sigma^2}}$과 $f(x)=\frac{1}{8\sqrt{2\pi}}e^{-\frac{(x-20)^2}{128}}$

을 비교하면 $m=20$, $\sigma=8$이므로

확률변수 X는 정규분포 ❶ $\mathrm{N}(20,\ 8^2)$ 을 따른다.

$\therefore$ $P(20 \le X \le 32) - P(X \le 8)$

$= P\left(0 \le Z \le \frac{32-20}{8}\right) - P\left(Z \le \frac{8-20}{8}\right)$

$=$ ❷ $P(0 \le Z \le 1.5) - P(Z \le -1.5)$

$= P(0 \le Z \le 1.5) - \{0.5 - P(0 \le Z \le 1.5)\}$

$= 2P(0 \le Z \le 1.5) - 0.5$

$= 2 \times 0.4332 - 0.5 = 0.3664$

05 답 ③

홍보 이벤트에 참가하는 회원 수를 확률변수 X로 하면

X는 이항분포 $B(900, 0.8)$을 따르므로

$E(X) = 900 \times 0.8 = 720$, $V(X) = 900 \times 0.8 \times 0.2 = 144$

이때 900은 충분히 큰 수이므로 확률변수 X는 근사적으로 정규분포 ❶ $N(720, 12^2)$을 따른다.

회사에서 증정용 칫솔 n세트를 준비했을 때 이벤트에 참가한 모든 사람이 받게 된다면 $X \le n$을 만족시켜야 한다.

문제의 조건에서 $P(X \le n) \ge 0.99$이어야 하므로

$P(X \le n) = P\left(Z \le \frac{n-720}{12}\right)$

$= 0.5 + P\left(0 \le Z \le \frac{n-720}{12}\right) \ge 0.99$

$\therefore$ $P\left(0 \le Z \le \frac{n-720}{12}\right) \ge 0.49$

표준정규분포표에서 $P(0 \le Z \le 2.5) = 0.49$이므로

$\frac{n-720}{12} \ge 2.5$ $\quad\therefore$ ❷ $n \ge 750$

따라서 회사에서는 증정용 칫솔을 최소 750세트 준비해야 한다.

06 답 19

표본평균을 $\overline{X}$라 하면 신뢰도 99 %인 모평균에 대한 신뢰구간은

$\left[\overline{X} - 2.58\frac{\sigma}{\sqrt{n}}, \overline{X} + 2.58\frac{\sigma}{\sqrt{n}}\right] = [67.1, 92.9]$이므로

$\overline{X} - 2.58\frac{\sigma}{\sqrt{n}} = 67.1$, $\overline{X} + 2.58\frac{\sigma}{\sqrt{n}} = 92.9$

두 식에서 $2\overline{X} = 160$이므로 $\overline{X} =$ ❶ 80

또 두 식을 뺀 결과에서 $2 \times 2.58 \times \frac{\sigma}{\sqrt{n}} = 25.8$

$\therefore$ $\frac{\sigma}{\sqrt{n}} =$ ❷ 5

모평균에 대한 신뢰도 95 %의 신뢰구간은

$\left[\overline{X} - 1.96 \times \frac{\sigma}{\sqrt{n}}, \overline{X} + 1.96 \times \frac{\sigma}{\sqrt{n}}\right]$

이므로 $\overline{X} = 80$, $\frac{\sigma}{\sqrt{n}} = 5$를 대입하면

$[80 - 1.96 \times 5, 80 + 1.96 \times 5] = [70.2, 89.8]$

따라서 이 신뢰구간에 속하는 자연수는

71, 72, 73, ⋯, 89이므로 모두 19개다.

07 답 ②

직원들이 출근하는 데 걸린 시간을 확률변수 X라 하면 X는 정규분포 $N(50.4, 15^2)$을 따른다. 이때

$P(X \ge 63) = P\left(Z \ge \frac{63-50.4}{15}\right)$

$= P(Z \ge 0.84)$

$= 0.5 - P(0 \le Z \le 0.84)$

$= 0.5 - 0.3 =$ ❶ 0.2

이므로 다음과 같은 출근 시간과 지하철 이용에 관한 표를 만들 수 있다.

	지하철 이용	지하철 이용 안 함	계
63분 이상	0.2×0.6	0.2×0.4	0.2
63분 미만	0.8×0.3	0.8×0.7	0.8
계	0.36	0.64	1

이때 지하철을 이용하고 출근 시간이 63분 이상일 확률이

$0.2 \times 0.6 =$ ❷ 0.12이므로 구하려는 확률은 $\frac{0.12}{0.36} = \frac{1}{3}$

08 답 ③

$f(x) = f(150 - x)$이므로 $f(x)$는 $x = 75$에 대하여 대칭이다.

$\therefore$ $m = 75$

이때 확률변수 X는 정규분포 $N(75, \sigma^2)$을 따른다.

$Z = \frac{X-m}{\sigma}$으로 놓으면

$P(X \ge a) = P\left(Z \ge \frac{a-75}{\sigma}\right) = \frac{70}{1000} = 0.07$에서

$P\left(0 \le Z \le \frac{a-75}{\sigma}\right) = 0.5 - 0.07 = 0.43$이므로

주어진 표준정규분포표에서

$\frac{a-75}{\sigma} = 1.5$ $\quad\therefore$ $a =$ ❶ $75 + 1.5\sigma$

마찬가지로

$P(X \ge b) = P\left(Z \ge \frac{b-75}{\sigma}\right) = \frac{20}{1000} = 0.02$에서

$P\left(0 \le Z \le \frac{b-75}{\sigma}\right) = 0.5 - 0.02 = 0.48$이므로

$\frac{b-75}{\sigma} = 2$ $\quad\therefore$ $b =$ ❷ $75 + 2\sigma$

따라서 $a + b = (75 + 1.5\sigma) + (75 + 2\sigma) = 178$에서

$3.5\sigma = 28$이므로 $\sigma = 8$

09 답 9

모집단이 $N(m, 1^2)$인 정규분포를 따르므로

표본평균 $\overline{X}$는 $N\left(m, \left(\frac{1}{\sqrt{n}}\right)^2\right)$인 정규분포를 따른다.

$$F(m)=P\left(\overline{X}\geq -\frac{2}{\sqrt{n}}\right)=P\left(Z\geq \frac{-\frac{2}{\sqrt{n}}-m}{\frac{1}{\sqrt{n}}}\right)\text{이므로}$$

$$F(0)=P\left(Z\geq \frac{-\frac{2}{\sqrt{n}}}{\frac{1}{\sqrt{n}}}\right)=P(Z\geq -2)=^{❶}\underline{0.98}$$

조건에서 $F(0)+F(-1)\leq 1.14$이므로

$F(-1)=P(Z\geq -2+\sqrt{n})\leq ^{❷}\underline{0.16}$

이때 표준정규분포표에서

$P(Z\geq 1)=0.16$이므로

$-2+\sqrt{n}\geq 1$, 즉 $n\geq 3^2=9$

자연수 n의 최솟값은 9

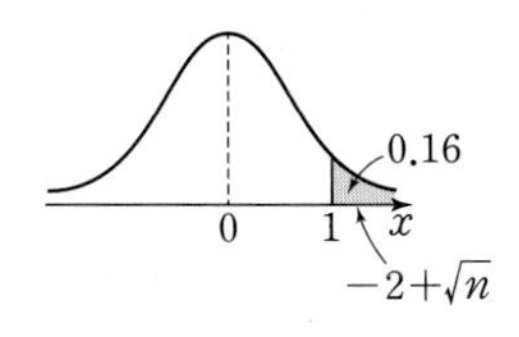

10 답 ③

확률변수 X가 정규분포 $N\left(t, \left(\frac{1}{t^2}\right)^2\right)$을 따르므로 표준화하면

$$G(t)=P\left(X\leq \frac{3}{2}\right)=P\left(Z\leq \frac{\frac{3}{2}-t}{\frac{1}{t^2}}\right)=P\left(Z\leq \frac{-2t^3+3t^2}{2}\right)$$

이므로 표준정규분포 곡선에서 생각하면

함수 $G(t)$는 $\frac{-2t^3+3t^2}{2}$이 최대일 때, 최댓값을 가진다.

이때 $f(t)=^{❶}\underline{\frac{3}{2}t^2-t^3}$ $(t>0)$이라 하면

$f'(t)=3t-3t^2=0$에서

함수 $f(t)$의 증가와 감소는 표와 같으므로 $t=1$일 때 $f(t)$는 극대이면서 최대이고, 그 값이 $\frac{1}{2}$,

t	(0)	$\cdots$	1	$\cdots$
$f'(t)$		+	0	−
$f(t)$		↗	$\frac{1}{2}$	↘

즉 $^{❷}\underline{0.5}$이다.

따라서 함수 $G(t)$의 최댓값은

$G(t)=P(Z\leq 0.5)=P(Z\leq 0)+P(0\leq Z\leq 0.5)=0.691$

11 답 ③

과수원에서 생산한 사과 한 개 무게를 확률변수 X라 하면 X는 정규분포 $N(300, 20^2)$을 따른다.

한 상자에 들어 있는 사과 16개의 무게 평균을 확률변수 $\overline{X}$라 하면

$E(\overline{X})=300$, $\sigma(\overline{X})=\frac{20}{\sqrt{16}}=5$

이므로 $\overline{X}$는 정규분포 $N(300, 5^2)$을 따른다.

사과 16개를 상자 한 개에 담을 때, 사과 한 상자의 무게가 4700 g 미만인 경우는 $16\overline{X}<4700$, 즉 $\overline{X}<293.75$일 때다.

$$\begin{aligned}\therefore P(\overline{X}<293.75)&=P\left(Z<\frac{293.75-300}{5}\right)\\&=P(Z<-1.25)\\&=P(Z>1.25)\\&=0.5-P(0\leq Z\leq 1.25)\\&=0.5-0.4=^{❶}\underline{0.1}\end{aligned}$$

이때 사과 400상자 중 기준 미달인 상자 개수를 확률변수 Y라 하면 Y는 이항분포 $B(400, 0.1)$을 따르고

$E(Y)=400\times 0.1=40$, $V(Y)=400\times 0.1\times 0.9=6^2$

이고, 400은 충분히 큰 수이므로 확률변수 Y는 근사적으로 정규분포 $^{❷}\underline{N(40, 6^2)}$을 따른다.

따라서 기준 미달 상자가 31상자 이하로 나올 확률은

$$P(Y\leq 31)=P\left(Z\leq \frac{31-40}{6}\right)=P(Z\leq -1.5)=0.07$$

12 답 ④

비누 한 개 무게가 90 g 이상일 확률을 p_1,

비누를 4개씩 묶어 360 g 이상일 확률을 p_2라 하자.

두 공장에서 생산한 비누 1개 무게를 확률변수 X라 하면

X가 정규분포 $N(100, 10^2)$을 따르므로

$$p_1=P(X\geq 90)=P\left(Z\geq \frac{90-100}{10}\right)=P(Z\geq -1)=0.84$$

또 비누 4개의 무게 평균을 확률변수 $\overline{X}$라 하면

$E(\overline{X})=100$, $\sigma(\overline{X})=\frac{10}{\sqrt{4}}=5$

$\overline{X}$는 $N(100, 5^2)$을 따르므로

$$p_2=P(\overline{X}\geq 90)=P\left(Z\geq \frac{90-100}{5}\right)=P(Z\geq -2)=0.98$$

이때 $\frac{10000\times 0.84}{4}=2100$이므로

A회사에서는 하루에 $^{❶}\underline{2100}$상자를 판매할 수 있고,

$\frac{10000\times 0.98}{4}=2450$이므로

B회사에서는 하루에 $^{❷}\underline{2450}$상자를 판매할 수 있다.

따라서 두 회사에서 판매할 수 있는 상자 개수의 차는

$2450-2100=350$

13 답 22

$f(x)=x^3+3x^2-9x+3a$로 놓으면

$f'(x)=3(x+3)(x-1)=0$에서 $x=-3$ 또는 $x=1$

이므로 함수 $f(x)$는 $x=-3$에서 극대, $x=1$에서 극소이다.

방정식 $f(x)=0$이 서로 다른 두 개의 양의 실근을 가지려면 그림과 같이 $y=f(x)$의 그래프가 $x>0$인 부분에서 x축과 서로 다른 두 점에서 만나야 하므로 $f(0)>0$이고 (극솟값)<0이어야 한다.

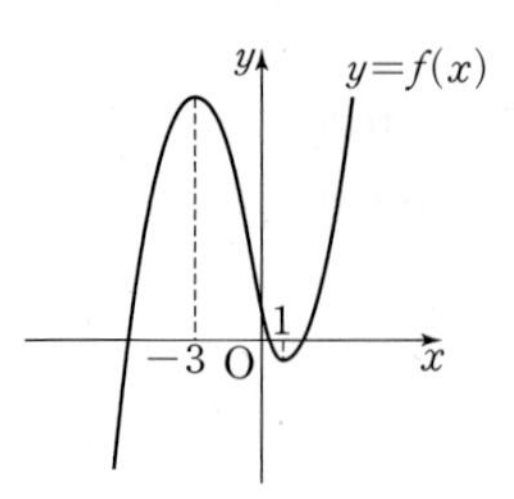

$f(0)=3a>0$과 $f(1)=3a-5<0$에서

$0<a<\frac{5}{3}$이므로 $a=$❶ $\underline{1}$만 가능하다.

즉 사건 A가 일어날 확률은 $\frac{1}{6}$이고, 사건 A가 일어나는 횟수를 확률변수 X라 할 때, X는 이항분포 $\mathrm{B}\left(180, \frac{1}{6}\right)$을 따르므로

$\mathrm{E}(X)=180\times\frac{1}{6}=30$, $\mathrm{V}(X)=180\times\frac{1}{6}\times\frac{5}{6}=25$

한편 180은 충분히 큰 수이므로

X는 정규분포 $\mathrm{N}(30, 5^2)$을 따른다.

사건 A가 k번 이상 일어날 확률이 0.93 이상, 즉

$\mathrm{P}(X\geq k)$

$=\mathrm{P}\left(Z\geq\frac{k-30}{5}\right)\geq 0.93$

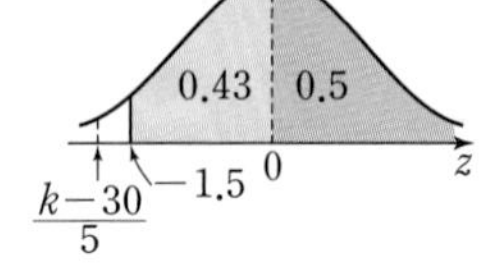

에서 $0.93=0.5+0.43$이므로

$\frac{k-30}{5}\leq -1.5$ $\quad\therefore$ ❷ $\underline{k\leq 22.5}$

따라서 자연수 k의 최댓값은 22

14 답 ②

정규분포를 따르는 확률밀도함수 그래프는 평균 $x=m$에 대칭이고 x값이 평균에 가까울수록 함숫값이 크다.

조건 ㈎에서 $f(10)>f(20)$이므로 다음 두 가지 경우를 생각할 수 있다.

(i) $10<m<20$

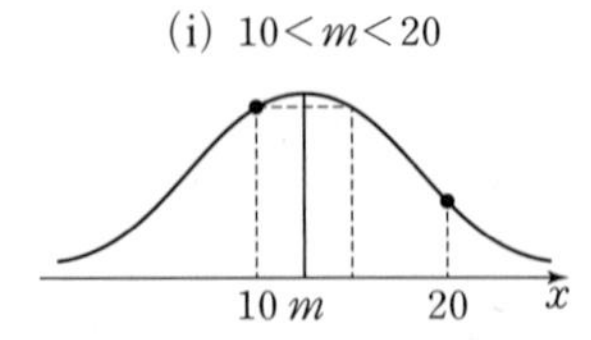

(ii) $m<10<20$

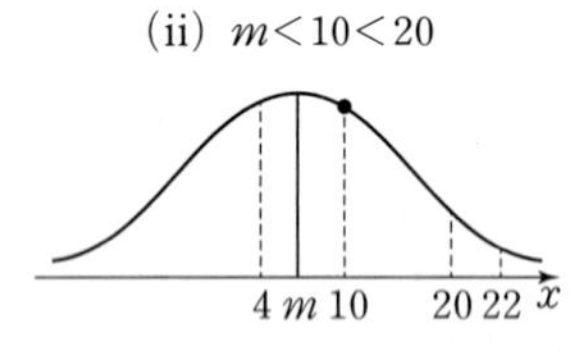

즉 $20-m>m-10$이어야 하므로 $m<15$ ……㉠

같은 방법으로 생각하면 $f(4)<f(22)$에서

$m-4>22-m$이어야 하므로 $m>13$ ……㉡

㉠, ㉡에서 m이 자연수이고, $13<m<15$이므로 $m=$❶ $\underline{14}$

즉 X는 정규분포 $\mathrm{N}(14, 2^2)$을 따른다.

$\therefore \mathrm{P}(X\geq 18)=\mathrm{P}\left(Z\geq\frac{18-14}{2}\right)$

$=\mathrm{P}(Z\geq 2)$

$=0.5-\mathrm{P}(0\leq Z\leq 2)=0.0228$

또 두 확률변수 X, Y가 따르는 정규분포에서 표준편차가 같으므로 확률밀도함수 $f(x)$, $g(x)$는 평행이동하면 서로 포개진다.

㈏에서 $f(10)=g(26)$, $\mathrm{P}(Y<26)\geq 0.5$이므로 그림과 같이 생각할 수 있다.

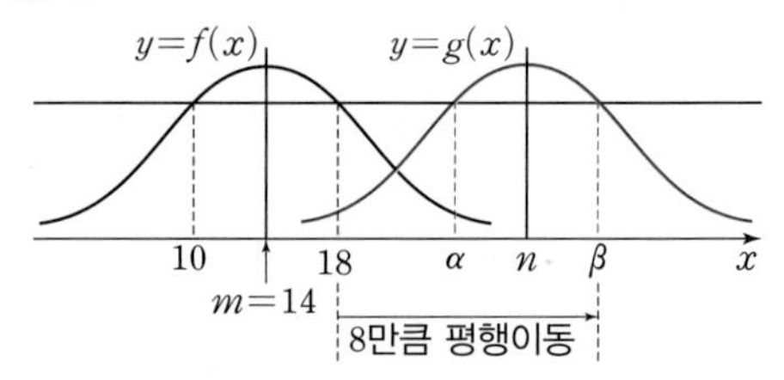

$f(10)=g(26)$에서 $\alpha=26$ 또는 $\beta=26$이 가능하지만

$\mathrm{P}(Y<26)\geq 0.5$이므로 $\beta=26$이다.

이때 $y=g(x)$는 $y=f(x)$를 x축으로 8만큼 평행이동한 것이므로 $n=m+8=$❷ $\underline{22}$

즉 Y는 정규분포 $\mathrm{N}(22, 2^2)$을 따른다.

$\therefore \mathrm{P}(Y\leq 20)=\mathrm{P}\left(Z\leq\frac{20-22}{2}\right)$

$=\mathrm{P}(Z\leq -1)$

$=0.5-\mathrm{P}(0\leq Z\leq 1)$

$=0.1587$

$\mathrm{P}(X\geq 18)+\mathrm{P}(Y\leq 20)=0.0228+0.1587=0.1815$

참고

❶ (ii)의 $m<10$은 $f(4)<f(22)$인 조건을 만족시키지 않는다.

❷

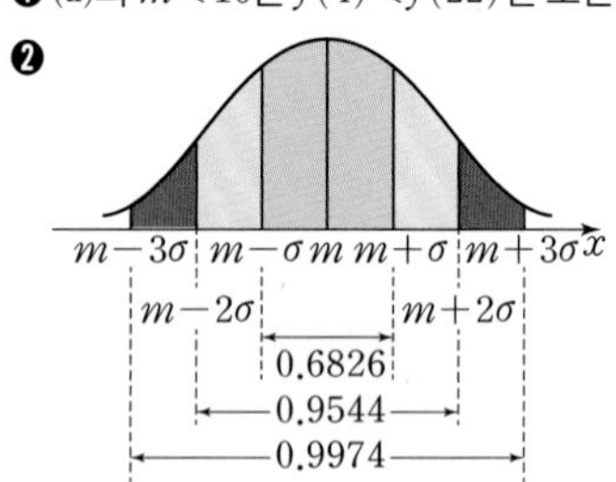

정규분포 $\mathrm{N}(m, \sigma^2)$의 확률분포를 나타낸 그림을 이용하면

$\mathrm{P}(m\leq X\leq m+\sigma)=\mathrm{P}(0\leq Z\leq 1)=\frac{0.6826}{2}=0.3413$

$\mathrm{P}(m\leq X\leq m+2\sigma)=\mathrm{P}(0\leq Z\leq 2)=\frac{0.9544}{2}=0.4772$

$\mathrm{P}(m\leq X\leq m+3\sigma)=\mathrm{P}(0\leq Z\leq 3)=\frac{0.9974}{2}=0.4987$

임을 알 수 있다.

memo

memo

정답은
이안에
있어!

배움으로 행복한 내일을 꿈꾸는

천재교육 커뮤니티 안내

교재 안내부터 구매까지 한 번에!

천재교육 홈페이지

천재교육 홈페이지에서는 자사가 발행하는 참고서,
교과서에 대한 소개는 물론 도서 구매도 할 수 있습니다.
회원에게 지급되는 별을 모아 다양한 상품 응모에도
도전해 보세요.

구독, 좋아요는 필수! 핵유용 정보 가득한

천재교육 유튜브 <천재TV>

신간에 대한 자세한 정보가 궁금하세요?
참고서를 어떻게 활용해야 할지 고민인가요?
공부 외 다양한 고민을 해결해 줄 채널이 필요한가요?
학생들에게 꼭 필요한 콘텐츠로 가득한 천재TV로 놀러 오세요!

다양한 교육 꿀팁에 깜짝 이벤트는 덤!

천재교육 인스타그램

천재교육의 새롭고 중요한 소식을 가장 먼저 접하고 싶다면?
천재교육 인스타그램 팔로우가 필수!
누구보다 빠르고 재미있게 천재교육의 소식을 전달합니다.
깜짝 이벤트도 수시로 진행되니 놓치지 마세요!